La vie politique sous la troisième République

DU MÊME AUTEUR

La Séparation de l'Église et de l'État

Julliard, coll. « Archives », 1966

Un prêtre démocrate,
l'abbé Lemire (1853-1928)

Casterman, 1968

Autonomie et Politique en Alsace
La constitution de 1911

A. Colin, 1970

Les Débuts de la Troisième République

Éd. du Seuil, 1973

Des partis catholiques
à la Démocratie chrétienne
(XIXe-XXe siècle)

A. Colin, 1980

En collaboration

Histoire du peuple français

t. V, NLF, 1964

L'Histoire religieuse de
la France, XIXe-XXe siècles
Problèmes et méthodes

Beauchesne, 1975

Jean-Marie Mayeur

La vie politique sous la troisième République

1870-1940

Éditions du Seuil

EN COUVERTURE

Calendrier 1880, Gambetta et Clemenceau, musée Carnavalet (archives J.-L. Charmet).

ISBN 2-02-00-6777-3

Introduction

N'est-ce pas une entreprise vaine de tenter d'écrire un nouveau livre sur l'histoire de la vie politique sous la troisième République ? Les synthèses classiques, de Charles Seignobos à François Goguel et à Jean-Jacques Chevallier, ne sont-elles pas toujours précieuses ? Le nombre croissant des travaux français et étrangers ne risque-t-il pas de décourager l'historien qui s'efforce de parvenir à une mise au point ?

Plusieurs raisons ont cependant guidé cette tentative. La première est la conviction que vient à son heure une mise en perspective qui intègre les apports des recherches récentes et qui, le cas échéant, puisse déceler les lacunes de celles-ci. Certaines périodes en effet — les tout débuts du régime, les années 1920 —, certaines forces — les républicains de gouvernement, les modérés —, certains problèmes — le travail parlementaire, la vie politique locale — restent mal connus, alors qu'on a scruté les moindres écoles de pensée de l'extrême droite ou de l'extrême gauche, que les péripéties du 6 février 1934 ou du Front populaire ont été suivies avec une grande minutie.

Il a également semblé utile de proposer, non seulement aux étudiants, mais aussi au public cultivé et épris de la chose publique, un instrument de travail. Pour avoir donné, depuis 1974, un cours à l'Institut d'études politiques de Paris sur la vie politique sous la troisième République, je me suis, au long des années, convaincu de l'opportunité d'une publication destinée aux lecteurs qui ressentent à la fois le besoin d'une introduction à l'histoire de notre temps et de la compréhension du passé.

C'est ici la troisième raison qui m'a conduit à ce travail. La période n'est sans doute guère éloignée : un long siècle tout au plus nous sépare de ses débuts. Depuis quelques années se pressent manifestations, commémorations, colloques par quoi le présent retrouve le passé. Les hommes qui, aujourd'hui, parviennent à la cinquantaine ont pu connaître dans leur enfance des témoins des débuts de la troisième République. Pourtant, les mutations de la société et de la vie politique françaises, ces dernières décennies, ont rejeté bien loin dans l'histoire le temps de Gambetta et du duc de Broglie, de Combes, de Briand et d'Herriot, celui du 16 mai, du Bloc et du Cartel.

Mais, parce que la culture politique française est au plus profond marquée d'historicisme et enracinée dans le passé, les références à la troisième République demeurent présentes dans notre vie politique, au risque de voir les idées reçues et les stéréotypes l'emporter sur la réalité. Le boulangisme ou la Ligue des Croix-de-Feu continuent souvent par exemple à être présentés comme des mouvements fascisants, ou du moins ennemis de la légalité républicaine, quand les choses sont certes moins simples.

Une autre déformation s'ajoute à celle-ci. Elle ne consiste pas à répéter l'image dominante de l'historiographie républicaine et de gauche, mais, et cela est plus grave, à juger le passé d'après les concepts de notre temps. Gambetta devient alors quelque « centriste », et Poincaré un homme de droite, au risque d'oublier que les critères se sont modifiés et que, pendant toute une longue période de l'histoire de la troisième République, l'attitude sur la question du régime et la question de la laïcité constituent la véritable ligne de démarcation entre la droite et la gauche. Essayer de donner une juste image des réalités politiques de ce régime, sans négliger de prendre en compte, comme doit le faire l'historien, à la fois les sentiments des contemporains et les relectures de notre présent, telle a été notre intention.

Il importe enfin de dire ce que ce livre n'est pas et du reste, à moins de sortir des dimensions raisonnables, ce qu'il ne pouvait pas être. On ne cherchera pas une histoire générale de la troisième République. Celle-ci a été souvent écrite et il ne s'agissait pas d'aborder ici l'histoire démographique, économique, sociale, religieuse, culturelle [1]. Un tel choix suggère cependant une

1. Qu'il me soit permis de renvoyer ici à un essai de jeunesse : J.-M. Mayeur, « La France bourgeoise devient laïque et républicaine », in *Histoire du peuple français,* Nouvelle Librairie de France, t. V, 1964. La part du politique y était, à dessein, réduite. On retrouvera d'autre part,

question : peut-on écrire l'histoire de la vie politique pour elle-même ? Le propos me paraît en fait légitime. Des liens complexes unissent sans doute l'ensemble du tissu historique et la vie politique. Mais cet environnement n'exerce d'influence sur la vie politique, et n'a de relation avec celle-ci, que de façon indirecte. Défions-nous des causalités simplistes et à sens unique. La politique n'est pas un produit du social et de l'économique. A mesure que ma connaissance des phénomènes politiques s'est précisée, leur autonomie m'est apparue avec une netteté croissante. Les institutions, les pratiques, les idéologies ne sont pas le reflet d'un état social. Le mental, a dit Ernest Labrousse, retarde sur l'économique et le social. Il peut aussi anticiper sur ceux-ci et, en tout état de cause, contribuer à les structurer. Les conceptions de l'économie, les idées qu'on se fait de la société modifient l'une et l'autre. Aussi bien les décalages et les discordances sont-ils aussi remarquables que les concordances.

Des essayistes de talent ont cru voir dans le système politique français de la troisième République, défini par la faiblesse de l'exécutif, l'expression d'une économie et d'une société « bloquées [1] ». Aujourd'hui, les historiens de l'économie ont fortement établi la vitalité et le dynamisme de l'économie française, particulièrement à partir du début du siècle, malgré la stagnation démographique. En vérité, un régime et une culture politiques ont leur spécificité, qui trouve d'abord, bien plus que dans les structures économiques et sociales, ses raisons dans l'histoire. La crainte du pouvoir personnel responsable de la défiance devant l'exécutif est fondée sur les souvenirs de l'Empire. La répartition géographique des forces politiques, si longtemps durable, par-delà les mutations sociologiques, est tributaire d'un héritage qui remonte aux origines du suffrage universel, sinon à la Révolution française. Les idéologies ont leur vie propre qui se prolonge au-delà des conditions qui leur ont donné naissance.

Une dernière observation doit être présentée au lecteur : ce livre veut être une histoire de la vie politique sous la troisième

---

sous une forme remaniée, certains des développements publiés dans *les Débuts de la IIIe République, 1871-1898*, Éd. du Seuil, 1973.

1. C'est la thèse développée, avec plus de nuances que chez certains de ses lecteurs, par Stanley Hoffmann dans *A la recherche de la France,* Éd. du Seuil, en 1963.

République. Une histoire, et c'est pourquoi la démarche du politiste ou du sociologue, qui pourrait être d'aborder d'un seul mouvement un certain nombre de problèmes, a été abandonnée au profit d'une approche respectueuse de la chronologie et des ères successives du régime, dont on s'est efforcé de rendre tour à tour la tonalité et la physionomie. La périodisation a donc été l'objet d'une grande attention. C'était la seule manière de faire leur part aux événements et aux crises, dont le rôle peut être si considérable sur la vie politique. Il faut se garder d'une image immobile de cette dernière durant la troisième République : image qui naîtrait d'une omission des crises extérieures — la Défense nationale, la Grande Guerre, la « drôle de guerre » — et intérieures. Le boulangisme entraîna un reclassement des forces politiques, la « révolution dreyfusienne » mit fin à la République modérée : la rupture au sein des républicains de gouvernement ouvrit enfin la voie à la République radicale. Le 6 février, tel qu'il fut compris à gauche, suscita un réflexe de défense républicaine d'où naquit le Front populaire.

Une histoire, donc, de la vie politique, mais non pas à proprement parler une histoire politique de la troisième République, et cela pour une double raison. Une histoire politique réclamerait un récit des événements politiques. On ne trouvera celui-ci, qui est assez bien connu, que par allusions. Elle réclamerait surtout une analyse des politiques suivies et des questions qui ont constitué la trame de la réalité politique : politique sociale, scolaire ou religieuse, extérieure ou coloniale. De cela encore, on ne parle que brièvement, simplement pour éclairer le propos, en renvoyant à certains des innombrables travaux sur le sujet.

A été privilégiée en revanche la description des forces et du système politiques. Les relations entre les Chambres et le gouvernement, les types de majorité, le fonctionnement du régime, ont été au cœur des analyses. En partie faute de travaux, j'ai été plus rapide sur des thèmes qui mériteraient la plus grande attention, le travail parlementaire d'une part, la vie politique locale d'autre part, celle qui se vit dans les mairies, les chefs-lieux de canton, les préfectures et les conseils généraux. Il n'était pas non plus du propos de cet ouvrage de traiter comme telles des idéologies politiques, elles aussi passablement négligées par les historiens, pour peu qu'on s'écarte des socialismes ou de l'extrême droite, mais le mot de Thibaudet — « la politique, ce sont des idées » — a guidé ma réflexion.

Pour avoir travaillé depuis bientôt un quart de siècle sur cette histoire et ses problèmes, je crois être sensible aux lacunes et aux choix qui font les limites de ce livre. Puisse-t-il du moins aider à l'intelligence du régime politique le plus long que la France ait connu jusqu'à nos jours, depuis 1789, et à la compréhension d'un style de vie politique aujourd'hui loin de nous, mais qui ne cesse d'inciter à la réflexion historiens, politistes, aussi bien que citoyens et hommes politiques.

1

Dans la crise nationale

(septembre 1870-juillet 1871)

L'intitulé de ce chapitre peut surprendre : la vie politique, étude des institutions, des structures et des forces, peut-elle, et doit-elle, être menée avec fruit sur un temps aussi court ? La succession brutale des événements — la guerre et ses défaites, la chute de l'Empire, la poursuite de la guerre par le gouvernement de la Défense nationale, les mouvements révolutionnaires en province et à Paris, l'armistice, la Commune de Paris et les Communes de province, la victoire de Thiers, tant de drames en moins d'une année — ne laisse guère de répit pour le jeu normal de la vie politique. Pourtant, en ces quelques mois se joue tout l'avenir. Les choix d'un Ferry, d'un Gambetta, d'un Thiers, en ce moment décisif, sont déterminants pour la suite. Un ensemble de références, de souvenirs et de mythes s'édifie alors, sur lesquels va vivre le régime. Ces raisons à elles seules justifient l'attention portée à cette brève période.

Mais il y a davantage : l'histoire de la vie politique n'est pas faite seulement de temps calmes, dominés par le cours habituel de la vie parlementaire et le rythme des consultations électorales. Rien ne serait plus contraire à la réalité que de sous-estimer l'importance des crises, si révélatrices des problèmes, des forces et des hommes, si lourdes de conséquences souvent. A elles seules, des crises comme celles que la France a connues en 1870-1871 constituent des expériences originales, où la vie politique connaît un rythme et des modalités spécifiques.

C'est pourquoi, sans relater les événements, on abordera les conditions de l'exercice du pouvoir par le gouvernement de la Défense nationale, on dégagera la portée des élections à l'Assemblée nationale du 8 février 1871, et de l'avènement de Thiers au pouvoir. Il faudra dire ensuite les formes que prend la vie politique à Paris pendant la Commune malgré la brièveté de son histoire, et marquer la signification de celle-ci. Après la fièvre, la retombée : à travers les élections complémentaires de juillet 1871 se profile la véritable physionomie politique du pays et s'esquisse, pour longtemps, la configuration des forces politiques. Refaire cette histoire, en apparence connue, encore que parfois bien oubliée (on parle rarement des élections municipales, si importantes, d'avril 1871), s'impose d'autant plus que les travaux récents ont substitué à une vision parisienne une image plus diversifiée de la réalité française au long de l'« année terrible ».

1. *La vie politique pendant la Défense nationale (septembre 1870-février 1871)*

La défaite emporte l'Empire : au soir de Sedan, le 2 septembre, l'empereur est prisonnier. A Paris, l'hypothèse d'une régence ne trouve pas de défenseurs au sein du Corps législatif, qui ne parvient pas à proposer une issue politique au vide qui s'ouvre. Face aux manifestations populaires, le régime s'effondre sans résistance le 4 septembre. Différence majeure avec les révolutions de 1830 et 1848 : cette fois, Paris a été devancé ; la République est proclamée à Lyon et à Marseille, avant de l'être dans la capitale. C'est la confirmation de l'ampleur de l'opposition républicaine dans les grandes villes du Sud-Est depuis des années, c'est l'affirmation d'une initiative provinciale dans la vie politique, fait majeur, et pour longtemps mal connu, de cette histoire.

La chute du régime impérial intervient moins de quatre mois après le plébiscite du 8 mai 1870 portant approbation des réformes libérales de Napoléon III. Sur 82 % de votants, 82 % avaient voté oui. Les non étaient 1 582 000, contre 7 350 000 oui [1]. L'opposition l'emportait dans la Seine, les Bouches-du-Rhône, les grandes villes, le Sud-Est (les non dépassaient 45 % dans les huit départements du Sud-Est), le Midi provençal. Opposition

1. R. Rémond, *La Vie politique en France,* Colin, 1969, t. II, p. 200.

urbaine, opposition républicaine de la France du Midi et du Sud-Est. Malgré tout, l'Empire paraissait fondé une nouvelle fois dans la légitimité populaire. Sans la guerre, il eût duré, mais d'une existence plus difficile que ne le laissait supposer le succès du plébiscite. Les oui sont chargés d'équivoque, toute une opposition orléaniste et libérale n'a pas voulu refuser les réformes et l'agitation révolutionnaire l'inquiète assez pour qu'elle n'abandonne pas un régime qui assure l'ordre.

Plus fidèles à la réalité, les élections législatives de 1869 disaient la fragilité du régime. Certes, « en dehors de la capitale et des métropoles provinciales, la minorité républicaine n'entraîne pas encore le pays » (Louis Girard [1]). Mais, bien souvent, les candidats indépendants, libéraux, les hommes de centre, ceux qui feront les lois constitutionnelles de 1875, l'emportent. Au total, le gouvernement obtient 4 600 000 voix, les oppositions, républicaine et orléaniste, 3 300 000, soit 40 % des voix. Au Corps législatif siègent vingt-cinq irréconciliables, une cinquantaine d'opposants modérés dans la forme mais irréductibles au fond. Surtout, le Corps législatif comprend désormais un large marais d'indépendants. Ce sont ces hommes qui abandonnèrent le régime sans un mot au lendemain du désastre de Sedan.

Au soir du 4 septembre, le « gouvernement de la Défense nationale » est proclamé, conformément à la tradition révolutionnaire, à l'Hôtel de Ville, mais les modérés prennent de court les révolutionnaires. Le gouvernement comprend onze membres, tous députés de Paris. Dès lors, les leaders de l'extrême gauche, Blanqui, Delescluze, Flourens, n'y figurent pas. Le général Trochu, gouverneur militaire de Paris, catholique conservateur, « investi des pleins pouvoirs militaires pour la défense nationale [2] » est « appelé à la présidence du gouvernement ». Le républicain modéré Jules Favre est aux Affaires étrangères. Républicain avancé, l'homme du discours de Belleville de 1869, Gambetta, dont l'autorité est décisive en ces heures, prend l'Intérieur. Ce poste lui est contesté par Ernest Picard, un modéré. Il faut, à onze heures du soir, un vote secret pour, à une

1. *Les Élections de 1869*, études présentées par Louis Girard, « Bibliothèque de la Révolution de 1848 », t. XXI, Marcel Rivière, 1960, p. IV.
2. Circulaire adressée aux préfets par le gouvernement le 4 septembre.

voix de majorité, le confirmer dans cette fonction [1]. Aussitôt, le nouveau ministre nomme des préfets républicains pour remplacer le personnel de l'Empire, il fait appel à des journalistes, à des avocats, à des militants éprouvés de la cause républicaine.

Le nouveau gouvernement se trouve confronté à une double exigence : mener la lutte contre la Prusse et ses alliés, établir son autorité et asseoir sa légitimité dans le pays. Comme en 1848, l'élection d'une Assemblée constituante et le recours au suffrage universel s'imposent. Le décret du 8 septembre convoque les collègues électoraux pour le 16 octobre « à l'effet d'élire une assemblée nationale constituante [2] ». Les conseils municipaux avaient été renouvelés les 6 et 7 août, dernière élection de l'Empire en pleine guerre. Le 7 septembre, Gambetta enjoint aux administrateurs provisoires et préfets de « s'appuyer sur les conseils municipaux élus sous l'influence du courant libéral et démocratique » ; ailleurs, poursuivait-il, « entourez-vous de municipalités provisoires [3] ». Mais bien vite le renouvellement complet des conseils municipaux paraît s'imposer : le décret du 16 septembre fixe les élections de ceux-ci aux 25 et 28 septembre, et avance les élections à la Constituante au 2 octobre. Deux jours plus tard, un décret fixe les élections au conseil municipal de Paris « dont les attributions seront les mêmes que celles des autres conseils municipaux de la République ». Le conseil comprendra quatre-vingts membres, quatre par arrondissement. Satisfaction est donnée aux républicains parisiens.

En fait, les événements contraignirent le gouvernement à renoncer à maintenir les consultations électorales. Après l'échec des pourparlers de Jules Favre avec Bismarck à Ferrières le 18 septembre, la guerre se poursuivait, la perspective du siège de

1. Cf. G. Wormser, *Gambetta dans les tempêtes, 1870-1877*, Sirey, 1964, p. 34.

2. Cf. *Dépêches, circulaires, décrets, proclamations et discours de Léon Gambetta (4 septembre 1870-6 février 1871)*, publiés par Joseph Reinach, Charpentier, t. I, 1886, t. II, 1891. Le décret du 8 septembre prévoit des élections au scrutin de liste conformément à la loi du 15 mars 1849. Un décret du 15 septembre donne le tableau déterminant le nombre de représentants par département « sur la base d'un représentant par 50 000 habitants, plus un représentant par fraction excédant le chiffre de 30 000 habitants » (*ibid.*, p. 17).

3. J. Reinach, *op. cit.*, t. II, p. 349.

Paris se profilait. Dès le 12 septembre, le gouvernement, afin de conserver « sa complète liberté d'action pour organiser la défense dans les départements et maintenir l'administration », désignait le Garde des Sceaux Crémieux comme « délégué pour représenter le gouvernement et en exercer les pouvoirs [1] ». Un décret du 16 septembre lui adjoint un autre ministre, Glais-Bizoin, et l'amiral Fourichon, ministre de la Marine. Ils forment « la délégation du gouvernement de la Défense nationale, appelée à exercer les pouvoirs de ce gouvernement dans les départements non occupés par l'ennemi [2] ». Désormais, le pouvoir est partagé entre deux pôles ; de l'un à l'autre, les communications sont difficiles : les pigeons voyageurs — « premier service de l'État », dira Gambetta [3] — et les ballons courriers constituent le seul lien, bien aléatoire, entre Paris assiégé et la province. La vie politique, ou du moins ce qu'en connaît un pays en guerre, se déroule à deux niveaux : dans la capitale assiégée et en province.

A Paris, le gouvernement doit faire face à une agitation révolutionnaire, qui s'inscrit dans le prolongement des mouvements du Paris de la fin de l'Empire. Elle est le fait des « internationaux », des blanquistes. Leur première revendication est celle d'élections municipales, que le gouvernement fixe au 28 septembre. Dans un manifeste du 22, ils demandent une Commune de Paris et la « levée en masse » dans la tradition de la Révolution de 1793. La Commune doit être « souveraine », conduire au « gouvernement direct des citoyens par eux-mêmes ». On a reconnu la tradition des sans-culottes. Du 5 au 10 septembre, des comités de vigilance se constituent par arrondissement et se fédèrent le 11 dans le « Comité central républicain de Défense nationale des vingt arrondissements » qui regroupe internationaux, socialistes et radicaux. Mais celui-ci ne touche qu'une minorité. L'ajournement des élections entraîne des manifestations le 8 octobre, et une tentative d'insurrection le 31 à l'Hôtel de Ville. Le gouvernement promet les élections municipales et, pour restaurer son autorité, procède le 2 novembre à un référendum :

1. *Ibid.*, p. 16.
2. *Ibid.*, p. 22.
3. *Ibid.*, p. 168.

« La population de Paris maintient-elle, oui ou non, les pouvoirs du gouvernement de la Défense nationale ? » Les oui, 321 373, écrasent les non, 53 584 [1]. Le recours au verdict populaire assure l'autorité du gouvernement.

Les élections municipales du 5 au 8 novembre favorisent les radicaux, partisans des libertés municipales, mais adversaires de l'insurrection. Cependant, la poursuite du siège, puis la défaite, vont rendre vie au mouvement révolutionnaire. Les 21 et 22 janvier, alors même que Jules Favre engage la négociation avec Bismarck en vue de la capitulation et de l'armistice, des manifestations éclatent devant l'Hôtel de Ville, faisant trente blessés ou tués.

A Paris, l'entente entre les clubs révolutionnaires et le gouvernement de la Défense nationale ne dure guère, et les risques d'un affrontement sont constamment présents. En province en revanche, comme l'a bien montré J. Gaillard, Gambetta parvient à enrôler la révolution au service de la Défense nationale, et contient les extrémistes.

C'est le 5 octobre que la délégation avait décidé d'envoyer à Tours le ministre de l'Intérieur. Sa mission était de « maintenir l'unité d'action [2] » au sein de la délégation, et entre la délégation et le gouvernement de la Défense nationale. Un premier conflit venait de s'ouvrir sur la question des élections à l'Assemblée nationale constituante, qu'avait ajournées le gouvernement le 1er octobre, à la fois pour des raisons militaires et pour éviter le succès, comme en 1848, d'une assemblée conservatrice. La délégation maintenait les élections, comme elle maintenait, après dissolution des conseils municipaux, les élections municipales. Gambetta avait pour mission de faire exécuter le décret d'ajournement. Il avait, en cas de partage, « voix prépondérante ». Gambetta quitta Paris en ballon le 7. Le 9, un décret confirmait l'ajournement des élections. Le 10, un autre décret donnait au ministre de l'Intérieur l'administration de la Guerre ; le lendemain, un ingénieur des Mines, ancien chef de l'exploitation des Chemins de fer du Midi, Charles de Freycinet,

1. On suit les chiffres de J. Rougerie, *Paris libre 1871*, Éd. du Seuil, 1971, p. 53. Cf. aussi J. Gaillard, *Communes de Province, Commune de Paris, 1870-1871*, Flammarion, 1971.

2. Décret du 5 octobre, cité par J. Reinach, *op. cit.*, t. II, p. 34-35.

était nommé « délégué du ministre auprès du département de la Guerre [1] ».

Gambetta et Freycinet donnèrent une extraordinaire impulsion à la Défense nationale en province, levant et équipant des armées, lancées, en vain, au secours de Paris. Ce n'est pas notre propos d'y insister. Observons toutefois que les animateurs de la Défense nationale, par leur style inspiré de celui de l'an II, heurtèrent une large partie de l'opinion rurale, désireuse de retrouver la paix. Les raisons profondes de la victoire conservatrice aux élections du 8 février 1871 sont là.

L'exercice du pouvoir par Gambetta à la tête de la délégation et la manière dont le ministre de l'Intérieur et de la Guerre impose son autorité méritent attention. Elles évoquent à certains égards ces mois de la Libération où le Gouvernement provisoire du général de Gaulle établit son autorité sur la France libérée. Lorsque Gambetta arrive à Tours, il constate que la « faiblesse » du gouvernement de Tours l'a « jeté dans un discrédit profond en province ». Il ressent la difficulté de « lutter à la fois contre les exaltés et contre les réactionnaires [2] ». Il observe aussi le contraste entre les villes « petites ou grandes (...) passionnément républicaines et guerrières » et les campagnes « inertes ou alarmées ». Dans une lutte sur deux fronts, il met au pas « exaltés » et « séparatistes [3] », et s'efforce d'éviter le retour d'influence des monarchistes et bonapartistes.

Dans les grandes villes du Sud-Est et à Toulouse s'affirme en septembre 1870, à la faveur du vide politique né de la chute de l'Empire, un important mouvement en faveur de l'autonomie communale et en faveur de la décentralisation. Il associe radicaux et internationaux et déborde le milieu proudhonien. Il s'enracine dans l'hostilité à la centralisation si vive sous l'Empire. Le 18 septembre 1870 était née la « Ligue du Midi pour la défense de la République ». Elle regroupe les départements du Midi et du Sud-Est. A Toulouse le 7 octobre fut fondée la Ligue du Sud-Ouest [4]. Décentralisateur, ce mouvement est aussi nettement

1. J. Reinach, *op. cit.*
2. *Ibid.*
3. *Ibid.*
4. Cf. J. Gaillard, *op. cit.*, et L.M. Greenberg, *Sisters of Liberty :*

anticlérical, demandant la laïcité de l'École et la séparation des Églises et de l'État. Gambetta s'appuie sur les radicaux, mais coupe court aux fièvres révolutionnaires et aux « prétendues tentatives de ligues séparatistes (...) ayant des prétentions au pouvoir exécutif [1] ». Il n'hésite pas à recourir à la force armée pour prêter main forte à un préfet en difficulté, ainsi à Gent à Marseille. Au terme d'affrontements complexes, la République « une et indivisible » triomphe. La Ligue du Midi est dissoute le 27 décembre.

Gambetta n'est pas moins ferme dans la lutte contre les adversaires de la République. Après la capitulation de Metz, il estime nécessaire « d'accentuer plus nettement pour les populations le changement accompli par la révolution du 4 septembre, non seulement au point de vue des principes, mais au point de vue du personnel chargé de les faire prévaloir [2] ». Le 25 décembre, considérant que les conseils généraux « constituent une représentation départementale en opposition complète avec l'esprit des institutions républicaines [3] », la délégation les dissout et les remplace par des commissions départementales, nommées par les préfets. Un autre décret exclut de l'ordre judiciaire les magistrats « complices du crime du 2 décembre ».

Gambetta renvoie à la paix les élections et fait campagne pour la République. Le *Bulletin de la République française* a pour but, non seulement de publier les actes officiels, mais « d'aider à l'instruction publique du peuple [4] ». Il incombe aux instituteurs d'en commenter les articles pour « démontrer cette vérité essentielle que la République seule peut assurer, par ses institutions, la liberté, la grandeur, et l'avenir de la France ». Le *Bulletin* doit exercer une propagande éminemment « moralisatrice » après le « despotisme », prévenir « par cette régénération intellectuelle et morale le retour des lamentables catastrophes qui accablent en ce moment la patrie ». Adversaires de la poursuite d'une guerre qui

---

Marseille, Lyon, Paris and the Reaction to a centralized State, 1868-1871, Harvard University Press, 1971.

1. J. Reinach, *op. cit.*, 24 octobre 1870, p. 96.
2. *Ibid.*, 31 octobre 1870, p. 105.
3. *Ibid.*, p. 96.
4. *Ibid.*

paraissait sans issue, les républicains modérés et les conservateurs monarchistes, ennemis des radicaux et de la République avancée, ne pouvaient que s'inquiéter de ce ton, et de méthodes qui donnaient à la délégation l'allure d'une dictature de salut public. C'est alors, comme l'a bien vu Charles Seignobos, que se forma dans le fond des provinces « la coalition qui allait donner la majorité aux conservateurs ».

Le gouvernement de la Défense nationale était loin d'approuver toutes les orientations de Gambetta. Le 20 décembre, celui-ci demande en vain à Paris de l'autoriser « à purifier tout ce personnel administratif », mesure à laquelle s'opposent les représentants des ministres parisiens au sein de la délégation. Le conflit entre Paris et la délégation atteint à son sommet au lendemain de la convention d'armistice signée par Jules Favre le 28 janvier et qui prévoit des élections le 8 février. Bismarck ne veut, en effet, signer un traité qu'avec les représentants d'une assemblée élue. Gambetta, alors à Bordeaux, où la délégation a été contrainte par la situation militaire à s'installer fin décembre, veut continuer la lutte. Le gouvernement envoie Jules Simon à Bordeaux, dont il était député, avec les pleins pouvoirs [1]. Il y arrive le 1er février. La veille, Gambetta, par une circulaire aux préfets, a invité à préparer la reprise de « la guerre à outrance ». Surtout, par un décret du 31 janvier, il a frappé d'inéligibilité « tous les complices du régime [2] » impérial : ne peuvent être candidats « les individus qui avaient accepté une candidature officielle ». Bismarck proteste au nom de la liberté des élections.

Le gouvernement de Paris enlève alors l'Intérieur à Gambetta pour le confier à Jules Simon. Celui-ci ne parvient pas à imposer son autorité à la délégation, dont les autres membres suivent Gambetta. La délégation s'oppose à l'envoi d'ordres et de dépêches émanant de Jules Simon, et notamment à l'abrogation du décret sur les inéligibles. Les journaux publiant le décret de Jules Simon le 3 février sont saisis. La majorité des préfets paraît favorable à Gambetta.

1. Cf. A. Dréo, *Gouvernement de la Défense nationale, procès-verbaux des séances du conseil,* Lavauzelle, 1905. On peut suivre très précisément à travers les notes du gendre de Garnier-Pagès les péripéties du conflit.
2. Comme l'affirment les considérants du décret.

Le gouvernement de Paris décide alors le 4 d'envoyer à Bordeaux Garnier-Pagès, Arago, Eugène Pelletan. Ils arrivent à Bordeaux le 6 au matin, rendant par leur présence inutile la prise de la préfecture, préparée pour 11 heures du matin par Jules Simon, qui s'appuie sur le général commandant la division[1]. Gambetta démissionne alors d'un gouvernement avec lequel « il n'est plus en communion d'idées ni d'espérances[2] ».

Épisode dramatique, important à plus d'un titre. Il est l'aboutissement de l'opposition entre les deux pouvoirs, Paris et la délégation. Il affronte deux lectures de la situation française — faire la paix, poursuivre la lutte —, et deux conceptions politiques — celle des libéraux pour qui il n'est pas question de modifier le jeu du suffrage universel par le recours à l'inéligibilité, celle des démocrates et des radicaux qui, derrière Gambetta et les intransigeants, se défient du libre cours de la consultation. Le conflit entre deux familles d'esprits, ouvert dès la fin de l'Empire, laissa des traces profondes dans le personnel républicain. Jules Ferry, Jules Grévy, Jules Favre, Jules Simon, les républicains libéraux se sont opposés à Gambetta et à ses amis. Une ligne de clivage durable, qui divise la République opportuniste, trouve là ses origines. L'attitude des républicains modérés devant la défaite est aussi une des explications de la Commune. L'inquiétude de tant d'esprits modérés devant Gambetta et ses amis, soupçonnés de mener à l'aventure, trouve enfin ici ses raisons. Cette suspicion poursuivra le héros de la Défense nationale jusqu'à l'échec du « grand ministère », onze ans plus tard.

2. *Les élections du 8 février 1871*
Thiers, chef du pouvoir exécutif

Les élections se déroulèrent le mercredi 8 février dans un climat exceptionnel. Près de quarante départements étaient occupés par

1. Outre Dréo, on se reportera au livre de Léon Séché, *Figures bretonnes: Jules Simon, sa vie, son temps, son œuvre, 1814-1896,* 1898, p. 142, *sq.,* et aux souvenirs de Jules Simon, *Le Gouvernement de Monsieur Thiers,* Calmann-Lévy, t. I, 1880.

2. Il invite les préfets à faire procéder aux élections.

l'envahisseur, 400 000 hommes prisonniers. Les listes électorales furent arrêtées en quelques jours, la campagne électorale fut inexistante [1]. Au chef-lieu du département, dans la salle de rédaction d'un journal, des comités improvisés désignèrent à la hâte les candidats, dont bon nombre étaient aux armées.

Les dispositions électorales étaient fixées par le décret du 29 janvier, qui reprenait celui du 15 septembre 1870. Après le scrutin uninominal à deux tours cher à l'Empire, on revenait à la loi républicaine du 15 mars 1849, c'est-à-dire au scrutin de liste. Le vote devait avoir lieu au chef-lieu de canton, ce qui fut ressenti comme une brimade par les populations habituées sous l'Empire à voter dans leur commune [2]. Comme en 1849, cette disposition voulait pousser à l'abstention les populations rurales conservatrices. Les conservateurs surent faire des listes de large union, associant les divers courants de l'opinion, de la bourgeoisie libérale proche de Thiers aux monarchistes. De cette coalition hétérogène, l'hostilité à Gambetta, à la « guerre à outrance », à la « dictature », fait l'unité. Mais, unies sur le thème de la paix et de la liberté, ces listes sont discrètes sur la question du régime. Les républicains, eux, sont divisés devant le problème de la paix et de la guerre, modérés d'un côté, gambettistes et radicaux de l'autre.

Ce scrutin de liste est comme en 1849 un scrutin majoritaire : sont élus dans l'ordre les candidats qui ont obtenu le plus de voix. La majorité relative suffit. Nul n'est élu s'il n'a obtenu le huitième des inscrits. Dans ce cas, un deuxième tour est prévu. En fait, il ne fut pas indispensable [3], mais beaucoup de députés furent élus à la majorité relative. Les élections multiples étaient possibles : Thiers fut élu dans vingt-six départements, manière de plébiscite, qui décida de sa désignation comme chef du pouvoir exécutif. Incarnation de l'autre politique, Gambetta fut élu dans neuf départements. Les abstentions furent nombreuses, mais leur ampleur est difficile à apprécier : le nombre des inscrits est rarement porté dans les procès-verbaux, conséquence des condi-

1. Témoignage de Jules Simon, *op. cit.*
2. On suit ici l'excellent livre de Jacques Gouault, *Comment la France est devenue républicaine,* Colin, 1954.
3. C'est la raison pour laquelle beaucoup d'ouvrages croient à tort que la loi établit un scrutin à un tour.

tions du scrutin. Les conservateurs l'emportaient partout, sauf dans la région parisienne, l'Est patriote, le Sud-Est et le Midi. Les villes, comme en mai 1870, étaient républicaines. Mais, dans les départements conservateurs, leur poids pouvait être réduit à néant ; ce fut le cas dans les villes « bleues » de l'Ouest. C'est alors que certains républicains découvrirent les vertus de l'arrondissement.

L'Assemblée nationale devait compter 768 sièges, dont 15 représentant les colonies. En fait, sur 753 sièges métropolitains, 675 furent pourvus, du fait des 78 élections multiples. La France assommée par le désastre était revenue à ses élites traditionnelles. Jules Simon a dit la surprise qu'entraîna l'arrivée de nombreux légitimistes, véritables revenants, à l'expérience politique modeste. De toutes les assemblées parlementaires françaises, celle-ci fit la place la plus considérable à la représentation nobiliaire : les nobles sont 225, un tiers exactement des élus [1]. Les habitants des campagnes sont, dans la France conservatrice, revenus à leurs guides naturels. Encore faut-il prendre garde à ce que ce mouvement s'esquissait aux élections aux conseils généraux de la fin de l'Empire. Il consacre l'influence des propriétaires fonciers résidant sur leurs terres.

Les membres de l'Assemblée ont un âge moyen élevé, une minorité d'entre eux — 27 % — a déjà siégé dans une assemblée législative. Les partis et les camps ne sont pas encore clairement tranchés : les monarchistes sont environ 400, les républicains 250, des modérés aux radicaux, les bonapartistes ne sont qu'une poignée [2] venus de la Corse ou des Charentes. C'est à cette Assemblée qu'il incombait de faire la paix, de reconstruire le pays, de décider du régime futur de la France.

Elle se réunit le 12 février au Grand Théâtre de Bordeaux pour désigner son bureau. Le lendemain, Jules Favre dépose les pouvoirs du gouvernement de la Défense nationale entre ses mains. Le 16, l'Assemblée élit à sa présidence Jules Grévy,

1. Cf. J. Becarud, « Noblesse et représentation parlementaire. Les députés nobles de 1871 à 1968 », *Revue française de science politique,* octobre 1973.

2. Il n'y a que six voix à s'opposer le 1er mars à l'ordre du jour confirmant la déchéance de Napoléon III et de sa dynastie. Cf. Jules Simon, *op. cit.,* t. I, p. 86.

républicain modéré, « en faveur auprès des monarchistes pour s'être constamment tenu en dehors de la révolution depuis le jour où elle s'était faite » (Jules Simon [1]), et qui a l'appui de Thiers. Ce dernier apparaît comme l'homme indispensable. Hostile à la guerre déclenchée par l'Empire, ambassadeur du gouvernement de la Défense nationale auprès des pays neutres, élu dans vingt-six départements, obtenant des suffrages dans d'autres, il a réuni sur son nom plus de deux millions de voix. A 74 ans, il est le recours. Le même 16 février, une proposition qui associe républicains modérés et hommes du centre droit demande de le mettre à la tête du gouvernement. Le 17 est adoptée sans scrutin public, « à la presque unanimité [2] », la « résolution » qui détermine le régime provisoire du pays : « L'Assemblée nationale, dépositaire de l'autorité souveraine, considérant qu'il importe, avant qu'il soit statué sur les institutions de la France, de pourvoir immédiatement aux nécessités du gouvernement et à la conduite des négociations, décrète : M. Thiers est nommé chef du pouvoir exécutif de la République française. Il exercera ses fonctions sous l'autorité de l'Assemblée nationale, avec le concours des ministres qu'il aura choisis et qu'il présidera. »

Ce texte, bref mais capital, réserve l'avenir. Le considérant ajouté après coup marque bien que la forme républicaine n'est pas acquise. Autre source d'équivoque : les pouvoirs de Thiers. Il relève de l'Assemblée, mais nomme les ministres et préside leur conseil. C'est, observons-le au passage, à ces dispositions de circonstance, reprises dans les lois constitutionnelles de 1875, que remonte la présidence du conseil des ministres par le président de la République, réalité contraire à l'usage des régimes parlementaires.

Thiers, le 19, communique à l'Assemblée la liste de ses ministres choisis dans la gauche modérée et le centre droit. Sur neuf portefeuilles, trois allaient à des républicains, anciens membres du gouvernement de la Défense nationale. Les Affaires étrangères restaient à Jules Favre, Ernest Picard prenait l'Intérieur, Jules Simon gardait l'Instruction publique et les Cultes. Un légitimiste libéral, M. de Larcy, seul de sa famille politique,

1. *Op. cit.*, p. 65.
2. Selon les termes du *Journal officiel*.

prenait les Travaux publics. Les autres ministères, hormis ceux, techniques, de la Guerre et de la Marine, allaient à des proches de Thiers, venus de l'orléanisme, ainsi Dufaure à la Justice. Nommé ultérieurement, un manufacturier de sympathie bonapartiste, Pouyer-Quertier, prit les Finances. Thiers invitait l'Assemblée à mettre entre parenthèses la question du régime : « pacifier, réorganiser, relever le crédit, ranimer le travail, voilà la seule politique possible et même concevable en ce moment », ensuite il serait temps de « poser les théories de gouvernement ».

La première urgence était de traiter avec la Prusse et ses alliés. Le 26 février, Thiers et Jules Favre signèrent les préliminaires de paix. L'annexion de l'Alsace, moins Belfort, et d'une partie de la Lorraine, le paiement d'une indemnité de cinq milliards, tel était le contenu de la convention que l'Assemblée de Bordeaux ratifia le 1er mars par 546 voix contre 107. Le dernier chiffre dit l'isolement de ceux qui, derrière Louis Blanc, Edgar Quinet, Victor Hugo, refusent la paix. La ratification de la convention entraîna la démission des députés de la Moselle, du Haut-Rhin et du Bas-Rhin, dont Gambetta qui gagna Saint-Sébastien en Espagne. Les « représentants de l'Alsace et de la Lorraine », dans une déclaration solennelle, jugèrent « nul et non avenu un pacte qui dispose de nous sans notre consentement ». Ils affirmèrent devant l'histoire que la question d'Alsace-Lorraine demeurait posée : « La revendication de nos droits reste à jamais ouverte à tous et à chacun, dans la forme et dans la mesure que notre conscience nous dictera. » Protestation certes symbolique. Pourtant, l'annexion devait demeurer une blessure lancinante et on ne comprendrait rien à la vie politique de la France de la troisième République si on ne faisait sa place, discrète ou affirmée, au souvenir des « provinces perdues », de la défaite, à la volonté de revanche. Que ces aspirations et cette nostalgie n'aient pas pris d'ordinaire une forme belliciste ne doit pas conduire à méconnaître leur intensité, pendant des décennies, à l'arrière-plan des luttes politiques.

Le président de l'Assemblée invita les démissionnaires qui devaient rester les « représentants du peuple français » à retirer leur démission, affirmant la conception parlementaire classique selon laquelle on est l'élu de la nation, non d'une circonscription. Cependant, vingt députés maintinrent leur attitude, ce qui affaiblit d'autant le camp républicain. Le 2 mars, ce furent en outre les démissions de Rochefort, Ranc, Tridon, Benoît Malon et celle de Félix Pyat. Ils jugèrent que l'Assemblée avait « démembré la France », que ses délibérations étaient désormais « frappées de nullité [1] ». L'extrême gauche radicale, socialiste, internationaliste désavouait l'Assemblée et lui déniait toute légitimité. Le 10 mars, l'Assemblée décidait de fixer à Versailles le siège du gouvernement [2]. Elle a peur de Paris qui, selon le mot du légitimiste Belcastel, « dix fois en quatre-vingts ans » a « expédié des gouvernements tout faits par le télégraphe », elle voit dans Paris « le chef-lieu de la révolution organisée, la capitale de l'idée révolutionnaire [3] ». Cette peur de la capitale est d'autant plus vive que l'Assemblée songe à la restauration et sait qu'elle ne pourra l'imposer au Paris républicain. L'insurrection n'est pas loin…

3. *La vie politique à l'heure de la Commune*

L'histoire brève, et tragique, de la Commune de Paris n'entre pas dans notre propos. D'excellents livres lui ont été du reste consacrés ces dernières années [4]. Il est en revanche indispensable de marquer l'originalité de la vie politique dans « Paris libre », d'évoquer les « Communes de province » longtemps méconnues, et de dégager la portée dans l'histoire politique d'un mouvement plus complexe que l'image légendaire ne le fait croire.

En février 1871, dans la colère et l'humiliation de la capitulation, se constitue la Fédération des bataillons de la garde nationale dont les statuts sont adoptés le 10 mars et qui se dote d'un Comité central. Face à l'Assemblée nationale, face au gouvernement de Thiers, face au défi que constitue l'entrée des Prussiens dans Paris, l'émeute gronde. Cette menace explique le refus de l'Assemblée de Bordeaux de siéger à Paris. Si on examine, avec Jacques Rougerie, la composition du Comité central, plus encore celle des

1. Jules Simon, *op. cit.,* t. I.
2. Les monarchistes eussent voulu Fontainebleau.
3. Cité par Jules Simon, *op. cit.,* t. I, p. 95.
4. On se bornera à renvoyer à Jacques Rougerie, *Procès des Communards,* Julliard, coll. « Archives », 1965, et *Paris libre 1871, op. cit.*

cercles de bataillon, on la découvre populaire, non « majoritairement ouvrière ». La petite-bourgeoisie — petits patrons, petits commerçants, employés — est largement représentée, sauf dans quelques quartiers « rouges » — le XIIIe, le XXe — où s'imposent les ouvriers, socialistes et internationaux. Que veut la Fédération ? D'abord et avant tout la République, puis la démocratie directe : « Plus de rois, plus de maîtres, plus de chefs imposés ; mais des agents constamment responsables et révocables à tous les degrés du pouvoir », tel est le serment prêté au terme de l'Assemblée du 10 mars.

Aboutissement d'une série d'incidents, de mutineries et d'affrontements dans les quartiers populaires, l'émeute du 18 mars entraîne l'abandon de Paris par le gouvernement affolé. Le Comité central de la garde nationale est maître de Paris et s'installe à l'Hôtel de Ville. Il est embarrassé de sa victoire et ne se déclare pas gouvernement provisoire. Ce n'est pas la Révolution, mais le vide du pouvoir. Afin d'y mettre fin, une première initiative est prise, conforme à la vieille revendication d'autonomie : l'annonce, le 19, de l'élection du conseil municipal de la Commune de Paris.

Cependant que la révolution demeure incertaine et la situation fluide, les partisans d'une conciliation s'activent, au premier rang d'entre eux les députés et maires républicains de Paris, mais l'Assemblée qui vient de se réunir à Versailles est sourde à la concession majeure : la proclamation de la République. De son côté, sous la pression des révolutionnaires du Comité des vingt arrondissements qui apporte le 22 son soutien au Comité central, le mouvement parisien se radicalise, et va « se transmuer inexorablement en révolution politique et sociale » (J. Rougerie). La « Marianne » prend le visage de la « Sociale ».

Cependant, les élections prévues pour le 22, puis ajournées, ont lieu le 26 mars, dans une quasi-légalité. Le Comité des vingt arrondissements, que depuis janvier le Comité central de la garde nationale avait rejeté dans l'ombre, est seul à mener véritablement campagne, à disposer d'un appareil. Son manifeste exalte « la tradition des anciennes communes et de la Révolution française ». D'un ton proudhonien, dû à Pierre Denis, il voit dans la Commune autonome la « base de tout État politique ». Les programmes diffusés dans les quartiers révèlent un consensus sur quelques thèmes qui, somme toute, sont ceux des radicaux : mandat impératif, gouvernement direct, responsabilité des fonctionnaires, instruction laïque, gratuite, obligatoire, suppression du budget des cultes, impôt progressif, fin des armées permanentes. Dans tout cela, guère de socialisme, mais l'idéal de la République « démocratique et sociale ». Insistons-y : en effet, après la répression de la Commune, ces idéaux demeurent dans le peuple parisien, longtemps fidèle aux radicaux.

Les abstentions furent considérables [1] : 229 167 votants pour 484 569 inscrits. Le 3 novembre 1870, comme le 8 février pour les élections à l'Assemblée nationale, près de 300 000 Parisiens avaient été aux urnes. Mais tous les adversaires ne se réfugient pas dans l'abstentionnisme : les listes ennemies de la Commune, dans les arrondissements de l'Ouest, ont environ 40 000 voix. Leurs élus — ils sont 15 — refuseront de siéger. Sur les 92 élus, en fait 85 à cause des élections multiples, moins de la moitié figurent sur les listes du Comité des vingt arrondissements. Blanquistes (9), internationaux (17), auxquels s'ajoutent 11 socialistes, 4 jacobins (dont Delescluze et Pyat), voilà les courants nettement affirmés. Un bon nombre des élus peut difficilement être classé. Tous revendiquent les libertés de Paris, « l'autonomie absolue de la Commune étendue à toutes les localités de France [2] », la décentralisation.

La rupture au sein du conseil communal se fit le 15 mai sur la création d'un comité de salut public, refusée par vingt-deux minoritaires, principalement des internationaux, qui quittent l'Assemblée, refusant la dictature. La majorité comprend certes les jacobins et les blanquistes, mais aussi une majorité d'internationaux ; Jacques Rougerie a fait justice de l'opposition souvent avancée entre autoritaires jacobins et proudhoniens anti-autoritaires. En fait, ces hommes sont unis dans les souvenirs de 1793.

Aussi bien assiste-t-on à une manière à la fois de résurgence, de répétition, voire de parodie des révolutions antérieures — la Grande, de 1789-1793, mais aussi celle, moins d'un quart de siècle plus tôt, de 1848, dont tant de témoins sont encore présents. Petits

1. J. Rougerie, *Paris libre 1871, op. cit.*, p. 145.
2. Déclaration au peuple français du 19 avril votée à l'unanimité moins une voix.

journaux, pamphlets, affiches, réunions populaires, clubs : une dernière fois, le Paris populaire, celui des insurrections romantiques du XIXe siècle, prend la parole. On ne retrouvera quelque chose de ce climat qu'à l'occasion de la Libération à l'été 1944, ou, sans le tragique, ce qui n'est pas une mince différence, en mai 1968... Le « communeux » se croit en l'an II, après tout pas si lointain : trois quart d'un siècle, l'espace qui nous sépare du début du XXe siècle. Le communeux, comme le sans-culotte, est partisan de la démocratie directe, ardemment irréligieux, ennemi des « accapareurs ». Son socialisme, passablement passéiste [1], se définit par la lutte des petits contre les gros. Cette fièvre révolutionnaire ne s'accompagne de pratiques héritées de la Terreur qu'à la fin, lorsque la guerre est là. Mais pendant plusieurs semaines la situation est mouvante, des journaux ennemis de la Commune sont publiés à Paris ; *l'Univers* de Veuillot paraît jusqu'au 12 mai.

Cependant, les tentatives de conciliation se poursuivent à l'initiative notamment de la « Ligue d'union républicaine des droits de Paris », fondée le 4 avril, qui réunit les anciens maires. La province suit les événements et observe. Sans doute est-ce l'un des principaux apports de l'historiographie d'avoir mis en évidence depuis quelques années l'importance de cet ensemble de données. Certes, de Thiers et Jules Favre aux monarchistes, les conservateurs veulent défendre l'ordre social face à l'insurrection parisienne, mais une frange considérable se situe dans l'entre-deux : telle est l'attitude de Gambetta, de ses amis, des radicaux. Dans le Gard, la presque totalité des républicains est dans le courant de la conciliation.

Cette attitude ne signifie pas le soutien à la Commune de Paris. Les « Communes provinciales » qui, dans le sillage des mouvements de septembre 1870, sont proclamées à Lyon le 22 mars, à Toulouse et Marseille le 23, à Saint-Étienne et Narbonne le 24, au Creusot le 26, n'ont pas d'avenir. Les radicaux de province à Lyon, Marseille, Toulouse souhaitent conserver la République et l'autonomie municipale, conquises en septembre 1870. Ils se défient du jacobinisme révolutionnaire et jugent inutile l'insur-

1. Cf. la communication de Philippe Vigier à l'Académie des sciences morales et politiques, 19 avril 1971.

rection. Paris va demeurer isolé. Pour autant on ne saurait conclure tout simplement à une opposition entre Paris et la province. L'opposition est en fait entre les villes républicaines et les campagnes conservatrices. Si, au total, les grandes villes républicaines restent neutres, c'est que Thiers sait leur promettre, en échange, la République [1].

La province républicaine, les grandes villes et le Sud-Est ne s'associent pas à la Commune, en revanche elles ne donnent pas pour autant dans la réaction. On n'observe pas du reste en 1871, comme en juin 1848, un mouvement des gardes nationaux de province pour appuyer Versailles. Bien au contraire, les élections municipales des 30 avril et 7 mai [2], jamais étudiées de façon systématique [3], sont un succès républicain, qui dément l'échec du 8 février, et annonce la victoire aux élections partielles du 2 juillet. Rien n'est plus inexact que l'image d'une immense peur sociale déferlant sur la province. Cela est vrai des campagnes conservatrices, tandis que la France républicaine reste attentiste, dans le conflit entre Paris et Versailles, mais sans sombrer dans la réaction.

L'ampleur de la répression, pendant et après la Semaine sanglante de la fin mai, est extraordinaire : 30 000 morts, 36 000 prisonniers, 10 000 condamnés. Aucun parti socialiste ne pourra, de longtemps, se dire réformiste, ce serait renier la Commune. Celle-ci dans la mémoire du mouvement ouvrier et du socialisme va prendre figure d'anticipation, d'aube annonciatrice de l'avenir. Elle est bien plutôt la dernière des insurrections du Paris des Révolutions, la rencontre de la tradition révolutionnaire, fille de 1793, du mouvement républicain avancé et socialiste de la fin de l'Empire, d'une réaction patriotique face à la défaite, d'une

1. Il fait allusion à ses conversations devant l'Assemblée nationale le 29 novembre 1872.

2. La loi du 14 avril 1871 rend nécessaire cette consultation. Cette loi, décentralisatrice, donne au conseil municipal l'élection des maires et des adjoints ; « provisoirement… dans les villes de plus de 20 000 âmes et dans les chefs-lieux de département et d'arrondissement », la nomination est faite par décret ; les maires sont « pris dans le conseil municipal ».

3. Gambetta y fut particulièrement attentif, il l'évoque dans son discours de Bordeaux le 26 juin 1871 pour se féliciter que le pays « ne se soit pas laissé aller à la réaction ». Dans un de ses derniers discours, le 19 mai 1881, il revient sur « ces magnifiques élections municipales ».

affirmation d'autonomie communale face à Versailles et à l'Assemblée nationale. L'intransigeance de Thiers, la peur des conservateurs résolus à en finir avec l'anarchie, la passion des « jacobins » qui crurent revivre les heures de la Terreur et du Salut public firent qu'une émeute finit en révolution écrasée dans le sang. Le mouvement socialiste était décapité pour une dizaine d'années, mais non l'idée républicaine.

4. *L'opinion au lendemain de la Commune*

Il serait en effet contraire à la réalité d'imaginer, au lendemain de la répression, une France partagée entre versaillais et communards. Parmi bien d'autres, un témoignage le suggère. Officier de l'armée de Versailles, lors de son entrée à Paris, Albert de Mun observa « l'apathie des classes bourgeoises » : « Nous nous attendions à être reçus par les bourgeois comme des libérateurs, au contraire, nous avons été reçus avec une indifférence incroyable [1]. » Toute une France voit dans la Commune, selon le mot de Spuller à Gambetta, une « mêlée furieuse », « une partie insensée », mais se refuse à choisir entre deux camps et, surtout, reste attachée à la République.

Fonder la République, n'est-ce pas, du reste, donner satisfaction à la revendication première de la Commune qui a été vue d'abord, en province, comme un mouvement républicain ? « Tout est sauvé, la province n'a pas eu peur », aurait dit Clemenceau à Ranc après les élections partielles de juillet 1871 et Jaurès, bon historien, lui fait écho : « Le pays ne se laissa pas affoler et la peur du spectre ne le jeta pas à la réaction [2]. » Le conservateur Saint-Valry [3], qui compare 1848 et 1871, fait la même remarque.

Les monarchistes à l'Assemblée nationale sont à contre-

1. Déposition devant la commission d'enquête parlementaire *in* H. Ameline, *Déposition des témoins de l'enquête parlementaire sur l'insurrection du 18 mars,* Dentu, 1872, t. II, p. 135.
2. Préface à l'édition de ses *Discours parlementaires,* 1904, p. 65.
3. Dont les écrits sont particulièrement pénétrants (*Souvenirs et réflexions politiques. Documents pour servir à l'histoire contemporaine,* Calmann-Lévy, 1886).

courant, tout comme, dans le pays, cette France catholique qui croit à la Révolution menaçante et au retour des temps de l'apocalypse. Dans le sillage du catholicisme ultramontain et populaire, toute une France se repent en effet devant les désastres, la défaite, la guerre civile, et fait pénitence, comme elle le fera à nouveau en 1940. Elle chante : « Sauvez Rome et la France au nom du Sacré-Cœur », elle attend une restauration monarchique et chrétienne, elle unit dans une même vénération Pie IX, qu'elle veut rétablir dans sa souveraineté temporelle, et le comte de Chambord, le prétendant légitime.

Cette attente, ces espérances, marquées de millénarisme, trouvent un écho dans le jeune clergé, l'aristocratie légitimiste, le peuple des campagnes fidèles. Évoquer ces mentalités s'impose dans une histoire de la vie politique : sans elles, on ne comprendrait pas l'intransigeance des légitimistes, convaincus que Dieu ramènera sur le trône Henri V, on ne comprendrait pas non plus l'inquiétude des anticléricaux qui croient assister à un retour au Moyen Age. Mais le pays n'est guère dans ces sentiments.

Une consultation électorale éclaira l'état de l'opinion au lendemain de la Commune : les élections complémentaires du 2 juillet 1871 confirmèrent les municipales d'avril, démontrant que le vote conservateur de février était un vote pour la paix, non pour la monarchie. Il fallait pourvoir 113 sièges, dans 47 départements [1], au scrutin de liste dans le cadre départemental. Plus de la moitié des Français étaient appelés à voter. La loi du 10 avril 1871 avait rétabli le vote dans la commune. Cette disposition, prise par les conservateurs, ne les favorisa pas. Les comités républicains surent préparer la consultation, à la différence de leurs adversaires. Les républicains se posèrent en hommes d'ordre, qui avaient maîtrisé l'insurrection parisienne, et refusaient la crise où une restauration et les divisions qu'elle ferait naître plongeraient la France.

Revenu de Saint-Sébastien, Gambetta, à Bordeaux, le 26 juin, devant les délégués des comités républicains de la Gironde, invita les républicains à la modération : « Sous un gouvernement qui, pour maintenir l'ordre, a été obligé de se réclamer de la légalité de

1. Auquel s'ajoute un siège le 9, dans la Manche. Cf. J. Gouault, *op. cit.*

la République, il faut savoir patienter [1]. » Les républicains remportèrent un succès écrasant, avec 99 élus, dont 35 radicaux, 38 modérés, les autres étant des ralliés dans la ligne de Thiers. Les monarchistes étaient 12, les bonapartistes 3. L'abstentionnisme est important et avoisine les 40 %, il semble avoir touché davantage le camp conservateur.

Le 5 juillet, le manifeste du comte de Chambord réaffirmant la fidélité au drapeau blanc exacerba les divisions des conservateurs. Les divisions sur la question du régime entre orléanistes, légitimistes, bonapartistes, le refus par le prétendant légitime des conquêtes de 1789 et de la monarchie parlementaire creusent un fossé que ne comble pas le souci de « défense sociale ». Quand les légitimistes, hormis une aile libérale incarnée par Falloux, le comte de Meaux, Charles de Lacombe [2], aspirent à la contre-révolution et professent un catholicisme ultramontain et intransigeant, les orléanistes demeurent attachés au libéralisme politique. Conservateurs, ils refusent la réaction.

Les divisions des républicains sont certes considérables. Que de différences entre les républicains avancés qui ont cherché la conciliation avec la Commune et les amis de Thiers, entre les amis de Gambetta et ceux de Grévy et de Ferry ! Mais tous ont en commun le refus d'une restauration monarchiste et l'hostilité au cléricalisme. Les ferments d'unité vont l'emporter sur les éléments de division, à la différence des droites qui ne s'unirent qu'à de brefs moments. Le suffrage universel s'éloigne des notables conservateurs, mais dans l'immédiat ils demeurent maîtres de l'Assemblée nationale, même si celle-ci n'est plus représentative de l'opinion du pays. Quelles seraient alors les institutions dont l'Assemblée saurait doter la France ?

1. Discours du 26 juin, in *Discours et plaidoyers politiques,* Charpentier, 1881, t. II, p. 9.
2. Renvoyons aux *Souvenirs* du comte de Meaux, au *Journal* de Charles de Lacombe, à la correspondance de Mme de Forbin d'Oppède, si liée à ce monde. Cf. J.-R. Palanque, *Une catholique libérale du XIXe siècle, la marquise de Forbin d'Oppède d'après sa correspondance privée,* Louvain, 1981.

2

La vie politique au temps de l'Assemblée nationale et la naissance du régime

(juillet 1871-janvier 1879)

Après une année de crise et de drame, la France se recueille, dans l'ordre et la paix. La vie politique, passé le temps de révolution et d'insurrection, retrouve un ton et un rythme moins enfiévrés. Le calme succède à la tempête, mais, loin de favoriser les conservateurs, il sert, au long des élections législatives partielles et des élections locales, les républicains. Certes, le régime politique demeure frappé au coin du provisoire, mais le temps va conduire à ce paradoxe d'une Assemblée nationale monarchiste qui, par les lois constitutionnelles de 1875, fonde la République. On ne refera pas le détail de cette histoire [1], souvent écrite, mais qui incite toujours à la réflexion. En revanche, on décrira les conditions de la vie politique dans le pays et l'évolution de l'esprit public, avant de revenir à l'Assemblée nationale, d'évoquer ses relations avec Thiers, la démission de celui-ci, l'appel à Mac-Mahon, l'échec de la restauration et le vote des lois constitutionnelles.

1. *Conditions de la vie politique*

La vie politique se déroule pendant toutes ces années sous un régime d'exception. L'état de siège, dû à la guerre et à la

1. Cf. les chapitres de R. Rémond, *La Vie politique en France, op. cit.*, t. II.

Commune, est en vigueur dans 42 départements ou moitiés de départements. Le pays n'en sortit pleinement qu'en 1876. Les préfets peuvent donc faire fermer cercles, sociétés, suspendre ou supprimer les journaux. La loi du 14 mars 1872 frappe d'emprisonnement et de privation des droits civiques les membres de l'Association internationale des travailleurs ou de « toute autre association professant les mêmes doctrines et ayant le même but ». Sont visés ceux qui veulent « l'abolition du droit de propriété, de la famille, de la patrie, de la religion ou du libre exercice des cultes [1] ». Les socialistes, mais aussi les radicaux, peuvent tomber sous le coup de ce texte.

L'état de siège suspend dans toutes les grandes villes et près de la moitié du pays la législation en matière de presse. Celle-ci repose sur les lois du 22 avril 1871, assez libérale, qui renvoie les procès politiques au jury [2], et du 6 juillet qui rétablit le cautionnement, mesure qui frappe la presse démocratique. Le gouvernement use, d'autre part, de la possibilité, donnée par l'article 6 de la loi du 27 juillet 1849, d'interdire la vente de certaines feuilles au numéro dans la rue.

Tout comme la presse, les réunions publiques dans une partie de pays sont sous le coup de la législation sur l'état de siège. Comme en d'autres temps, les opposants tournent les interdictions en organisant des banquets, occasion de réunir les militants du parti républicain autour d'un orateur illustre. C'est ainsi que Gambetta parcourt la province, véritable leader charismatique enracinant l'idée républicaine. La propagande républicaine se tourne vers les campagnes. *L'Univers* constatait le 8 janvier 1874 : « les réserves de la patrie, les populations rurales, jusqu'ici à peu près intactes, sont entamées », et le journal catholique de dénoncer « les petits écrits dont la propagande radicale inonde ville et campagnes ». Ce sont des brochures de cinq à trente centimes, publiées dans la « Bibliothèque démocratique », ou les « Cahiers d'histoire et de la politique du Père Gérard », publiés en 1872 et destinés aux campagnes. Le colportage, que les conservateurs s'efforcèrent de contrôler, diffuse brochures, foulards, complain-

1. Cité par P. Albert in *Histoire générale de la presse française,* t. III, P.U.F., 1972.
2. R. Huard, *Le Mouvement républicain en Bas-Languedoc (1848-1881),* F.N.S.P., 1982.

tes. Les bonapartistes, plus proches du peuple que les orléanistes, surent recourir aux mêmes procédés. Dans les villes et les bourgs, le cabaret, lieu de lecture des journaux, est le foyer de la vie politique. Un préfet du Gard s'en prend à « cette presse démagogique qui sollicite l'ouvrier, l'attend à son retour du travail, prend place avec lui au café, et au cabaret [1] ».

Le café, comme a pu le confirmer, à propos du Gard encore, le plus récent historien du « parti républicain [2] », constitue bien la structure de base de celui-ci. Les loges maçonniques en revanche, si appréciable qu'ait pu être leur rôle de laboratoire d'idées, ont au total, de par leur recrutement bourgeois, un essor limité. Plus importants sont en revanche les cercles d'agrément, sociétés de lecture ou d'instruction populaire, lieux de sociabilité, plus ou moins politisés. Ils constituent une étape vers la naissance de véritables organisations politiques et, dans les temps de répression, notamment après la chute de Thiers, une protection pour ces organisations. Celles-ci prennent la forme de « cercles », de comités républicains. Gambetta, « commis voyageur de la République » au long de ces années, par un effort aujourd'hui encore mal connu, va s'efforcer de coordonner au plan national ces organisations locales.

L'évolution vers la République est attestée à la fois par les élections législatives partielles et les élections locales. Les premières ont été fort bien étudiées [3]. Elles se déroulent toujours dans le cadre départemental, mais la loi du 18 février 1873, reprenant la loi du 14 mai 1855, dispose désormais que nul n'est élu au premier tour s'il n'a, à la fois, la majorité absolue des suffrages exprimés et un nombre de suffrages égal au quart des inscrits. Les élections du 8 février 1871 s'étaient faites à la majorité relative, le huitième des inscrits suffisait. Le second tour n'avait pas été nécessaire. Désormais, ces dispositions, qui seront reprises par la suite dans la législation électorale, rendent le second tour fréquent lors des partielles dans le cadre départemental, au scrutin uninominal ou au scrutin de liste s'il y a plus d'un siège à pourvoir. L'objet de la loi était du reste d'éviter que les conservateurs divisés ne soient

1. Cité par P. Albert, *op. cit.*, p. 153.
2. R. Huard, *op. cit.*
3. Sur tout ceci, cf. J. Gouault, *op. cit.*

battus au premier tour par le républicain, et de permettre les désistements de second tour où triompherait, pensait-on, l'union des droites. Une autre loi, le 27 juillet 1872, autre précaution conservatrice, retirait le droit de vote aux militaires : l'armée, souvent républicaine, devenait la « grande muette ». Cette disposition allait demeurer en vigueur pendant tout le reste du régime.

De janvier 1872 à la chute de Thiers, le 24 mai 1873, eurent lieu 38 élections partielles afin de renouveler 41 sièges. Les républicains gagnèrent 31 de ceux-ci. Parmi eux, les radicaux étaient 17, dont Barodet. Son élection, le 27 avril 1873, contre le ministre des affaires étrangères Charles de Rémusat, témoignait que le département de la Seine restait fidèle aux républicains avancés [1]. Après la chute de Thiers et jusqu'à février 1875, 27 élections partielles portèrent sur 29 sièges, les républicains en obtinrent 22, les bonapartistes 6, remontée qui détermina les hommes du centre droit à accepter les lois constitutionnelles. Mais le fait majeur était bien la constance et l'ampleur des succès républicains.

Les élections locales, si rarement évoquées par les historiens, allaient dans le même sens. La loi du 10 août 1871 sur les conseils généraux n'étendit que faiblement les pouvoirs de ceux-ci, malgré la création de la commission départementale. Mais les élections qui eurent lieu les 8 et 15 octobre 1871 pour la désignation des nouveaux conseils, après la dissolution intervenue l'année précédente, furent des élections politiques. Gambetta se félicita des procès républicains qu'attestait l'échec de 120 députés conservateurs. Il jugeait que ces élections avaient été le pas « le plus considérable peut-être qui ait été fait vers l'établissement et l'organisation de la République [2] ». Les élections cantonales d'octobre 1874, lors du renouvellement par moitié des conseils généraux, n'eurent pas moins de portée. Gambetta se disait « accablé par les 1 200 élections cantonales [3] » qu'il avait dû suivre. Il suivit également de près les municipales du 29 novembre 1874 :

1. J.C. Wartelle, « L'élection Barodet », *Revue d'histoire moderne et contemporaine,* octobre-décembre 1980, p. 601-630.

2. Lettre à un conseiller général du 16 octobre 1871, in *Discours,* t. II, p. 475.

3. A Juliette Adam, 1er octobre 1874, in *Lettres de Gambetta 1868-1882,* recueillies et annotées par D. Halévy et E. Pillias, Grasset, 1938.

« Je me livre, écrivait-il, à un travail de récapitulation énorme qui comprend tous les conseils municipaux de France [1]. » Il n'est pas possible d'entrer ici dans le détail de ces consultations et de ces luttes, mais il est indispensable de dire que, loin d'être, comme on tend parfois à le croire, apolitiques, ces élections locales au début de la troisième République revêtent une importance considérable. C'est dans ces scrutins que se joua le destin du pays. Ce sont leurs résultats, année après année, qui ont décidé de la naissance de la République.

De cette évolution de l'opinion, de cette pesée du suffrage universel, l'Assemblée nationale subit les contrecoups. Certes, la vie parlementaire a ses lois et ses problèmes propres, auxquels il importe maintenant de s'attacher, mais cette histoire ne trouve sa pleine explication que dans les attitudes des Français, auxquelles le personnel politique ne pouvait qu'être attentif.

A Versailles, l'Assemblée nationale siège dans le théâtre du château, dont les loges et les galeries sont occupées par le public. Thiers a sa résidence officielle à Versailles, mais les ministères demeurent à Paris. Comme nombre de députés, particulièrement les républicains, habitent à Paris, que l'administration y garde son siège, les « trains parlementaires » sont, de 1871 à 1876, un lieu de discussion politique et comme une extension des couloirs de l'Assemblée.

Au sein de celle-ci s'organisent peu à peu des groupes parlementaires, dont un travail récent a bien montré l'importance [2]. Dès février 1871, la gauche se partage en deux groupes, l'Union républicaine, avec les amis de Gambetta, la Gauche républicaine avec les amis de Ferry et de Grévy, en tout plus de 250 députés. A droite et surtout au centre, les choses sont plus complexes. Les légitimistes réunis à l'Hôtel des Réservoirs à Versailles forment le Cercle des Réservoirs, doté de statuts et d'un bureau. Mais le manifeste du comte de Chambord refusant, le 5 juillet, le drapeau tricolore entraîne le 7 juillet une déclaration de 80 députés de la Réunion des Réservoirs, avec MM de Falloux, de Larcy, de

1. *Ibid.*, 22 octobre 1874.
2. Celui, exemplaire, de Rainer Hüdemann, *Fraktionsbildung im französischen Parlament. Zur Entwicklung des Parteiensystems in der frühen Dritten Republik (1871-1875)*, Munich, Artemis Verlag, 1979.

Les groupes parlementaires à l'Assemblée nationale, 1871-1875
(d'après R. Hüdemann, *op. cit.*)

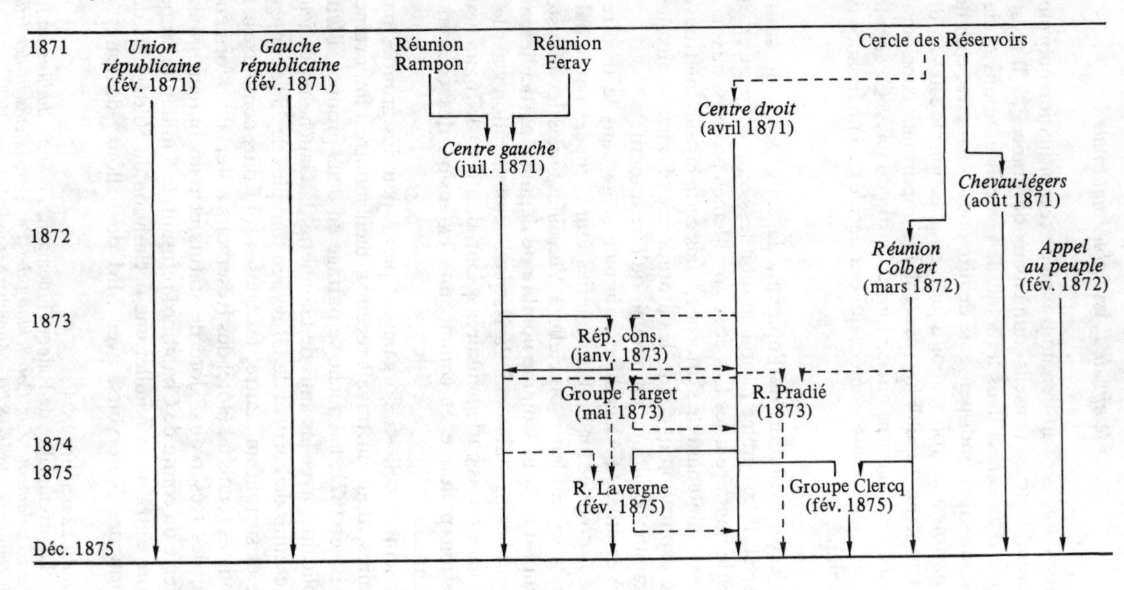

——— Union officielle ou fusion.
- - - - - - Changement de groupe de plusieurs députés sans décision officielle.
Les sept principaux groupes qui existent jusqu'à la fin de la législature sont en italiques.

Cumont. Ces légitimistes libéraux se réclament de la monarchie parlementaire et du drapeau tricolore. A l'inverse, les partisans du manifeste du comte de Chambord forment le 21 août la Réunion des Chevau-légers, ainsi nommée parce qu'elle se réunit dans le salon du marquis de Gouvello, impasse des Chevau-légers. Elle compte environ 80 députés, étroitement liés au comte de Chambord par l'intermédiaire de son bureau à Paris.

Des légitimistes libéraux tel le comte de Meaux sont en revanche aux origines du groupe de la droite modérée que va rejoindre le gros de la Réunion des Réservoirs. Ce groupe, qui réunit environ 120 députés, siège à Versailles rue Colbert, se dote d'un bureau le 12 mars 1872 et change son nom en Réunion Colbert. Enfin, une partie de la Réunion des Réservoirs a dérivé vers le centre droit. Est-ce à dire que la Réunion des Réservoirs a disparu ? Non, elle sert de cadre à des rencontres où toute la droite se retrouve. Ainsi la double appartenance permet d'affirmer à la fois l'unité et la diversité des droites. En marge, le groupe bonapartistes de l'Appel au peuple est fondé par Rouher après son élection en Corse en février 1872. A la faveur des élections partielles et du retour de certains élus vers leur famille d'origine, il atteint une vingtaine de membres.

Les groupes du centre sont ceux dont la description réclame le plus de discernement. Les passages et les glissements d'un groupe à l'autre sont fréquents. Du Centre droit, né en avril 1871, présidé par Saint-Marc Girardin, puis le duc d'Audiffret-Pasquier et P.-E. Bocher, fort d'environ 180 membres, se détache la Réunion Pradié, dénommée aussi Groupe Changarnier, au rôle bref, aux réunions irrégulières, fort d'environ 40 députés. La Réunion Lavergne, ou Centre constitutionnel, réunit des hommes du Centre droit, et du Centre gauche, qui, autour de Léonce de Lavergne, acceptent en juillet 1874 la proposition Casimir-Périer d'instauration de la République. Leur rôle est capital en 1875 lors du vote des lois constitutionnelles. Le groupe passe alors d'une trentaine à une cinquantaine de membres. Mais, peu organisé, il ne parvient pas, malgré son vœu, à surmonter la division entre le Centre droit et le Centre gauche. Lors du vote de l'amendement Wallon, introduisant la forme républicaine, se constitue le groupe Clercq, aile droite du Centre droit, qui refuse la République.

Ainsi le Centre droit perd-il sur ses deux ailes au long de la législation.

Dès juillet 1871, la Réunion Feray et la Réunion Rampon, ainsi nommées par leurs animateurs, ont donné naissance au Centre gauche, présidé par J.-C. Rivet, qui soutient Thiers. D'une dissidence du Centre gauche et d'un appoint du Centre droit naquit, en janvier 1873, la Réunion des républicains conservateurs, une soixantaine en tout, que préside A. Casimir-Périer. Le fameux Groupe Target, ces 15 députés auxquels on attribue avec quelque excès la chute de Thiers le 24 mai 1873, comprend, avec des hommes du Centre droit, certains de ces républicains conservateurs dont le groupe va se partager ensuite entre les deux centres.

Au total, l'émiettement des groupes n'est qu'apparent. Sept groupes ont une réalité durable ; Chevau-légers, Réunion Colbert, Centre droit, Centre gauche, Gauche républicaine, Union républicaine, Appel au peuple. Les groupes ont un président, des vice-présidents et secrétaires, un questeur, des statuts. La portée des doubles appartenances ne doit pas être exagérée. Celles-ci sont souvent une étape vers une scission.

Les groupes jouèrent un rôle important dans le travail parlementaire, dans la formation des gouvernements, après la chute de Thiers, avec le passage d'un régime de style présidentiel à des gouvernements parlementaires. L'analyse des scrutins qu'a menée R. Hüdemann montre la forte cohésion des groupes : 83 % pour les groupes importants. Que le rôle des groupes, pour des raisons sur lesquelles on reviendra, ait décliné après 1876 ne doit pas conduire à sous-estimer leur poids au temps de l'Assemblée nationale, comme on l'a fait longtemps.

2. *Le gouvernement de Thiers (1871-24 mai 1873)*

Décentralisatrice, ennemie de Paris, des souvenirs de l'Empire et du gouvernement de la Défense nationale, « laborieuse, inexpérimentée, indisciplinée » (Jules Simon), l'Assemblée nationale eut avec Thiers des relations difficiles. Les monarchistes accusaient celui-ci de prendre parti pour la République et souhaitaient limiter ses pouvoirs, mais le chef du pouvoir exécutif paraissait indispensable. N'avait-il pas triomphé de la Commune ? Sa présence à la tête de l'État ne s'imposait-elle pas pour présider au règlement du traité de Francfort et à la libération du territoire ? Deux années s'écoulent entre la fin de la Commune et la chute de Thiers le 24 mai 1873, il n'est pas de notre propos d'en faire le récit, pas plus que de décrire l'œuvre de Thiers. Mais il est indispensable à la fois de préciser le régime original que définissent les pouvoirs de Thiers et de marquer le sens de cette expérience originale dans l'histoire politique française [1].

Il faut revenir à la résolution du 17 février 1871 : Thiers chef de l'État exerce ses fonctions « sous l'autorité de l'Assemblée nationale ». A la fois président de la République, président du Conseil et député, il choisit les ministres et les préside. Favorable à une République autoritaire, consulaire, il exerce pleinement son autorité, réunit le conseil des ministres tous les jours, intervenant dans le détail des affaires : « il se mêlait de tout », dira son ministre de l'Instruction publique Jules Simon. Il ne prend pas ses ministres dans la majorité. Certes, les remaniements dus au départ d'E. Picard fin mai, sur la pression de la droite, et de Jules Favre le 2 août, infléchissent le cabinet vers le centre droit [2]. Mais Thiers, l'homme des « libertés nécessaires » sous l'Empire, ne se sent pas tenu de suivre les règles du régime parlementaire. Il heurte « un libéralisme qui était la religion de l'Assemblée » (D. Halévy). Il use de « majorités de rechange » (Louis Girard). Le 29 novembre 1872, il donne une définition personnelle du système parlementaire : « C'est un chef devant une assemblée, qui parle à cette assemblée, qui tâche de la persuader, et qui, s'il ne la persuade

1. Cf. Louis Girard, « Une constitution mort-née : le projet de loi sur les pouvoirs publics de mai 1873 », *Études européennes — Mélanges offerts à Victor L. Tapié, in Publications de la Sorbonne* p. 533-545.

2. Lambrecht, proche de Thiers, prend l'Intérieur, Charles de Rémusat les Affaires étrangères. Après la mort de Lambrecht, Casimir-Périer est brièvement ministre de l'Intérieur (11 octobre 1871-6 février 1872), remplacé par Victor Lefranc, puis de Goulard le 30 novembre : « Il semblait que le cabinet s'avançait vers la droite, à mesure que le président du Conseil faisait des pas vers la gauche », écrit Jules Simon, seul survivant du gouvernement de la Défense nationale (*le Gouvernement de Monsieur Thiers, op. cit.*, t. II, p. 234.

pas, se retire. » Il affirme ainsi l'autorité du chef de gouvernement, et sa responsabilité devant l'Assemblée.

Ses pouvoirs ont été précisés par la loi Rivet du 31 août 1871, fruit d'un compromis entre ses amis et les monarchistes défiants. Thiers souhaitait la prorogation de son mandat, le titre de président de la République, des garanties face à l'Assemblée. Des pétitions des municipalités républicaines l'appuient : l'initiative est prise par le conseil municipal de Toulouse dès juin 1871. L'Assemblée nationale affirme « qu'elle a le droit d'user du pouvoir constituant ». Les institutions demeurent « provisoires », l'Assemblée veut continuer l'essai loyal commencé à Bordeaux », mais « sans rien changer au fond des choses ». Autant de satisfaction données aux monarchistes.

En revanche, le chef du pouvoir exécutif prend « le titre de président de la République française ». Ses fonctions sont prorogées pour la durée des travaux de l'Assemblée. Le président de la République peut être « entendu par l'Assemblée nationale », « il nomme et révoque les ministres. Le conseil des ministres et les ministres sont responsables devant l'Assemblée ». Chacun des actes du président doit être contresigné par un ministre, précaution qui semble orienter le régime vers le régime parlementaire. Enfin, « le président de la République est responsable devant l'Assemblée ». Gambetta et ses amis combattirent le pouvoir constituant et réclamèrent la dissolution. La loi fut votée le 31 août par 491 voix contre 94, venues surtout de l'extrême droite. On restait dans le provisoire, mais la loi consolidait en fait la République.

Par décret du 2 septembre 1871, Dufaure, le Garde des Sceaux, fut nommé vice-président du Conseil. Il convoquait et présidait le conseil des ministres en l'absence de Thiers. Celui-ci était à la fois chef de l'État et chef du gouvernement, formule exceptionnelle qui fait songer aux pouvoirs du général de Gaulle à la Libération. En usant de la menace de démission (il avait déjà recouru à ce procédé pendant la Commune), Thiers impose son autorité à une majorité de plus en plus réticente. Il sait le soutien du pays. En avril 1872, de nombreux conseils généraux envoient des adresses favorables à la République.

Le 13 novembre 1872, à l'ouverture de la session, dans un message à l'Assemblée, Thiers se prononça nettement pour la

« République conservatrice », n'hésitant pas à allier deux termes qui jurent ensemble pour les contemporains. « La République existe, elle est le gouvernement légal du pays, vouloir autre chose serait une nouvelle révolution et la plus redoutable de toutes. » Après la mise en garde aux monarchistes, le monition aux républicains avancés : « Tout gouvernement doit être conservateur, et nulle société ne pourrait vivre sans un gouvernement qui ne le serait point. La République sera conservatrice, ou elle ne sera pas. » Thiers fut applaudi à gauche et au centre gauche. Les conservateurs lui reprochèrent non seulement de pencher vers la République, mais d'être incapable d'arrêter les succès des « radicaux ». Thiers, par la « politique du message », avait espéré rallier le centre droit et sceller la « conjonction des centres [1], mais la droite se refusait à celle-ci. La gauche avec Gambetta se félicitait de voir Thiers incliner vers la République, mais ne voulait pas que la République pût être fondée par l'« appoint » des « réactionnaires [2] ».

Thiers trouva pour le soutenir une majorité de 372 voix, il avait contre lui 117 légitimistes et 235 républicains. Encore avait-il dû accepter la création d'une commission, la commission des Trente, chargée d'organiser la responsabilité ministérielle. Ses travaux menèrent au vote, le 13 mars 1873, d'une loi baptisée « loi chinoise » à cause de ses précautions complexes. Elle portait « sur les attributions des pouvoirs publics et les conditions de la responsabilité ministérielle ». Désormais, si le président de la République veut intervenir dans la discussion des lois, son intervention n'est pas suivie de discussion : « Les interpellations ne peuvent être adressées qu'aux ministres et non au président de la République » (art. 4.) Ce n'est que lorsque les interpellations « se rapportent aux affaires extérieures » et à la politique générale du gouvernement que le président de la République a le droit d'être entendu. La « loi chinoise » est davantage qu'une loi de

1. Comme le rappelle Jules Simon et l'observe Odile Rudelle, *La République absolue,* Publications de la Sorbonne, 1982, p. 25.

2. *La République française,* 13 janvier 1873, citée par O. Rudelle. L'auteur de l'article ironise sur « ces associations mixtes composées d'éléments hétérogènes qu'on appelle du nom de " centre " dans le langage parlementaire », en fait « le pays est divisé en républicains et réactionnaires ».

circonstance tournée contre Thiers. Elle définit les relations entre l'Assemblée nationale et le président de la République, telle qu'elles vont s'exercer sous le successeur de Thiers, Mac-Mahon. Elle annonce l'esprit des lois de 1875 en affirmant une conception parlementaire, non présidentielle, de la présidence de la République.

Enfin la loi redit à l'Assemblée nationale sa mission. Elle ne doit pas se séparer avant d'avoir statué sur les nouvelles institutions, et notamment « sur la création et les attributions d'une seconde Chambre » (art. 5). L'idée chère à Thiers et à tant d'esprits libéraux, de Victor de Broglie à Laboulaye et Prévost-Paradol, d'une seconde Chambre, arbitre des conflits entre l'Assemblée et le président, contrepoids conservateur, trouvait ici droit de cité [1]. Là encore, les débats de mars 1873 préparent 1875 et le régime définitif de la République, et c'est pourquoi ils doivent être évoqués, mais le compromis accepté par Thiers est sans lendemain.

Le 15 mars, la signature de la convention d'évacuation ne rend plus indispensable la présence à la tête de l'État du « libérateur du territoire ». Celui-ci n'ouvre-t-il pas la voie au radicalisme, comme l'atteste la victoire électorale à Paris le 27 avril de Barodet, le maire suspendu de Lyon, qui l'emporte sur le propre ministre des Affaires étrangères de Thiers, Charles de Rémusat ? N'est-ce pas la Commune qui revient ? La perspective d'une République conservatrice s'éloigne. Les hommes du centre droit, inquiets, vont abandonner la tentative de « conjonction des centres » pour lui substituer l'« union des droites » autour d'Albert de Broglie.

Le 18 mai, Thiers, prêt à se battre, remanie son ministère en faisant appel à deux hommes du Centre gauche, Auguste Casimir-Périer à l'Intérieur, William Waddington à l'Instruction publique. Il fait déposer par Dufaure un « projet de loi constitutive des pouvoirs publics », où les « velléités de régime présidentiel se combinent de curieuse façon aux traditions parlementaires » (L. Girard [2]). Le projet ne fut jamais discuté. L'interpellation du duc

1. L. Girard, *op. cit.*
2. *Op. cit.* Le projet prévoit deux Chambres et l'élection du président de la République par un collège de 1 967 membres où figurent, outre les députés et les sénateurs, trois représentants de chaque conseil général. Le président dispose, partagé avec le Sénat, du droit de dissolution.

de Broglie demandant de faire « prévaloir dans le gouvernement une politique résolument conservatrice » l'emporte par 360 voix contre 344. Thiers tombe à gauche, l'attitude des bonapartistes [1] et celle du groupe charnière du centre, le Groupe Target, entraînent sa défaite. Le président de la République, se comportant en président du Conseil d'un régime parlementaire, démissionna. Ainsi prenait fin une expérience originale, marquée par la confusion en une même personnalité des fonctions de président du Conseil et de président de la République.

Élu président de la république le soir de la démission de Thiers, par 390 voix, avec l'abstention des républicains, Mac-Mahon, militaire de tradition légitimiste, étranger aux luttes politiques, va se cantonner dans le rôle de chef d'État irresponsable d'un régime parlementaire. Il ne saisit aucune des possibilités que lui laisse la loi du 15 mars pour venir devant l'Assemblée nationale. Broglie, vice-président du Conseil et ministre des Affaires étrangères, chef de la majorité, a l'initiative de la conduite des affaires. On a bien un régime parlementaire de fait, conforme à l'idéal politique des orléanistes. « J'ai fait choix, déclare Mac-Mahon dans le message du 26 mai, d'un ministère dont tous les membres sont sortis de vos rangs. » Le ministère associe les diverses composantes de la majorité : sur neuf ministres, à côté de personnalités orléanistes, siègent deux légitimistes : Ernoul à la Justice et La Bouillerie à l'Agriculture. Magne, ancien ministre de l'Empire, bonapartiste modéré, est aux Finances. L'un des membres du groupe Target, l'industriel Deseilligny, neveu de Target, est ministre des Travaux publics. Unie pour la défense de l'« ordre moral », pour reprendre la formule de Mac-Mahon le 25 mai, cette coalition manque de cohérence. Les trois droites, unies face au péril radical, vont montrer leurs divisions.

3. *L'ordre moral et la restauration manquée*

Dès la formation du cabinet Broglie, une vingtaine de préfets républicains sont destitués ou remplacés. Le 25 mai, Mac-Mahon

1. R. Hüdemann *(op. cit.)*, a montré de manière incontestable que le groupe Target ne fut pas seul déterminant.

définit la politique du ministère : « Avec l'aide de Dieu, le dévouement de notre armée qui sera toujours l'esclave de la Loi, l'appui de tous les honnêtes gens, nous continuerons l'œuvre de la libération du territoire et du rétablissement de l'ordre moral dans notre pays. nous maintiendrons la paix intérieure et les principes sur lesquels repose la Société. » Ce langage conservateur, Thiers aurait pu le tenir, et lui-même, le 12 juillet 1872, s'était engagé à défendre cet « ordre moral » qui allait, pour l'histoire, désigner le nouveau gouvernement. Deux nuances pourtant, mais elles sont d'importance, aident à comprendre tout ce qui sépare le centre gauche du centre droit. Thiers employait volontiers l'adjectif « conservateur », mais au féminin, associé à République. Surtout, Thiers restait discret sur l'aide de Dieu. Thiers est libéral, comme Broglie, mais le premier incarne le libéralisme anticlérical fils de la Révolution, le second un libéralisme aristocratique et catholique.

Unie pour la défense de la hiérarchie sociale, des classes dirigeantes et de l'Église, la coalition de l'« ordre moral » est dépourvue d'unité. Le bonapartistes sont des alliés peu sûrs, attachés à la cause du prince impérial. Les orléanistes, leurs adversaires sous l'Empire, se défient des penchants autoritaires de tous, et démocratiques de certains. Ils se défient aussi des exagérations ultramontaines et des manifestations religieuses provocantes des catholiques intransigeants, qui font leur la cause légitimiste. S'ils souhaitent l'influence de l'Église dans la société, ils se défient d'une « politique tirée de l'Écriture sainte ». Attachés aux « libertés modernes », ils n'acceptent pas la condamnation qu'a portée contre elles le *Syllabus* en 1864, ou plutôt ils font leurs les observations nuancées publiées alors par l'évêque d'Orléans, Mgr Dupanloup, l'ami des plus éminents d'entre eux. Fidèles au régime parlementaire, ils sont hostiles à une restauration qui serait un retour sur ce qui leur paraît le signe le plus haut de la civilisation.

Pour les légitimistes intransigeants, ces « libéraux » sont les fourriers de la Révolution. Ils transigent avec le mal. Ne refusent-ils pas de consacrer le France au Sacré-Cœur, comme l'a demandé, à Paray-le-Monial, le 29 juin, devant cent cinquante parlementaires, le baron de Belcastel ? Ne s'opposent-ils pas à ce que, lors de la fondation de l'église élevée à Montmartre en signe d'expiation, l'Assemblée fasse « hommage » au Sacré-Cœur, selon le vœu de Belcastel et de Cazenove de Pradines, l'ancien zouave pontifical, le héros de Patay ? Mais ces oppositions, considérables, n'apparaissent guère aux républicains qui retiennent la déclaration d'utilité publique de la « construction de l'église... en l'honneur du Sacré-Cœur », qui retiennent la phrase de Mgr Pie à Chartres : « La France attend un chef, elle attend un maître », ou les cantiques des pèlerins : « Sauvez Rome et la France au nom du Sacré-Cœur. »

Divisées, les droites retrouvent leur unité pour combattre le radicalisme. Broglie frappe la presse républicaine, usant des lois de l'Empire et de l'état de siège. Il obtient de l'Assemblée nationale l'autorisation de poursuites contre Ranc, accusé d'avoir pris part quelques jours à la Commune. L'ancien collaborateur de Gambetta à la Défense nationale, qui venait d'être élu député de Lyon, est condamné à mort par contumace et s'exile à Bruxelles. La commémoration du 14 juillet est interdite. Dans le Midi rouge, les Mariannes, les bustes de la République sont chassées des mairies. Les enterrements civils organisés par les sociétés de libre pensée sont prohibés : à Lyon, haut lieu de l'anticléricalisme, le préfet, par arrêté, interdit, après sept heures du matin, « les inhumations faites sans la participation d'aucun culte reconnu par la loi ».

Contre la République, le socialisme, la libre pensée, la droite fait front. Pour tenir le pays, elle renonce aussi à ses idéaux de décentralisation de 1871. Le 20 janvier 1874, malgré les réticences de la majorité de l'Assemblée, une loi donne au chef de l'État [1] et aux préfets [2] le droit de nommer les maires dans toutes les communes. Ils peuvent les choisir « en dehors » du conseil municipal. Cette mesure fut fort mal reçue dans les campagnes : « La loi des maires, écrit Gambetta à Ranc, a mis le sceau à la popularité des hommes et des idées de notre parti [3]. » Par ses

1. Pour les chefs-lieux de département, d'arrondissement et de canton.
2. Pour les autres communes.
3. Lettre du 21 avril 1874, in D. Halévy et E. Pillias, *op. cit.*
Sur tout ceci, cf. R. Dreyfus, « Maires et fonctionnaires. Bouleversements administratifs et municipaux (1870-1880) », in *De Monsieur Thiers à Marcel Proust,* Plon, 1939.

mesures autoritaires et maladroites, l'Ordre moral favorisa la propagande républicaine. Proche de ses électeurs, paysans et bûcherons des Vosges, Ferry ressentit profondément cette colère de la paysannerie démocratique [1].

Cependant, sur l'initiative des légitimistes, avait été tentée, en vain, la restauration monarchique, différée depuis deux ans. A la faveur des vacances de l'Assemblée, du 29 juillet au 5 novembre 1873, des négociations qui devaient être décisives s'engagèrent avec le comte de Chambord. L'échec final de l'entreprise ne suffit pas à démontrer qu'elle n'avait aucune chance de réussite. Le 24 mai et l'avènement de l'Ordre moral n'avaient pas soulevé sur le moment de réactions bien vives dans un pays las et fatigué du transitoire. Les républicains avaient délibérément appelé leurs amis au calme, craignant que des troubles ne servent les conservateurs. Le pays, sans être monarchiste, eût peut-être laissé faire une restauration à condition qu'elle ne remît pas en cause l'acquis du libéralisme. Lorsque les orléanistes et les hommes du centre gauche qui ont abandonné Thiers pour se rallier à Mac-Mahon exigent des garanties — le régime parlementaire et le drapeau tricolore —, ils parlent en effet au nom de cette France de notables, de propriétaires, de juristes, de hauts fonctionnaires et de militaires susceptibles de s'accommoder d'un roi qui ne gouvernerait pas, et ne serait pas le champion de la contre-révolution religieuse, politique, sociale.

Le comte de Chambord avait-il évolué ? Le duc de Broglie n'en était pas convaincu, mais il laissa faire, sans prendre parti. Il serait toujours temps en cas d'échec d'avancer la solution qu'il tenait en réserve : la prolongation de la présidence de Mac-Mahon. Le 5 août le comte de Paris se rendit à Frohsdorf et reconnut le comte de Chambord comme « représentant du principe monarchique de la France ». En cas de restauration, le comte de Chambord monterait sur le trône. Comme il n'avait pas d'enfants, un Orléans serait son héritier. Cette « réconciliation » maintenait l'incertitude : qu'en était-il du drapeau et du régime parlementaire ? Aux envoyés qui le supplient de tenir compte des sentiments du pays, le prince refuse tout engagement [2]. Cependant, les semaines passent

1. *Lettres,* 1914.
2. Sur toute cette histoire, outre les ouvrages cités dans la bibliographie,

et l'absence de décision nuit au projet. Chesnelong, avocat d'Orthez, catholique venu au légitimisme, est envoyé au comte de Chambord par les groupes royalistes de l'Assemblée.

Entouré du Lyonnais Lucien Brun, de Carayon-Latour, de Cazenove de Pradines, il est reçu à Salzbourg. D'une très longue entrevue, Chesnelong retient les déclarations qui vont dans le sens souhaité, il ne veut pas retenir les autres. A son retour, la réunion des bureaux des groupes monarchistes approuve le projet de restauration et, dans une note publiée, affirme le maintien du drapeau tricolore qui ne peut être changé « que par l'accord du roi et de l'Assemblée ». La restauration paraît proche, malgré l'hostilité des groupes républicains et des bonapartistes. Mais, le 30 octobre 1873, le comte de Chambord fait publier dans *l'Union* une lettre datée du 27 qui veut mettre fin aux « malentendus ». Il refuse d'« inaugurer un régime réparateur par un acte de faiblesse ». Il jette « conditions » et « garanties »… « Ma personne n'est rien, mon principe est tout… Lorsque Dieu a résolu de sauver un peuple, il veille à ce que le sceptre de la justice ne soit remis qu'en des mains assez fermes pour le porter. » Convaincu que sa mission était de rétablir la monarchie chrétienne dont le cardinal Pie, évêque de Poitiers, avait esquissé l'image idéale, l'exilé de Frohsdorf persistait à attendre l'heure de la Providence… Ses plus proches amis et lui-même n'adhéraient-ils pas à des conceptions millénaristes, qui faisaient dépendre la restauration de l'intervention divine ?

L'incidence de ces croyances sur le cours de la vie politique doit ici être relevé. Il reste que le comportement du comte de Chambord ne suffit pas à expliquer l'échec de la restauration. Celle-ci n'avait pas de véritable majorité à la Chambre. Il eût fallu l'appui du Centre gauche. En outre, les bonapartistes n'étaient pas favorables au retour de la monarchie [1], et préféraient jouer leur jeu propre. Nombre d'orléanistes, enfin, étaient prêts à mettre entre parenthèses la question de la monarchie pour fonder un régime libéral et parlementaire.

---

renvoyons au livre du duc de Castries, *Le Grand Refus du comte de Chambord,* Hachette, 1970, et au bel article de Philippe Levillain, « Un chevau-léger de 1871 à 1875 : Joseph de La Bouillerie », *Revue historique,* 1977, 1, p. 81-122.

1. R. Hüdemann, *op. cit.* p.193.

Les réticences d'une partie de ceux dont le soutien était indispensable à la réussite de l'entreprise témoignent des chances limitées d'une restauration et des illusions des légitimistes. Le comte de Chambord eût-il abandonné son « principe » et rallié les « libéraux », restait à vaincre, dans le pays, l'hostilité des grandes villes et des campagnes démocratiques à toute formule qui ne fût pas républicaine !

4. *Vers les lois constitutionnelles*

Après l'échec de la tentative de restauration, Broglie, habile manœuvrier, profita du désarroi des légitimistes pour proposer la prolongation des pouvoirs de Mac-Mahon, solution qui, à terme, laissait la possibilité d'une restauration orléaniste. Il dut accepter un compromis avec le centre gauche : la prolongation pour sept ans, et non pour dix, avec le titre de président de la République, la création d'une commission de trente membres pour examiner les lois constitutionnelles. Une assemblée monarchique fondait le septennat. Par la loi du 20 novembre 1873, « le pouvoir exécutif est confié pour sept ans au maréchal de Mac-Mahon, duc de Magenta (...) ce pouvoir continuera à être exercé avec le titre de président de la République et dans les conditions actuelles jusqu'aux modifications qui pourraient y être apportées par les lois constitutionnelles ».

Pendant les débats, le comte de Chambord s'était rendu en secret à Versailles ; il espérait que Mac-Mahon se rallierait à sa cause et que l'Assemblée le reconnaîtrait comme roi. Cet épisode dérisoire, qui donne la mesure de l'aveuglement du comte de Chambord, fut ignoré des légitimistes ; ceux-ci, sauf sept d'entre eux, votèrent le septennat sans enthousiasme. Aux yeux des intransigeants, Broglie et les orléanistes, responsables de l'échec de la restauration, devenaient les premiers adversaires. Broglie démissionna le 24 novembre et forma un nouveau gouvernement le 26, qui prenait acte de la nouvelle majorité. La Bouillerie et Ernoul, les deux ministres légitimistes, quittaient le gouvernement. Broglie prenait l'Intérieur, et confiait les Affaires étrangères à l'ambassadeur à Londres, le duc Decazes. Celui-ci posa ses conditions : « Il entendait que l'on rompît avec l'extrême droite et que l'on orientât la politique nouvelle vers l'union des centres [1]. » Fourtou, proche des bonapartistes, était à l'Instruction publique.

Broglie dut lutter sur deux fronts : contre les républicains, et ce fut dès le 28 novembre le dépôt du projet de loi déjà évoqué sur la nomination des maires, et contre l'extrême droite ultramontaine et légitimiste. Le journal de Veuillot, *l'Univers,* fut suspendu deux mois après avoir publié un mandement de l'évêque de Périgueux qui dénonçait le Kulturkampf [2]. Le ministre des Affaires étrangères Decazes critiqua les manifestations cléricales favorables au pouvoir temporel du pape, et justifia l'envoi d'un ambassadeur auprès du roi d'Italie. Au conflit avec les légitimistes sur la politique religieuse, dont on aurait tort de sous-estimer l'importance, s'ajoutait le conflit sur l'interprétation du septennat. Broglie le jugeait « au-dessus de toute contestation », quand les légitimistes n'y voyaient qu'un expédient. Le 16 mai 1874, les « chevau-légers » votèrent avec les républicains et les bonapartistes contre le gouvernement qui venait de déposer le projet de loi concernant la seconde Chambre. Broglie fut renversé par 381 voix contre 317. A l'union des droites pour la défense sociale, les intransigeants préféraient la conjonction des extrêmes. De la politique du pire, sortirait, croyaient-ils encore la restauration.

Le 22 mai, Mac-Mahon forme un ministère de droite et de centre droit dont le vice-président du Conseil est le général de Cissey, ministre de la Guerre, mais dont Decazes est la principale personnalité. Fourtou passe à l'Intérieur. Même si une partie du personnel orléaniste songe à un retour à la « conjonction des centres », les institutions dont l'Assemblée doit doter le pays ne prennent toujours pas forme.

Une élection partielle précipite le reclassement des forces politiques et l'évolution vers les lois constitutionnelles : celle, le 24 mai 1874, d'un ancien écuyer impérial, le baron de Bourgoing, dans la Nièvre. Un an plus tôt, l'élection de Barodet révélait le péril radical. Voici que reparaissait le fantôme de cet Empire auquel quatre ans plus tôt, très exactement, plus de sept millions de Français avaient apporté leurs suffrages. Le bonapartisme

1. G. Hanotaux, *Histoire de la France contemporaine,* t. II, p. 316.
2. La politique de Bismarck contre l'Église.

gardait des sympathies dans les campagnes, l'armée, l'administration, la magistrature. L'échec de la restauration monarchiste, l'impuissance de l'Assemblée à sortir du provisoire, la personnalité du prince impérial poussent une partie de l'opinion vers une cause qui paraît neuve. D'octobre 1873 à février 1875, lors des élections partielles, six bonapartistes sont élus pour un seul monarchiste et seize républicains. Des orléanistes aux républicains, les opposants à l'Empire se retrouvent pour enrayer le péril.

Accusés de sympathies pour la propagande bonapartiste, le 20 juillet, Magne, ministre des Finances, et Fourtou, ministre de l'Intérieur, doivent quitter le gouvernement, dont le remaniement renforce le Centre droit. Un protestant, le général de Chabaud-La-Tour, devient ministre de l'Intérieur. La majorité conservatrice du 24 mai 1873 s'est disloquée. A l'opposition des chevau-légers et des bonapartistes, s'ajoute la division des orléanistes ; si une partie d'entre eux aspire à la conjonction des centres et est prête à s'accommoder d'une République parlementaire, Broglie reste l'adversaire du Centre gauche et souhaite, avant tout vote sur le régime, une loi sur le Sénat. Il ne se rallie qu'avec hésitation au vote des lois constitutionnelles. Mais les « ducs » Decazes et d'Audiffret-Pasquier, jugent celui-ci inéluctable : si l'Assemblée continuait ses atermoiements, la dissolution s'imposerait, lourde de menaces. Des indécis passent alors au camp républicain. Le 29 janvier 1875, l'amendement Laboulaye — « Le gouvernement de la République se compose de deux Chambres et d'un président » — est rejeté par 359 voix contre 336. Le lendemain, un modéré venu à la République, catholique, professeur de faculté, Wallon, propose un amendement sur le mode d'élection du président : « Le président de la République... est élu par le Sénat et la Chambre. » Il obtint une voix de majorité, 353 voix contre 352 : la République était faite.

Une autre majorité s'esquissait, que confirma le vote d'un nouvel amendement Wallon subordonnant le droit de dissolution de la Chambre par le président à l'avis conforme du Sénat. Une partie du Centre droit, la Réunion Lavergne et les trois groupes de gauche — Centre gauche, Gauche républicaine, Union républicaine autour de Gambetta rallié au compromis — formaient la nouvelle majorité.

La discussion décisive fut celle du projet sur le Sénat. Broglie, qui y voyait la pièce maîtresse de toute constitution, avait imaginé un Grand Conseil des notables qui comprenait des membres de droit, des membres nommés à vie, des membres enfin élus par un collège de notabilités. La gauche refusa tout projet qui ne ferait pas du suffrage universel, même indirect, la source de la désignation des sénateurs. Une négociation entre les groupes du centre aboutit à un compromis qui donnait une large satisfaction au Centre gauche : les sénateurs seraient élus par des collèges formés d'un délégué par commune, des députés, conseillers d'arrondissement et conseillers généraux. Le quart d'« inamovibles » serait élu d'abord par l'Assemblée, puis par le Sénat. Broglie accepta le projet, où son journal *le Français* — voyait « le plus rude échec qui ait été fait jusqu'ici à l'omnipotence du nombre et à l'action démocratique des villes ».

Gambetta, jusque-là adversaire d'une Chambre haute, convainquit les républicains d'accepter le projet. Il sait la nécessité de faire des concessions aux centres pour permettre la République. Il pressent surtout que ce « Grand Conseil des communes françaises » contribuera à enraciner la République dans les campagnes et que le mode d'élection du Sénat va être un ferment de vie politique dans les plus modestes communes. La loi sur le Sénat, le 24 février, est votée par 435 voix contre 234. Le 25, la loi sur l'organisation des pouvoirs publics est votée par 425 voix contre 254. Cissey donne sa démission. Le 10 mars, l'orléaniste Buffet forme un gouvernement qui, avec Dufaure à la Justice, Léon Say aux Finances, s'ouvre au Centre gauche et incarne la « conjonction des centres ». La gauche et le centre droit, Broglie compris, fondent les nouvelles institutions. La loi sur les rapports des pouvoirs publics fut votée le 16 juillet sans susciter de débat majeur, et approuvée par 520 voix contre 84.

Quatre ans après son élection, et après bien des péripéties, l'Assemblée avait rempli son mandat de donner à la France une constitution. Sans doute une longue préparation avait-elle été nécessaire pour permettre la brièveté du dernier acte. Entre la monarchie impossible et l'Empire abhorré, il ne restait à l'Assemblée, comme l'avait dit Wallon, qu'à prendre « ce qui existe » et à organiser cette « République conservatrice » dont Thiers, avait, dès 1871, pressenti l'avenir.

L'œuvre issue des travaux de l'Assemblée nationale est originale à bien des titres. Elle réclame d'autant plus l'analyse qu'elle a vécu jusqu'en juillet 1940 et que l'application des lois constitutionnelles a donné à celles-ci un sens qu'elles n'avaient pas nécessairement au départ. L'absence de préambule, de déclaration de droits, de rappel de principes est un premier trait remarquable : quelle majorité serait en effet parvenue à un accord ? Il ne s'agit même pas à proprement parler d'une constitution, mais de lois constitutionnelles, qui peuvent être modifiées aisément par une procédure de révision. Elles n'abordent en termes juridiques que les aspects essentiels du régime. C'est dire la brièveté de ces textes, fruits d'un compromis, et dont le vague a permis la souplesse d'interprétation.

La présidence de la République est une institution contraire à la tradition républicaine française attachée à un exécutif collégial, formule qu'avait souhaitée Jules Grévy en 1848. En fait, le président de la République, irresponsable, élu pour sept ans par l'Assemblée nationale formée du Sénat et de la Chambre des députés, a les pouvoirs d'un monarque constitutionnel : il suffirait d'une bien légère révision — la majorité absolue suffit — pour permettre une restauration. Le président a le droit de grâce et de conclure les traités. Il a l'initiative des lois, comme les Chambres. Il peut proroger et clore les sessions des Chambres après cinq mois de session ordinaire. Il peut dissoudre la Chambre des députés avec l'avis conforme du Sénat. Il nomme aux hauts emplois civils et militaires, et c'est en vertu de cette disposition que le président de la République nomme les ministres. Au total, le président de la République dispose de vastes pouvoirs, mais son mode de désignation limite son autorité. Le précédent de décembre 1848 exclut une élection par le peuple marquée de l'opprobre du bonapartisme. Selon le mot de Broglie dans ses mémoires, « l'élection était confiée aux Chambres, ce qui devait placer le pouvoir exécutif (...) dans la dépendance du pouvoir parlementaire ».

La Haute Assemblée est la pièce maîtresse du système instauré en 1875. Elle doit faire contrepoids à la Chambre des députés. L'âge minimum fixé à quarante ans, le renouvellement par tiers, les soixante-quinze sénateurs nommés à vie par l'Assemblée, qu'on espère conservateurs, la répartition des sièges (aucun département n'a moins de deux sièges, la Seine en a cinq [1]) et le mode électoral qui consacrent la prépondérance de la France rurale : autant de raisons qui doivent faire du Sénat le bastion de la France traditionnelle. Avec la présidence de la République, il doit limiter l'influence de la Chambre des députés [2] élue au suffrage universel direct, hérité de 1848, sur lequel il n'était pas possible de revenir.

Les lois de 1875 établissent un régime représentatif sans souveraineté du peuple, un régime parlementaire, conforme à l'idée orléaniste, auquel se rallie la nouvelle génération républicaine convertie aux réalités, mais non les républicains intransigeants. Ainsi, la démocratie du suffrage universel, associée sous l'Empire à un régime autoritaire, devient désormais parlementaire. « Pluralité des organes, dualisme des Chambres, équilibre, telles sont les caractéristiques du schéma orléaniste ; ils se retrouvent tous, sans altération, dans les textes de 1875 » (R. Rémond).

La présidence du Conseil n'est pas mentionnée. Les actes du président de la République doivent être « contresignés par un ministre », limite significative au pouvoir présidentiel. « Les ministres sont solidairement responsables devant les Chambres de la politique générale du gouvernement. » La responsabilité parlementaire est donc affirmée nettement, mais la dissolution doit éviter au régime parlementaire de devenir un régime d'assemblée.

Contrôle et équilibre des pouvoirs fondent un système complexe qui peut ouvrir la voie à des interprétations diverses. Mais, pour l'essentiel, les lois constitutionnelles, fruit d'un compromis, œuvre empirique, incorporent non seulement les pratiques nées sous Thiers et Mac-Mahon, mais la tradition coutumière venue de la monarchie parlementaire, l'apport constitutionnel du libéralisme, le « droit commun des peuples libres », selon le mot du rapporteur Laboulaye [3].

1. Ces dispositions figurent dans la loi du 24 février 1875.
2. Les termes républicains de « représentants » et d'« Assemblée nationale » n'ont pas été adoptés.
3. Cité par Marcel Prélot, *Institutions politiques et droit constitutionnel,* Dalloz, p. 450.

Dans cet héritage, sans doute faut-il faire entrer aussi l'article 4 de la loi du 25 février 1875, souvent négligé par les commentateurs. Il donne au président de la République le droit de nommer les conseillers d'État. Était donc modifiée la loi du 24 mai 1872 qui, contre Thiers, prévoyait l'élection des conseillers d'État par l'Assemblée [1]. L'institution, menacée au lendemain de l'Empire, reprenait toute son importance, et même si rien n'était dit de ses attributions, le nouveau régime ne touchait pas à l'administration, à ses traditions, à sa jurisprudence.

Le compromis constitutionnel fondé sur la « conjonction des centres » était en fait lourd de contradictions. L'entente sur la question constitutionnelle et une philosophie politique et sociale « juste milieu » ne doivent pas masquer le désaccord profond sur la question religieuse et le rôle de l'Église dans la société. Surtout, le rapprochement, possible au plan parlementaire, est sans réalité dans le pays où chacun des deux centres regarde vers ses alliés de droite ou de gauche.

5. *La mise en place du nouveau régime*
La crise du 16 mai 1877
L'avènement de la « République des Républicains »

Dès la mise en place des nouvelles institutions, la lutte des deux « blocs », droite et gauche, l'emporte, elle est la raison profonde de la crise du 16 mai 1877, dont l'issue décida de la lecture des lois constitutionnelles, et fit passer la France, d'un régime parlementaire qui eût convenu à un monarque orléaniste, à la « République des républicains ».

Le gouvernement Buffet illustre les divisions des centres. Si le Centre droit a la prépondérance, Dufaure et Léon Say représentent le Centre gauche. La présence au ministère des Finances du neveu de l'économiste libéral Jean-Baptiste Say, celle à un sous-secrétariat d'État d'Agénor Bardoux, le gendre de Montalivet, attestent la présence dans le gouvernement de ces « dynasties

1. Cf. Robert Dreyfus, « Le choix des conseillers d'État (1872-1875) », *De Monsieur Thiers à Marcel Proust, op. cit.*

bourgeoises » qui, après d'autres régimes, concouraient à fonder la République. Le ministère est sans unité. Quand Buffet aspire à une politique « nettement conservatrice », ses alliés du Centre gauche, qui n'oublient pas leurs « compagnons de lutte », souhaitent la fin des lois d'exception sur la presse et les maires, et une administration républicaine.

En fait, l'heure était à l'organisation du nouveau régime et à la préparation des élections. Les conservateurs, appuyés par le Centre gauche, imposèrent par la loi du 30 novembre 1875 le scrutin uninominal [1] qui, pensaient-ils, favorisait les notables. Les républicains, avec Gambetta, voulaient le scrutin de liste, celui de 1848, qui faisait du député le « mandataire de la France ».

Déterminante pour l'évolution politique devait être l'élection des 75 sénateurs à vie par l'Assemblée nationale en décembre. Broglie avait espéré en faire ainsi un bastion conservateur. Mais l'extrême droite légitimiste et les bonapartistes s'entendirent avec les républicains en échange de l'entrée de quelques légitimistes au Sénat : « J'aime mieux, écrivait M. de La Rochette, député de Loire-Inférieure, ceux qui nous combattent ouvertement que ceux qui nous ont abandonnés... et qui aujourd'hui sollicitent l'abdication du roi [2]. »

Au total, près de 60 républicains, 10 légitimistes figurèrent parmi les inamovibles, dont ne furent ni Buffet, ni Broglie. Ce furent souvent des personnalités obscures qui furent désignées, trouvant une fin de carrière assurée à la Haute Assemblée. Selon le mot de Seignobos, le Sénat, qui devait être une forteresse orléaniste, recevait une « garnison républicaine ». Lors du conflit avec la Chambre, moins de deux ans plus tard, Mac-Mahon ne trouverait pas dans le Sénat l'appui attendu.

Les premières semaines de 1876 furent dominées par deux consultations électorales décisives, au Sénat et à la Chambre. Buffet avait levé l'état de siège, sauf à Paris, Lyon, Marseille, et

1. Chaque arrondissement désigne un député, et un de plus par 100 000 ou fraction de 100 000 habitants. Dans ce cas, les arrondissements sont divisés en circonscriptions dont l'état ne peut être modifié que par la loi (cf. G. Lachapelle, *Les Régimes électoraux,* Colin, 1934, p. 60).

2. Sur cette affaire, P. Levillain, « Un chevau-léger de 1871 à 1875 : Joseph de La Bouillerie », *op. cit.* La Bouillerie, ancien ministre de Broglie, fut dans le complot.

fait voter une loi qui déférait les procès de presse au jury, non sans de nombreuses exceptions qui relevaient de la correctionnelle. Gambetta s'était efforcé de rassurer les électeurs sénatoriaux en montrant la modération du programme républicain : « Les vrais conservateurs sont les défenseurs du régime actuel. » Malgré le système électoral, les droites n'eurent le 10 janvier qu'une faible majorité : 119 sièges sûrs, dont 40 bonapartistes, qui ne réalisaient pas leurs espérances. Le suffrage universel leur convenait davantage que le suffrage indirect. Les républicains obtenaient 92 sièges dont 7 à l'extrême gauche, 33 à la gauche, 52 au centre gauche [1]. Les élus républicains étaient en force dans l'Est, le Sud-Est, à Paris. Compte tenu des inamovibles, les tendances s'équilibraient au sein du Sénat. Dans les mois suivants, le décès de plusieurs inamovibles amena l'élection de conservateurs et une faible majorité conservatrice à la Haute Assemblée.

Les conservateurs avaient attendu du retour au scrutin uninominal, de la pression des préfets et des maires, un succès aux législatives. C'était illusion. Le taux d'abstention de 26 % [2] marque un certain manque d'intérêt des électeurs de droite. Dès le premier tour, le 20 février, ce fut la défaite symbolisée par le quadruple échec de Buffet à Castelsarrazin, Bourges, Commercy, Mirecourt. Le vice-président du Conseil démissionnait et le ministre de la Justice Dufaure lui succédait aussitôt sans modifier le gouvernement.

Au soir du second tour, le 5 mars, la Chambre comptait environ 360 républicains, les conservateurs n'étaient guère plus de 150, dont 75 bonapartistes, une cinquantaine d'orléanistes, une vingtaine de légitimistes. Le scrutin portait confirmation des précédentes élections partielles et du rôle croissant des bonapartistes au sein des droites. Le nord et l'ouest du Massif central, Paris, la France de l'Est et du Sud-Est ont voté massivement pour les républicains ; l'Ouest et le Nord-Ouest, l'est et le sud du Massif central, sauf les villes, pour les monarchistes ; le Sud-Ouest est bonapartiste. Le mode de scrutin favorise les républicains, qui

1. Selon P. Robiquet, *Jules Ferry. Discours,* Colin, t. II, p. 200. En outre, les sept sièges des sénateurs de l'Algérie (3) et des colonies (4) étaient acquis aux républicains. L'attitude de certains sénateurs est difficile à établir, ce qui rend délicats les classements.

2. A. Lancelot, *L'Abstentionnisme électoral en France,* Colin, 1968.

avaient obtenu un peu plus de 4 000 000 de voix, quand les conservateurs en ont 3 200 000 [1].

Qu'allait faire le président de la République ? Former un ministère qui gouverne contre la Chambre en s'appuyant sur le Sénat ? Mieux valait attendre avant de se résoudre à cette éventualité. Appeler Gambetta qui fait figure de chef des vainqueurs ? Mac-Mahon et son entourage ne pouvaient s'y décider. Au reste, Grévy et Ferry, qui vient de fonder le groupe de la Gauche républicaine, pour empêcher Gambetta d'être le chef des 300 républicains qui ne font pas partie de l'extrême gauche, ne sont guère favorables à cette hypothèse.

Finalement, le président de la République conserva Dufaure qui forma le 9 mars un gouvernement orienté au centre gauche. Léon Say restait aux Finances, le protestant Waddington prenait l'Instruction publique. Mac-Mahon se réserva la nomination des ministres de la Marine, de la Guerre et des Affaires étrangères où demeurait Decazes. Dufaure prit le titre de président du Conseil, signifiant par là que, depuis l'entrée en vigueur des lois constitutionnelles, le président de la République n'était plus membre du cabinet. L'ancien ministre de Louis-Philippe, presque octogénaire, catholique, conservateur libéral, se trouva fort mal à l'aise entre l'Élysée, où l'influence de la droite était déterminante, et la Chambre, où les républicains engageaient le combat contre le cléricalisme et le pouvoir financier du Sénat. Il temporisa dans le remaniement du haut personnel administratif. Devant un ordre du jour de la Chambre, Dufaure, fidèle à la tradition parlementaire, démissionna le 3 décembre.

Mac-Mahon appella Jules Simon le 13. Après quelque hésitation, hormis le changement du président du Conseil qui prit pour lui l'Intérieur, le ministère restait en place pour l'essentiel. Un républicain modéré remplaçait un orléaniste rallié à la République. Peut-être les conseillers de Mac-Mahon, dont Broglie, avaient-ils le dessein de mettre la division au sein des gauches. Jules Simon n'avait-il pas enlevé à Gambetta en janvier 1871, à

1. On reprend les chiffres donnés par Joseph Reinach dans le tome IX des *Discours de Gambetta*, p. 442.

Bordeaux, ses pleins pouvoirs ? Jules Simon s'opposa avec succès à Gambetta dans la définition du pouvoir financier du Sénat, affirmant qu'il discute le budget après la Chambre, mais a le même droit qu'elle. Cependant, les gauches conservèrent leur unité. Les présidents des trois groupes, Union républicaine, Gauche républicaine, Centre gauche, l'affirmèrent au début de la session de 1877.

Le gouvernement de centre gauche ne fut qu'un intermède. En effet, l'entourage du maréchal ne souhaitait pas la poursuite de l'« expérience ». Gambetta n'était pas moins désireux de mettre Jules Simon en difficulté. Les pétitions des catholiques et les mandements des évêques en faveur du pouvoir temporel du pape furent l'occasion de la crise. N'était-ce pas face au cléricalisme que l'union des gauches se ferait le plus aisément ? Jules Simon désapprouva l'agitation ultramontaine. Ce n'était pas assez pour la gauche, c'était trop pour la droite. Le 4 mai, Gambetta déchaîna l'enthousiasme de la gauche et du centre gauche : « Vous sentez donc, vous avouez donc qu'il y a quelque chose qui, à l'égal de l'Ancien Régime, répugne à ce pays, répugne aux paysans de France… C'est la domination du cléricalisme. » Certes, il abandonne la revendication de la séparation et se dit attaché à l'application du concordat, mais sur le moment ce tournant passe inaperçu. Ne demeure que la phrase finale qui assigne pour des décennies un programme commun aux républicains : « Je ne fais que traduire les sentiments intimes du peuple de France en disant du cléricalisme ce qu'en disait un jour mon ami Peyrat : le cléricalisme ? voilà l'ennemi. » Jules Simon, débordé, dut accepter un ordre du jour invitant le gouvernement à réprimer les « manifestations ultramontaines ».

Jules Simon, qui n'avait pu gouverner au centre, devenait l'otage de Gambetta. Mac-Mahon et ses conseillers, attendirent quelques jours. Le 15 mai, Jules Simon s'opposa sans vigueur à l'abrogation des peines pour délits de presse ; le 12 mai, il n'avait pas empêché le vote de la publicité des séances des conseils municipaux : les clubs allaient siéger dans les campagnes, pensait la droite. Le 16 mai au petit matin, Mac-Mahon adresse à Jules Simon une demande d'explication, il s'étonne d'une attitude qui « fait demander s'il a conservé sur la Chambre l'influence pour faire prévaloir ses vues ». Il affirme la responsabilité du président de la République devant le pays : « Si je ne suis pas responsable, comme vous, devant le Parlement, j'ai une responsabilité envers la France, dont aujourd'hui, plus que jamais, je dois me préoccuper. » Jules Simon démissionna.

Broglie forma le lendemain un ministère [1]. Sauf le ministre de l'Intérieur Fourtou, et l'inamovible Decazes, les ministres parlementaires étaient sénateurs. A défaut de la Chambre, le gouvernement s'appuyait sur la Haute Assemblée. A quatre ans de distance, presque jour pour jour, on revenait au 24 mai et à l'union des droites. Mais la situation était inversée. Alors, les conservateurs, contre Thiers, revendiquaient le régime parlementaire, maintenant ils prétendaient défendre la responsabilité du président de la République face à la Chambre, et son « droit constitutionnel », selon la formule de Mac-Mahon dans son message à la Chambre le 18 mai, à choisir ses « conseillers ».

Cette « affectation d'un pouvoir personnel » est le scandale même pour les républicains. Sur ce terrain, Broglie lui-même et ses amis orléanistes sont mal à l'aise au sein de la coalition des droites, eux les tenants de toujours du parlementarisme. Aussi bien, pour eux, n'est-il pas question d'un coup de force, fantôme qu'évoquent tous ceux qui, à peine un quart de siècle plus tôt, ont vécu le 2 décembre. Il ne s'agit même pas d'imposer une interprétation littérale des lois constitutionnelles et Broglie convainc mal lorsqu'il s'efforce de définir les équilibres complexes entre le président, le Sénat et la Chambre. L'objectif est en fait de préparer de bonnes élections, après la dissolution de la Chambre, que permet l'avis conforme du Sénat. Comme au 24 mai, il faut défendre l'Église et les anciennes classes dirigeantes contre le radicalisme anticlérical et les « nouvelles couches ». Les élites de la France du passé s'opposent, une dernière fois, à la montée de la démocratie. La partie était difficile et Broglie ne paraît pas s'être fait trop d'illusions, mais il se sentait engagé vis-à-vis de Mac-Mahon, à qui il avait fait accepter le septennat.

Le 16 mai scella l'union des républicains qui furent 363 à publier, le 20, un manifeste dû à Spuller, l'ami de Gambetta, dénonçant une « politique de réaction et d'aventures ». Par son

1. L'initiative de Mac-Mahon paraît l'avoir pris de court ; cf. J. Reinach, *Discours de Gambetta,* t. VII, 1882, p. 5.

message, le président de la République avait ajourné les Chambres au 16 juin. La Chambre vota le 18 juin un ordre du jour de défiance par 363 voix contre 158. Le Sénat, le 22, par 149 voix contre 130, autorisa la dissolution. « Quand un désaccord éclate entre deux pouvoirs publics, la Constitution a prévu le moyen d'y mettre un terme, le recours au jugement du pays par la dissolution », avait déclaré Fourtou.

Le ministre de l'Intérieur prépara les élections : il déplaça ou révoqua 77 préfets. Il rappela le devoir du gouvernement d' « éclairer » le corps électoral, recourut à la pression administrative. Fourtou, à l'aide de la Direction de la presse, dirigée par un proche de Mgr Dupanloup, Léon Lavedan, entreprend un important effort de propagande [1] : organisation d'une Correspondance de l'union conservatrice, diffusion gratuite de brochures, de manifestes, de journaux. Les préfets luttèrent contre le colportage des journaux et brochures républicaines, appliquèrent la loi de 1849 qui subordonnait le colportage des journaux et imprimés à une autorisation. En vertu d'un décret de décembre 1851, ils ferment, — ainsi le baron de Nervo dans la Haute-Loire —, les cabarets qui sont des lieux subversifs. Suspension de conseils municipaux, révocation de maires, fermeture de loges maçonniques ou de sociétés républicaines, renvoi en correctionnelle des délits de presse en vertu de la loi de 1875, saisies. Ces mesures peuvent, aujourd'hui, paraître relativement limitées : 1 743 révocations de maires, soit guère plus de 4 % ; 3 271 poursuites. Elles suffisent à faire renaître l'ombre de l'Empire. Les conservateurs eux-mêmes jugent excessive l'action des préfets, souvent issus du personnel bonapartiste. La pression administrative valut au ministère plus d'impopularité qu'elle n'entrava l'action de ses adversaires.

Gambetta prend la tête des républicains et donne la mesure de ses talents de stratège et d'organisateur. Il organise un Comité central, formé surtout de sénateurs, les députés faisant campagne en province. Il réunit et distribue les ressources et, note Freycinet dans ses *Souvenirs*, « les souscriptions affluèrent ». Les 363 se présentent tous sans qu'aucun adversaire républicain leur soit

1. Cf. P. Albert in *Histoire générale de la presse française,* t. III, *op. cit.*

opposé. Unité de candidature donc et de programme qui fait de Gambetta un véritable chef de parti. Le scrutin uninominal joue en fait comme un scrutin de liste.

Les républicains se donnaient comme les vrais conservateurs, garants de la paix et de la prospérité des affaires. Leurs adversaires, disaient-ils, rêvaient « le retour à des passés impossibles », lançaient le pays dans l'aventure : la campagne pour le pouvoir temporel ne conduirait-elle pas à la guerre avec le royaume d'Italie, avec l'Allemagne [1] ? Face aux nobles et aux cléricaux, ils reprenaient la lutte de 1789 et de 1830.

La peur du désordre et des crises ne jouait plus en faveur des conservateurs mais contre eux. D'autre part, l'accusation de cléricalisme les contraignit à ne recourir qu'avec discrétion à l'appui de l'Église. Au reste, les catholiques intransigeants, un Veuillot ou un cardinal Pie, étaient portés à juger de haut une entreprise où ils ne voyaient qu'un expédient dérisoire, et dont les protagonistes étaient leurs vieux adversaires libéraux, Broglie ou, dans l'ombre, Mgr Dupanloup. Mac-Mahon intervint dans la lutte par un manifeste aux Français, le 19 septembre. Répondant au défi de Gambetta à Lille, quelques semaines plus tôt — « se soumettre ou se démettre » —, il affirme ses intentions : « Je ne saurais devenir l'instrument du radicalisme ni abandonner le poste où la Constitution m'a placé. Je resterai pour défendre, avec l'appui du Sénat, les intérêts conservateurs. »

La participation électorale fut plus forte qu'en février 1876 : l'abstentionnisme tomba à 19,41 % [2], indice de la passion de la campagne. L'unité de candidature, dans chaque camp, fit qu'au soir du premier tour, le 14 octobre, sur 531 circonscriptions métropolitaines, toutes étaient pourvues sauf 15. Les républicains perdaient des sièges dans des circonscriptions peu sûres, acquises en 1876, ainsi dans le Nord, le Pas-de-Calais, les Côtes-du-Nord. Mais ils gardaient une nette majorité avec 323 sièges contre 208

1. Bismarck, engagé, dans le Kulturkampf, n'a guère apprécié en 1873 les déclarations des ultramontains français. Au printemps 1875, en face d'une loi française qui accroît les cadres de l'armées, il agite la menace d'une guerre préventive. Sa faveur va aux républicains dont il pense qu'ils trouveront plus difficilement des alliés extérieurs que les monarchistes.

2. Lancelot, *op. cit.*, p. 35.

conservateurs. En voix, l'écart est moins sensible : 4 367 000 voix pour les républicains, 3 578 000 pour les conservateurs [1]. Le scrutin majoritaire donnait une prime au vainqueur. Au sein des droites, les bonapartistes du groupe de l'Appel au peuple revenaient en force : 104 ; les légitimistes étaient une cinquantaine : la droite intransigeante et la droite autoritaire l'avaient emporté sur la droite parlementaire, qui avait moins bien résisté aux républicains. Cette constatation ne suffit-elle pas à rendre compte de l'une des équivoques majeures du 16 mai ? Ses auteurs se battaient sur un terrain douteux, où les orléanistes se retrouvaient au côtés des bonapartistes.

Mac-Mahon songea à la résistance. Le duc d'Audiffret-Pasquier, président du Sénat, lui refusa le soutien de la Haute Assemblée pour une nouvelle dissolution. Les orléanistes les plus parlementaires se dérobaient. Après la démission de Broglie le 19 novembre, Mac-Mahon forma le 23 un « ministère d'affaires » éphémère présidé par le général de Rocheboüet. La Chambre refusa d'entrer en relations avec lui. Le budget n'était pas voté. Allait-on lever l'impôt par décret, revenir à l'état de siège ? Les milieux d'affaires, dont Pouyer-Quertier exprima le sentiment à l'Élysée, étaient hostiles, l'armée réticente.

Mac-Mahon, non sans hésitation et après avoir songé à démissionner, accepta les conditions de Dufaure, qui forma le gouvernement le 13 décembre, sans laisser le président de la République choisir les ministres de la Marine et des Affaires étrangères. Le Centre gauche revenait au pouvoir. Waddington prenait les Affaires étrangères, Émile de Marcère, déjà ministre de l'Intérieur de Dufaure en 1876, revenait Place Beauvau. Léon Say retrouvait les finances, Agénor Bardoux prenait l'Instruction publique ; à ses côtés, comme sous-secrétaire d'État, Jean Casimir-Perier, héritier d'une « dynastie bourgeoise ». La gauche elle-même entre dans le gouvernement : avec l'accord de Gambetta, un membre de l'Union républicaine, Freycinet, s'installe au ministère des Travaux publics.

Say, Bardoux, de Marcère, le ministre de l'Intérieur, rédigèrent, au témoignage de Freycinet [2], le message que Mac-Mahon

1. J. Reinach, *op. cit.*, p. 442.
2. *Souvenirs*, 1878-1893, t. II, Delagrave, 1913, p. 45.

adressa à la Chambre et au Sénat. Le président de la République disait sa fidélité aux « règles parlementaires », convenait que le « droit de dissolution » ne saurait être érigé en « système de gouvernement »... « La Constitution de 1875, continuait-il, a fondé une République parlementaire en établissant mon irresponsabilité, tandis qu'elle a institué la responsabilité solidaire et individuelle des ministres. » L'interprétation des lois constitutionnelles était fixée pour l'avenir du régime. L'usage de la dissolution tomberait en désuétude. Dès lors, le président de la République perdait l'arme que lui avait donnée les lois de 1875 face à la Chambre, à qui allait le véritable pouvoir. Autre conséquence du 16 mai, le parti républicain, la gauche faisaient leur désormais l'idéal du régime parlementaire, accepté encore avec réticence par certains en 1875, et se défiaient de toute initiative de l'exécutif.

La notion d'autorité et celle de démocratie s'opposaient désormais. Pour longtemps, dans la culture politique française, le 16 mai évoquerait le « pouvoir personnel », le « cléricalisme », la « réaction ». Peut-être pourtant n'avait-il été qu'une lutte du passé menée sans grande conviction, le dernier sursaut des anciennes classes dirigeantes ?

Maîtres de la Chambre, mais non du Sénat ni de la présidence de la République, les républicains surent consolider et étendre leur victoire. Cinq jours après son arrivée à l'Intérieur, Émile de Marcère révoqua, déplaça ou mit à la retraite 82 préfets. La compression du 16 mai prit fin. Un programme de travaux publics eut pour fin de relancer les affaires et de gagner des partisans à la République. « L'influence d'un ministre qui apporte de grands travaux n'est pas négligeable », disait Dufaure. L'Exposition universelle fit oublier la crise politique.

Près de 70 élections furent invalidées par la Chambre pour pression administrative ou cléricale. Les invalidés, contrairement à l'ordinaire, ne furent pas réélus : en Haute-Loire, où deux élections furent invalidées, les républicains gagnèrent les deux sièges. Les républicains furent ainsi près de 400 à la Chambre : l'appui du centre gauche n'était plus indispensable au même degré. Le 6 janvier 1878, les élections aux conseils municipaux donnèrent une majorité républicaine ; le 5 janvier 1879, les élections au premier tiers sortant du Sénat furent une éclatante victoire républicaine : sur 82 sièges [1], les républicains en obtiennent 66. Dans le Forez, le comte de Meaux, ancien ministre de l'Agriculture du 16 mai, gendre de Montalembert, était battu. Les républicains avaient une nette majorité au Sénat : 179 pour 121 conservateurs.

A la conquête des pouvoirs législatifs devait s'ajouer celle de la présidence de la République. Mac-Mahon allait être conduit à démissionner. Le 20 janvier, la Chambre, sur un texte présenté par Ferry, demanda au cabinet Dufaure « les satisfactions légitimes qu'elle réclame depuis longtemps au nom du pays, notamment en ce qui concerne le haut personnel administratif et judiciaire ». Gambetta s'abstint : il préférait différer une crise, sachant les intrigues des chefs républicains contre lui. Dufaure soumit à Mac-Mahon une série de décrets de révocation. Mac-Mahon refusa les décrets relatifs aux généraux : il ne voulait pas faire entrer la politique dans l'armée et frapper ses « compagnons d'armes ». Par un sens tout militaire de son devoir, il avait tout accepté. La limite était atteinte. Le président de la République démissionna le 30 janvier 1879.

Conformément à l'article 3 de la loi du 16 juillet 1875, le Congrès se réunit aussitôt à Versailles. Avant le vote, au cours d'une réunion préparatoire, créant une tradition durable, les groupes républicains avaient porté leur choix sur Grévy. Le poids des sénateurs avait compté dans cette désignation. Gambetta ne mit pas en avant sa candidature : il ne chercha pas à forcer l'événement. Sans doute jugeait-il ses chances médiocres. Grévy, provincial rassurant, ennemi de la présidence de la République en 1848, fut le premier président de la troisième République à être élu dans les formes définies par les lois de 1875. Il obtint 563 voix sur 705 votants.

Les républicains étaient maîtres du régime. Le 4 février, Grévy appela Waddington à former le gouvernement. Des gestes symboliques témoignèrent de leur victoire. Après une révision limitée à l'article qui fixait le siège du gouvernement à Versailles, votée le 19 juin, les Assemblées revinrent à Paris à l'automne 1879 ; c'en était fini de la « décapitalisation » de Paris. L'usage demeura de tenir le Congrès à Versailles. Le ministre de la Guerre rendit la

1. 75 sortants, plus les sièges vacants.

qualité de chant national à *la Marseillaise.* Surtout, l'année suivante, le 6 juillet 1880, « la République adopte comme jour de fête nationale annuelle le 14 juillet ». A l'appel des radicaux et de Gambetta, les républicains entendent commémorer les souvenirs de la Révolution, ceux de la prise de la Bastille, et de la fête de la Fédération en 1790. Le 14 juillet, fête nationale, civique, laïque et populaire [1], est boudée longtemps par les adversaires de la République, qui ferment leurs volets et refusent de pavoiser. Les républicains ont voulu, en instaurant une fête civique, affirmer, par-delà les divisions sociales, l'unanimité des partisans du régime.

Le vote de la loi d'amnistie des communards intervint à la veille de la première célébration officielle du 14 juillet. Gambetta, dans un de ses plus grands discours [2], avait invité les députés à fermer « le livre de ces dix années » et à proclamer « qu'il n'y a qu'une France et qu'une République ». Les plaies ouvertes par le drame de mai 1871 se refermaient. En ce premier 14 juillet, l'armée retrouva ses drapeaux. A la revue de Longchamp, le président de la République remit les couleurs nationales à chacun des colonels de l'armée, signe de l'union indissoluble entre l'armée, la patrie, la République. La patrie et la nation sont bien au cœur de la culture politique républicaine.

1. Cf. Rosemonde Sanson, *Les 14 juillet, fête et conscience nationale, 1789-1975,* Flammarion, 1976.
2. Le 21 juin 1880, cf. *Discours et plaidoyers politiques,* t. IX, p. 51.

3

Structures de la vie politique au temps des « républicains de gouvernement »

(1877-1898)

Après la victoire des républicains, par-delà les crises, deux hommes dominèrent la vie politique. Gambetta, qui ne fut au pouvoir que quelques semaines, mais dont la seule présence, jusqu'à sa mort à la fin de 1882, exerça une influence sur les affaires ; Ferry, président du Conseil à deux reprises et qui s'efforça de donner un gouvernement à la République. Le début du septennat de Grévy fut marqué par l'instabilité gouvernementale. Sept gouvernements se succédèrent du 4 février 1879 — constitution du cabinet Waddington — à la formation du deuxième cabinet Ferry, quatre ans plus tard, le 21 février 1883, appelé, lui, à durer plus de deux ans, jusqu'au 30 mars 1885.

Le cabinet Waddington, formé d'hommes du Centre gauche et de la Gauche républicaine, dont Ferry à l'Instruction publique, trouva bien vite l'hostilité de l'Union républicaine, le groupe de Gambetta. Il démissionna le 26 décembre 1879. Grévy appela Freycinet, proche de Gambetta, qui l'encouragea à accepter le pouvoir. Lui-même préférait attendre les élections de 1881 et exercer, de la présidence de la Chambre, une magistrature d'influence. Le Centre gauche quitta le gouvernement où entraient des amis de Gambetta, de l'Union républicaine, Jules Cazot, ministre de la Justice, Pierre Magnin, ministre des Finances qui remplaçait Léon Say. Freycinet intima aux congrégations non autorisées, par les décrets du 29 mars, de demander l'autorisation de l'État. Il fit procéder à l'expulsion et à la dissolution de la Compagnie de Jésus. En même temps, il négocia avec Rome, souhaitant régler le sort des autres congrégations par le recours àune loi sur les associations. Mais les ministres de l'Union républicaine, et notamment le ministre de l'Intérieur et des Cultes, Constans, conseillés par Gambetta, voulaient l'exécution des décrets. Freycinet, abandonné par une partie du gouvernement, démissionna le 19 septembre 1880. Grévy, une nouvelle fois, ne s'adressa pas à Gambetta, mais à Ferry, qui garda l'Instruction publique et ne prit que trois nouveaux ministres, conservant la majorité de l'ancien gouvernement. Il procéda à la dispersion des congrégations non autorisées, sauf les chartreux et les trappistes.

Ainsi, pendant près de trois ans, Grévy, jouant habilement de ce qu'il n'y avait pas de véritable majorité, mais une coalition de groupes, avait pu écarter Gambetta. Le temps travaillait contre celui-ci. Son influence irritait, l'hostilité des radicaux se faisait plus vive. Il espérait le scrutin de liste : la Chambre l'accepta à huit voix de majorité, le Sénat le repoussa. C'était un échec pour Gambetta. Les élections, les 21 août et 4 septembre 1881, furent sans passion, sans mots d'ordre nationaux, à la différence de 1877. L'abstentionnisme atteignit 31,4 %. Il était le fait des conservateurs désabusés qui n'eurent pas de candidats dans 252 circonscriptions [1]. Le rôle des comités locaux fut décisif. Gambetta n'était plus, comme lors de la victoire sur Mac-Mahon, le chef d'une majorité. Cependant, les députés qui se réclamaient de l'Union républicaine, au nombre de 204, l'emportaient sur ceux qui se réclamaient de la Gauche républicaine, qui étaient 168. Le Centre gauche avait 39 membres, l'Extrême gauche, derrière Clemenceau, une cinquantaine. Au reste, hormis l'Extrême gauche, les groupes parlementaires ne se reconstituaient pas d'emblée. Les conservateurs, écrasés, étaient 90 dont 45 bonapartistes. Ils avaient obtenu moins d'1 800 000 voix pour 5 100 000 républicains [2].

Après les élections, la démission de Ferry, usé par l'affaire tunisienne, le 10 novembre 1881, ouvrait enfin à Gambetta la voie du pouvoir. Celui-ci était las. Croyait-il vraiment au succès ? Freycinet et Léon Say lui refusèrent leur concours. Le premier eût gagné une fraction des radicaux, le second les milieux d'affaires, inquiets des projets de rachat des compagnies de chemin de fer

1. Selon les calculs d'O. Rudelle, *op. cit.*, p. 82.
2. J. Reinach, *op. cit.*, p. 442.

prêtés à Gambetta, qui voulait en fait la révision des conventions. Dès la formation du gouvernement, le 3 % baissa en bourse. Le « grand ministère » attendu fut formé de membres de l'Union républicaine, jeunes (la moyenne d'âge était de quarante-neuf ans), peu connus. Le ton de Gambetta, ses nominations — le général de Miribel fut mis à la tête de l'état-major — irritèrent les députés. Gambetta joua son va-tout : il déposa un projet de révision portant à la fois sur le Sénat et sur le scrutin de liste qui serait inscrit dans la Constitution. Mis en minorité par la coalition d'une grande partie des républicains modérés, de l'extrême gauche, de la droite, par 260 voix contre 218, Gambetta démissionnait le 26 janvier, au bout de soixante-sept jours [1]. Sans illusions, il ne gardait plus qu'une « fragile espérance », la dissolution et des élections au scrutin de liste qui forcent le pays à choisir « entre l'avilissement et la fierté nationale [2] ». Mais, dans les derniers jours de 1882, il succombait à une banale infection. Du Palais-Bourbon au Père-Lachaise, le convoi funèbre « s'étendit sur Paris comme une écharpe de deuil » (G. Hanotaux). A quarante-quatre ans disparaissait le chef de la Défense nationale et du parti républicain. Homme d'État voué à n'exercer que brièvement le pouvoir, Gambetta entrait dans la légende et devenait comme le héros fondateur de la République.

L'héritage du « grand ministère » et du gambettisme demeura. Gambetta avait détaché le ministère de l'Agriculture, qui eut ainsi sa pleine dignité, de celui du Commerce. Il avait créé un sous-secrétariat aux Colonies, rattaché au Commerce. Il avait donné des responsabilités ministérielles à des hommes dont le rôle serait considérable dans l'histoire de la République : Félix Faure, sous-secrétaire d'État aux colonies, accéderait à la magistrature suprême ; Rouvier inaugurait une longue carrière, aux confins de la politique et des affaires ; Waldeck-Rousseau, ministre de l'Intérieur à trente-quatre ans fut, après l'Affaire Dreyfus, président du Conseil lors de la Défense républicaine. Surtout, à la mort de Gambetta, les gambettistes évitèrent de se disperser. Unis par la camaraderie politique et des luttes communes, ils furent, selon le mot de Freycinet, le « moteur de la République » et portèrent

1. Cf. S.A. Ashley, « The Failure of Gambetta's Grand Ministère », *French Historical Studies,* printemps 1975, p. 105-125.

2. Lettre citée par D. Halévy et E. Pillias, *op. cit.*

leur appui à Ferry en qui ils sentaient l'étoffe d'un homme d'État.

Aussi bien, en février 1883, après les cabinets Freycinet [1] et Duclerc [2], Ferry trouve-t-il une majorité qui le soutient plus de deux ans [3], fondée sur l'entente de l'Union républicaine et de la Gauche républicaine. Il voulait « un terrain solide à l'abri des crises incessantes », et « laisser au gouvernement l'initiative qui lui appartient de droit ». Plusieurs membres du « grand ministère » font partie du gouvernement, dont Waldeck-Rousseau revenu à l'Intérieur. La réconciliation des « opportunistes » permit, selon le mot de Ferry, à la République « d'être un gouvernement » pendant une période brève mais décisive.

Aussi est-ce à ce moment qu'il s'impose de décrire les structures de la vie politique au temps de la République des républicains, en désignant par là ce temps si plein qui suit la fondation du régime. Alors s'éclairera le film dont on vient de redire les épisodes. Les principaux traits du tableau qu'on va présenter se fixent en ces années. Le cadre de la vie politique, la configuration des forces, le fonctionnement des institutions : tout cela est en place en ce début, si important, des années 1880. Certes, au long des années, des mutations apparurent. Mais les aspects majeurs du système politique demeureront jusqu'à la fin du siècle, voire au-delà.

1. *Les conditions de la vie politique*

Avec l'avènement de la République des républicains, les conditions de la vie politique se modifient. Non seulement parce que celle-ci se déroule dans un cadre, pour l'essentiel, libéral, mais aussi du fait de l'essor de la presse et de l'élargissement du débat politique dans l'opinion.

Maîtres du pouvoir, les républicains abolirent les dispositions répressives dont ils venaient de souffrir lors de l'Ordre moral et du 16 Mai. Dès 1879, une loi donna la liberté d'ouvrir et de transférer les débits de boisson par une simple déclaration à la mairie.

1. 30 janvier-29 juillet 1882.
2. 7 août 1882-28 janvier 1883. Un éphémère cabinet présidé par Armand Fallières dure du 29 janvier au 18 février 1883.
3. 21 février 1883-30 mars 1885.

Disposition essentielle, le cabaret, cette église républicaine, n'est plus soumis à l'arbitraire de l'autorisation administrative. De même, une loi de 1880 établit la liberté du colportage. Surtout, la loi du 29 juillet 1881, réplique à la compression de l'Ordre moral, instaura un régime extrêmement libéral en matière de presse. Des entraves préventives ne subsistait que la possibilité du droit de réponse. Les délits de presse étaient soumis au jury. Ce régime permit un essor inégalé de la presse d'opinion. Les républicains de gouvernement, à la différence des conservateurs, connaissaient suffisamment la presse pour ne pas voir là un risque considérable. Ils savaient la presse « suffisamment diversifiée dans ses tendances pour que sa redoutable puissance ne puisse plus être un pouvoir [1] ».

Or, dans cette période, le journal devient un produit de consommation courante. La grande presse d'information, à un sou, connaît un succès grandissant. Elle assure près de la moitié du tirage en 1870, les trois quarts en 1880, grâce aux découvertes techniques (la rotative), à la diffusion par chemins de fer, en ballots, sans taxe postale, à l'appel massif de la publicité. *Le Petit Journal,* puis, après 1890, *le Petit Parisien* pénètrent dans les campagnes. *Le Petit Journal,* républicain, socialement conservateur, tire à 220 000 exemplaires en 1872, à 700 000 en 1882. Aucune autre feuille de petit format (44 cm × 30) ne parvient à l'époque à l'imiter. Il publie les feuilletons de Xavier de Montépin et Jules Verne, et, à la première page, tantôt des commentaires politiques très simples, tantôt des chroniques moralisantes. C'est « dans cette petite presse que le peuple apprend à lire et grâce à elle qu'il peut ne pas oublier les leçons de l'école » (P. Albert).

La presse locale n'en garde pas moins une audience considérable. Presse de chefs-lieux d'arrondissement, voire de canton, seule presse lue bien souvent par les paysans, hebdomadaire ou bi-hebdomadaire, d'allure anodine, malgré des polémiques plus ou moins feutrées, hormis les périodes électorales. Presse départementale, faite de quotidiens, souvent subventionnés par un homme politique, qui tirent à quelques milliers d'exemplaires. Un rédacteur suffit, qui travaille à coups de ciseaux, reprenant des articles des journaux parisiens et des correspondants de presse. La

1. P. Albert, *op. cit.*

nouveauté est l'apparition de grands organes régionaux, acquis, hormis le conservateur *Nouvelliste de Lyon* [1], à la cause républicaine. *Le Progrès* à Lyon, *la Petite Gironde* à Bordeaux, surtout *la Dépêche* [2] à Toulouse. Cette presse fait alors une place faible aux informations locales et contribue en fait à accroître l'audience de la capitale et à uniformiser la vie politique française.

L'essor de la presse, plus généralement les progrès de l'alphabétisation, de la lecture, les brassages dus au service militaire obligatoire firent entrer la France de la troisième République dans l'ère de l'opinion. Dans quelles conditions celle-ci put-elle s'exprimer ? Quelles sont les structures qui contribuent à l'éducation et à l'encadrement de l'opinion publique ?

La loi du 30 juin 1881 autorisa la tenue des réunions publiques sans autorisation. Elle imposait simplement une déclaration préalable [3] et la constitution d'un bureau. En revanche, les projets sur la liberté d'association échouèrent : n'était-ce pas laisser le champ libre aux entreprises des congrégations ? Plus généralement, l'individualisme de l'époque se méfiait des groupes et des associations. L'absence de liberté d'association constitua certainement un frein à l'essor des partis politiques.

Une réalité majeure du système politique français est en effet la lente organisation dans le pays des formations politiques. En fait, la trame du tissu politique est faite de comités. Ceux-ci sont peu développés à droite, où leur existence est avant tout liée aux périodes d'élection. Dans le camp républicain, ils répondent à une réalité véritable. Mais, là aussi, le comité peut n'avoir qu'une finalité électorale. Certains peuvent être suscités par le candidat qui se trouve ainsi légitimé.

La naissance du comité a été préparée par le cercle d'agrément. Dans le Gard, Raymond Huard suit l'essor, de 1876 à 1881, de cercles qui ont à la fois une fonction de sociabilité et une fonction politique. L'adhésion est marquée par une cotisation, moins

1. Cf. L. de Vaucelles, *« Le Nouvelliste de Lyon » et la Défense religieuse,* « Les Belles Lettres », 1971.

2. Cf. H. Lerner *« La Dépêche », journal de la démocratie,* Publications de l'université de Toulouse-Le Mirail, 2 vol., 1978.

3. Cette disposition disparut en 1907 : le gouvernement avait voulu mettre les cérémonies du culte sous le régime de cette loi, les catholiques refusant les associations cultuelles. Mais ils marquèrent la même hostilité à la déclaration préalable ; celle-ci fut alors supprimée.

coûteuse pour les cercles plus populaires. A côté des cercles, on observe un foisonnement d'associations : chambres syndicales, sociétés d'éducation populaire et laïque, sociétés de lecture, sociétés du sou des écoles laïques, qui ont, aussi, un rôle politique. On assiste, cependant, à une spécialisation progressive et à la naissance de cercles purement politiques.

Ces structures d'organisation demeurent le plus souvent locales. Il faut le scrutin de liste en 1885 pour favoriser un essai d'organisation départementale dans le Gard ; celui-ci peut apparaître plus tôt dans d'autres départements, ainsi dans la Somme où Frédéric Petit, futur maire d'Amiens, ami de René Goblet, organise très tôt le parti républicain au plan départemental. Le retour au scrutin d'arrondissement en 1889 va à l'encontre de cette évolution. Ainsi, la France, dans ces années de la fin du siècle, connaît-elle une modernisation incomplète de ses structures politiques, en un temps où, aux États-Unis, en Grande-Bretagne, dans l'Empire allemand, existent déjà, et aussi dans le camp conservateur, de grands partis organisés.

On estime parfois que l'existence de la maçonnerie explique en partie cette situation. Certes, le réseau des loges maçonniques constitue une organisation politique parallèle. Mais les francs-maçons sont divisés, numériquement faibles [1]. Les loges furent un lieu de rencontre, un laboratoire de réflexion. Aptes à diffuser des thèmes, à former aussi un personnel, elles ne tiennent pas le rôle d'un parti.

En revanche, la législation qui jusqu'en 1901 privilégie le cercle d'agrément et impose une autorisation pour toute association de plus de vingt personnes a pu retarder l'essor des partis. Encore faut-il observer qu'apparemment la pression pour changer la législation n'était pas très forte, et que, de toute manière, en matière syndicale la réalité avait devancé la loi ! Il n'en alla pas de même au plan politique. En fait, si le parti républicain est ainsi « inachevé [2] », c'est à la fois parce que la doctrine républicaine qui met la source du pouvoir dans le suffrage universel ne valorise pas l'organisation, l'intermédiaire, et parce que le personnel républi-

1. Ils sont 20 000 à la fin du siècle, dont 17 000 au Grand Orient.
2. On doit beaucoup sur tout ceci aux travaux de R. Huard.

cain, élus, journalistes locaux, préfère exercer son magistère sur l'opinion sans intermédiaires.

Le faible rôle des organisations explique que la politique s'identifie d'abord à des hommes : notabilités locales, maires, conseillers d'arrondissement, conseillers généraux, députés, sénateurs. La mutation du personnel politique local est sensible avec la victoire des républicains : industriels, commerçants, agriculteurs remplacent les « propriétaires » et les membres des professions libérales [1] dans les mairies et les conseils généraux. Gabriel Hanotaux observait, au conseil général de l'Aisne, « la prédominance (...) des industriels et des cultivateurs sur les hommes de robe et sur la bourgeoisie urbaine [2] ». Une certaine démocratisation s'affirme.

En revanche, le personnel parlementaire connaît des mutations plus limitées. La noblesse, après ce prodigieux retour d'influence que fut l'Assemblée nationale, n'a plus qu'une place restreinte : elle continue cependant à détenir pendant longtemps certaines circonscriptions de l'Ouest ou du Massif central. Comme la noblesse, les élites traditionnelles, recul d'influence ou désintérêt, sont moins représentées. Mais la majorité des députés est issue de la haute, de la bonne, de la moyenne bourgeoisie. En 1900, une trentaine de députés seulement sont d'origine sociale modeste. Le nombre des députés des législatures de 1871 à 1898 qui ont fait des études supérieures est de 70 % [3]. Près de la moitié (45 %) des députés de la Chambre élus en 1881 est issue des facultés de droit [4]. Les anciens notables conservateurs ont été remplacés par de nouveaux notables. En leur sein, le monde de la production et celui des professions libérales — médecins, vétérinaires, avocats —, accroissent leur audience [5], mais ces hommes ont tous ou presque la fortune, garantie d'honorabilité et d'indépendance, qui fait d'eux des bourgeois disposant de « réserves ».

1. Cf. l'enquête en cours sur les maires en France aux XIXe et XXe siècles, sous la direction de Louis Girard et Maurice Agulhon.

2. « Impression de France, la ville moyenne : Laon », *Revue des deux mondes*, 1er mars 1901.

3. Cf. M. Dogan, « les filières de la carrière politique en France », *Revue française de sociologie*, octobre-décembre 1967, p. 468-492.

4. Y.H. Gaudemet, *Les Juristes et la Vie politique de la IIIe République*, PUF, 1970, p. 15.

5. Cf. P. Barral, *Le Département de l'Isère sous la IIIe République*, FNSP, 1962.

C'est sans doute dans le personnel gambettiste qu'on trouve le plus d'hommes nouveaux, sans propriété assise, avocats ou journalistes qui trouveront dans la politique à la fois une promotion et une carrière [1]. On touche ici la raison pour laquelle certains d'entre eux sont associés à des scandales financiers. Peu à peu, les membres des classes moyennes détrônèrent les notables républicains, mais cette évolution, qui commence avec la fin du siècle, ne s'affirme pleinement qu'au temps de la République radicale à partir de 1902.

Le cumul des fonctions locales et nationales est plus rare que par la suite. Jules Siegfried abandonna la mairie du Havre quand il devint député. L'usage est de ne pas conserver de responsabilités municipales quand on accède à la députation. En revanche, un siège de conseiller général est une base locale précieuse pour le député ou le sénateur. Ferry fut conseiller général des Vosges, et Goblet de la Somme. Cette assise locale est d'autant plus nécessaire que la faiblesse des partis impose au député de tenir solidement sa circonscription.

Les historiens n'ont pas accordé encore l'importance méritée aux conseillers généraux. Gabriel Hanotaux a évoqué les délibérations « graves, mesurées » de « ces assemblées locales sages et modestes qui, dans un rôle quelque peu effacé, sont véritablement l'ornement de nos mœurs politiques et de notre système constitutionnel [2] ». Là se retrouve en effet un personnel très représentatif des petits notables de la France rurale, c'est au sein de ce personnel que sont élus d'ordinaire les sénateurs, moins fréquemment les députés, et par là le conseil général est le lieu de formation à une carrière parlementaire. Les grands débats nationaux y trouvent leur écho, même si le préfet peut s'opposer à la mise en délibération puisque les vœux politiques sont interdits par la loi de 1871. A bien des moments importants, les motions adoptées par les conseils généraux constituent un test d'opinion, favorable ou défavorable à un gouvernement. L'hostilité des conseils généraux au boulangisme, à l'impôt sur le revenu lors du gouvernement Léon Bourgeois de 1896, leur position favorable à l'établissement de la République, au vote de la séparation, ont donné bien souvent le sentiment de la France profonde.

1. P. Sorlin y a insisté avec justesse dans son *Waldeck-Rousseau*, Colin, 1966. — 2. *Art. cité.*

La commune, elle aussi si mal connue, est la cellule de base du débat politique. Dès leur succès en 1876, les républicains, par une loi du 12 août, abrogèrent la loi Broglie de 1874, mais, s'ils rétablirent l'obligation de choisir maires et adjoints dans le conseil municipal, ils furent plus timides que ne l'avait été la loi du 14 avril 1871. La nomination des maires par décret ne s'appliquait pas seulement aux maires des villes de plus de 20 000 habitants et des chefs-lieux de département et d'arrondissement, mais aussi aux maires des chefs-lieux de canton. Les vœux de Mac-Mahon et le souci du compromis de Ferry imposèrent ce choix. Lors du 16 mai, les conservateurs usèrent amplement des facultés que leur laissait la loi et révoquèrent de nombreux maires. Après leur victoire, les républicains laissèrent passer plus de quatre ans avant d'accorder à tous les conseils municipaux le droit d'élire leur maire, signe de prudence devant une mesure de décentralisation dont les gouvernants pouvaient craindre les conséquences.

La loi du 4 mars 1882 rendit à tous les conseils municipaux le droit d'élire leurs maires. Elle mit fin aux dispositions héritées de la monarchie censitaire qui, dans les communes disposant de moins de 100 000 F de revenu, prescrivaient l'adjonction des plus imposés au conseil municipal pour le vote des emprunts et des contributions extraordinaires. La loi du 5 avril 1884 sur l'organisation municipale consacra l'élection des maires et des adjoints, ainsi que la publicité des séances. Le maire « était chargé, sous la surveillance de l'administration supérieure, de la police municipale, de la police rurale et de l'exécution des actes de l'autorité supérieure qui y sont relatifs » (art. 91).

Paris conserva un régime d'exception, indice de la méfiance de la province sage vis-à-vis de la capitale révolutionnaire. Le préfet de la Seine exerçait les pouvoirs du maire, le préfet de police gardait la haute main sur les policiers « municipaux ». Le conseil municipal de Paris est alors, et jusqu'à la fin du siècle, aux mains des radicaux. Plus généralement, comme l'observe Maurice Agulhon [1], dans les grandes villes, la première génération de maires élus en 1882 est très largement républicaine. Il faut attendre la fin du siècle, et surtout la veille de 1914, pour que s'instaure

1. *Histoire de la France urbaine*, Éd. du Seuil, t. IV, 1983, p. 601-604.

un équilibre qui met alors les villes conservatrices à l'unisson de la campagne voisine, ce qui n'était pas le cas au début du régime.

Les mairies furent un foyer de vie et d'éducation politique, tout particulièrement dans le monde rural. Les initiatives des conseils municipaux, notamment en matière religieuse (subventions aux fabriques, traitement des vicaires, interdiction de processions) et scolaire (création d'écoles, laïcisation du personnel), furent l'occasion de débats importants. Là réside bien souvent la réalité de la vie politique locale.

L'élection est la principale forme de participation des citoyens à la vie politique. La revendication du vote des femmes reste marginale avant 1914. Après la guerre, la Chambre adopta la proposition en faveur du vote des femmes, mais celle-ci échoua régulièrement au Sénat devant l'hostilité des radicaux anticléricaux. L'élection resta le fait des hommes. Les élections législatives, tous les quatre ans, sont un temps fort dans la série des consultations. Mais on aurait tort de croire « apolitiques » les élections municipales qui, tous les quatre ans aussi, pénètrent la vie politique locale. En ces années où s'établit le régime, la « conquête des mairies », qui commandent le Sénat, et où se joue le conflit entre le curé et l'instituteur, est décisive. Voilà qui explique l'intensité des luttes.

Les élections au conseil général, renouvelable par moitié tous les trois ans, sont également d'un poids politique important. Leur issue peut accélérer ou freiner une politique. C'est ainsi que les républicains sont encouragés à appliquer les décrets relatifs aux congrégations non autorisées par les élections aux conseils généraux du 8 août 1880, interprétées comme une approbation par le pays de la politique de Freycinet et de Ferry.

Grâce au travail neuf d'Alain Lancelot [1], on sait l'ampleur des non-inscriptions, particulièrement dans les villes industrielles où elles atteignent 10 %. Comme la population, le nombre des électeurs inscrits s'élève faiblement au long des années : un peu moins de dix millions en 1877, un peu plus de onze millions en 1902 pour la première fois. Les variations de l'abstentionnisme sont remarquables. Il recule dans les élections de combat : 19,4 %

1. *L'Abstentionnisme électoral en France, op. cit.*

en 1877, 22,4 % en 1885, 23,4 % en 1889, et croît lorsque la bataille suscite moins de passion. La montée de l'abstentionnisme touche d'abord le camp conservateur : 31,4 % en 1881, quand la victoire républicaine paraît ne pas pouvoir être mise en cause, 28,8 % en 1893, quand l'invite de Léon XIII au ralliement jette le trouble dans les esprits.

Pour les élections législatives, le scrutin uninominal à deux tours, baptisé avec quelque inexactitude scrutin d'arrondissement, fut constamment en usage de 1876 à 1914 sauf lors des élections de 1885. Les lois du 30 novembre 1875 et du 13 février 1889 donnaient au moins un député à chaque arrondissement, disposition qui entraîne la sur-représentation d'arrondissements minuscules : Castellane, Barcelonnette, Briançon par exemple. La loi dispose que les arrondissements dont la population dépasse 100 000 habitants nomment un député de plus par 100 000 habitants ou fraction de 100 000 habitants. Au long des années, à la faveur de l'exode rural et de la croissance urbaine, les inégalités s'accrurent, malgré les légères modifications du découpage, à la veille de chaque consultation, en fonction du dernier recensement [1]. Mais l'inégalité fondamentale demeurait, qui faisait qu'un arrondissement infime avait la même représentation qu'un arrondissement qui frisait 100 000 habitants. A ces inégalités s'ajoutèrent celles qui découlaient du scrutin majoritaire.

Les conditions d'exercice du suffrage, par bien des traits, se distinguent de celles que nous connaissons. L'État n'assure aucun des frais de la campagne. Il appartient au candidat de faire imprimer affiches et bulletins. Le coût de la campagne, même modeste, atteint facilement 20 000 F [2]. Le vote se fait sans enveloppe ni isoloir. Les électeurs apportent leurs bulletins, dont le papier doit être blanc et sans signe extérieur. L'électeur remet au président son bulletin fermé et celui-ci le dépose dans l'urne [3]. Dans les petites communes, où l'électeur est connu, il n'est pas

1. Cf. Marie-Thérèse et Alain Lancelot, *Atlas des circonscriptions électorales en France*, FNSP, 1970.

2. Sur le coût des campagnes électorales, des indications dans R. Trempé, « Jaurès et Carmaux », *Europe*, octobre-novembre 1958. Le marquis de Solages dépense 50 000 F en 1889, près de 20 000 F en 1898.

3. Cf. l'article 25 de la loi sur l'organisation municipale du 5 avril 1884 qui reprend les principales dispositions réglementaires.

difficile au président de marquer discrètement le bulletin d'un signe distinctif, pour l'annuler le cas échéant ou simplement pour identifier une attitude [1]. Plus généralement, l'absence d'isoloir permet, dans les communes rurales encore bien des pressions. Ce furent seulement les lois des 29 juillet 1913 et 31 juillet 1914 qui introduisirent l'enveloppe, l'isoloir, le dépôt par l'électeur du bulletin dans l'urne [2].

Le collège électoral qui désigne les sénateurs est peu nombreux. Malgré son élargissement en 1884, il compte le plus souvent de 600 à 1 000 électeurs. Le collège le plus modeste est celui des Pyrénées-Orientales avec 426 électeurs. Le plus important, celui du Pas-de-Calais qui en compte 2 137, suivi par la Seine-et-Oise, 2 063, et la Seine, 1 250 [3]. L'ensemble des électeurs sénatoriaux représente environ 75 000 personnes. Les délégués sénatoriaux, désignés par les conseils municipaux, sont tenus d'exercer leur fonction : le vote est obligatoire, sous peine d'amende. Les délégués reçoivent une indemnité. C'est donc un collège restreint qui élit les sénateurs au chef-lieu de département au scrutin majoritaire à trois tours. La formule permet aux pressions, celles de l'administration, celles des personnalités, qui connaissent leurs « électeurs », de s'exercer. Le système issu de la révision de 1884 favorise, au détriment des grandes villes, mais aussi des petites communes conservatrices, les bourgs républicains, laïcs, socialement conservateurs.

Par-delà l'élection, la participation des citoyens à la politique s'exprime par les célébrations, les manifestations, les rites d'une véritable liturgie républicaine qu'aujourd'hui les historiens redécouvrent [4]. Fête républicaine et patriotique, le 14 juillet est aussi une fête laïque. Les enfants des écoles doivent y participer pour « arrracher les jeunes générations aux pratiques de la supersti-

1. Cf. A. Rivet, *La Vie politique dans le département de la Haute-Loire de 1815 à 1974*, Le Puy, 1979.

2. Sur ces réalités mal connues des historiens, cf. J. Lafferrière, *Manuel de droit constitutionnel*, 1947, p. 647 et 525, et Joseph-Barthélemy et Paul Duez, *Traité de droit constitutionnel*, nouvelle éd., Dalloz, 1933.

3. Dans le collège de la Seine, le poids de Paris (représenté par trente délégués) est faible au regard de la banlieue.

4. Cf. les travaux de M. Agulhon, R. Huard, R. Sanson, ainsi que P. Vallin, « Fête, mémoire et politique, les 14 juillet en Limousin de 1880 à 1914 », *Revue française de science politique*, décembre 1982.

tion [1] ». La religion civique veut remplacer les « vieux dogmes ». Coiffée du bonnet phrygien, couronnée de laurier, tenant d'une main le drapeau, de l'autre s'appuyant sur l'épée, Marianne incarne la République :

> C'est une femme au corps brûlant
> Au sein gonflé d'indépendance...
> Notre maîtresse à nous Français
> Répond au nom de Marianne [2].

Faut-il redire la ferveur et l'enthousiasme populaire à l'occasion des premiers 14 juillet et la puissance affective du mythe de la République ? A Paris et dans les grandes villes, les quartiers populaires sont les plus pavoisés. Fils d'un notable républicain, André Siegfried évoque son père, maire du Havre, faisant « en voiture découverte le tour des quartiers populaires, allant de permanence en permanence, serrant d'innombrables mains, encourageant les militants, laissant ici et là des présents et des subventions. La ville disparaissait sous les drapeaux tricolores, les banderoles, les inscriptions ». La fête populaire avec ses bals au carrefour et le feu d'artifice est une liturgie politique. Avec la fin du siècle et la célébration du 1er mai, le 14 juillet perdit ce caractère d'unanimité militante inséparable des débuts de la République. L'érection de statues [3], de monuments commémoratifs, les funérailles des personnalités républicaines, Thiers, Gambetta, Hugo, sont autant de composantes d'une culture politique républicaine plus apte à parler au peuple que la culture politique conservatrice. Cette pédagogie contribue à expliquer la conquête républicaine.

Celle-ci peut tenir aussi à des raisons moins nobles. Les interventions de l'administration dans la vie politique locale sont une réalité constante, particulièrement nette en période électorale. Anatole Leroy-Beaulieu a évoqué un jour les conséquences de la

1. Conseil municipal de Paris, 22 juin 1880.
2. *Le Cri patriotique* de 1882, l'un des multiples chants composés à la gloire de la République (cf. R. Sanson, *Les 14 juillet, fête et conscience nationale, 1789-1975, op. cit.*).
3. Cf. M. Agulhon, *Marianne au combat. L'imagerie et la symbolique républicaines de 1789 à 1880,* Flammarion, 1979.

victoire d'un conservateur dans un arrondissement de Champagne : « On a d'abord tenté de faire casser l'élection ; il a fallu y renoncer, l'écart des voix était trop considérable. On s'en est vengé sur les électeurs. Les gendarmes ont été dans les communes, faire des enquêtes sur la conduite du curé, du garde champêtre, du débitant. Le médecin des épidémies était conservateur ; on l'a remplacé par un opportuniste. Le contrôleur des contributions, homme du pays, était soupçonné de peu de zèle ; on l'a expédié au fond de l'Ouest. Tout fonctionnaire qui, le soir de l'élection, n'avait pas la mine contrite s'est vu menacé de révocation. Un agent voyer passait pour s'être montré tiède, on l'a mis à la retraite. Il n'est petites questions qu'on ait négligées, ou petites gens qu'on ait dédaigné de frapper [1]. » Ce témoignage d'une grande figure du libéralisme intellectuel concorde avec le tableau des pressions administratives lors de l'élection de Louis Barthou dans le Béarn en 1889 : sanction contre des bergers communaux payés pour lacérer des affiches, procès-verbaux dans les auberges où on boit gratis aux frais de l'adversaire, suspension d'un maire qui traite le gouvernement de « canailles [2] ».

Il serait aisé d'aligner de tels exemples, mais ces pressions ne furent sans doute pas aussi déterminantes que l'affirmaient les conservateurs, et n'expliquent pas leurs déboires. Elles n'eurent ni plus ni moins d'effet que les interventions des préfets de l'Empire ou de l'Ordre moral dont les républicains reprirent à certains égards l'héritage, mais elles purent contribuer à accélérer des évolutions, notamment dans les régions qui n'avaient pas une coloration politique accusée, où les populations allèrent dans le sens du pouvoir. André Siegfried a dit le rôle du préfet Hendlé, en poste dans la Seine-Inférieure de 1882 à 1900, dans le ralliement des campagnes normandes à la République [3].

1. « La République et les conservateurs », *Revue des deux mondes*, 1er mars 1890, p. 108.

2. J. Bousquet-Melou, *Louis Barthou et la circonscription d'Oloron, (1889-1914)*, Pedone, 1972.

3. *Tableau politique de la France de l'ouest sous la troisième République*, Colin, 1913, p. 287.

2. *Les forces politiques*

Dans les premières années de la République des républicains, une *summa divisio*, fossé véritablement infranchissable, sépare la droite, qui refuse le régime et qui est tenue à l'écart, des républicains.

L'opposition de droite est faible. Elle ne livre dans les assemblées parlementaires et dans le pays que des batailles perdues. Tout au plus peut-elle, grâce à l'appui du Centre gauche au Sénat, empêcher, en mars 1880, le vote de l'article 7 qui frappe les congrégations non autorisées. Mais Ferry et Freycinet tournèrent cet obstacle en prenant les décrets du 29 mars 1880. Ni la démission de nombreux magistrats, ni la tentative de résistance par la force qu'essaient les légitimistes n'entravèrent la dissolution des établissements congréganistes. Rome et les évêques souhaitent la modération, conscients des sentiments de l'opinion. Sauf dans quelques départements, la droite catholique ne parvint pas à mobiliser les foules contre la politique de laïcité. Ni dans la rue, ni dans les urnes, la droite ne trouva les soutiens populaires qu'elle espérait [1].

Le souvenir des défaites — la restauration manquée, le 16 mai 1877 — exaspérait les divisions de l'opposition. La mort, en 1883, du comte de Chambord ne mit pas fin à celles-ci. En effet, tous les légitimistes ne se rallièrent pas au prétendant orléaniste, le comte de Paris. Quant aux bonapartistes, depuis la disparition du prince impérial en 1879, ils se partageaient entre le prince Jérôme, anticlérical, et son fils aîné, Victor, désigné par le testament du prince impérial.

Dans le pays, les bonapartistes gardent des bastions, en Normandie, dans le Sud-Ouest. Mais la victoire des républicains de gouvernement rejette le parti vers la droite. Il perd ses assises populaires et devient une composante du camp conservateur, abandonnant l'ambiguïté qui faisait sa force [2]. Médiocrement « cléricaux » et fils de 1789, les bonapartistes, après la fièvre

1. Cf. Y. Marchasson, *La diplomatie romaine et la République française. A la recherche d'une conciliation 1879-1880*, Beauchesne.

2. Cf. Louis Girard, in *le Bonapartisme*, Munich, Artemis Verlag, 1977, p. 27.

boulangiste, envisagèrent plus volontiers d'accepter le régime que les autres droites.

Les hommes de la droite avaient perdu le pouvoir politique, ils conservaient une influence sociale par leur fortune, leur prestige dans le monde, leur présence dans l'armée et la diplomatie où la tradition de service public passait avant la fidélité à un régime. Ils gardaient une audience populaire dans une partie des campagnes, particulièrement dans les terres de chrétienté de l'Ouest et du Sud-Est du Massif central. Les droites n'avaient pas de véritables leaders, à la différence des républicains. L'existence même de prétendants gênait l'affirmation de personnalités de premier plan. Déçu du bonapartisme, un député de l'Orne, le baron de Mackau, s'efforça au Parlement de regrouper une Union des droites. Mais les tentatives de formation d'un grand parti conservateur à l'anglaise avortèrent.

Après les élections de 1885, Albert de Mun lança l'idée d'un parti catholique, à l'image du Centre allemand, mais le projet était voué à l'échec. Rome voyait là le risque d'un isolement des catholiques face aux anticléricaux ; les partis dynastiques, orléanistes et bonapartistes, refusaient cette concurrence. En fait, les droites partagées entre trois sensibilités, autoritaire et césarienne, conservatrice et libérale, traditionnaliste et contre-révolutionnaire, n'étaient pas plus aptes à s'organiser qu'à concevoir une stratégie. Elles persistaient à croire que les fautes et la médiocrité des républicains mèneraient à la chute, le régime s'écroulant de lui-même.

Cette analyse explique que périodiquement le thème du coup d'État ait nourri les fantasmes de certains hommes de droite, avant qu'ils ne croient trouver dans Boulanger le « connétable [1] » qui rendrait la France à son roi. Un tel comportement ne pouvait que fonder la crainte des républicains et conduire au vote de la loi d'exil le 24 juin 1886. Il ne pouvait surtout que fortifier le régime en scellant l'unité des républicains malgré leurs divisions.

On a souvent dit [2] ce qui fait l'unité, selon le mot de l'époque,

1. Comme le montre fortement Philippe Levillain dans son *Boulanger, fossoyeur de la monarchie*, Flammarion, 1982.

2. Cf. Barral, *Les Fondateurs de la troisième République*, Colin, 1968, et C. Nicolet, *L'Idée républicaine en France*, Gallimard, 1982.

du « parti républicain », c'est-à-dire d'une famille d'esprit et d'une opinion au sens fort du terme : l'hostilité au pouvoir personnel, l'attachement à la République comprise comme un mythe, qui renvoie à la grande Révolution, et comme un système de valeurs bien plus que comme un ensemble d'institutions, le patriotisme, la volonté de séculariser et de laïciser la société, d'organiser, selon le mot célèbre de Ferry, « l'humanité sans dieu et sans roi ».

La foi dans le progrès, l'hostilité aux cléricaux, à la réaction monarchiste, les souvenirs des proscriptions de l'Empire et de la répression de l'Ordre moral, voilà qui fait l'unité d'un parti dont, la victoire venue, s'exaspèrent cependant les divisions.

Celles-ci portent sur la conception du contenu des institutions et sur la politique économique et sociale. A l'extrême gauche radicale s'opposent les « républicains de gouvernement », eux-mêmes loin de constituer un groupe homogène.

L'Extrême gauche radicale s'affirme dès la victoire républicaine. Aux élections de 1876 déjà, à Marseille, Naquet, jugeant Gambetta trop modéré, avait proposé de former « un groupe d'avant-garde du combat démocratique », qui militerait pour la révision de la Constitution et le programme de Belleville. Un groupe d'Extrême gauche se constitua à la Chambre après les élections de 1876. Mais les luttes du 16 mai, puis le souci de conquérir le Sénat, mirent une sourdine aux discordances. Naquet lui-même proclama l'« union complète, absolue des républicains jusqu'aux élections sénatoriales ». Ensuite, au contraire, les radicaux marquent leur hostilité aux gouvernements qui vont se succéder. Ils constituent le groupe de l'Extrême gauche, groupe « fermé » après les élections de 1881, avec Barodet, Louis Blanc, Clemenceau, Camille Pelletan.

Seul Freycinet en 1880 et en 1882 peut trouver grâce, un moment, devant les plus modérés d'entre eux. Ceux-ci forment, après les élections de 1881, le groupe parlementaire de la Gauche radicale avec Floquet, Allain-Targé, Henri Brisson. Cette dénomination paradoxale désigne en effet un groupe sur la droite du radicalisme. Ainsi, un dégradé de nuances conduit des intransigeants — ils sont une vingtaine, avec à leur tête Clemenceau —, à la Gauche radicale. Certains radicaux adhèrent en même temps au groupe de l'Extrême gauche et à celui de l'Union républicaine de Gambetta. Une partie de la famille radicale garde donc quelque affinité avec Gambetta et ses amis. En revanche, les radicaux sont unanimes contre Ferry, qui incarne à leurs yeux la réaction.

Que représente à la Chambre la famille radicale ? Jacques Kayser, qui s'est livré à de minutieuses études de scrutin, seule méthode satisfaisante étant donné la fluidité des groupes parlementaires et le phénomène de la double appartenance, dénombre une centaine de radicaux en 1879 [1], davantage en 1881 : élus de Paris, du Sud-Est, de Saône-et-Loire, du Rhône, de la Drôme et du Midi méditerranéen, à qui s'ajoutent, outre des isolés, une dizaine d'élus des départements rouges de la frange occidentale et septentrionale du Massif central. Les grandes villes et les campagnes qui, en 1849, firent le succès des démocrates socialistes, voilà les bastions radicaux au début de la troisième République. La filiation avec les démocrates socialistes est d'autant plus aisée que les hommes sont parfois les mêmes : n'imaginons pas le personnel radical comme un personnel plus jeune que le reste du personnel républicain. Dans la Haute-Loire [2], les dirigeants ont fait leurs débuts sous la seconde République. Jules Maigne, qui est élu député de Brioude en 1876, a été déporté après le 15 juin 1849. Barodet, si représentatif du groupe, a été maître d'école à Louhans dans l'Ain, il a été révoqué en 1849. Madier de Montjau, l'un des orateurs radicaux à la Chambre, est un montagnard de 1848.

Les radicaux veulent, comme les montagnards de la seconde République, la « République démocratique et sociale ». Ils réclament la révision de la Constitution, la suppression d'institutions issues du parlementarisme monarchique : la présidence de la République et le Sénat. En mars 1883, l'Extrême gauche fonde la « Ligue républicaine pour la révision des lois constitutionnelles » avec Pelletan, Laisant, Laguerre, deux futurs lieutenants de Boulanger [3]. Comme Gambetta à Belleville en 1869, les radicaux veulent la décentralisation administrative, l'élection des juges, la séparation des Églises et de l'État. Ils demandent la ratification de la Constitution par le peuple — ainsi Clemenceau dans le XVIIIe arrondissement en 1881 — et la responsabilité de l'élu vis-à-vis de

1. Jacques Kayser, *Les Grandes Batailles du radicalisme 1820-1901*, Marcel Rivière, 1962, p. 118.

2. Cf. A. Rivet, *La Vie politique dans le département de la Haute-Loire de 1815 à 1974, op. cit.*

3. Kayser, *op. cit.*, p. 126.

ses électeurs, le mandat impératif. C'est Barodet qui fait adopter en 1881 le principe de la publication des professions de foi des élus. Les radicaux conservent donc quelque chose de l'idéal de la démocratie directe cher aux sans-culottes.

Ils veulent fonder la démocratie sociale par l'impôt progressif sur le revenu. Face aux intérêts, ils acceptent une certaine intervention de l'État dans l'économie par la « révision des contrats ayant aliéné la propriété publique : mines, canaux, chemins de fer [1] ». S'ils préconisent des réformes sociales limitées — réduction de la durée légale du travail, « caisses de retraite pour les vieillards et les invalides du travail » —, ils veulent la reconnaissance de la personnalité civile des syndicats ouvriers. Ils espèrent ainsi garder la sympathie des ouvriers et répondre au défi des socialistes : de façon significative, le comité républicain qui soutient Clemenceau en 1881 ajoute à « radical » l'adjectif « socialiste ». L'Alliance socialiste républicaine, formation éphémère née avant les élections de 1881 avec Stephen Pichon, un proche de Clemenceau, et Abel Hovelacque, membre du conseil municipal de Paris, fait le pont entre le radicalisme et un socialisme non marxiste dans la tradition républicaine.

Le socialisme est, pour des années, une force inexistante au plan parlementaire, mais il retrouve peu à peu une importance, encore modeste, dans le pays. Pourtant, quand l'Empire allemand a un parti social-démocrate puissant, la France ne connaît jusqu'à la fin du siècle que des groupements dont l'histoire est confuse et le poids médiocre. De cette situation, la répression de la Commune est en partie responsable. Les condamnés ne sont graciés qu'en 1879. L'amnistie n'est votée, sur la pression de Gambetta, pour éviter « la perte de Paris », qu'à la veille de la première fête nationale célébrée officiellement le 14 juillet 1880.

Deux données s'imposent à l'attention : la lente introduction du marxisme, et la résistance qu'elle rencontra, la persistance des traditions historiques du socialisme français. La première série du journal de Jules Guesde *l'Égalité*, de novembre 1877 à juillet 1878, porte comme sous-titre « journal républicain socialiste » ; la deuxième série, qui naît en janvier 1880, se proclame « organe

1. Programme de Clemenceau en 1881.

collectiviste révolutionnaire [1] ». Entre les deux séries s'est tenu le congrès ouvrier socialiste de France à Marseille en octobre 1879. Il réunit des délégués des syndicats, non sans résistances, adhère au collectivisme et donne naissance à la Fédération du parti des travailleurs socialistes de France. Le congrès dénonce les illusions de la coopération, de l'alliance du capital et du travail. *L'Égalité* s'en prend aux radicaux. Le congrès du Havre en 1880 adopta un programme dû à Marx et Guesde.

Cependant, les textes marxistes eux-mêmes ne sont guère connus. C'est en 1885 seulement que l'hebdomadaire du parti ouvrier publie la traduction complète du *Manifeste*. Elle est reproduite, l'année suivante, dans *la France socialiste*, un livre du journaliste, bientôt boulangiste, Mermeix. Guesde et son compagnon Lafargue, qui est un esprit plus original, vulgarisent inlassablement les grands thèmes du marxisme : l'exploitation capitaliste, la lutte des classes, la marche inéluctable vers le collectivisme. La conviction de la proximité de la révolution fonde l'intransigeance messianique des guesdistes. Dans le textile, à Roanne, Reims, Troyes, Roubaix, chez les métallurgistes et les mineurs à Montluçon ou Commentry, s'esquisse une carte durable du guesdisme [2].

L'échec des candidats du parti aux élections de 1881 entraîne une scission. Le conflit porte sur l'organisation du parti — unitaire ou fédérale ? — et sur la tactique — révolutionnaire ou réformiste ? A Saint-Étienne, en 1882, la minorité rompt avec les « possibilistes », qui veulent fractionner leur but « jusqu'à le rendre possible », faire « la politique des possibilités ». Les amis de Guesde forment le parti ouvrier, tandis qu'autour de Brousse se constitue en 1883 la Fédération des travailleurs socialistes. Son programme n'est pas très éloigné de celui des radicaux avancés. La lutte pour la République prime la lutte de classe. Face au marxisme autoritaire, les broussistes restent des libertaires [3]. Ils gardent de bonnes relations avec les chambres syndicales et

1. Cf. Michelle Perrot, « Le premier journal marxiste français, *l'Égalité* de Jules Guesde, 1877-1883 », *l'Actualité de l'Histoire*, juil.-sept. 1959.
2. Cf. C. Willard, *Le Mouvement socialiste en France 1890-1905, les guesdites*, Éd. sociales, 1965.
3. Cf. D. Stafford, *From Anarchism to Reformism, A Study of the Political Activities of Paul Brousse*, Londres, Weidenfeld and Nicolson, 1971.

veulent respecter leur autonomie. Les groupes qui réunissent les fédérations régionales de la FTS sont des cercles d'études ou des chambres syndicales. Leur influence est grande dans l'artisanat parisien, dans les petits centres industriels, proches du monde rural.

Dans ce même monde où demeure la tradition des sociétés secrètes, des « journées » révolutionnaires, les disciples de Blanqui Granger, Eudes, Vaillant, qui a connu les blanquistes à Londres, fondent en 1881, après l'amnistie, le Comité révolutionnaire central, groupement fermé qui ne devint que bien plus tard une formation politique [1]. Enfin, souvent confondus de l'extérieur avec les socialistes, les « compagnons » anarchistes s'en distinguent profondément par leur refus de la politique. A travers Bakounine et la Fédération jurassienne, par l'intermédiaire aussi de Kropotkine, les idées anarchistes cheminent, particulièrement dans le Sud-Est, au sein de petits groupes qui s'opposent aux socialistes, dont le nombre n'est pas alors beaucoup plus considérable. L'anarchisme peut déboucher sur l'action directe par des attentats spectaculaires, ainsi en 1882 à Montceau-les-Mines.

Ainsi, les oppositions de personnes, la diversité des milieux professionnels, le poids surtout des traditions historiques expliquent des divisions durables. Peut-être celles-ci sont-elles d'autant plus vives qu'elles mettent en cause des groupes restreints [2], des sectes, où s'exaspèrent les conflits internes. A cette date, hormis la conquête de quelques mairies, les divers socialismes ne comptent guère sur le plan politique. Le peuple ouvrier des villes, les paysans avancés des campagnes démocratiques restent fidèles aux radicaux.

Face à l'extrême gauche radicale et socialiste, à la droite monarchiste et catholique, les républicains de gouvernement, ceux que leurs adversaires dénommèrent les opportunistes, sont la majorité à la Chambre. Mais leurs divisions, raison de l'instabilité gouvernementale, sont une énigme qu'il importe d'éclaircir.

Le Centre gauche, une fois acquise la victoire des républicains,

1. Jolyon Howorth, *Édouard Vaillant : la création de l'unité socialiste en France*, Syros, 1982.

2. Le journaliste Mermeix, dans sa *France socialiste*, en 1886, attribue environ 200 militants déterminés au Comité révolutionnaire central.

joue un rôle moindre que précédemment. Encore prépondérant dans le ministère Waddington, en 1879, il tient ensuite une place secondaire dans les gouvernements. A la Chambre, il ne constitue plus qu'un groupe faible qui revient avec 39 députés en 1881. Après les élections de 1885, très affaibli, il se fond dans la Gauche républicaine. Le Centre gauche est victime du glissement, apparent, vers la gauche, et ses électeurs l'abandonnent pour l'un et l'autre des deux camps. En revanche, au Sénat, il conserve une audience appréciable : 86 sénateurs du Centre gauche sur 179 républicains en 1879, 72 sur 206 après le renouvellement de janvier 1882. Désormais, son appoint n'est plus indispensable. En 1885, sur 233 républicains [1], le Centre gauche réunit 35 sénateurs. Cependant, cette famille politique garde une influence au-delà de son poids politique propre. Ses amis sont présents dans les Académies, dans la presse modérée, du *Journal des débats* au *Temps*. Ils ne sont pas dépourvus de liens avec les milieux d'affaires. Léon Say, ministre des Finances à plusieurs reprises, Waddington, Agénor Bardoux, élu comme inamovible au Sénat après son échec à la Chambre en 1881, Teisserenc de Bort [2], président du Centre gauche du Sénat après avoir été ministre des Travaux publics, Jules Simon, défenseur face à Ferry du spiritualisme et de la liberté de l'enseignement, telles sont les figures majeures de cette famille d'esprit qui exprime au mieux la tradition du libéralisme.

La division majeure, au sein des républicains de gouvernement, oppose à la Chambre la Gauche républicaine de Grévy et Ferry et l'Union républicaine de Gambetta. L'opposition reflète, comme l'a bien vu Pierre Sorlin, celle de deux personnels. Les bourgeois installés de la Gauche républicaine disposent d'une fortune familiale. Pour eux, la politique n'est pas une forme de promotion. Les hommes de l'Union républicaine sont souvent des parvenus de la politique, sans fortune personnelle ou tradition bourgeoise. Ils ont rompu avec leur province, n'ont pas fondé de famille. Encore faut-il nuancer : Waldeck-Rousseau, qui va passer à l'Union républicaine, est issu de la moyenne bourgeoisie nantaise ; Paul Bert appartient à une famille de notables ruraux

1. J.-P. Marichy, *La Deuxième Chambre dans la vie politique française depuis 1875*, LGDJ, 1969.
2. Cf. J. Lenoble, *P.E. Teisserenc de Bort*, Limoges, 1977.

enrichis. La famille Bert vit à Auxerre dans un ancien couvent de dominicains acquis sous la Révolution par l'arrière-grand-père, commerçant en bois, du collaborateur de Claude Bernard.

Par-delà les conflits de personnes ou les contrastes sociaux entre deux personnels, il importe, plus qu'on ne l'a fait parfois, de noter un accent et un ton légèrement différent. Certes, l'écart est faible : tous ont le même souci, qui définit l'opportunisme, de « sérier les questions » et de ne faire que les réformes possibles. Tous reconnaissent les nécessités de l'ordre « dans le budget comme dans la rue » selon la formule d'André Siegfried, fils d'une des personnalités éminentes du régime. Dans le monde gambettiste figure d'autre part une frange attirée plus « par la séduction d'un leader que la convergence des opinions » (A. Prost).

Cependant, les dirigeants gambettistes, à la différence de la Gauche républicaine, souhaitent que l'État parle haut aux intérêts. Gambetta essaiera, en vain, la révision des conventions des compagnies de chemins de fer. Waldeck-Rousseau, le 14 juillet 1882 à Rennes, dénonça « l'oligarchie des grands monopoles, qui reçoivent encore la dîme du commerce et de l'industrie, oligarchie de la haute banque assez hardie pour avoir mis le crédit en ferme [1] ». Par cette affirmation du rôle de l'État, l'Union républicaine, qui compte en son sein un certain nombre de radicaux, garde le contact avec les républicains avancés. Pour Gambetta et ses amis, il s'agit du reste moins de mettre fin à une injustice que de marquer l'autorité de l'État. Gambetta, qui est en contact avec les syndicats modérés, est convaincu de la nécessité de réformes sociales pratiquées à l'initiative de l'État. Après la mort de Gambetta, Waldeck-Rousseau reprend cette tradition. Ferry croit au contraire, comme il l'affirme dans son important discours du 28 janvier 1884 à la Chambre, que la réforme sociale repose sur « l'initiative, sur la prévoyance individuelle ».

Gambetta a une vision très claire de la nécessité de l'autorité dans la démocratie. Elle fonde ses initiatives en faveur du scrutin de liste, qui mettrait fin au « petit scrutin », à la tyrannie des électeurs et des comités sur l'élu. Elle fonde l'affirmation de l'indépendance de l'administration. La circulaire de Waldeck-

1. Cité par Joseph Reinach, *le Ministère Gambetta. Histoire et doctrine*, Paris, 1884, p. 129.

Rousseau, ministre de l'Intérieur de Gambetta, le 24 novembre 1882, s'oppose aux interventions des parlementaires. Gambetta souhaite un « pouvoir fort », qui s'appuie sur des partis organisés, à l'anglaise, la présidence du conseil allant au chef de la majorité. Ni les radicaux, ni sans doute tous les membres de l'Union républicaine, ni, surtout, les amis de Grévy n'admettent un tel système politique. Il suffit, pour s'en convaincre, de lire les souvenirs de Bernard Lavergne, médecin à Montredon dans le Tarn, confident de Grévy, dominé par la crainte de la tyrannie d'un homme qui joue de manière inquiétante de sa popularité, hanté par la crainte du pouvoir personnel. On touche là à une raison majeure de l'échec de Gambetta.

Il est une autre ligne de clivage qui traverse l'opportunisme : le conflit sous-jacent sur la politique extérieure. L'ancien chef de la délégation de Tours souhaite une politique de « fierté nationale ». Gambetta se passionne pour les choses militaires, il voyage en Europe, il place très haut la politique extérieure, « la vraie, la seule politique qui puisse et doive intéresser une grande et noble nation vaincue et découragée [1] ». Le 9 août 1880, assistant à Cherbourg à la revue de la flotte aux côtés du président de la République, Gambetta, alors président de la Chambre, évoque les provinces perdues. Il affirme : « les grandes réparations peuvent sortir du droit », et invoque la « justice immanente ». Ces propos sont en fait modérés et marquent le refus d'un « esprit belliqueux ». Gambetta n'en passe pas moins pour l'homme de la revanche. En fait, il souhaite orienter la France vers l'expansion outre-mer. En 1872, déjà, à Angers, il prédisait que la France saurait reprendre son rang si elle se tournait vers l'expansion dans le monde. Il pousse Ferry à mettre la main sur la Tunisie. Lors du grand ministère, il prend une position vigoureuse sur les affaires d'Égypte qui, selon Freycinet, suscite le cri : « Gambetta veut la guerre. » Il se heurte là aux partisans d'une politique de recueillement comme Grévy, aussi bien qu'aux radicaux, ennemis des entreprises coloniales.

On le voit, les grandes orientations de la politique extérieure sont une donnée appréciable d'un conflit qui donne la clef de

1. Lettre à Ranc, le 24 décembre 1874, cité par D. Halévy et E. Pillias.

l'évolution politique des premières années de la République des républicains, et dont le sens paraît parfois difficilement perceptible. Le soutien à la politique extérieure de Ferry explique aussi pourquoi, après la mort de Gambetta, ses amis portèrent leur soutien à Ferry, comme l'atteste leur présence dans son second ministère.

Si Gambetta croyait que l'essor de grands partis et le ralliement des conservateurs permettrait à terme une alternance à l'anglaise, Ferry, sceptique devant l'évolution des conservateurs, envisageait un gouvernement au centre contre les extrêmes afin, disait-il à Épinal le 19 juin 1881, avant les élections législatives, de « mettre définitivement à l'abri des coalitions de droite et d'extrême gauche le ministère voulu par la majorité ». Il voulait minimiser les divisions des républicains, n'y voyant que des « nuances », pour conclure : « Si le parti républicain a une aile droite et une aile gauche, comme toute armée en campagne, il a surtout un centre très nombreux et très solide. » Malgré les vœux qu'il formulait dans le discours de Nancy le 10 août 1881, « un groupe de gouvernement » ne se constitue pas après les élections et l'épisode du « grand ministère » ne fit qu'exaspérer les oppositions.

Mais, après la mort de Gambetta, Ferry parvint à réunir autour de lui les différents groupes, d'une majorité dans laquelle il rangeait l'ancienne Gauche républicaine rebaptisée Union démocratique, l'Union républicaine, une grande partie de la Gauche radicale [1]. Il avait fallu dix-huit mois à la Chambre issue des élections d'août 1881 pour que se dégage une majorité. Un certain nombre de députés à la charnière des radicaux et des opportunistes se reclassent, notamment des gambettistes [2]. Ferry, se situant au centre, affirme que « la République peut être un gouvernement énergique sans être une réaction ; un gouvernement républicain peut être un gouvernement qui gouverne [3] ». Dans le même discours, s'il ne disait pas comme on le lui fit dire : « le péril est à gauche », il convenait d'une nouvelle situation politique : « le péril

1. Discours du 9 mars 1883 au Cercle national, *Discours*, t. VI, p. 125.

2. A. Prost et C. Rozensweig, « L'évolution politique des députés (1882-1884) », *Revue française de science politique*, août 1973, p. 701-728.

3. Discours du Havre, 14 octobre 1883.

monarchique n'existe plus (...) mais un autre lui succède », et dénonçait l'« intransigeance », adversaire de la « stabilité ». Il invitait à une politique de « concentration républicaine » autour de la formule positiviste, si pleine chez lui, « ordre et progrès ». Ce gouvernement fit un temps l'unité des opportunistes, et présida pour l'essentiel à l'adoption des grandes lois républicaines.

Cet essai de description des forces politiques appelle en conclusion plusieurs observations. Au Parlement comme dans le pays, la coupure fondamentale sépare la droite, qui se veut et qui est tenue hors du régime, des républicains. Mais la division de ceux-ci fait qu'à la Chambre la conjonction des extrêmes, qui s'affirme contre Ferry, peut prendre un temps la place de l'opposition droite/gauche. Comme l'ont, d'autre part, montré de rigoureuses études de scrutin [1], la discipline de vote est très faible et s'observe surtout à l'Extrême gauche autour de Clemenceau. Il est en outre très difficile d'assigner des frontières précises et stables à des groupes parlementaires qui demeurent fluides et n'ont pas d'existence reconnue. Cette situation facilite ces reclassements et ces changements de configuration de la Chambre en cours de législature qui sont une des lois non écrites du système politique de la troisième République.

3. *Le fonctionnement du régime*

Les institutions fondées par les lois constitutionnelles de 1875, mise à part la révision limitée de 1884, ne subirent pas de modifications. Aussi l'important est-il, après avoir présenté cette révision, d'examiner la pratique, le fonctionnement du régime, et pour tout dire son esprit.

On sait que les lois de 1875 avaient prévu une procédure de révision très souple. La majorité absolue suffisait pour engager la révision, ainsi que pour les délibérations de l'Assemblée nationale. Ferry, désireux de couper court à la pression des radicaux, fit

1. Cf. A. Prost et C. Rosenzweig, « La Chambre des députés (1881-1885). Analyse factorielle des scrutins », *Revue française de science politique*, février 1971.

adopter par la loi du 14 août 1884 une révision limitée. Elle supprima les prières publiques à l'ouverture de la session parlementaire, consacrant la laïcisation de l'État. Désormais, « la forme républicaine du gouvernement » ne pouvait être soumise à révision, disposition qui excluait une restauration légale et rendait inconstitutionnelle la propagande royaliste.

Surtout, les articles 1 à 7 de la loi du 24 février 1875 relatives à l'organisation du Sénat perdaient le caractère constitutionnel. La loi du 9 décembre 1884 supprima les inamovibles. A mesure des vacances [1], les sièges devenaient électifs, ils étaient répartis entre les départements les plus peuplés, selon un tableau qui ne fut plus modifié par la suite. D'autre part, la loi mettait fin au principe de l'égalité qui donnait à chaque commune un délégué. Le nombre des délégués sénatoriaux variait non en fonction de la démographie des communes, mais du nombre des membres du conseil municipal. Ce système ne tenait compte que de façon indirecte de la démographie, et avantageait les communes petites et moyennes au détriment des grandes villes. Ainsi, malgré les assauts des radicaux, Ferry maintint l'existence du Sénat et son mode d'élection indirect. Il sauva aussi le droit de dissolution du président de la République, dont dans un discours important, le 3 juillet, il montra qu'il était inséparable du régime parlementaire, le recours indispensable de l'exécutif en cas d'impuissance de l'Assemblée ou face à un problème imprévu. Il voyait dans la dissolution « la seule forme sérieuse, efficace, pratique de l'appel au peuple [2] ». Mais la dissolution tomba en désuétude, ce qui montre l'importance de la pratique coutumière.

Sans entrer dans des analyses juridiques, il importe de dire les traits majeurs de celle-ci. Elle fait apparaître d'emblée la faiblesse de l'exécutif. Le président de la République dispose certes de prérogatives considérables, mais son pouvoir réel est limité, non pas tellement par l'obligation du contreseing ministériel [3] que par

1. Au début de 1885, le Sénat compte 41 inamovibles qui ont été élus par l'Assemblée nationale et 27 élus par le Sénat entre 1876 et 1884. Le dernier d'entre eux fut Émile de Marcère qui mourut en 1918.

2. Discours préparé pour le 14 février 1889, non prononcé, cité par O. Rudelle, *La République absolue, op. cit.*

3. François Goguel rappelait dans son cours à l'Institut d'études politiques que Jules Simon avait contresigné le décret de Mac-Mahon

l'irresponsabilité politique du président, et l'interprétation donnée à celle-ci après la crise du 16 mai 1877. En outre, le mode d'élection du président de la République ne confère pas au chef de l'État une autorité propre face au Parlement. Enfin, l'entrée en désuétude du droit de dissolution après le 16 mai enlève au président toute possibilité de recourir à l'arbitrage du pays face à la Chambre.

Cependant le président de la République n'est pas dépourvu de moyens d'influence et son autorité est, au moins jusqu'au début du siècle, plus appréciable que ne le montre l'image traditionnelle du président chargé d'inaugurer les chrysanthèmes. Bon observateur, Charles Seignobos a vu le rôle de Grévy : « Il présidait le conseil des ministres et, par son ascendant personnel, il gardait la direction générale de la politique [1]. » Le fait que le président de la République préside le conseil des ministres et, par là, exerce à tout le moins une « magistrature morale », est contraire à l'usage des pays parlementaires et constitue un héritage de la loi Rivet définissant les pouvoirs de Thiers.

L'influence du président de la République s'exerce particulièrement dans le domaine de la politique extérieure. Au début du siècle, Combes dira de celle-ci qu'elle était « l'affaire du président de la République et du ministre des Affaires étrangères ». Le propos est plus qu'une boutade et traduit une réalité de fait. L'article 8 de la loi du 16 juillet 1875 dispose que « le président de la République négocie et ratifie les traités. Il en donne connaissance aux Chambres aussitôt que l'intérêt et la sûreté de l'État le permettent ». L'article énumère les traités qui ne sont définitifs qu'après avoir été votés par les deux Chambres : « les traités de paix, de commerce, les traités qui engagent les finances de l'État, ceux qui sont relatifs à l'état des personnes et aux droits de propriété des Français à l'étranger ». Mais des traités peuvent être ratifiés par le président seul, c'est le cas des traités d'alliance, comme à la fin du siècle l'alliance russe, et des protectorats. Dans les années de la République opportuniste, Grévy, comme l'attes-

---

nommant Broglie le 16 mai. Durant toute la troisième République, la nomination de tous les présidents du Conseil fut contresignée par leurs prédécesseurs.

1. *L'Évolution de la troisième République*, Hachette, 1921, p. 58.

tent les souvenirs de Bernard Lavergne, son confident, porta un intérêt extrême à la politique extérieure, préoccupé avant tout d'éviter une aventure et un conflit.

L'influence du président de la République sur le cours de la politique intérieure s'exerce d'abord par la désignation du président du Conseil. On sait à quel point Grévy sut user de cette prérogative [1]. Il put choisir entre des majorités éventuelles, écarter ou différer l'arrivée au pouvoir d'une personnalité, Gambetta ou Ferry, appeler une personnalité vouée à l'échec pour imposer ensuite une autre. Ce faisant, il fixait les règles d'un jeu qui, par-delà le troisième République, devait rester en honneur sous la quatrième. Le président de la République a une liberté d'action d'autant plus grande que la faible organisation des partis, l'absence de majorité autre que de coalition et donc fragile, ne permettait pas au président du Conseil d'être le véritable chef d'une majorité cohérente. Mais la pratique de Grévy dissociant les fonctions de président du Conseil et de chef d'une majorité renforça les effets du système des forces politiques. Ainsi la France ne connut-elle ni un pouvoir présidentiel, ni un pouvoir ministériel fort, à l'anglaise, et l'effacement du président de la République n'entraîna pas la promotion du président du Conseil.

La notion même de président du Conseil n'est pas mentionnée dans les lois constitutionnelles. Le président du conseil des ministres (le terme est impropre, puisque le président de la République préside le conseil des ministres) apparaît dans le décret du 9 mars 1876 nommant Dufaure. Il est, en fait, celui des ministres qui parle au nom du gouvernement, un *primus inter pares*, non un chef d'équipe. Il n'existe pas de service de la présidence du Conseil, et le président du Conseil est toujours titulaire d'un département ministériel. Le conseil des ministres lui-même n'est mentionné qu'incidemment dans les lois constitutionnelles, dans l'article 4 de la loi du 25 février 1875 relatif à la nomination des conseillers d'État, et dans l'article 7 relatif à la vacance de la présidence de la République. La loi du 31 août 1871 sur les pouvoirs de Thiers faisait le conseil des ministres respon-

1. Cf. les analyses lumineuses de J.-J. Chevallier, *Histoire des institutions et des régimes politiques de la France*, Dalloz, p. 331*sq*.

sable devant l'Assemblée. Voilà les seules indications relatives au « rouage essentiel de la machine gouvernementale [1] », dont le fonctionnement sous la troisième République est encore bien mal connu.

Les ministres sont nommés par le président de la République, sans pourtant, là encore, que les lois constitutionnelles indiquent nettement ce droit. Mais l'article 3 de la loi du 25 février 1875 donne au président de la République le droit de nommer à « tous les emplois civils », et la loi du 31 août 1871 lui donnait expressément la nomination des ministres. Dans la réalité, si le président de la République désigne le président du Conseil, c'est ce dernier qui compose le ministère, dont le président de la République entérine la composition, n'exerçant guère de suggestion que pour le ministère des Affaires étrangères [2] et sous Mac-Mahon les ministères militaires.

Dans la mesure où la France ignore l'alternance à l'anglaise, la crise est l'occasion, selon le terme employé à l'époque, d'un « replâtrage ». Elle traduit un infléchissement, une modification dans la coalition gouvernementale. Un groupe sort de la majorité et souvent la crise s'ouvre au sein même du gouvernement, sans débat à la Chambre. Tel est le cas du gouvernement Freycinet divisé sur l'application des décrets sur les congrégations. Certains ministres disparaissent. En revanche, des têtes nouvelles apparaissent dans le gouvernement, indice d'un changement d'orientation, sans que la continuité générale soit affectée. Le cabinet Waddington, sur deux ministres, en comptaient sept qui venaient du cabinet Dufaure. Alors que Freycinet remplace Waddington, il garde six membres de l'ancien gouvernement. Le cabinet Ferry conserve huit ministres du cabinet Freycinet. Ainsi, d'un gouvernement à l'autre, demeure un « fond permanent [3] » auquel s'ajoute un personnel d'appoint, qui colore la combinaison.

Ce système de gouvernement, qui tient à l'absence de majorité organisée, marqua de son empreinte toute l'histoire du régime. Ses inconvénients sont évidents et Ferry eût souhaité y porter

1. Selon la formule de L. Duguit, *Traité de droit constitutionnel*, t. IV, *L'Organisation politique de la France*, 1925, p. 814*sq*.
2. Loubet dit à Combes son souhait de conserver Delcassé.
3. Cf. J. Ollé-Laprune, *La Stabilité des ministres sous la troisième République, 1879-1940*, Paris, 1962.

remède. Lorsqu'il forme son premier gourvernement, il veut donner à sa déclaration ministérielle « la clarté et la précision d'un véritable contrat [1] »... « Plus le contrat sera défini, plus le ministère sera durable. » De son gouvernement formé avec un « programme précis », il annonçait qu'il sortirait « tout entier » des affaires en cas de chute. De fait, deux ministres seulement de Ferry figurèrent dans le « grand ministère » de Gambetta qui marque une rupture exceptionnelle, mais brève... La pratique des replâtrages, qui, aux yeux de l'opinion, ne contribua pas à grandir ni à clarifier le débat politique, corrige, en revanche, l'instabilité gouvernementale par une relative stabilité ministérielle. Surtout, dans un régime politique sans véritable alternance, elle permet de surmonter les crises avec souplesse.

Les structures du gouvernement sont durables jusqu'à la guerre. Un gouvernement compte de neuf à onze ministres d'ordinaire. Le chiffre de douze est atteint dans le ministère Gambetta et le deuxième cabinet Ferry, et n'est jamais dépassé. Les sous-secrétaires d'État, sous la présidence Grévy, sont de six à neuf. Le président de la République voyait dans cette formule à la fois une manière de rallier des députés à la majorité et de former un personnel de gouvernement. Après 1886, le nombre des sous-secrétaires d'État diminue. Ils sont en général deux. Il faut attendre le gouvernement Clemenceau de 1906 pour qu'ils arrivent au chiffre de quatre. Désormais, les sous-secrétaires d'État assistent de façon régulière au conseil des ministres [2].

C'est dire qu'un gouvernement constitue alors une commission restreinte où nécessairement la discussion est plus aisée et familière que devant une instance gouvernementale nombreuse. La liste des ministres témoigne des missions limitées de l'État libéral. Affaires étrangères, Justice, Intérieur, Finances, Guerre, Marine et Colonies, Instruction publique, Travaux publics, Agriculture et Commerce. Un décret du 5 février 1879 crée l'administration des Postes et Télégraphes, « distraite de l'administration des Finances ». Adolphe Cochery va être titulaire de ce ministère sans solution de continuité jusqu'au 30 mars 1885. Gambetta

1. Discours du 11 novembre 1880, *Discours*, t. III, p. 368.
2. Duguit, *op. cit.*, p. 829. Avec la guerre, leur nombre croît, mais, sauf Abel Ferry, ils n'assistent qu'exceptionnellement au conseil des ministres.

sépare l'Agriculture du Commerce, soucieux qu'il était d'enraciner la République dans les campagnes. En revanche, une autre innovation de Gambetta, la création d'un ministère des Arts, est sans lendemain, tout comme le rattachement au Commerce des Colonies enlevées à la Marine. Il fallut attendre le deuxième cabinet Ribot, le 11 janvier 1893, pour retrouver l'association du Commerce et des Colonies, confiée du reste à Jules Siegfried, ancien maire du Havre. L'année suivante, la loi du 20 mars 1894, sous le cabinet Casimir-Perier, porta création d'un ministère des Colonies. C'est le polytechnicien Freycinet qui, dans son troisième cabinet le 7 janvier 1886, crée un ministère du Commerce et de l'Industrie. Enfin, une direction ministérielle revêt une importance particulière, celle des Cultes, qui a à connaître des cultes « reconnus ». Elle est rattachée tantôt à l'Instruction publique, tantôt à la Justice, tantôt à l'Intérieur.

Les ministres sont d'ordinaire parlementaires, députés ou sénateurs. La nomination d'un haut fonctionnaire — Flourens aux Affaires étrangères ou Hanotaux au même département en 1894 — est exceptionnelle. En revanche, jusqu'à la crise boulangiste, la Guerre et la Marine vont uniquement à des techniciens, officiers généraux et amiraux. Mais ceux-ci, on ne l'a pas toujours remarqué, sont parfois des sénateurs inamovibles, ainsi du vice-amiral Jauréguiberry, à quatre reprises ministres de la Marine et des Colonies de 1879 à 1883.

Cet exemple confirme la relative stabilité ministérielle déjà observée. Celle-ci, comme l'ont établi les études minutieuses de J. Ollé-Laprune [1], est particulièrement remarquable dans trois départements ministériels : les Affaires étrangères, les Finances, l'Agriculture. Cette stabilité peut s'affirmer par le maintien ou les passages successifs de la même personnalité dans un même département ministériel. Jules Ferry est ministre de l'Instruction publique de 1879 à 1885 dans cinq ministères sur huit. Tirard est aux Finances dans trois gouvernements successifs, du 7 août 1882 au 30 mars 1885, sous Duclerc, Fallières, Ferry. Rouvier l'est quatre fois du 22 février 1889 au 10 janvier 1893, sans solution de continuité, sous Tirard, Freycinet, Loubet, Ribot. Freycinet, pre-

1. *La Stabilité des ministres sous la troisième République, 1879-1940, op. cit.*, p. 91.

mier civil à détenir ce portefeuille, a la responsabilité de la Guerre du 3 avril 1888 au 10 janvier 1893, comme ministre ou président du Conseil.

Mais les mêmes hommes peuvent se retrouver d'un ministère à l'autre avec des responsabilités différentes, constituant un « fond permanent des ministères ». De 1879 à 1893, Freycinet totalise dix présences dans un gouvernement, Develle onze, Fallières neuf, Goblet six, Rouvier sept, Tirard onze [1]. Ces hommes, qui pour certains sont peu connus — Tirard, Develle —, forment un personnel de gouvernement stable malgré l'instabilité gouvernementale.

Les ministres s'entourent d'un cabinet, mais celui-ci joue un rôle moindre que sous la quatrième et la cinquième République [2]. Il est bien moins nombreux : quelques personnes d'ordinaire. Il est formé de proches et d'amis du ministre, de journalistes, de fonctionnaires. Les uns et les autres sont le plus souvent au début de leur carrière politique ou administrative. On parle volontiers des « jeunes gens du cabinet ». Leurs poids sur le fonctionnement des services n'a pas l'ampleur qu'il atteindra en d'autres temps. Aussi bien le cabinet est-il plus une extension du secrétariat particulier du ministre, et son appareil politique, notamment pour suivre à Paris les affaires de la circonscription, qu'un organe qui suit la gestion administrative. Le passage par un cabinet ministériel représente une étape dans la carrière administrative ou politique, et souvent le point de départ de quelque promotion.

A l'époque, le ministre travaille directement avec les directeurs de ministère. Ferry a considéré comme l'une des périodes « les plus fécondes » de sa vie sa collaboration avec ses directeurs Dumont, Zévort, Ferdinand Buisson. Si la haute administration a été profondément renouvelée avec l'avènement

1. *Ibid*, p. 127.

2. Le sujet a suscité une littérature abondante dont la bibliographie est dressée dans le livre collectif dû à R. Rémond, I. Boussard, A. Coutrot, *Quarante Ans de cabinets ministériels*, FNSP, 1982. Voir aussi P. Barral, « Les cabinets ministériels sous la IIIe République », in *Origine et histoire des cabinets des ministres en France*, Droz, 1975. On trouvera une liste des membres des cabinets ministériels de Philippe Delpuech dans le même ouvrage.

de la « République des républicains », la stabilité des hommes est ensuite remarquable. Un Liard est directeur de l'Enseignement supérieur de 1884 à 1902, un Buisson est directeur de l'Enseignement primaire de 1879 à 1896. Après une carrière administrative aux débuts modestes, Dumay devient directeur des Cultes en 1886. Il le demeure jusqu'à la séparation en 1905.

Étudiant les directeurs en fonction en 1901, Christophe Charle montre que la moyenne d'occupation d'un poste de directeur se situe à quinze ans à l'Agriculture, plus de onze ans à l'Instruction publique, dix à l'Intérieur, six aux Travaux publics, entre cinq et six aux Finances et aux Affaires étrangères [1]. Cette stabilité de la haute administration est une réalité considérable, une raison de continuité qui corrige l'instabilité gouvernementale, et ajoute à la stabilité du personnel ministériel.

La prépondérance des Chambres est la pierre angulaire du système politique de la troisième République. Ouvrons un petit manuel d'instruction civique, *la Première Année d'instruction morale et civique. Notions de droit et d'économie politique*, dû à Pierre Laloi, pseudonyme de l'historien Ernest Lavisse. Sous le titre « pouvoir législatif, pouvoir exécutif », l'auteur écrit : « Puisque le Sénat et la Chambre des députés nomment le chef de l'État et contrôlent les actes des ministres, le pouvoir appartient en réalité aux Chambres, dont les membres sont élus par le peuple » ; et le résumé affirme : « Le pouvoir réside donc dans les Chambres, dont les membres sont élus par le peuple, et le peuple est souverain [2]. » Ces quelques lignes donnent bien la philosophie profonde du régime : la souveraineté populaire s'exprime par l'élection des Chambres, celles-ci ensuite sont maîtresses du pouvoir. Le chef de l'État et les ministres dépendent du pouvoir parlementaire, dont le contrôle est déterminant. Représentants de la souveraineté du peuple, les parlementaires votent la loi. Ni le peuple par le recours au référendum, qui paraîtrait une forme déguisée de l'« appel au peuple » bonapartiste, ni quelque tribunal suprême, qui serait un gouvernement des juges, ne sauraient

1. *Les Hauts Fonctionnaires en France au XIXe siècle*, Gallimard, 1980, p. 178.
2. Colin, 1889, p. 105-106.

mettre en cause la loi une fois votée. Ce serait aller à l'encontre de la « tradition républicaine » et du dogme de la souveraineté des lois.

La troisième République a toujours refusé d'envisager une instance de contrôle de la constitutionnalité des lois [1]. Selon la sobre formule de Carré de Malberg, « la conscience des parlementaires était le seul tribunal de la constitutionnalité des lois ». Aucune borne de droit n'était donc mise à la puissance du Parlement. Le veto suspensif du président de la République, autorisé par l'article 7 de la loi du 16 juillet 1875 à demander une seconde délibération, ne s'exerça pas davantage que le droit de dissolution, et ce pour les mêmes raisons [2].

Le Parlement est juge de la régularité de l'élection de ses membres et valide ou non les nouveaux élus [3]. Le Parlement fixe son règlement, organise comme il l'entend ses services. L'Assemblée nationale de 1871 avait utilisé le règlement de l'Assemblée législative de 1849 et la Chambre, le 16 juin 1876, adopta un règlement qui s'inspirait largement de ce dernier. Il ne fut modifié qu'en 1915 [4]. La Chambre est maîtresse de l'ordre du jour, formule qui permet de différer tout débat auquel tient le gouvernement. L'idée que le gouvernement puisse contrôler le travail de la Chambre est contraire à la tradition française. Les projets de loi d'origine gouvernementale ne peuvent être inscrits à l'ordre du jour qu'après qu'un rapport a été déposé à leur sujet, disposition qui favorise l'inertie. Le projet de loi présenté par le gouvernement n'est pas débattu à la Chambre dans la version originelle, mais sous la forme qui résulte du travail de la commission chargée d'étudier le texte gouvernemental.

Les commissions sont à cette époque des commissions spéciales, *ad hoc*, désignées par les « bureaux ». Ce terme désigne non le bureau de l'Assemblée, mais une section de la Chambre tirée au sort. L'ensemble des bureaux (onze au total) comprend la totalité des députés. Chaque bureau délègue plusieurs de ses membres

1. Cf. J.-P. Machelon, *La République contre les libertés ?*, FNSP, 1976.
2. Cf. les remarques de Joseph-Barthélémy sur le sujet, *op. cit.*
3. Pratique qui entraîne les invalidations de conservateurs en 1877 et 1885, de boulangistes en 1889.
4. D. W.S. Lidderdale, *Le Parlement français*, Colin, 1954.

dans les commissions [1]. L'hostilité à un système de commissions permanentes depuis l'expérience de la Convention, la crainte de paralysie du pouvoir exécutif expliquent la préférence pour les commissions spéciales. Cependant, des commissions permanentes voient le jour dès le début du régime, ainsi la commission du budget que présida Gambetta, ou la commission de l'armée.

Avec le début du siècle, à partir de 1902, les commissions permanentes l'emportèrent sur les commissions spéciales dont le mode de désignation et le caractère éphémère soulevaient des critiques. Ce changement conduisit à un nouveau mode de désignation, qui, on le verra, conduisit à reconnaître en 1910 la réalité, jusque-là empirique, des groupes parlementaires.

La Chambre exerce son autorité par son droit d'interpeller à tout moment le gouvernement, constamment menacé, tenu toujours de répondre, à tout le moins sur la date de la discussion de l'interpellation au fond. Dans la première période du régime, jusqu'à la fin du siècle, on considère que la seule Chambre a le droit de renverser un ministère. L'article 6 de la loi du 25 février 1875 « les ministres sont solidairement responsables devant les Chambres de la politique générale du gouvernement » est interprété comme fondant un gouvernement parlementaire, mais on estime que le Sénat, qui ne peut pas être dissous, ne peut pas en revanche renverser un gouvernement. De fait, Freycinet resta au pouvoir après le rejet de l'article 7 par le Sénat le 8 mars 1880. Le premier président du Conseil à se retirer après un vote du Sénat fut Tirard le 15 mars 1890, après le refus d'approuver un traité de commerce avec la Grèce. Mais c'est le conflit de Léon Bourgeois avec la Haute Assemblée, en 1896 [2], qui fonda véritablement une nouvelle coutume.

En matière législative, le Sénat et la Chambre jouissent de droits égaux ; le projet voté dans l'une des Chambres est transmis à l'autre : « Le Sénat a concurremment avec la Chambre des députés l'initiative de la confection des lois. » En revanche, « les lois de finances doivent être, en premier lieu, présentées à la Chambre des députés et votées par elle ». Pendant les quinze premières années du régime, on contestera les droits du Sénat,

1. *Ibid.*, p. 184.
2. Évoqué p. 166.

tenu de s'incliner en cas de conflit [1]. Telle était la conception que défendit notamment Gambetta dans l'exposé des motifs du projet de révision du 14 janvier 1882. Ensuite, à mesure que s'accroissait l'influence du Sénat, la formule de ce compromis l'emporta. L'égalité des deux Chambres a pour conséquence qu'un texte n'est voté que s'il a été adopté dans une forme identique par la Chambre et le Sénat au terme d'une « navette ». Celle-ci peut être alors longue, aucune des deux assemblées ne pouvant imposer son point de vue.

Les sessions durent de sept à huit mois à raison de trois séances par semaine [2], chiffre au total modeste. Les comptes rendus publiés des débats sont moins longs que sous la quatrième et la cinquième République. De nombreux observateurs ont dénoncé le manque d'efficacité du travail parlementaire, la lenteur de l'élaboration des lois, l'absentéisme, masqué par le recours aux « boitiers », qui votent pour leurs collègues absents. Le vote par procuration, inconnu dans le Parlement britannique, est une vieille pratique française.

Il n'est pas sûr que ces critiques, formulées d'ordinaire au début du siècle, ou entre les deux guerres — qu'on songe aux *Lettres sur la réforme gouvernementale* de Blum, aux écrits de Tardieu, ou de Charles Benoist —, valent pleinement pour la République opportuniste. On peut, au contraire, observer une certaine efficacité du travail parlementaire. Les grandes lois républicaines, sur l'école, les syndicats, les communes, furent votées au total avec une relative rapidité. Là où un consensus existait au sein du « parti républicain », les choses allèrent vite. Ensuite, le système se dérégla et les possibilités de blocage qu'il offrait jouèrent à plein. Les gouvernements n'avaient ni l'énergie, ni les moyens de faire adopter leurs projets. Mais la raison profonde de cet immobilisme est que les républicains avaient réalisé les réformes sur lesquelles ils étaient en accord, celles qui visaient à fonder une société libérale et sécularisée. Ils étaient divisés en revanche sur les questions sociales, et le Sénat, républicain et laïc, mais conservateur, joua dans ce domaine un rôle de frein. Dès lors, des lois

1. Cf. L. Duguit, *op. cit.*, p. 454.
2. Comme le remarque E. Blamont dans sa Préface à D.W.S. Lidderdale, *op. cit.*, § XVI.

comme celle sur les retraites ouvrières, au début du siècle, devaient mettre de longues années à aboutir. Faut-il ajouter que la Chambre pouvait se donner l'élégance d'adopter des mesures démocratiques en sachant que le Sénat ferait barrière [1] ?

Quelle est au total la nature de ce régime qui n'a pas fini de susciter commentaires et réflexions ? L'existence et le rôle du président de la République ne permettent pas de parler de régime d'assemblée. Le régime demeure un régime parlementaire, mais il est bien, selon la formule de Carré de Malberg, un « parlementarisme absolu ». Dans cette « République des députés » (R. Priouret), qui est aussi une République des sénateurs, le Parlement a un rôle prépondérant.

Très tôt, Charles Seignobos s'était interrogé [2] sur les raisons des empiètements du législatif sur l'exécutif, marquées par la « fréquence des interpellations et l'ingérence des députés dans l'administration » et condamnées par les théoriciens du droit public comme contraire à la séparation des pouvoirs. Ce rôle des députés tenait, disait-il, à la coexistence d'un gouvernement démocratique et d'une administration bureaucratique, que les ministres défendaient. Pour assurer leur rôle de « défenseurs des populations », les députés disposaient de l'arme de la commission du Budget et des interpellations, « institution dominante du régime parlementaire français ». Celles-ci, tout comme les interventions sur l'administration, permettaient de conserver ensemble deux systèmes contradictoires d'institutions, un régime public démocratique, un régime administratif hiérarchique, en forçant le corps des fonctionnaires à se soumettre aux élus du peuple.

Bien avant qu'Alain n'écrive les pages célèbres où il fait du député le « contrôleur » des ministres et de l'administration, avant que les modernes sociologues ne reviennent sur la critique tocquevillienne de la bureaucratie et de la centralisation, Seignobos, observateur pénétrant de la troisième République, proposait, à sa manière incisive, une interprétation d'ensemble du système politique et des liens qui l'unissaient à la centralisation administrative. C'est bien parce qu'il était lui aussi conscient des inci-

1. Joseph-Barthélémy, *Le Problème de la compétence dans la démocratie*, Alcan, 1918, p. 116.
2. *Histoire politique de l'Europe contemporaine*, Colin, 1896, p. 209.

dences de celle-ci sur le système politique français que Ferry excluait la République « américaine » et présidentielle, qui, disait-il, dans un régime centralisé, mènerait à la domination de l'exécutif sur le législatif [1].

Aussi une présentation du gouvernement de la France se doit-elle, à moins de rester purement juridique, d'aborder les relations entre le pouvoir et l'administration. Le problème se posa d'emblée. Dès le 28 février 1876 à Lyon, Gambetta, soucieux de modérer ses amis, s'écriait : « Je ne demande pas des hécatombes de fonctionnaires, il faut seulement faire des exemples. » Le 16 mai attisa la volonté des républicains de transformer l'administration. Dans *la Critique philosophique*, la revue de Littré, si influente à cette aurore de la République, François Pillon indiquait son devoir au nouveau ministère : « La République parlementaire a vaincu, en 1877, le pouvoir personnel du président. Il faut qu'elle dompte en 1878 la résistance de l'administration. Elle ne saurait s'accommoder de grands et de petits fonctionnaires inamovibles et indépendants des ministres responsables [2]. » L'« épuration » toucha au premier chef la haute administration et la magistrature. 27 directeurs de ministère sur 58 furent maintenus [3]. Elle affecta faiblement les administrations techniques, y compris l'inspection des Finances ; en revanche, elle frappa massivement le corps préfectoral. Dès décembre 1877, 85 préfets et 358 sous-préfets et secrétaires généraux de préfecture furent révoqués ; plus du quart des préfets avaient été, il est vrai, nommés pour la première fois au lendemain du 16 mai. D'autre part, plus de la moitié des préfets nommés en décembre 1877 avaient exercé cette fonction auparavant sous Thiers ou Gambetta [4].

1. Discours lors de la révision constitutionnelle, 3 juillet 1884, *Discours*, t. VI, p. 323-327.
2. F. Pillon, « Les devoirs imposés par la situation. Le choix et la révocation des fonctionnaires », *la Critique philosophique*, 11 avril 1878, p. 161-163.
3. C. Charle, *Les Hauts Fonctionnaires en France au XIXe siècle, op. cit.*, p. 239.
4. Jeanne Siwek-Pouydesseau, *Sociologie du corps préfectoral* in *les Préfets en France (1800-1940)*, Droz, 1978, p. 163-181.

Le Conseil d'État, sauvé par la loi du 25 février 1875, fut profondément remanié par la loi du 13 juillet 1879, qui, par augmentation du nombre de membres et mises à la retraite, permit l'entrée d'un personnel républicain [1]. En cas de contestation, le gouvernement disposait ainsi d'un allié et d'une caution, on le vit en maintes circonstances. Aussi, le Conseil d'État de la fin du XIXe siècle ne jouit-il pas aux yeux de l'opposition politique de la garantie d'indépendance qu'il s'est acquise par la suite.

La loi du 30 août 1883 suspendit pour trois mois l'inamovibilité des magistrats du siège. La mesure toucha 600 magistrats. Cette mesure exceptionnelle permit un important renouvellement de la magistrature, facilité par la démission d'avril 1880 à janvier 1884 de plus de 600 magistrats, hostiles à l'application des décrets qui touchaient les congrégations religieuses. Près du tiers des magistrats abandonnaient ainsi leurs fonctions. De 1877 à 1882, 1 763 magistrats des parquets sur 2 148 furent renouvelés [2]. Par la suite, la magistrature, dont les règles de recrutement et d'avancement n'étaient pas clairement définies, ce qui laissait place à l'arbitraire et aux interventions politiques, ne parvint pas à accéder à une véritable indépendance vis-à-vis du pouvoir politique.

L'épuration proprement dite toucha peu la basse administration mais, avec les années, au souci de la revanche ou de la prudence politique s'ajouta celui de fournir des places à une clientèle locale. Désormais, les perceptions, les recettes de finances, les plus modestes débits de tabac vont aux candidats soutenus par les républicains. La « révolution des emplois » ne concerne pas seulement la haute fonction publique. Elle fut facilitée par les démissions d'un certain nombre de conservateurs. Ceux-ci n'acceptent pas de servir un régime qui va à l'encontre de leurs sentiments et entrent dans une « émigration de l'intérieur ». Cette attitude, sensible dans la magistrature ou la haute administration, ne vaut pas dans l'armée ou la diplomatie.

L'avènement des républicains entraîna donc une importante mutation du personnel, couronnement de cette « instabilité des

1. Cf. V. Wright, « L'épuration du Conseil d'État en juillet 1879 », *Revue d'histoire moderne et contemporaine*, octobre-décembre 1972, p. 621-653.
2. Cf. J.-P. Machelon, *op. cit.*

emplois » dont Saint-Valry, observateur désabusé, se demandait si elle ne paraissait pas devenir une règle [1]. Après Thiers, l'« Ordre moral », l'intermède centre gauche de mars 1876 au 16 mai 1877, après le 16 mai, nouvelle figure de l'« Ordre moral », le balancier était revenu du côté des républicains. Ceux-ci poursuivaient deux intentions qui ne s'identifiaient pas : éliminer les conservateurs, mais aussi permettre au mérite de remplacer la faveur en rendant possible l'égalité d'accès aux hauts emplois administratifs. Cette seconde revendication conduisait à renforcer ou à organiser un système de concours, qui est généralisé aux alentours de 1885. Dans la mesure où, dans certaines carrières, l'inspection des Finances, la Cour des comptes, la diplomatie, les fils des anciennes « classes dirigeantes » ne boudèrent pas le concours, elles maintinrent leur place dans les grands corps de l'État, concurremment avec les fils de la bourgeoisie républicaine, voire des « nouvelles couches ». La carrière préfectorale, plus politique, plus provinciale par son recrutement, où la faveur longtemps l'emporta sur les titres et le mérite, eut aussi, dès lors, un recrutement plus démocratique [2]. Le 16 mai marqua bien une mutation sociale dans ce corps [3].

Le gouvernement exige de l'administration la fidélité au régime. Freycinet exprime cette philosophie constante lorsqu'il affirme le 16 janvier 1886 : « Il faut que nul n'oublie désormais que la liberté d'opposition n'existe pas pour les serviteurs de l'État. Ceux-ci doivent à la République tout au moins une attitude digne, loyale et respectueuse [4] », encore ne demande-t-il pas, comme certains radicaux, un engagement politique des fonctionnaires, mais ceux-ci sont bien considérés comme des agents du gouvernement et non seulement de l'État [5]. Le manque de loyalisme est sanctionné, la notation des fonctionnaires fait intervenir des critères politiques.

1. Daniel Halévy et Robert Dreyfus ont insisté sur l'intérêt exceptionnel de ses *Souvenirs et réflexions politiques. Documents pour servir à l'histoire contemporaine, op. cit.*

2. Cf. J. Siwek-Pouydesseau, *op. cit.*

3. C. Charle, « Le recrutement des hauts fonctionnaires, 1901 », *Annales*, mars-avril 1980, p. 387.

4. Cité par J.-P. Machelon, *op. cit.*

5. Sur les problèmes de l'administration, qu'il suffise de renvoyer à l'ensemble des travaux de Guy Thuillier.

Clientélisme et favoritisme entrent en ligne de compte dans les nominations, en un temps où les concours de recrutement n'ont pas encore le rôle qu'ils prirent par la suite, et où surtout les règles précises en matière de nomination et de carrière ne s'imposent pas aux ministres. Au temps de la République militante, l'État républicain n'est pas toujours un État de droit.

4

Dans la crise boulangiste

Avec la chute de Jules Ferry, le 30 mars 1885, emporté par l'affaire de Lang Son et l'hostilité à sa politique coloniale, s'achève le temps des « fondateurs » de la République. Une période nouvelle s'ouvre, marquée par une instabilité ministérielle accrue, par la montée des oppositions ennemies du régime. La République libérale et parlementaire, en ces années de difficultés économiques et sociales, déçoit les masses urbaines. Elles se tournent vers des idéologies qui répondent mieux à leurs aspirations : le nationalisme qui change de visage à la faveur de la crise boulangiste, le socialisme qui devient une force politique et paraît menacer l'ordre social.

1. *Les élections de 1885 et l'instabilité gouvernementale*

Les adversaires de Ferry, véritable « conjonction des extrêmes », ne constituaient pas une majorité de gouvernement. Les divisions accrues au sein des républicains ouvraient une période d'instabilité. Le président de la Chambre, Henri Brisson, proche des radicaux, « pénétré d'esprit maçonnique » (J. Kayser), constitua le 6 avril un gouvernement de « concentration républicaine », formule qui désigne alors l'union des républicains jusqu'à l'extrême gauche contre les conservateurs [1]. Ce gouvernement, chose exceptionnelle, ne comportait aucun ancien ministre du gouverne-

1. Après 1919, le terme désignera l'union des radicaux et du centre droit, bref une conjonction des centres, par opposition au cartel avec les socialistes.

ment précédent, à cause du veto mis par Clemenceau sur les collaborateurs de Ferry. Le gouvernement fit un important mouvement de préfets en prévision des élections.

Celles-ci se firent au scrutin de liste que Waldeck-Rousseau, ministre de l'Intérieur de Ferry, avait fait voter à la Chambre le 24 mars. Elle n'y voyait plus les mêmes inconvénients que du vivant de Gambetta. Adopté par le Sénat, le projet devint la loi du 16 juin 1885. Chaque département recevait un nombre de députés proportionnel à sa population, un pour 70 000 habitants. Chaque département a au moins trois députés. Le nombre de sièges était légèrement accru : 569 en métropole au lieu de 541, à quoi s'ajoutaient les 16 sièges outre-mer. Un deuxième tour avait lieu en l'absence de majorité absolue. Ce scrutin de liste majoritaire desservit les républicains. Dans 34 départements [1], ils se divisèrent et présentèrent deux listes : l'une républicaine modérée, l'autre radicale, sur laquelle figurait parfois des socialistes. A Paris, à la liste des « comités radicaux et progressistes » favorables à l'union des républicains s'opposa la liste des radicaux-socialistes avec Clemenceau. Les droites surent s'unir. Dans une déclaration de 76 sortants, elles reprochèrent aux républicains le déficit financier, la crise de l'économie, la politique laïque, « la guerre entreprise et conduite en Tunisie, au Tonkin et au Cambodge avec une criminelle imprévoyance [2] ». A l'union des droites répondait la division des républicains.

La participation électorale fut plus élevée qu'en 1881. Au premier tour, le 4 octobre, l'abstentionnisme passait de 31,4 % à 22,4 %, reculant de 9 points. Les conservateurs retrouvaient pratiquement leurs chiffres et leurs bastions de 1877. Ils obtenaient les voix des anciens abstentionnistes de 1881 et d'un certain nombre d'électeurs républicains, venus du centre gauche [3]. La droite obtenait 3 500 000 voix, les gauches 4 100 000. Au premier tour, les conservateurs avaient 176 sièges contre 127 républicains. Le Nord, le Pas-de-Calais passaient à droite. Près de la moitié des sièges restait en balance. Bien souvent, leurs divisions avaient en effet interdit aux républicains d'atteindre la majorité absolue. De

1. Selon J. Kayser, *Les Grandes Batailles du radicalisme, op. cit*, p. 141.
2. *L'Année politique*, 1885, p. 198.
3. Comme l'a montré Odile Rudelle, *La République absolue, op. cit.*

plus, le vote d'électeurs du centre gauche pour la droite fit souvent passer les radicaux avant les opportunistes. La remontée des conservateurs attestait la permanence des grandes forces politiques et le mécontentement dû aux difficultés économiques et à la politique opportuniste.

Face au péril, la « discipline républicaine » joua. L'accord se fit sur les candidats les mieux placés au premier tour. Le plus souvent, la liste arrivée en tête fut maintenue ; parfois furent formées des listes nouvelles de coalition. Les radicaux bordelais se retirèrent en faveur de Raynal, l'homme des conventions avec les compagnies de chemins de fer, les radicaux de la Côte-d'or pour Spuller. Mais l'accord fut souvent favorable aux radicaux arrivés en tête au premier tour. Les électeurs suivirent cette tactique. Bien plus, la liste républicaine unique gagnait souvent des voix par rapport à la somme des suffrages républicains du premier tour.

Au second tour, le 18 octobre, la droite n'obtint que 25 sièges contre 244 à la gauche. Au total, la nouvelle Chambre comptait 383 républicains, dont 223 sortants, pour 201 conservateurs, dont 72 sortants. La réforme du mode de scrutin avait entraîné un important renouvellement du personnel. Les conservateurs étaient deux fois plus nombreux qu'en 1881. Les deux groupes de l'Appel au peuple bonapartiste (qui comptait 65 membres) et de la droite royaliste, tout en gardant leur autonomie, formèrent une « Union des droites », présidée par le baron de Mackau. Au sein des républicains, les accords de désistement avaient favorisé les radicaux, mieux placés au premier tour que les opportunistes, qui absorbaient les débris du centre gauche. Les radicaux conservaient la même implantation, ils prenaient pied en Seine-et-Oise et dans la Haute-Garonne. La conquête du Sud-Ouest s'amorçait. Jacques Kayser [1], se fondant sur l'étude de la campagne électorale, des professions de foi et des premiers scrutins, estime à une centaine le nombre d'élus de l'Extrême gauche : parmi eux quelques socialistes, qui exercent une action de surenchère sur les radicaux. En outre, une quarantaine de députés de la Gauche

1. Comme l'établit fortement O. Rudelle, le succès des radicaux en sièges fut sans proportion avec le gain en suffrages. Ils bénéficient de l'« effet Condorcet » qui, lorsqu'une élection majoritaire doit trancher une compétition binaire, favorise les extrêmes.

radicale sont proches de cette extrême gauche. Celle-ci contribue à un rajeunissement du personnel : trente élus radicaux ont moins de quarante ans.

A eux seuls, les républicains de gouvernement, réunis pour le plus grand nombre dans le groupe de l'Union des gauches, n'ont plus la majorité, ils ne sont guère plus de deux cents. La Chambre formée de trois ensembles est ingouvernable. Seules sont possibles des coalitions instables, fondées qu'elles sont sur l'appui de la Gauche radicale et la tolérance de l'Extrême gauche, à moins qu'on envisage un gouvernement du centre, permis — hypothèse insoutenable aux vieux républicains — par la tolérance de la droite. Grévy, réélu sans concurrent président de la République le 26 décembre 1885, s'orienta d'abord vers la première formule après la démission du gouvernement consécutive au début du septennat.

Il appelle, pour la troisième fois, Freycinet, dont il apprécie les qualités manœuvrières, à former le 7 janvier 1886 le gouvernement. Celui-ci souhaite « l'appui de toutes les fractions de la majorité républicaine ». Fait remarquable, des radicaux, à titre individuel, entrent dans le gouvernement à côté des modérés. Le gouvernement met à profit la peur des républicains devant la remontée de la droite et fait adopter sous la pression des radicaux, le 22 juin, la loi d'exil qui frappe les prétendants. Pour se défendre, le régime n'hésite pas à mettre entre parenthèses le libéralisme [1].

Mais Freycinet, s'il fait voter la loi Goblet du 30 octobre 1886 sur la laïcisation du personnel des écoles publiques, ne satisfait vraiment ni les radicaux, désireux de réformes sociales, ni les républicains modérés. Ferry dénonce, dans une lettre à Joseph Reinach, Clemenceau, « premier ministre occulte ». Freycinet tombe, victime des radicaux et de la droite, sur le crédit des sous-préfets. Son successeur Goblet, proche des radicaux, reconduit pratiquement son ministère. Surtout, il conserve le ministre de la Guerre de son prédécesseur, l'homme des radicaux, le général Boulanger, dont la popularité va croissant au point de constituer un véritable phénomène politique. La crise boulangiste commence.

1. Cf. J.-P. Machelon, *La République contre les libertés ?, op. cit.*

2. *Le boulangisme*

Dans la crise boulangiste, première épreuve du régime, moins de dix ans après ses débuts, importent moins les épisodes d'une histoire somme toute brève que la compréhension d'un phénomène d'opinion aux composantes diverses et dont la signification déborde largement son héros.

Les difficultés sociales consécutives à la crise économique de 1882, la montée de l'antiparlementarisme, l'évolution enfin du nationalisme français, autant de données qui rendent compte du boulangisme. Les difficultés de l'économie alourdissent le climat social marqué de grèves, dont certaines — ainsi la grève de Decazeville au début de 1886 — ont un retentissement national. A Paris éclate, en 1888, une très importante grève des ouvriers du bâtiment. Au mécontentement se mêle la déception devant la politique suivie par les républicains. Les ouvriers se détournent de la République parlementaire, socialement conservatrice, et par hostilité à l'opportunisme vont placer ailleurs leurs espérances. Le fait, capital, n'avait pas échappé à l'auteur de l'*Histoire socialiste* [1], dirigée par Jaurès, et a été mis clairement en lumière par les historiens [2].

L'antiparlementarisme n'affecte pas seulement le peuple ouvrier, mais aussi les classes moyennes, sensibles, tout particulièrement dans les grandes villes, à l'influence de la presse d'information et aux grands courants de l'opinion. Or la chute de Ferry, puis les élections d'octobre 1885 ouvrent une période d'instabilité ministérielle qui frappe les esprits, peu sensibles à la stabilité de fait du personnel gouvernemental et à la continuité des grandes orientations politiques. Défions-nous du reste d'un anachronisme : parce que le régime a duré, on risque de sous-estimer le mécontentement né de la « valse des ministères », et l'inquiétude que celle-ci fait naître sur l'avenir d'un régime qui paraît, si peu

1. Le tome consacré à la troisième République est dû à J. Labusquière.
2. Dès la thèse, malheureusement inédite, de Jacques Néré. On se reportera à son livre, *le Boulangisme et la Presse*, Colin, 1964.

d'années après ses débuts, très fragile. Alors résident en Tunisie, Paul Cambon, ami de Ferry, lié à tout le personnel républicain, écrit à l'automne 1885 à sa femme, au terme d'un séjour à Paris : « L'impression générale est que la République est au bout de son rouleau. Nous aurons l'an prochain des excès révolutionnaires, puis une réaction violente. Qu'en sortira-t-il ? Une dictature quelconque » ; et à l'un de ses collaborateurs, il ajoute : « il n'y a pas de gouvernement en France [1] ».

Le sentiment que la République est impuissante, hors d'état de préparer cette « revanche » dont elle devait être l'instrument, est particulièrement douloureux aux nationalistes. On sait le patriotisme ardent des républicains après la défaite et leur volonté de forger une France nouvelle par l'école et l'armée. En mai 1882 avait été fondée la Ligue des patriotes [2]. Son premier président est l'historien Henri Martin. Parmi ses vice-présidents figure Félix Faure. Son délégué est le poète Paul Déroulède, l'auteur des *Chants du soldat*. La Ligue a le patronage de personnalités éminentes du monde républicain et se situe dans le sillage gambettiste. Son entreprise n'a d'autre objectif politique que de « développer les forces morales et physiques de la nation » et d'entretenir la flamme de la revanche. Déroulède prétend être un simple « sonneur de clairon ».

La Ligue des patriotes première manière s'insère dans le mouvement d'éducation civique et patriotique si caractéristique des débuts de la troisième République. Elle atteint très vite 182 000 adhérents, chiffre considérable, hors de proportion avec ceux des organisations politiques et syndicales de l'époque. Mais la prudence des opportunistes face à l'Allemagne, l'abandon de la revanche pour les entreprises coloniales amènent Déroulède à donner une autre orientation au mouvement dont il devient président en mars 1885. Il est convaincu d'autre part que l'absence d'autorité de l'État met en danger le pays. Ce diagnostic l'amène à voir dans la « révision du régime parlementaire » un préalable à la « révision du traité de Francfort ». Apolitique au départ, la Ligue

1. Paul Cambon, *Correspondance*, t. 1, 1940, p. 261.
2. Cf. R. Girardet, « La Ligue des patriotes dans l'histoire du nationalisme français », *Bulletin de la Société d'histoire moderne*, 3, 1958 et Z. Sternhell, *La Droite révolutionnaire en France, 1885-1914*, Éd. du Seuil, 1978.

va, non sans remous internes, s'engager sur le terrain politique.

Aspirations sociales, refus de la République parlementaire, affirmation de la souveraineté populaire, exaltation du sentiment national : dans sa confusion et son vague même, un tel programme était de nature à enthousiasmer ceux qu'avait déçus la politique des opportunistes. Il s'inscrivait dans la tradition des hommes de 1793, dont les radicaux se disaient les continuateurs. Ceux-ci crurent trouver dans Boulanger le « jacobin botté » dont ils rêvaient.

Lorsque Freycinet nomme Boulanger, alors commandant des troupes en Tunisie, ministre de la Guerre, il donne satisfaction à Clemenceau, lié à Boulanger, comme l'est un autre radical, ministre de Freycinet, Granet. Le nouveau ministre a pour lui une carrière brillante et des amitiés politiques. Il a le sens de la mise en scène et sait faire valoir ses initiatives. Rien chez lui de la discrétion des généraux qui le précédèrent au ministère de la Guerre. D'emblée, il justifie les sympathies que lui porte l'extrême gauche ; il s'en prend à ces « coteries qui font parade de leur hostilité » à la République. Il raye le duc d'Aumale des cadres de l'armée [1]. Il justifie la présence de l'armée à Decazeville : « Elle n'agit pas plus en faveur de la compagnie contre les mineurs qu'elle n'agirait demain en faveur des mineurs contre la compagnie. » La gauche l'acclame quand il déclare : « Peut-être, à l'heure qu'il est, chaque soldat partage avec un mineur sa soupe et sa ration de pain. » Au ministère, Boulanger multiplie les initiatives. Son œuvre technique n'est pas négligeable : le fusil Lebel à répétition remplace le fusil Gras. Il améliore le sort de la troupe, autorise le port de la barbe, généralise l'usage des assiettes, il s'efforce de rendre l'armée populaire : les guérites sont peintes en tricolore, la revue du 14 juillet est rétablie. En 1886, à Longchamp, elle reçoit un lustre exceptionnel. La foule parisienne acclame le ministre de la Guerre.

Le boulangisme est né dans l'opinion, servi par la chanson, l'image, la presse qui fait un large écho aux déclamations ou aux discours du ministre. A ce moment, hormis Ferry et ses amis

1. Après le vote de la loi d'exil du 22 juin 1886 qui interdit la France aux chefs des familles royale et impériale, autorise l'expulsion des autres membres et leur interdit toute fonction et tout mandat électif.

d'emblée hostiles, le personnel républicain demeure favorable à Boulanger. Ne prépare-t-il pas un projet de réorganisation du service militaire conforme aux aspirations démocratiques ? Le service doit passer à trois ans, exemptions et volontariat seront supprimés, les curés iront « sac au dos [1] ».

En revanche, les républicains modérés, mais non les radicaux, s'inquiètent sérieusement de Boulanger quand, autour de lui, se développe une campagne en faveur de la revanche, que soutiennent des journaux comme *la France militaire* ou *la Revanche*. Le ton, et les initiatives de Boulanger ne vont-elles pas pousser Bismarck à une guerre préventive ?

L'arrestation le 21 avril 1887 sous l'inculpation d'espionnage en Alsace du commissaire de police de Pagny-sur-Moselle, Schnaebelé, convoqué par son collègue allemand pour affaire de service, suscite une émotion extrême, les milieux nationalistes en France croient à la guerre. Boulanger en conseil des ministres propose d'adresser un ultimatum à l'Allemagne. Grévy l'arrête : « Un ultimatum, c'est la guerre et je ne veux point de la guerre [2]. » Le ministre des Affaires étrangères, Flourens, fait adresser une demande d'explication à Berlin, fondée sur la machination de la police allemande. Bismarck fait remettre Schnaebelé en liberté. La paix avait-elle été sérieusement menacée ? Ce n'est pas certain, mais l'opinion le crut, et la menace allemande, dont la perspective avait semblé s'éloigner depuis quelques années, reparut. Elle était liée, de manière indissoluble, à la condition malheureuse des « provinces perdues ». Comme l'écrit Barrès [3] dans *l'Appel au soldat*, « un frisson traversa le pays ». Cette fièvre servit la popularité de Boulanger, à la fermeté de qui l'on attribua la libération de Schnaebelé. Mais les opportunistes, soucieux de maintenir la paix, désiraient se débarrasser d'un ministre de la Guerre qui menait à l'aventure. Le 17 mai, le cabinet Goblet tombe par 275 voix contre 257 : contre un gouvernement lié aux radicaux et contre Boulanger, la droite et les républicains modérés ont réuni leurs suffrages.

1. La loi sera adoptée en juillet 1889.
2. Bernard Lavergne, *Les Deux Présidences de Jules Grévy*, Fischbacher, 1966, p. 422. Le député du Tarn rapporte les propos que lui tient le président de la République dont il est le confident.
3. L'écrivain lorrain sera élu député boulangiste de Nancy en 1889 ; cf. Z. Sternhell, *Maurice Barrès et le nationalisme français*, FNSP, 1972.

Allait-on assister à un reclassement de majorité ? L'hypothèse était d'autant moins invraisemblable qu'une double évolution s'esquissait, aussi bien à droite que dans les rangs des républicains de gouvernement. A droite, certains songent à se rallier à une république conservatrice. En 1886, un député de l'Eure, ancien bonapartiste, protestant, Raoul Duval, forme un groupe de la Droite républicaine [1]. L'entreprise a un écho limité, mais elle témoigne d'une évolution. Surtout, certains conservateurs, par peur des radicaux, sont prêts à tolérer un gouvernement dominé par les républicains modérés. Ceux-ci acceptent une République « ouverte » aux conservateurs, dès lors que ceux-ci ne cherchent pas à la détruire.

Le 30 mai 1887, Rouvier, gambettiste, lié aux milieux d'affaires, forma un gouvernement qui s'appuyait sur le groupe de l'Union des gauches, ferrystes et anciens gambettistes, avec la neutralité de la droite. Boulanger n'était plus ministre. Sauf Flourens, qui reste aux Affaires étrangères, aucun ministre du précédent gouvernement n'est dans le cabinet, c'est l'indice d'un tournant. Rouvier dit sa majorité « ouverte à ceux qui, acceptant la République, veulent y entrer sans arrière-pensée », et invite au ralliement de la droite.

La brièveté du ministère Rouvier ne doit pas conduire à sous-estimer le sens de l'expérience. Elle annonce la politique d'« apaisement » qui va reprendre quelques années plus tard. Elle représente un retour à la conjonction des centres en vue d'une politique de défense sociale et d'apaisement religieux. Elle en retrouve les difficultés. Rouvier, dès son arrivée au pouvoir, a déclaré qu'il ne conserverait pas le gouvernement, même avec la majorité, s'il n'avait pas une majorité républicaine [2], tant était forte la suspicion vis-à-vis de la droite.

La question religieuse constituait toujours le problème majeur : les opportunistes pouvaient tout au plus promettre des accommo-

1. Cf. S. El-Gammal, « Un pré-ralliement : Raoul Duval et la Droite républicaine, 1885-1887 », RHMC, octobre-décembre 1982, p. 599-621.

2. Un témoin aussi pénétrant que Charles Seignobos y voit le premier exemple d'une pratique propre aux ministères français, qui est de ne tenir compte pour un vote de confiance que des majorités républicaines. Doit-on ajouter que c'est fidèle à cette tradition que Pierre Mendès France refusa en 1954 les voix communistes...

dements sur la politique de laïcité, concession insuffisante aux yeux de la droite et surtout de ses électeurs. Déjà se profilent les questions que l'on retrouvera lors du ralliement des catholiques à la République. En outre, le soutien de la droite à Rouvier est d'autant plus vacillant que les progrès du boulangisme et de l'antiparlementarisme lui donnent à croire qu'il est possible d'abattre le régime en se servant du boulangisme. Dans ses instructions, le 15 septembre 1887, le comte de Paris envisage de fonder la monarchie sur le « vote populaire » et rompt avec la tradition parlementaire. « Le pays voudra un gouvernement fort parce qu'il comprend très bien que même le véritable régime parlementaire (...) n'est pas compatible avec une Assemblée élue par le suffrage universel [1]. »

Dès la démission du gouvernement Goblet, les amis de Boulanger ne manquent pas une occasion de susciter des démonstrations de l'opinion publique en faveur du ministre. Pendant la crise même, le directeur de *l'Intransigeant*, Rochefort, l'ancien communard, recommande, profitant de l'élection partielle parisienne du 23 mai, d'ajouter le nom de Boulanger sur le bulletin de vote : plus de 38 000 bulletins le suivent. Le 8 juillet 1887, les partisans de Boulanger veulent empêcher son départ pour Clermont, où il est nommé à la tête du 13e corps. Extraordinaire manifestation où la foule chante *la Marseillaise* et les refrains en l'honneur du général Revanche.

Il reviendra quand le tambour battra,
Quand l'étranger m'naç'ra notre frontière.
Il reviendra et chacun le suivra
Pour cortège il aura la France entière.

Depuis bien longtemps, Paris n'a pas connu de mouvement de rues de cette ampleur. La manifestation inquiète les vieux républicains attachés à la suprématie du pouvoir civil. Un Clemenceau se détache alors de Boulanger. Il craint le césarisme et le général trop populaire. Le peuple boulangiste parisien vient bien de la gauche, voire de l'extrême gauche. Comme l'observe un

1. Sur tout ceci, Philippe Levillain, *Boulanger fossoyeur de la monarchie, op. cit.*

chroniqueur de la revue conservatrice *le Correspondant* [1] : « Les journalistes de *la Lanterne* et de *l'Intransigeant* qui exaltent Boulanger n'aiment guère l'armée, en fait Boulanger s'est laissé acclamer par le parti révolutionnaire comme un de ses chefs. » Boulanger a pour lui les hommes de la Commune, « il est à craindre que, sauf pour M. Déroulède et ses amis de la Ligue, la revanche ne soit que le moindre souci de ces braillards... la revanche, pour eux, c'est la revanche à l'intérieur, la revanche contre les versaillais, contre les bourgeois, contre les opportunistes, contre Ferry et Rouvier ». L'analyse est pénétrante et définit bien un boulangisme jacobin, plébéien, parisien.

Boulanger parti en province, la fièvre paraissait retomber quand éclata le scandale des décorations. Wilson, le gendre du président de la République, trafiquait de son influence, y compris pour l'obtention de la Légion d'honneur. Pour la première fois, le scandale frappe le régime dans l'entourage même de l'homme d'État qui l'incarne. Rouvier demande l'ajournement d'une interpellation de Clemenceau : il est renversé par 317 voix contre 228, le 19 novembre. La droite abandonne Rouvier « par peur de ses électeurs », comme l'écrivit justement Adrien Dansette. La droite parlementaire, au sein de l'Union des droites, est débordée par la droite autoritaire et intransigeante. Un Albert de Mun, un Mackau, au grand mécontentement du comte de Paris, jouent un rôle important dans la chute de Rouvier [2].

Derrière Rouvier, Grévy était visé. Aucun des hommes politiques pressentis n'accepta de former le gouvernement. Grévy s'obstinait à demeurer président de la République, se jugeant « irresponsable ». Il démissionna enfin le 2 décembre, victime de la « grève des ministres ». Un précédent était créé, qui servirait de référence à la gauche face à Millerand en 1924.

Fort de l'appui de la majorité du Sénat, Ferry paraît avoir une majorité au Congrès pour être élu à la présidence de la République ; mais il a contre lui l'opposition acharnée de Clemenceau et des radicaux. Adversaires ou partisans de Boulanger, ceux-ci se retrouvent avec les hommes de la Ligue des patriotes et les blanquistes pour se déchaîner contre Ferry. Paris manifeste

1. 25 juillet 1887.
2. P. Levillain, *Boulanger fossoyeur de la monarchie*, *op. cit.*, p. 44.

contre « Ferry-Famine », abhorré depuis la Commune, et « Ferry-Tonkin », qui a oublié la revanche. On s'attend au pire dans l'éventualité de son élection à la présidence de la République. Le 3, à la réunion des républicains, à Versailles, Ferry distance de peu Freycinet, victime d'avoir lancé Boulanger ; ils ont respectivement 200 et 192 voix, puis 216 et 196. Au troisième tour de la réunion des républicains, Clemenceau pousse la candidature de Sadi Carnot, dont le nom est cher à la République, mais qui n'est guère connu, sinon pour avoir, comme ministre des Finances, refusé des recommandations de Wilson. Ferry et Freycinet reculent à 179 et 169 voix, Carnot en obtint 162. La réunion préparatoire est décisive. Au Congrès, Carnot est en tête au premier tour avec 308 voix, Ferry en a 212, Freycinet 76. Son désistement rend inévitable celui de Ferry. Carnot est élu par 616 voix. La droite avait voté pour le général Saussier, gouverneur de Paris, non candidat, et, malgré le vœu de certains, n'avait pas soutenu Ferry.

Comme en 1879, le personnel politique a préféré un homme relativement obscur, qui ne fera pas preuve à la magistrature suprême d'une autorité excessive, à une forte personnalité. Mais la crainte de troubles si Ferry était élu a pesé sur les délibérations de Versailles. En faisant peur aux opportunistes, radicaux, boulangistes, socialistes, blanquistes avaient triomphé de Ferry. Le vaincu du 30 mars 1885 ne devait jamais revenir aux affaires.

La coalition des adversaires de Ferry est bien moins hétérogène qu'il ne semble à première vue. Elle n'est autre que celle de ce « parti national » qui va, en 1888 et 1889, ébranler la République. Certes, un certain nombre de radicaux prennent progressivement leurs distances vis-à-vis de Boulanger, ainsi Clemenceau — encore ne dédaigne-t-il pas l'appui boulangiste contre Ferry —, ainsi l'ancien pasteur Frédéric Desmons [1], personnalité éminente de la maçonnerie, député du Gard, qui s'écarte plus tardivement du mouvement. Certes, les socialistes « possibilistes » font passer au premier plan la défense de la République, et les guesdistes se tiennent à l'écart du « parti national ». Mais Lafargue voit en lui

1.Cf. la biographie que lui a consacrée Daniel Ligou.

un « mouvement populaire » et Guesde, sans lui porter de sympathie, ne trouve pas en lui son premier adversaire.

Les réserves, ou l'hostilité, d'une partie du monde radical ou socialiste, réserves et hostilité qui s'affirmèrent progressivement, ne doivent pas masquer un fait massif : jusqu'au bout, l'entourage de Boulanger, l'état-major du « parti national », est constitué d'hommes venus de l'extrême gauche radicale ou socialiste : Rochefort le polémiste, directeur de *l'Intransigeant*, Eugène Mayer, directeur de *la Lanterne*, les députés Laguerre, Laisant, Laur, Le Hérissé, Turigny, vieux radical de la Nièvre, le sénateur Naquet, l'homme de la loi du divorce. Seuls à ne pas venir d'extrême gauche, un homme d'affaires, Dillon, le journaliste bonapartiste Georges Thiébaut, Déroulède enfin. Un même tempérament autoritaire est peut-être ce qui fait le mieux l'unité de ces hommes. Le radicalisme, Albert Thibaudet l'a fortement senti, portait en lui une virtualité proconsulaire et jacobine. Il associe l'autorité et la démocratie. L'aspiration à un régime fort, qui balaie les compromis et les compromissions de l'opportunisme, est inséparable de la volonté de rendre la parole au peuple, de rétablir la souveraineté populaire, confisquée par le parlementarisme et le régime représentatif instauré par la Constitution « monarchiste » de 1875.

La démocratie voulue par les révisionnistes sera sociale : les boulangistes, qui sont en majorité dans le groupe parlementaire « socialiste » formé le 16 décembre 1887, proposent un programme qui se situe dans la tradition du socialisme non marxiste ou du premier radicalisme : caisses de retraite, participation du travail au fruit du capital, coopération [1]. Les mesures en vue de la protection du « travail national » face à la concurrence étrangère font le lien entre ce socialisme et le nationalisme qu'exprime fort bien Barrès dans son programme de Nancy lors des élections de 1889.

L'aspiration à la revanche, l'exaltation de la nation trahie par la bourgeoisie opportuniste rassemblent les partisans de Boulanger. Face aux partis qui divisent, la patrie fait l'unité. A cette fièvre nationaliste se mêle le sentiment que la France est malade et

1. Cf. Z. Sternhell, *op. cit.*

décadente. Pour sauver la patrie, il faut réviser le régime parlementaire. Enfin, le boulangisme est inséparable d'une protestation romantique contre l'ordre établi, contre un régime installé. La République ne suscite plus comme vingt ans plus tôt, à la fin de l'Empire, l'enthousiasme des jeunes générations bourgeoises. Barrès exprime admirablement ce sentiment de refus d'un pays « habité par des fonctionnaires qui pensent à leur carrière, par des administrateurs qui rêvent des bains de mer l'été, le baccalauréat pour le fils, la dot pour la fille, et par des comités politiques qui, à défaut d'un principe d'unité nationale, proposent des formules de faction » *(l'Appel au soldat)*.

Sur le thème venu en droite ligne des radicaux, « Dissolution, Constituante, Révision », le « Comité du parti national » entreprit une campagne pour laquelle il ne refusa aucun concours. Dans cette coalition d'adversaires du régime se rangèrent les conservateurs qui répudiaient l'orléanisme parlementaire. Boulanger, à l'insu de ses amis, rencontra le chef de l'Union des droites, le baron de Mackau, et lui fit des promesses [1] qui valurent à l'auteur de l'expulsion du duc d'Aumale des appuis de droite.

Cependant, le régime parlementaire paraissait démontrer son impuissance. Carnot, pour remplacer Rouvier, appela à la présidence du Conseil son ami Tirard (12 décembre 1887). Il forma un gouvernement de centre. Boulanger fut frappé de retrait d'emploi le 1er mars, puis mis à la retraite le 27. Les amis de Boulanger avaient posé sa candidature à des élections partielles le 26 février. Mis à la retraite, Boulanger était éligible. Il se présenta dans le Nord. Le jour de l'annonce de sa candidature, le 30, Laguerre demanda l'urgence en faveur d'une proposition de révision déposée par les radicaux. Elle obtint 286 voix contre 237 : la droite, les radicaux, boulangistes ou non, renversaient le ministère modéré. On revint à la « concentration » avec les radicaux. Carnot appella Floquet, le président de la Chambre. Il forma le gouvernement le 3 avril et s'entoura de Goblet et de Freycinet. Celui-ci, premier civil à devenir ministre de la Guerre, allait le rester, sous divers ministères, près de cinq ans.

Boulanger devenait un péril politique. Il est élu dans la

1. Adrien Dansette et plus récemment Philippe Levillain le démontrent, confirmant les révélations du journaliste Mermeix dans *les Coulisses du boulangisme*, publiées en 1889.

Dordogne le 8 avril, par les voix radicales et bonapartistes, dans le Nord le 15 avril, avec le soutien massif des voix ouvrières. Désireux de se faire plébisciter par l'opinion, il démissionne et se fait élire le 19 août à nouveau dans le Nord, dans la Somme et la Charente-Inférieure. Ces élections ont d'autant plus de poids qu'elles concernent tout un département. Chaque fois, Boulanger réunit sur son nom les voix conservatrices, particulièrement bonapartistes et cléricales — ne s'est-il pas prononcé pour une « République ouverte » ? —, et les voix radicales et socialistes. Il est servi par des campagnes à l'américaine organisées par Dillon, qui a vu à l'œuvre les « machines » des partis américains. Brochures, photographies et portraits, chansons, camelots appointés, bibelots portant l'effigie du « brave général », voilà le style d'une campagne aux traits plébiscitaires et modernes.

Fort de ces succès, Boulanger se présente le 27 janvier 1889 à Paris. Les radicaux l'avaient mis au défi de se présenter : le bastion de la gauche et de la République lui réserverait une déconvenue. Ce fut un triomphe : le général obtint 255 236 voix contre 162 875 au radical modéré Jacques et 17 039 au terrassier Boulé, candidat des guesdistes et des blanquistes. Les quartiers populaires avaient voté pour Boulanger, date capitale qui signifie bien plus qu'un engouement passager : au sein du Paris des révolutions se profile une autre ville, nationaliste et antiparlementaire.

3. *La défense républicaine et la portée de la crise*

C'est de la province, véritable assise du régime, que vint le salut de la République. Boulanger, au soir du 27 janvier, s'est refusé, hanté par le souvenir du 2 décembre et fidèle à la légalité, à marcher sur l'Élysée. Il espère que les élections générales de 1889 lui donneront le succès. Mais, lors des élections partielles, il n'a pas affronté les forteresses républicaines de l'Est et du Sud-Est. Les conservateurs sont pour lui des alliés peu sûrs : dans l'Ardèche, ils ont préféré s'abstenir, entraînant en juillet sa défaite. Dans le Nord, une partie de l'électorat orléaniste s'abstient. Surtout, la défense républicaine s'organise. Au Grand-Orient, le

23 mai, Clemenceau a présidé à la création, avec le radical gambettiste Ranc et le possibiliste Joffrin, de la Société des droits de l'homme et des citoyens. Elle veut défendre la République contre la dictature césarienne. La maçonnerie entre dans la lute et, avec elle, ce réseau de comités et de sociétés républicaines, si actif dans les bourgs et les petites villes.

Un remède paraît s'imposer : le retour, face au scrutin de liste, scrutin des grands courants d'opinion, du scrutin d'arrondissement, brise-lame de la vague plébiscitaire. Près des deux tiers des conseils généraux le réclament, quand les leaders radicaux restent favorables au scrutin de liste. Ferry l'avait écrit à Joseph Reinach : « Même si Boulanger n'existait pas, il faudrait rétablir l'arrondissement. » Quand le scrutin de liste est « tombé dans les mains de politiciens de bas étage », sur le terrain de l'arrondissement « le “ parti républicain ” gouvernemental est en possession d'un outillage fortement constitué, il a ses cadres organisés depuis longtemps [1]. » Il se félicitait de la fidélité républicaine « des circonscriptions à base et à majorité rurale, qui représentent les neuf dixièmes des arrondissements [1] ». L'élection de Boulanger à Paris conduit Floquet, pourtant hostile au scrutin uninominal, à déposer un projet de loi de rétablissement de l'arrondissement, voté à une faible majorité, 268 voix contre 222, par les républicains modérés et une partie des radicaux contre la droite convertie au scrutin de liste, une trentaine de radicaux et les 17 boulangistes. Le Sénat, si représentatif des campagnes républicaines, vota le projet à une majorité écrasante : 222 voix contre 54. Floquet avait fait accepter la loi électorale, promulguée le 14 février, à la gauche radicale. Son rôle était terminé. Les républicains modérés jugèrent le moment venu de l'abandonner. Il ne paraissait pas capable d'arrêter le boulangisme, il venait d'autre part de déposer un projet d'impôt sur le revenu et un projet de révision constitutionnelle comportant un Sénat élu au suffrage universel à deux degrés. Grâce aux voix de la droite, les républicains modérés obtinrent l'ajournement de la révision. Floquet démissionna le 14 février.

Après de vaines tentatives de Méline et de Freycinet, Carnot rappela Tirard. Il forma le 22 février un second ministère qui avait

1. Lettre du 5 septembre 1888, *Correspondance*, 1914, p. 489.

plus de relief que le précédent. Il s'appuyait sur d'anciens gambettistes, Rouvier aux Finances, Spuller aux Affaires étrangères. Surtout, Constans, ministre de l'Intérieur dans le premier cabinet Ferry, revenait Place Beauvau. Le ministère annonça sa volonté « d'assurer le maintien de l'ordre légal et le respect dû à la République ». Huit jours après son entrée en fonction, il faisait dissoudre la Ligue des patriotes. Les membres du Comité étaient poursuivis pour délit de société secrète.

Cependant, l'état-major boulangiste tenta un suprême effort pour gagner les élections et chercha à rallier les voix catholiques. Si les transactions avec les conservateurs ont été tenues secrètes, cette fois l'alliance est scellée au grand jour. Le 17 mars, Boulanger prend la parole à Tours au cours d'un banquet organisé par le journaliste Jules Delahaye [1]. Boulanger marque les limites de ses relations avec les conservateurs : « Personne parmi les conservateurs qui me suivent ne me fait l'injure que j'affirme la République pour la trahir. » La restauration est impossible et laisserait la nation « divisée ». On ne pouvait plus nettement dissiper les espérances que certains royalistes mettaient en Boulanger, « bélier » qui devait abattre la République. Mais, par-delà les leaders monarchistes, Boulanger s'adressait aux électeurs catholiques conservateurs et les invitait à entrer dans la République : « En acceptant la République, ils veulent que celle-ci soit libérale et tolérante… que l'on rompe avec ce système d'oppression… La République… doit répudier l'héritage jacobin de la République actuelle, elle doit apporter aux pays la pacification religieuse. » Il développe donc le thème d'une République « ouverte », d'un rassemblement.

Le discours de Tours irrita les dirigeants monarchistes qui espéraient se servir de Boulanger. Quant à la gauche, elle peut désormais dénoncer en Boulanger le « chef des cléricaux ». De nombreux électeurs catholiques n'avaient pas attendu ce discours pour soutenir Boulanger, malgré son entourage anticlérical et bien qu'il fût aux origines de la loi sur « les curés sac au dos ». Mais l'importance du discours de Tours, dont l'auteur est Naquet, est d'attester la volonté des boulangistes de canaliser à leur profit les

1. Alors au début d'une longue carrière ; c'est lui qui va révéler le scandale de Panama ; il finit à l'Action française.

aspirations des catholiques à une République qui ferait la paix religieuse.

Face au péril boulangiste, Constans prit l'initiative : cet agrégé de droit enrichi par la politique, et dont la gestion comme gouverneur général de l'Indochine ne fut pas sans susciter des critiques, savait intimider l'adversaire et manier les polices. Boulanger, menacé de passer en Haute Cour devant le Sénat pour « attentat contre la sûreté de l'État », s'enfuit à Bruxelles le 1er avril. Lui-même, Dillon et Rochefort furent poursuivis par contumace. Le pays ne bougea pas.

Le 5 mai, anniversaire de la réunion des États généraux, s'ouvrit l'Exposition universelle, pour commémorer le centenaire de la Révolution française. Comme l'Exposition de 1878 après le 16 mai, l'Exposition fait baisser la fièvre politique et fortifie la République. A la veille des élections, le gouvernement prit une ultime précaution : une loi contraire à la tradition républicaine interdit, le 17 juillet, les candidatures multiples, et impose la déclaration obligatoire de candidature [1] afin d'éviter une démonstration plébiscitaire sur le nom de Boulanger. Celui-ci, condamné par la Haute Cour par contumace à la déportation le 14 août,, devenait en outre inéligible. Le verdict fit peu de bruit.

Quelques jours plus tôt, le 4, les cendres de La Tour d'Auvergne, Lazare Carnot, Marceau et Baudin, la victime du 2 décembre, avaient été transférées au Panthéon : gloires nationales, révolutionnaires et républicaines. Le 18 août, un banquet réunissait à l'occasion de l'Exposition les maires de France ; ils furent 19 000 à prendre part à cette fête républicaine aux côtés du président Carnot [2]. Celui-ci prend ainsi contact avec cette France profonde qui résista au boulangisme. Depuis avril 1888, le président de la République, rompant avec la tradition, a pris du reste l'initiative de voyages en province pour répliquer à la propagande boulangiste.

Conservateurs et boulangistes allèrent séparément à la bataille électorale. Là où ils n'ont pas de candidats, les premiers soutien-

1. A la Chambre des députés, mais non pas au Sénat. Cette loi à l'inconvénient de contraindre les chefs de parti à lier leur sort à une circonscription.

2. A. Dansette, *Histoire des présidents de la République*, nouvelle éd. 1981, p. 97.

nent les révisionnistes : le comte de Paris n'a-t-il pas, comme le prince Victor, le prétendant bonapartiste, fait sien le thème de la révision ? Dans le cas inverse, les boulangistes apportent leur appui à la droite. Les boulangistes présentent des candidats dans 191 circonscriptions. Dans 99 de celles-ci, il n'y a pas de candidat conservateur [1]. En effet, l'organisation électorale des boulangistes est faible. Aussi, sauf à Paris, le boulangisme est-il « dominé par l'Union conservatrice [2] ». Au scrutin de liste, le comité national aurait pu donner son investiture à des listes boulangistes. L'arrondissement lui interdit de jouer pleinement son jeu propre. Le « parti national » ne dispose pas d'un personnel suffisant pour présenter de nombreux candidats face aux notables. Le clergé, plus nettement qu'aux élections précédentes, intervint dans la lutte électorale contre les républicains. Ne venaient-ils pas de voter la loi établissant le service de trois ans, qui astreignait les séminaristes comme les étudiants et les futurs membres de l'enseignement à un service d'un an ? L'opposition à la loi militaire et aux lois scolaires constituait désormais le grand thème de la protection des catholiques, et de la défense religieuse.

La participation électorale, le 22 septembre, ne fut guère plus forte que lors des élections de 1885 qui avaient été, déjà, des élections de lutte. La gauche obtint 4 353 239 suffrages dont 175 575 socialistes favorables aux républicains contre le boulangisme, la droite 2 914 985 suffrages, les boulangistes 709 223 voix [3]. Ils prenaient à l'extrême gauche et aux conservateurs. Le système majoritaire et les désistements de second tour entre républicains favorisèrent la gauche [4], dont plusieurs leaders — Goblet, Ferry — étaient cependant battus par des révisionnistes. La gauche obtenait 366 sièges, la droite 168, les boulangistes 42 [5].

1. O. Rudelle, *op. cit.*
2. A. Dansette, *Le Boulangisme*, Fayard, 1946, p. 235.
3. On suit les chiffres donnés par d'Avenel, *Comment vote la France*, 1894. Ils ne diffèrent que de peu de ceux d'Odile Rudelle, *op. cit.*, p. 258. En ajoutant les voix socialistes à celles des diverses oppositions, elle établit que la République parlementaire ne l'emporte que de justesse, ce qui est excessif. Les socialistes peuvent difficilement être rangés parmi les adversaires du régime.
4. A la proportionnelle, elle eût gagné 52 sièges de moins. On suit ici G. Lachapelle, *les Régimes électoraux, op. cit.*, p. 78.
5. Le nombre de sièges métropolitains est de 560, plus les 16 sièges coloniaux.

Au second tour, les boulangistes attirèrent des voix conservatrices. Quand le candidat boulangiste se retira, ses électeurs se partagèrent entre l'abstention, le vote républicain, le vote conservateur, signe de l'hétérogénéité de cet électorat qu'a finement analysé O. Rudelle.

Au total, la coalition de la droite et des boulangistes ne gagnait guère plus de 100 000 voix par rapport aux voix conservatrices de 1885. En fait, la réalité est plus complexe que ne le donne à croire la comparaison des chiffres globaux : sans doute y eut-il un électorat d'extrême gauche appréciable, notamment à Paris, qui vota boulangiste. Inversement, dans les campagnes, se poursuivait la conquête républicaine. On a souvent insisté sur l'insuccès boulangiste : il est indéniable dans le monde rural, où les candidats révisionnistes s'identifiaient en fait au personnel conservateur. En revanche, les boulangistes remportaient des succès considérables à Paris et perdaient fort peu de voix par rapport au 27 janvier [1]. Boulanger devançait le socialiste Joffrin dans le XVIIIe [2], Laguerre était élu dans le XVe, Paulin Méry, un médecin venu du radicalisme, dans le XIIIe arrondissement, Laur à Saint-Denis. A Bordeaux, les boulangistes ont, localement, bénéficié de l'appui des guesdistes. A Nancy l'emporte le jeune Maurice Barrès. A Rennes est élu un ancien radical, Le Hérissé.

La France urbaine, sauf dans le Sud-Est, n'a pas abandonné le général « national » et « social » qui incarnait les aspirations patriotiques et populistes. Mais la France des bourgs et des campagnes lui refusait son soutien. Dès juillet, Boulanger, que ses amis avaient présenté dans 80 cantons lors des élections au conseil général, ne l'avait emporté que dans 12. Les législatives confirmaient ce premier test. Dès lors, c'en était fini du boulangisme : les conservateurs prenaient leurs distances ; les hommes du « parti national », divisés, allaient finir dans le nationalisme ou dans le socialisme. Boulanger vaincu se suiciderait bientôt sur la tombe de sa maîtresse dans le cimetière d'Ixelles.

Boulanger avait plus d'intelligence politique qu'on ne l'a parfois

1. Comme l'observe bien J. Néré, *op. cit.*
2. Ses voix furent annulées et la Chambre, se refusant à casser l'élection, valida Joffrin.

dit et il ne s'était pas prêté à l'hypothèse d'une restauration, illusion de ses alliés monarchistes, ni n'avait cédé à la tentation de sortir de la légalité. Mais, faute de sang-froid, d'esprit de suite et de décision, il avait été le chef médiocre d'un mouvement dont la portée le dépassait. En vérité, la crise boulangiste, si profondément révélatrice, a contribué à modifier l'esprit public et les données de la vie politique. Que le boulangisme soit l'expression de la déception populaire devant la République opportuniste est une évidence. L'électorat populaire qui s'est détourné des républicains de gouvernement ou des radicaux antiboulangistes est désormais vacant. Il va bientôt grossir les rangs socialistes, où il retrouve du reste certains des chefs du « parti national ».

Si la crise boulangiste favorise l'essor du socialisme, elle précipite aussi l'évolution du nationalisme : le patriotisme de la revanche va céder la place à un nationalisme antiparlementaire et autoritaire. Quoi de plus remarquable que les mutations électorales du Paris républicain et radical d'avant 1889 ? Bientôt, les faubourgs passent au socialisme, le centre au nationalisme. Le foyer des révolutions du XIXe siècle n'est plus le cœur de la République. En ce sens, le boulangisme fortifie le poids de la province, défiante vis-à-vis de la capitale, dans la vie politique française. Le rétablissement du scrutin d'arrondissement, odieux jusque-là aux républicains, a la même conséquence. L'interdiction de la candidature multiple, surtout, fait de l'élu désormais l'homme de sa circonscription, dont il est contraint d'épouser très étroitement les intérêts. Autre conséquence du boulangisme : le radicalisme, jusque-là urbain et révisionniste, perd Paris, s'implante dans les campagnes.

Les idées de révision de la Constitution, de réforme de l'État, de renforcement de l'autorité dans la démocratie sont marquées d'une tache d'infamie. Seule demeure la mise en cause du Sénat. Mais il n'est plus possible à gauche de reprendre les idées de Boulanger, cet autre Badinguet. L'institution militaire est aussi à terme une victime du boulangisme. L'armée n'a pas pris position comme telle dans la crise, mais que l'un de ses protagonistes fût un général va peser dans la mémoire républicaine.

5

Socialisme, ralliement, « esprit nouveau »

1. *L'heure du socialisme et de la démocratie chrétienne*

« Nous glissions au fil du courant révisionniste. Survint la dure tempête de septembre qui brisa nos grosses espérances. Allions-nous périr ? Plus d'un le crut, mais nous nous retrouvons sur cette belle plage hospitalière du socialisme. C'est un beau séjour que nous a fait la nécessité. Le socialisme, c'est notre Jersey à nous [1]. » La célèbre phrase de Barrès, écrite par le jeune député de Nancy à peine quelques mois après les élections de 1889, est révélatrice de l'évolution d'une partie du personnel boulangiste. Elle donne surtout le ton des années quatre-vingt-dix et en dit le maître-mot, celui du socialisme. La convergence des dates est significative : agitation pour la journée de huit heures le 1er mai 1890 à l'appel des guesdistes et le 1er mai 1891, marqué par la fusillade de Fourmies ; organisation du parti ouvrier français qui devient le premier parti de type moderne ; naissance au Congrès de Châtellerault à l'automne 1890 du parti allemaniste ; encyclique *Rerum novarum* sur la condition des ouvriers en mai 1891 ; adoption en 1892 par la Fédération des syndicats du mot d'ordre de la grève générale ; congrès constitutif, en 1892, de la Fédération des Bourses du travail ; succès socialistes aux municipales de 1892, aux législatives de 1893 ; évolution vers le socialisme d'hommes politiques issus de la bourgeoisie, venus du radicalisme comme Millerand, de la République démocratique comme Jaurès ; tous ces faits disent l'originalité d'un temps où le socialisme, jusque-là

1. *Le Figaro*, 3 février 1890. Boulanger était alors en exil à Jersey.

secte et idéologie, devient, selon le mot d'Ernest Labrousse, un grand mouvement, où le syndicalisme prend son essor, où les classes dirigeantes jugent indispensable une politique de défense et parfois de réformes sociales.

Peut-être, pour s'orienter dans le pasyage tourmenté des socialistes, faut-il partir du massif guesdiste [1]. Le parti ouvrier de Jules Guesde est bien en effet le pôle d'attraction et de répulsion, qui détermine le classement des écoles socialistes et des tendances syndicales. On a évoqué ses débuts. Il connaît au cours des années 1890-1898 une profonde mutation. Il accroît ses effectifs de manière considérable : 2 000 membres en 1889, 10 000 en 1893, 16 000 en 1898, chiffre modeste face à la population française et aux socialismes étrangers, appréciable face aux autres écoles socialistes. « La secte devient parti » (Claude Willard) et abandonne le ton des débuts, dominé par le messianisme révolutionnaire et la foi en l'imminence de la révolution. Le parti ouvrier, qui prend en 1893 le nom de parti ouvrier français, s'organise sur le plan local, régional, national, selon le modèle de la social-démocratie allemande, et cherche la conquête du pouvoir par la voie électorale. Le parti, qui obtient un nombre de suffrages dérisoire en 1889, a 160 000 électeurs en 1893, 295 000 en 1898, soit 40 % des voix socialistes et 2,7 % des électeurs inscrits.

Le parti est très largement, pour 60 % de ses membres, un parti d'ouvriers d'industrie. Les ouvriers du textile, particulièrement les tisseurs, comptent pour le quart. Faut-il voir dans leurs conditions de travail très dures, dans l'absence de toute issue à leur sort, la raison de leur faveur pour un parti révolutionnaire à l'intransigeance dogmatique ? Les métallurgistes viennent en second : ils représentent le septième des ouvriers guesdistes. En revanche, les métiers du bâtiment, du cuir, du bois, ne viennent qu'ensuite : le guesdisme trouve d'abord son succès parmi les ouvriers de la grande industrie — encore les mineurs, dans la Loire comme dans le Nord, lui sont-ils réfractaires.

Viennent ensuite les commerçants, 17 % des membres du parti,

1. Sur ce point, renvoyons une fois pour toutes au livre déjà cité de Claude Willard.

épiciers, cabaretiers, colporteurs. Ils se modèlent sur leur clientèle ouvrière. Pour certains, ce sont d'anciens ouvriers licenciés par les patrons. Enfin, le POF a des adhérents paysans : 7 % de petits propriétaires, vignerons champenois ou languedociens, horticulteurs du Midi.

La carte du guesdisme révèle le poids massif du nord de la France et particulièrement des foyers textiles : la Fédération du Nord, qui réunit Nord et Pas-de-Calais, compte la moitié des adhérents. Dans le Midi, dans l'Aude, l'Hérault, les Bouches-du-Rhône, le Gard, le POF est l'héritier des « rouges » de 1849. S'il est moins bien organisé que dans le Nord, il passe pour le parti le plus à gauche et prend le prolongement du radicalisme. Enfin, le guesdisme est fort dans une dernière zone qui comprend l'Allier, la Loire, le Rhône, l'Isère : les métallurgistes de Montluçon, les ouvriers du textile de Roanne ou du Beaujolais, les papetiers de Voiron.

Les guesdistes, sans analyser l'originalité de la France de la fin du XIXe siècle, vulgarisent les grands thèmes du marxisme. Ils créent un parti de classe à l'organisation centralisée. Ils s'efforcent de subordonner à l'action du parti ouvrier la Fédération des syndicats dont ils ont pris le contrôle depuis 1886. Autant de raisons de conflits et de divisions. La greffe marxiste, tout particulièrement sous la forme scolastique d'un Guesde, n'est pas reçue volontiers, trouve des résistances et suscite des réactions de rejet. Le modèle d'organisation répugne à la tradition socialiste française. Le mouvement ouvrier, jaloux de son autonomie et fidèle aux traditions libertaires, va reprendre son indépendance vis-à-vis du parti ouvrier.

Aux alentours de 1890, les deux écoles qui depuis dix ans s'opposent aux guesdistes — blanquistes et possibilistes — paraissent en perte de vitesse. Certes, Vaillant, l'ancien communard qui, en exil à Londres, a milité au côté des blanquistes [1], garde un rayonnement personnel exceptionnel. Mais la crise boulangiste a profondément divisé le Comité révolutionnaire central. Eudes, qui disparaît à l'été 1888, après la grève des terrassiers, Granger et Ernest Roche, élus députés en 1889, sont ardemment boulangis-

1. Cf. Jolyon Howorth, *Édouard Vaillant : la création de l'unité socialiste en France, op. cit.*

tes, fidèles à un héritage du blanquisme : le nationalisme révolutionnaire et l'antiparlementarisme [1]. Mais, sous l'influence de Vaillant dont la connaissance du marxisme est réelle, le Comité révolutionnaire central évolue. Il reconnaît en 1892 « la lutte de la classe ouvrière contre la classe capitaliste comme la caractéristique du socialisme », se proclame internationaliste, renonce surtout à l'action dans le secret. Le 1er juillet 1898, il devient le parti socialiste révolutionnaire. Dans cette synthèse « non doctrinaire des enseignements marxistes et de la tradition révolutionnaire française [2] », Vaillant se rapproche des guesdistes, dont pourtant il ne partage nullement la conception d'un syndicat dépendant du parti. Si, d'autre part, les guesdistes jugent la lutte anticléricale secondaire, les vaillantistes professent un athéisme vigoureux, dans la tradition de la sans-culotterie et du matérialisme philosophique du XVIIIe siècle.

En 1890, la Fédération des travailleurs socialistes de Brousse est en déclin. Certes, elle a de fortes positions à Paris qu'attestent huit élus au conseil municipal, dont Brousse, vice-président du conseil, mais, hormis la fédération des Ardennes, l'implantation provinciale se restreint. Les groupes adhérents sont près de trois fois moins nombreux au Congrès de Châtellerault en octobre qu'à Saint-Étienne en 1882 [3]. La structure très lâche de l'organisation n'explique pas seule ce recul. En fait, la stratégie de « défense républicaine » suivie lors du boulangisme n'a pas toujours été comprise. Brousse est l'allié des radicaux, il passe pour modéré. Jean Allemane, ancien communard, ouvrier typographe — trait exceptionnel dans le socialisme de l'époque dont les leaders sont issus des classes bourgeoises —, a fondé dès 1888 le journal *le Parti ouvrier*.

En octobre 1890, Allemane et ses amis, notamment le poète J.-B. Clément, leader de la fédération des Ardennes, sont exclus de la Fédération des travailleurs socialistes. Ils créent aussitôt,

1. Cf. P. H. Hutton, *The Cult of the Revolutionary Tradition. The Blanquist in French politics, 1864-1883,* Berkeley, 1981.

2. Selon la formule de Jolyon Howorth, « La propagande socialiste d'Édouard Vaillant pendant les années 1880-1884 », *le Mouvement social,* juillet-septembre 1970.

3. Cf. M. Winock, « La scission de Châtellerault et la naissance du parti allemaniste (1890-1891) », *le Mouvement social,* avril-juin 1971.

reprenant le sous-titre de la Fédération, le parti ouvrier socialiste révolutionnaire. Certes, les allemanistes — ainsi les désigne-t-on bien que le parti ait voulu « l'effacement absolu des personnalités » — conservent le programme législatif et municipal de la Fédération des travailleurs socialistes, mais ils affirment leur foi révolutionnaire dans la lutte des classes, professant un antimilitarisme et un antiparlementarisme vigoureux. Les luttes électorales ne valent pour eux qu'à titre de propagande. Les élus sont considérés comme de simples mandataires qui remettent leur démission en blanc. Ils versent à la caisse du parti le plus gros de leur indemnité.

Pour les allemanistes, la vraie lutte se mène sur le terrain économique : aussi attachent-ils une importance capitale aux syndicats, arme décisive du prolétariat, base de la société de l'avenir où les syndicats gèreront les entreprises. Les allemanistes prennent à leur compte le mot d'ordre de la grève générale. Le parti est ouvriériste, non par le refus des intellectuels — jeunes normaliens, Lucien Herr et Charles Andler adhèrent au POSR —, mais par son idéologie. On mesure l'importance du POSR, véritable plate-forme dans le mouvement ouvrier et socialiste. Proche de l'anarchie, antireligieux, antimilitariste, attaché à la démocratie directe, il prend la relève du blanquisme, se réclame du *Manifeste des Égaux* et dispute Paris aux vaillantistes. Antiparlementaires, mettant leurs espoirs dans les syndicats que dirigent certains d'entre eux — Bourderon, un tonnelier, Faberot, un chapelier —, les allemanistes annoncent le syndicalisme révolutionnaire aux origines duquel ils jouent un rôle décisif. Faut-il ajouter que l'allemanisme n'a pas renoncé au « socialisme municipal » et peut fort bien mener à un réformisme pratique ?

Au vrai, dans sa complexité même, l'allemanisme est très représentatif de la réalité de ces socialismes dont l'indispensable histoire-batailles ne doit pas faire méconnaître le vrai visage. Hormis le guesdisme, que son organisation et son dogmatisme mettent à part, il n'est pas toujours facile de distinguer entre des courants dont l'historien doit se garder de majorer les divergences. Aussi bien s'agit-il de petits groupes dont le caractère minoritaire exaspère l'aptitude à la division et l'incapacité à surmonter les conflits autrement que par la scission. Aux oppositions de personnes, de tempéraments, s'ajoute le climat de suspicion fondé sur la conviction, parfois justifiée, de menées policières. Les conflits prennent la forme d'affrontements idéologiques, sans doute expriment-ils autre chose, et rien n'est plus frappant que le contraste entre l'intensité des luttes idéologiques et le faible renouvellement de la pensée socialiste française en cette fin du XIXe siècle.

Il n'est pas sûr du reste que les militants aient perçu toutes les nuances que l'historien qui fait l'inventaire des organisations se plaît à déceler. Étudiant le monde ouvrier dans la région lyonnaise, Y. Lequin constate les incertitudes du vocabulaire et la confusion du langage [1]. Il n'observe pas de « corps de doctrine cohérents. Le même militant peut fort bien exprimer, en même temps, des propositions qui semblent, par référence à la construction doctrinale et à sa logique, parfaitement contradictoires ». L'action contre la répression, qui ne s'embarrasse pas de nuances, peut fonder une brève unité et déterminer des reclassements.

Ne sous-estimons pas non plus le poids des personnalités et des militants : un blanquiste vient-il dans une localité, il fonde un groupe qui, lui parti, peut végéter. Vaillant revenu d'exil gagne à son parti le Cher, son département d'origine, et, par-delà, les départements voisins. J.-B. Clément joua un rôle décisif dans les Ardennes. Cependant, l'implantation des familles socialistes mérite une explication qui fasse appel à l'histoire autant qu'à la sociologie. Les artisans, les employés, les ouvriers de Paris ou de Lyon répugnent au collectivisme guesdiste. Dira-t-on que les petits producteurs indépendants et les salariés qui ignorent la grande industrie s'accommodent mal du collectivisme ? Peut-être, encore ne faut-il pas oublier que les mineurs du Pas-de-Calais ou de la Loire, attachés à leurs traditions corporatives et convaincus des chances d'une négociation, votent pour des socialistes réformistes.

En vérité, deux traditions historiques qui ne se recouvrent pas pèsent sur le socialisme français : la tradition révolutionnaire, de 1793 à la Commune ; la tradition républicaine, fondée sur l'union

1. « Classe ouvrière et idéologie dans la région lyonnaise à la fin du XIXe siècle », *le Mouvement social,* octobre-décembre 1969, et sa thèse, *les Ouvriers de la région lyonnaise (1848-1914),* PUL, Lyon, 1977, 2 vol.

des classes moyennes et du peuple ouvrier contre la « réaction ». A ce double héritage, sauf dans le Midi, le guesdisme ne participe guère, mais il est isolé. *La Carmagnole* et *la Marseillaise* restent longtemps en honneur aux côtés de *l'Internationale* qui ne s'impose que tardivement, le terme de « citoyens » l'emporte sur celui de « camarades ». A la première de ces traditions, le socialisme français doit la méfiance vis-à-vis de l'organisation, le goût de la démocratie directe, le culte des minorités héroïques, la foi dans les vertus de la gestion directe par les producteurs, l'anticléricalisme libre penseur, enfin, dont l'intensité ne se dément guère. N'est-ce pas cet anticléricalisme qui fonde chez beaucoup, dès lors qu'ils acceptent les luttes électorales, l'adhésion à la défense républicaine ? Celle-ci s'impose tout particulièrement dans les petites villes, où les loges maçonniques, plus encore les sociétés de libre pensée, favorisent les contacts entre socialistes et radicaux. Le socialisme français est un socialisme républicain.

Ces raisons expliquent le rôle des « indépendants », rebelles à toute organisation. Le terme peut désigner de simples militants [1], des intellectuels, journalistes ou écrivains, des parlementaires. Ce sont des indépendants qui ont fondé les premiers quotidiens socialistes qui auront « quelque durée, quelque tirage, quelque influence [2] ». *La Bataille,* fondée en 1882 par Lissagaray, l'historien de la Commune, *le Cri du peuple,* fondé par Jules Vallès en 1883, paraissent l'un jusqu'en 1887, l'autre jusqu'en 1890. Ils ont un rayonnement très supérieur à celui des organes hebdomadaires des courants évoqués plus haut. Tout comme Benoît Malon, l'ancien berger du Forez, qui crée en 1885 *la Revue socialiste,* ils s'efforcent de donner la parole aux diverses écoles. Benoît Malon s'efforce de réaliser une synthèse, le « socialisme intégral ». Il conteste « la lutte pour les seuls intérêts matériels ». Le socialisme doit mener à la rénovation de toute la vie sociale : « réformes familiales, réformes éducatives, revendications politiques et civiles, émancipation des femmes, élaboration philosophique, adou-

1. Cf. Y. Lequin, *ibid.* Ils sont qualifiés de « révolutionnaires indépendants ».

2. Marcel Prélot, *L'Évolution politique du socialisme français,* Paris, Spes, 1939. Cet essai pénétrant est resté souvent ignoré à cause de sa date de publication.

cissement des mœurs, car pour eux la question contemporaine n'est pas seulement sociale, elle est aussi morale [1] ». Cette affirmation de la dimension éthique du socialisme français retrouve la tradition utopique antérieure à la greffe du marxisme.

Au Parlement, la figure de proue de ce socialisme indépendant est Alexandre Millerand, puis bientôt Jaurès. Issu de la bonne bourgeoisie parisienne, élu à vingt-six ans à une élection partielle en décembre 1885, radical, membre du groupe ouvrier de la Chambre, Millerand se refuse à choisir entre Ferry, la réaction bourgeoise, et Boulanger, qui est l'Empire : « Nous voulons la République démocratique et sociale. » Dans la Chambre de 1889, il est proche des élus divers qui se réclament du socialisme. En 1893, à la veille des élections, il prend la direction de *la Petite République,* qui devient la tribune des socialistes indépendants. Condamnation de l'action violente, foi dans le suffrage universel, développement de la propriété sociale des services publics, ce programme convient aux membres des classes moyennes, aux ruraux, aux radicaux avancés.

Les « indépendants » ont 21 élus en 1893, plus que toutes les autres écoles réunies. Le socialisme « indépendant », encore aujourd'hui assez mal connu [2], s'accordait mieux que toute autre école avec la réalité de la société française et ses traditions. Son succès reflétait une évolution considérable dans une partie de la bourgeoisie et des classes moyennes qui en vient à douter des vertus du libéralisme et de l'individualisme économique, et ne croit plus que l'instauration du régime républicain suffise à résoudre les questions sociales. A côté des idéaux républicains et démocratiques, elle fait sien l'idéal socialiste. L'évolution d'un Jaurès paraît ici exemplaire. Elle illustre le glissement de tant de jeunes intellectuels en quête de justice vers le socialisme. Les débuts de Léon Blum ne sont pas moins remarquables.

Tous ces hommes venus de la bourgeoisie libérale pensent qu'il faut porter à leur épanouissement les principes de liberté et d'égalité nés de la Révolution. D'autres en revanche répudient les idéaux du libéralisme politique et de la démocratie parlementaire.

1. Benoît Malon, « Le socialisme intégral », *Revue socialiste,* 1891, p. 141 et 203, cité par M. Prélot, *op. cit.*, p. 106.
2. Le livre de L. Derfler, *Alexandre Millerand : The Socialist Years,* Paris, Mouton, 1977, éclaire ce courant.

Ils ont pu être séduits par le boulangisme. Ils professent un anticapitalisme qui s'accompagne à l'occasion d'antisémitisme. Ils marquent leur sympathie aux idées anarchistes. Ces « non-conformistes » des années 1890, divers mais unis contre l'ordre social établi, s'opposeront dès que la lutte des blocs va revenir au premier plan.

Les progrès du socialisme, la montée de la démocratie sociale entraînent en réponse, au sein d'une partie du monde catholique français, l'essor du catholicisme social et de la démocratie chrétienne. Ce mouvement, tout comme le socialisme, est la retombée en France d'une vague qui gagne l'ensemble des pays touchés par la révolution industrielle. Comme le socialisme, le catholicisme social eut, en France, un succès plus tardif et plus limité que dans les pays d'Europe centrale. Il n'en revêtit pas moins aux yeux des contemporains une importance considérable, aujourd'hui largement oubliée, et suscita, tout comme le socialisme, l'inquiétude des tenants du libéralisme économique. Le premier catholicisme social est contre-révolutionnaire, proche du monde légitimiste, antilibéral, corporatif, celui d'Albert de Mun, et de l'Œuvre des cercles catholiques d'ouvriers [1].

Une autre école de pensée et d'action, celle de la *Réforme sociale,* fondée par Frédéric Le Play, ne veut pas faire œuvre confessionnelle, mais fait référence au Décalogue et à une société régie par les principes de l'Évangile. Elle invita les « autorités sociales » à accomplir leur devoir de patronage. L'école de la *Réforme sociale* a sans doute tenu une large place dans l'essor des œuvres patronales. Mais sa véritable importance est d'avoir permis, par le recours aux enquêtes, aux monographies, une prise de conscience des réalités sociales. A cet égard, l'itinéraire d'un prêtre comme l'abbé Lemire, obscur professeur de collège à Hazebrouck avant de devenir en 1893 député d'Hazebrouck, en Flandre, et une des figures de proue de la démocratie chrétienne, est exemplaire : il a été tour à tour marqué par l'Œuvre des cercles et par la Réforme sociale. De la première il conserve l'hostilité au

1. Renvoyons au beau livre de Philippe Levillain, *Albert de Mun ; catholicisme français et catholicisme romain du Syllabus au ralliement,* École française de Rome, 1983.

libéralisme, le rêve d'une société corporative, de la seconde il acquiert le goût des études sociales. Comme nombre de militants, prêtres ou laïcs, de la « démocratie chrétienne », il garde toujours au cœur quelque chose de l'idéal du traditionnalisme : méfiance vis-à-vis de l'industrialisme et nostalgie de l'ordre éternel des champs, hostilité non exempte d'antisémitisme, au monde de l'or et de la spéculation, rêve d'une société corporative où se réconcilieraient le capital et le travail.

Cet héritage ne doit pas conduire à méconnaître les ruptures et les innovations, dans ce mouvement de la « démocratie chrétienne » qui s'affirme à partir de 1892-1893 [1]. Le mot même de démocratie signifie non seulement le souci de la cause du peuple, mais le refus d'une société hiérarchisée, l'aspiration à une société fraternelle. Cette démocratie sociale, voie intermédiaire entre le libéralisme et le socialisme, également récusés, les démocrates chrétiens ne l'envisagent pas très différemment des radicaux, ces démocrates anticléricaux. La coopération, la participation aux bénéfices, la mise en œuvre de la solidarité, voilà les remèdes au mal social, tant il est vrai que les formes de « troisième voie » ne sont pas si nombreuses.

Du social au politique, le pas est vite franchi, au moins par l'aile la plus hardie du mouvement qui fait siens les idéaux de la démocratie politique : acceptation de l'héritage de 1789 et de la souveraineté du peuple, autonomie du politique, distinction du temporel et du spirituel : c'est la tradition catholique « libérale », celle aussi de la première démocratie chrétienne de 1848, celle de l'abbé Maret et d'Ozanam, qui est alors retrouvée. L'encyclique *Rerum novarum* le 15 mai 1891, comme la volonté de répondre au défi socialiste, précipite un mouvement qui, pour plusieurs années, va s'imposer à l'attention. Création de journaux et de revues, formation de syndicats, de coopératives, de caisses rurales, congrès régionaux ou nationaux qui rassemblent des centaines de militants : l'importance du mouvement est loin d'être négligeable. Il inquiète les socialistes. « Avant peu, écrit Gérault Richard, les prétendus démocrates chrétiens nous auront rattrapés. » Jau-

1. Renvoyons à R. Rémond, *Les Deux Congrès ecclésiastiques de Reims et de Bourges, 1896-1900,* Sirey, 1964, à M. Montuclard, *Conscience religieuse et démocratie : La deuxième démocratie chrétienne en France, 1891-1902,* Éd. du Seuil, 1965 ; et à notre ouvrage sur l'abbé Lemire.

rès n'est pas moins sensible, il le montre dans ses articles de *la Dépêche*, à l'ampleur du phénomène. Celui-ci n'inquiète pas moins le personnel opportuniste, et les préfets et les commissaires spéciaux attachent une grande attention aux manifestations de ce qu'ils désignent comme le « socialisme chrétien ».

A la tête de cette démocratie chrétienne, très cléricale par ses dirigeants, des prêtres comme ceux qui se réunissent à Reims en 1896 à l'appel de l'abbé Lemire. Ils veulent « aller au peuple », « sortir de la sacristie » où les a confinés le libéralisme religieux, « refaire la France chrétienne », sans bien distinguer s'il faut d'abord refaire des institutions chrétiennes, ce qui était l'ambition constante de la droite catholique, ou forger à la base un peuple chrétien, ce qui supposait d'abord un effort d'éducation.

A ces prêtres se joignent des employés anciens des patronages, des fils de la bourgeoisie, anciens élèves des collèges, mais aussi des ouvriers. Dans le Sud-Est à Lyon et à Saint-Étienne, dans le Nord à Lille, à Charleville, à Roubaix, dans l'Est à Nancy et Reims, en Bretagne à Brest, à Rennes, s'esquissent des foyers durables. Mais, active dans les villes, la démocratie chrétienne trouva ses seuls succès électoraux dans les campagnes où les paysans, désireux de s'émanciper de la tutelle des notables, votent pour des prêtres, pour l'abbé Lemire à Hazebrouck en 1893, pour l'abbé Gayraud élu à une élection partielle dans le Léon en 1896. Ainsi une frange du monde catholique s'en prend-elle, à sa manière, aux autorités et aux hiérarchies établies, mettant en cause les liens anciens, fortifiés par la politique laïque, entre l'Église et les conservateurs. Le ralliement des catholiques à la République ouvre lui aussi une brèche dans cet édifice.

2. *Le ralliement et les droites*

Les raisons du ralliement sont complexes et doivent être évoquées avant de marquer les incidences de celui-ci sur le monde catholique et les droites. Le rôle personnel de Léon XIII est considérable. Depuis son avènement en 1878, il a toujours fait preuve de modération dans ses relations avec la République. Il n'a pas jugé souhaitable d'encourager à la protestation violente face à la politique de laïcisation. A plusieurs reprises, il a laissé entendre que les catholiques français devraient accepter les institutions. Au lendemain des élections de 1889, il lui paraît indispensable d'intervenir. Des intentions diverses le guident : affirmer la distinction du pouvoir spirituel et du pouvoir temporel, rompre la solidarité des catholiques français et de la monarchie, sauvegarder le concordat et le budget des cultes menacés par les radicaux en permettant l'entente des conservateurs et des républicains modérés. Les arrière-pensées diplomatiques sont présentes : le Saint-Siège est l'adversaire du jeune royaume d'Italie et reste intransigeant sur la « question romaine », ses relations avec l'Allemagne protestante et l'Autriche-Hongrie attachée à la tradition joséphiste sont médiocres. Dans ces conditions, de bonnes relations avec la République, protectrice des missions outre-mer, sont souhaitables. La France demeure aux yeux de Rome la « fille aînée de l'Église ».

Ces préoccupations rencontrent celles d'une partie du personnel politique conservateur qui estime vain de rester à contre-courant de l'évolution de l'esprit public. L'acceptation du régime est inévitable. Face aux progrès du radicalisme et du socialisme, il paraît indispensable de s'entendre avec les républicains de gouvernement pour fonder une majorité qui défende l'ordre social. Somme toute, ce serait revenir à la conjonction des centres, à laquelle dès 1886 aspirait le protestant Raoul Duval et son éphémère « Droite républicaine ». L'échec du boulangisme convainc un certain nombre de conservateurs de la stabilité du régime et de la nécessité de se placer sur le terrain des institutions. En mars 1890, l'orléaniste Jacques Piou fonde un groupe parlementaire de la « Droite constitutionnelle », qui accepte les institutions « légalement établies » pour défendre la société menacée. Une partie du personnel opportuniste n'était pas insensible à de telles avances. Mais ils ne pouvaient envisager un rapprochement que si les conservateurs acceptaient à tout le moins de ne pas remettre en cause les « lois intangibles de la laïcité », fondement de la République. Aux yeux des républicains, elles devaient être la « pierre de touche » du ralliement.

Évoquer les péripéties de celui-ci permet de décrire les réactions aussi bien du monde catholique que des forces politiques. Après plusieurs tentatives infructueuses pour trouver un membre de l'épiscopat qui accepte de prendre une initiative, Léon XIII jette son dévolu sur le cardinal Lavigerie. Primat d'Afrique, archevêque d'Alger et de Carthage, fondateur des Pères blancs, le cardinal, au terme d'entretiens avec le pape [1], accepte de parler. En novembre 1890, accueillant l'état-major de l'escadre de la Méditerrannée, le cardinal, à la surprise des officiers de marine monarchistes, invite les catholiques à accepter la République : « Quand la volonté d'un peuple s'est nettement affirmée, que la forme d'un gouvernement n'a en soi rien de contraire, comme le proclamait dernièrement Léon XIII, aux principes qui peuvent faire vivre les nations chrétiennes et civilisées, lorsqu'il faut, pour arracher son pays aux abîmes qui le menacent, l'adhésion sans arrière-pensée à cette forme de gouvernement, le moment vient... de sacrifier tout ce que la conscience et l'honneur permettent, ordonnent à chacun de nous, pour l'amour de la patrie. » En quelques phrases s'esquisse toute la thématique du ralliement : la reconnaissance de la volonté du suffrage universel et l'acceptation des institutions, le refus de la politique du pire et la volonté, comme le proclame plus loin le cardinal, de lutter contre le « péril social », le patriotisme enfin, devant qui doivent s'incliner les anciennes fidélités.

Les radicaux ne virent dans le toast qu'une ruse de l'Église, la presse opportuniste dit sa satisfaction, les royalistes protestèrent. Au sein du monde catholique, la réserve, sinon l'hostilité, l'emporte. La patrie a été mal engagée. Le nonce à Paris ignorait tout de l'initiative de Léon XIII et du cardinal et ne la soutient guère. Les évêques, pour la plupart, qu'ils jugent l'intervention du cardinal malheureuse ou inopportune, se taisent. Quatre seulement, deux pour, deux contre, interviennent publiquement. Mgr Freppel, l'évêque d'Angers, dénonce l'« illusion » de Lavigerie : « C'est de croire que la République en France est une simple forme de gouvernement, comme ailleurs, en Suisse et aux États-Unis par exemple, et non pas une doctrine foncièrement et radicalement contraire à la doctrine chrétienne. » Les républicains ne sont-ils pas unanimes à exiger des catholiques l'acceptation des lois scolaires et de la loi militaire ? L'évêque d'Angers ne faisait là

1. Cf. Xavier de Montclos, *Le Toast d'Alger. Documents,* De Boccard, 1966.

que développer l'argumentation de la majorité des catholiques militants.

Quelques mois plus tard, l'archevêque de Paris, le cardinal Richard, dont l'entourage est monarchiste, détourne de leur sens les intentions de Léon XIII. Le 2 mars 1891, il publie une *Réponse à d'éminents catholiques qui l'ont consulté sur leur devoir social dans les circonstances actuelles.* Il convient que l'Église ne condamne aucune forme de gouvernement, mais dénonce « les sectes antichrétiennes » qui veulent faire « d'un ensemble de lois antireligieuses la constitution essentielle de la République ». Il invite les catholiques à l'union sur le terrain de la défense religieuse, en mettant entre parenthèses leurs préférences politiques. On est loin de l'adhésion à la République. Les monarchistes, la plupart des journaux catholiques, sont satisfaits de la lettre du cardinal de Paris. Soixante-deux évêques lui envoient leur approbation. Quelques mois plus tard est fondée l'« Union de la France chrétienne ». Son comité, où l'on retrouve les principaux chefs conservateurs, réclame le « concours des chrétiens et de tous les honnêtes gens, quelles que fussent leurs opinions politiques, pour défendre et réclamer, d'un commun accord, les libertés civiles, sociales et religieuses ». L'Union ne dit mot de la République. Bien plus, à Toulouse, le 19 juillet 1891, le représentant du comte de Paris, le comte d'Haussonville, juge « infiniment probable » qu'aux prochaines élections les candidats des comités monarchiques s'identifient à ceux des comités de l'Union de la France chrétienne.

Léon XIII est contraint d'aller de l'avant. Il nomme à Paris un nouveau nonce, Mgr Ferrata, ancien auditeur de nonciature à Paris, ami du cardinal Lavigerie, fin connaisseur de la vie politique française. Sa situation est délicate : le moindre incident est exploité par les camps extrêmes — monarchistes et radicaux —, pour faire échouer l'apaisement escompté. En février 1892, après une « Déclaration des cardinaux français », publiée sans que le pape ait été consulté et qui condamne le « gouvernement de la République » tout en invitant à l'acceptation des institutions, Léon XIII est contraint à parler clairement. Le 14 février, il reçoit Ernest Judet, rédacteur au *Petit Journal,* et lui fait d'importantes déclarations, reproduites le 17. Le procédé, inhabituel, d'un appel à l'opinion marque à lui seul l'importance de l'événement. Le

20 février est publiée, datée du 16 et rédigée en français, l'encyclique « Au milieu des sollicitudes » : l'Église n'est liée à aucune forme de gouvernement ; accepter la République n'est pas accepter une législation hostile à la religion. « Les gens de bien doivent s'unir comme un seul homme pour combattre par tous les moyens légaux et honnêtes ces abus progressifs de la législation. »

Face à l'invite pontificale, désormais clairement exprimée, les « réfractaires » affichés furent la minorité. Mais, de l'adhésion réticente à l'adhésion sans arrière-pensée, que de nuances ! Pour les uns, le pape infaillible a parlé *ex cathedra,* pour d'autres, il a donné un simple conseil. Surtout, que veut dire : accepter la République ? Est-ce une République « baptisée » et devenue une « démocratie chrétienne », comme le souhaite *la Croix,* ou la République laïque de Jules Ferry ? Le débat sur le ralliement ouvre donc d'extraordinaires divisions au sein du monde catholique conservateur. L'Union de la France chrétienne prononce sa dissolution. Ses chefs — Buffet, Chesnelong, Keller, Lucien-Brun — se retirent de la vie publique : ils ne veulent ni aller à l'encontre des volontés du pape, ni abandonner leurs fidélités.

Une fraction de la droite royaliste, derrière le comte d'Haussonville, reconnaît l'autorité du pape « en matière de foi », mais proclame ses droits « comme citoyens » et demeure fidèle à la cause du comte de Paris. Attachés à la tradition « nationale », ils sont les héritiers d'un gallicanisme politique qui récuse la légitimité de l'intervention du Saint-Siège sur le plan temporel. Face au ralliement, les catholiques ne se divisent donc pas selon le clivage entre intransigeants et libéraux. Des catholiques de la tradition libérale orléaniste comme le comte d'Haussonville figurent au premier rang des « réfractaires », au côté d'hommes dont jusque-là ils étaient profondément éloignés, venus du légitimisme contre-révolutionnaire. Mais des catholiques intransigeants, par fidélité à l'ultramontanisme, vont suivre les consignes romaines, ainsi de *l'Univers* ou d'Albert de Mun au congrès régional de l'Association catholique de la jeunesse française à Grenoble le 22 mai 1892. Le député du Morbihan dit sa détermination de placer son action politique « sur le terrain constitutionnel ». Autant que par l'obéissance au pape, il est mû, comme nombre de légitimistes, ainsi le catholique social Henri Lorin, qui suivent le même itinéraire, par la volonté d'aller au peuple, seul fondement du pouvoir depuis la disparition de la dynastie légitime [1]. Ennemi de l'orléanisme, il a placé dans le peuple ses espérances. Pour ces catholiques sociaux, l'encyclique *Rerum novarum* et l'encyclique sur le ralliement ne se séparent pas.

Le monde des « ralliés » est loin d'être homogène. *La Croix* des assomptionistes dit accepter la République, mais appelle en fait à la constitution d'un grand parti de défense religieuse « pour essayer loyalement d'établir en France une République chrétienne ». Si elle accepte le drapeau tricolore, c'est à la condition de faire figurer sur le blanc l'effigie du Sacré-Cœur, signe de la consécration de la République au Christ.

Nombre de démocrates chrétiens ne pensent pas différemment. Ils songent à un parti « catholique et social » comme celui dont Albert de Mun esquisse le programme à Saint-Étienne en décembre 1892, et rêvent d'un État confessionnel. Ils acceptent la démocratie plus que la République. D'autres, au contraire, acceptent l'État laïque et se contenteraient d'une application sans sectarisme des lois scolaires, et refusent le parti catholique.

Tel est aussi le point de vue de Jacques Piou, qui, au début de 1893, donne au groupe de la Droite constitutionnelle la dénomination de Droite républicaine. Il veut préparer « la formation d'un parti tory », conservateur à l'anglaise, qui groupe tous les « hommes de bonne volonté ». Il invite « tous ceux qui entendent tenir tête aux apôtres du néo-radicalisme socialiste et aux sectaires de la franc-maçonnerie » à se réunir pour une République ouverte, tolérante, honnête. Sans conteste, Léon XIII désirait la création d'un grand parti conservateur, regroupant les catholiques et les « honnêtes gens », mais il souhaitait que ce parti fût ouvert aux préoccupations sociales. Or les hommes politiques qui suivent Piou, souvent liés au monde des intérêts — ainsi du prince d'Arenberg, ou du baron Hély d'Oissel —, sont avant tout soucieux de la défense de l'ordre social. On touche là aux difficultés majeures du ralliement : ceux mêmes qui acceptent d'entrer dans la République ne le font pas pour les mêmes raisons. Les uns veulent sauver la société, les autres aller au peuple, les uns veulent mettre fin à la législation impie, les autres sont prêts à

1. Cf. Philippe Levillain, *Albert de Mun ; catholicisme français et catholicisme romain du* Syllabus *au ralliement, op. cit.*

accepter celle-ci provisoirement. Les uns rêvent du Centre allemand ou du parti catholique belge, les autres du parti conservateur anglais.

Les ambiguïtés du ralliement rendent compte de la méfiance du personnel républicain. Celui-ci craint aussi bien le « socialisme chrétien » que le cléricalisme et, à ses yeux, les interventions romaines sont suspectes. Il reste qu'en mettant fin aux solidarités entre l'Église et les monarchistes, Léon XIII rendit possible des reclassements qui, autant que les conséquences du boulangisme et la montée du socialisme, ont leur part dans les mutations des forces politiques à partir des années 1890, et le cours même de la vie politique.

3. *Les républicains modérés et l'« esprit nouveau » (1893-1898)*

Au lendemain de la crise boulangiste, le monde parlementaire retrouva son calme : « Après la mort du général, tout redevint un vague marais », écrit Barrès dans *Leurs figures*. A la suite des élections de 1889, la « concentration républicaine » qui avait triomphé du boulangisme se maintint. Les opportunistes grossis des radicaux modérés formaient la majorité. Tirard, le 14 mars 1890, démissionna devant un vote hostile du Sénat protectionniste qui refuse de ratifier le traité de commerce franco-turc. Freycinet prit la tête d'un gouvernement qui comprenait six ministres du précédent cabinet et qui dura près de deux ans. Il faisait appel à la concentration de « toutes les fractions du parti républicain ». Le souvenir de la menace boulangiste, la montée du péril socialiste expliquent cette stabilité. Quatre ministres — Constans à l'Intérieur, Yves Guyot aux Travaux publics, Rouvier aux Finances, Freycinet à la Guerre — restèrent ainsi en fonction trois ans moins quatre jours pour les deux premiers, près de quatre ans pour les autres.

L'opportunisme nouvelle manière avait su triompher de ses adversaires, durer et mener une « politique d'affaires », qui confirma notamment l'évolution vers le protectionnisme amorcée en 1881 et 1885. Mais les radicaux, mécontents de l'absence de réformes et du ton bienveillant de Freycinet vis-à-vis du clergé, abandonnèrent le président du Conseil le 19 février 1892, au lendemain de l'interview de Léon XIII à Judet. Le terne Loubet lui succède avec un gouvernement qui comprend six membres du précédent cabinet, dont Ribot aux Affaires étrangères, Rouvier aux Finances, Freycinet à la Guerre. La présence de Godefroy Cavaignac à la Marine et aux Colonies et de Léon Bourgeois à l'Instruction publique donnait au gouvernement une légère coloration radicale.

C'est alors qu'à la faveur du scandale de Panama [1] nationalistes, antisémites et boulangistes s'efforcèrent de porter un coup au régime, qui, une fois encore, sut surmonter la crise. L'affaire éclata sur la scène politique à l'automne de 1892, à l'entrée d'une année électorale. En 1888, la Compagnie du canal de Panama, déjà en difficulté, avait voulu émettre des obligations à lots. Le vote d'une loi était nécessaire. La bienveillance des parlementaires fut facilitée par la distribution de chèques. L'émission de l'emprunt ne suffit pas à empêcher, en janvier 1889, la faillite d'une entreprise ruineuse. Une instruction fut ouverte contre les administrateurs de Panama en mai 1891.

La Libre parole d'Édouard Drumont, auteur en 1886 de *la France juive* [2], et le journal boulangiste *la Cocarde* dénoncèrent les parlementaires compromis. Dans la nuit du 19 au 20 novembre, le baron de Reinach, agent financier de la compagnie, oncle et beau-père de Joseph Reinach, gambettiste, directeur de *la République française,* meurt subitement. Le 21, Jules Delahaye stigmatise « tout un syndicat politique sur qui pèse l'opprobre de la vénalité ». Approuvé par l'extrême gauche et la droite, il obtint une commission d'enquête parlementaire que préside le radical Brisson : à la demande de celle-ci, la Chambre demanda l'autopsie de Reinach malgré l'avis du gouvernement, qui démissionna.

Ribot, ancien magistrat venu du Centre gauche, ancien ministre des Affaires étrangères de Freycinet et Loubet, forma le 6 décembre un gouvernement, ébranlé au bout d'une semaine par la démission du ministre des Finances Rouvier, mis en cause dans

1. Cf. Jean Bouvier, *Les Deux Scandales de Panama,* Julliard, coll. « Archives », 1964.

2. Cf. Michel Winock, *Édouard Drumont et Cie. Antisémitisme et fascisme en France,* Éd. du Seuil, 1982.

l'affaire ainsi que Clemenceau. Figure discrète mais considérable de l'opportunisme, Tirard, une nouvelle fois, sortit de l'ombre et prit les Finances. Ribot parvint à grand-peine à éviter le vote d'une proposition de loi qui donnait à la commission d'enquête des pouvoirs judiciaires. Pour montrer sa fermeté, il fit arrêter, le 16 décembre, deux administrateurs du Panama, dont Lesseps et un ancien député. Il fit demander la levée d'immunité parlementaire de cinq députés dont Rouvier. Celui-ci se justifia devant la Chambre. Il avait accepté l'aide de Reinach pour rembourser le directeur du Crédit mobilier d'un emprunt contracté lorsqu'il était président du Conseil afin de lutter contre le boulangisme. Floquet, à la commission d'enquête, dut reconnaître que, pour combattre la candidature de Boulanger dans le Nord, en avril 1888, il avait « suivi d'aussi près que possible la répartition des fonds de publicité de la Compagnie (300 000 francs), non au point de vue commercial... mais au point de vue politique qui regardait l'État ». Le 20 décembre, le nationaliste Déroulède avait dénoncé les relations de Clemenceau avec l'aventurier Cornelius Herz, « agent de l'étranger », réfugié en Angleterre à la mort de Reinach qu'il faisait chanter. Clemenceau dut convenir qu'il avait accepté l'appui financier de Herz pour son journal *la Justice.* Comme Floquet, comme Rouvier, il était frappé par le scandale.

Le procès en cour d'appel pour « escroquerie » contre les administrateurs de la Compagnie de Panama donna lieu à un verdict léger qui fut cassé par la Cour de cassation. Le procès en cour d'assises visant la corruption de parlementaires aboutit le 21 mars 1893 à la condamnation de Baïhaut, ministre des Travaux publics en 1886, qui avait accepté 375 000 F. Les autres parlementaires étaient acquittés : les procès n'établirent pas de preuves de corruption. Seul Baïhaut avait avoué.

Au total, la campagne contre les « chéquards » — le mot est de novembre 1892 — n'avait pas ébranlé le régime comme l'avaient espéré les Delahaye, les Drumont, les Déroulède. En fait, comme en d'autres circonstances, la crise l'avait fortifié. Barrès traduit dans la fin de *Leurs figures* la déception des adversaires de l'opportunisme : « Comme jadis après la fièvre boulangiste, l'accès de Panama tombé, on était revenu au plus immoral “ chacun pour soi ”. » Cependant, le scandale laissait des traces appréciables : le grand public avait reçu la révélation des collusions entre le monde des affaires, la presse et le personnel politique. Bien plus, Floquet et Rouvier avaient justifié ces collusions par les exigences de la politique même. L'ampleur du scandale, qui entraîne une mutation du personnel politique, montre que l'opinion, comme l'observe Seignobos, était « très soupçonneuse en matière d'argent ». Pourtant, le scandale parlementaire était relativement mince : quelques parlementaires corrompus, davantage d'imprudents discrédités ; c'était assez pour satisfaire la revanche des boulangistes. L'autre scandale financier qui, lui, ne fut guère évoqué, tenait, comme l'a montré J. Bouvier, dans le poids exceptionnel des commissions prélevées par les banques dans les affaires de Panama.

La crise ministérielle joua une fois de plus son rôle cathartique. Ribot, qui avait déjà démissionné le 10 janvier pour former un nouveau gouvernement sans Freycinet, Loubet, Burdeau, accusés d'avoir voulu étouffer l'affaire, démissionna définitivement le 30 mars 1893 sur un incident mineur. Avec Charles Dupuy, ancien inspecteur d'Académie, député de la Haute-Loire [1], un homme nouveau arrive à la présidence du Conseil, signe du renouvellement du personnel politique entraîné par l'affaire de Panama. Le ministre de l'Instruction publique Raymond Poincaré n'a que trente-trois ans. Une génération nouvelle accède aux responsabilités ministérielles en même temps que s'esquisse un reclassement des forces politiques.

Les républicains modérés regardent vers la droite ralliée : ils songent à abandonner les majorités de « concentration » avec les radicaux pour revenir à une majorité fondée sur les centres. Ils parlent de « République libérale », « ouverte à tous les hommes de bonne volonté ». Charles Dupuy à Toulouse au printemps de 1893 rend hommage aux « conseils partis de Rome dans une pensée élevée d'apaisement ». Il ne propose aucune concession en matière de laïcité, ce qui irrite les catholiques, il envisage une loi sur les associations pour « régler les rapports de la société civile et religieuse dans un large esprit de tolérance ». Jonnart, député du Pas-de-Calais, gendre d'Édouard Aynard, républicain et catho-

1. Sur lui, on lira avec plaisir et profit les articles d'A. Rivet dans les *Cahiers de la Haute-Loire,* 1974, 1975 et 1976.

lique, important banquier, député du Rhône, « salue avec joie le mouvement qui se produit dans l'opinion, car il peut puissamment contribuer à la paix sociale ». Il ajoute : « La République indiscutée, c'est la fin de la politique de concentration [1] », invitant donc à une majorité ouverte vers le centre droit, et non plus vers les radicaux. Constans affirme, lui, que la République doit désormais être tolérante.

Tous se félicitent du ralliement, qui permettra une majorité de défense sociale. Du reste, Dupuy n'hésite pas à agir avec fermeté face au mouvement ouvrier : le 1er mai 1893, il fait fermer la Bourse du travail à Paris ; deux mois plus tard, le 7 juillet, il fait occuper la Bourse par la troupe, les syndicats n'ayant pas voulu se plier à la déclaration imposée par la loi de 1884. L'occupation de la Bourse succédait à une semaine de manifestations de rues, nées d'une agitation étudiante sans origine politique au départ (la condamnation pour outrage aux mœurs d'un étudiant des Beaux-Arts), à laquelle se joignent des ouvriers, indice d'une conjoncture troublée qui prélude aux élections [2].

« La question sociale, proclame le socialiste indépendant Millerand dans sa profession de foi aux électeurs du XIIe arrondissement, est la question des élections de 1893. L'affaire de Panama a montré toutes les forces sociales de ce pays au service et sous les ordres de la haute finance. C'est contre elle qu'il faut concentrer nos efforts. La nation doit reprendre sur les barons de cette nouvelle féodalité cosmopolite les forteresses qu'ils lui ont ravies pour la dominer : la Banque de France, les chemins de fer, les mines. » Sur ce thème qu'il avait défendu à la Chambre dès février, et sur ce programme minimum, Millerand, devenu en juillet directeur de *la Petite République,* s'efforce de rassembler les « militants de toutes les fractions socialistes », des radicaux, d'anciens boulangistes aussi. Il trouve l'appui d'un Goblet, qui évolue vers la gauche, ou d'un Pelletan. Ceux-ci ne souhaitaient

1. Cité par E. Lecanuet, *Les Premières Années du pontificat de Léon XIII,* Alcan, 1931, p. 580.

2. Cf. M. Rebérioux, « Jaurès et les étudiants parisiens au printemps de 1893 », *Bulletin de la Société d'études jaurésiennes,* juillet-septembre 1968. Seignobos remarque que Dupuy fut soupçonné d'avoir provoqué l'émeute du Quartier latin pour servir de prétexte à l'occupation de la Bourse par les troupes.

plus collaborer avec les républicains modérés. A gauche aussi, le temps de la concentration paraissait révolu. Aussi bien la concentration républicaine avait-elle pour fin de défendre le régime : celui-ci n'était plus mis en cause. Les élections de 1893 ne se firent pas, comme les précédentes, pour ou contre la République, ni pour ou contre le cléricalisme, mais sur la « question sociale ».

Aux élections de 1893, l'ampleur des abstentions frappe. Elles atteignent 28,8 % des inscrits. Entre 1876 et 1914, ce chiffre n'a été dépassé qu'en 1881 avec 31,4 % des inscrits. Comme en 1881, tout porte à penser que les électeurs de droite sont les principaux responsables de cette montée de l'abstentionnisme, la droite ne présentant pas de candidats dans des circonscriptions acquises à la gauche, ainsi dans la France méditerranéenne et le Centre. Mais on ne saurait non plus sous-estimer le trouble entraîné par le ralliement, qui entraîne plus de 35 % d'abstentions dans le Finistère et la Loire-Inférieure, entre 30 et 34,9 % dans le Morbihan, le Maine-et-Loire et les Côtes-du-Nord [1].

Mais l'accroissement du nombre des abstentionnistes — 500 000 de plus qu'en 1889 — ne suffit pas à rendre compte de l'effondrement de la droite : elle n'obtient guère plus d'1 600 000 voix contre près de 3 000 000 en 1889 [2]. En fait, plusieurs centaines de milliers d'électeurs conservateurs paraissant avoir voté pour les républicains. On comprend dès lors la progression de ceux-ci. Républicains modérés, radicaux et radicaux-socialistes obtiennent plus de 4 800 000 voix, soit 500 000 de plus qu'en 1889. Les socialistes atteignent 600 000 voix. Des transferts complexes se sont effectués. Des révisionnistes de 1889 et des radicaux votent socialistes. Des électeurs républicains modérés passent à un radicalisme assagi, qui, dans le Sud-Ouest, rallie d'autre part une partie de l'électorat bonapartiste. Des conservateurs viennent à la République modérée.

Ainsi le socialisme a-t-il reçu les fruits du boulangisme et l'opportunisme ceux du ralliement. Une cinquantaine de socialis-

1. Cf. A. Lancelot, *l'Abstentionnisme électoral en France, op. cit.*
2. 2 914 985 voix (les suffrages boulangistes, 709 223, ne sont pas compris dans ce chiffre). En 1893, les ralliés obtiennent 458 416 voix, les monarchistes 1 000 381, les suffrages révisionnistes qui sont loin de pouvoir être tous comptés au bénéfice de la droite sont de 171 626 voix. Cf. M. Fournier, *Revue politique et parlementaire,* juin 1898, p. 491.

tes ont été élus. En leur sein seize membres seulement des quatre organisations qui se disputent dans des luttes de tendance : cinq guesdistes, cinq allemanistes, quatre blanquistes, deux broussistes. Mais les socialistes indépendants sont une vingtaine, dont neuf élus de la Seine. S'adjoignent à eux quelques radicaux-socialistes — ainsi Thierry Cazes élu à Lectoure, Léon Mirman à Reims —, ou certains révisionnistes, tel Ernest Roche élu dans la Seine. Tous ces élus forment un groupe parlementaire auquel seuls les allemanistes n'adhèrent pas, et que dominent les personnalités de Millerand, Jaurès, Viviani.

Les radicaux revenaient un peu plus nombreux qu'en 1889 : la statistique du ministère leur attribuait 122 sièges ; en fait, comme le montrèrent les premiers scrutins de la législature, ils pouvaient attirer à eux une cinquantaine de députés élus comme républicains. Mais le radicalisme change de visage. A Paris et dans les grandes villes, le socialisme prend sa place, tandis que le radicalisme s'implante désormais dans les campagnes, notamment dans le Sud-Ouest. Il a huit élus au sud de la Garonne pour un en 1889 [1]. Il perd deux de ses chefs, Floquet et Clemenceau, qui avait pourtant cherché refuge dans la circonscription de Draguignan. Tous deux sont victimes du Panama.

Les républicains de gouvernement étaient plus de 300 et avaient la majorité, mais leur manque de cohésion explique l'instabilité du début de la législature. En fait, ils sont environ 250 à suivre une attitude commune. Certains restent attachés à la concentration républicaine et laïque avec les radicaux. D'autres songent à se tourner vers la droite et les ralliés. Ces derniers sont 32. Les principales figures du monde des ralliés ont connu l'échec : Piou à Saint-Gaudens, Albert de Mun dans le Morbihan, où les royalistes sont responsables de sa défaite et, pour l'abattre, votent radical [2], Étienne Lamy, l'un des 363, républicain de la veille, dans le Jura. Au sein du groupe des ralliés, dominent d'anciens orléanistes et des bonapartistes.

La droite conservatrice — peu de ses membres se disent encore monarchistes, mais tous gardent le silence sur la République — a

1. Cf. J. Kayser, *op. cit.*, p. 201.
2. Il revint à la Chambre, élu à une élection partielle à Morlaix, au début de 1894.

une cinquantaine d'élus : 56 [1]. Au total, le climat d'apaisement et le ralliement faisaient perdre à la droite près de la moitié de ses sièges. En ce sens, l'initiative de Léon XIII connaissait un réel succès : les partis monarchiques étaient définitivement frappés. Désormais, ce serait sur le terrain de la défense religieuse [2] que les conservateurs s'efforceraient de lutter, non plus sur celui du régime. D'autre part, le ralliement avait permis à une frange de l'électorat conservateur de voter pour les républicains modérés, au nom du moindre mal. Mais le glissement vers l'extrême gauche rejetait ceux-ci vers la droite. Barrès, dans *Leurs figures,* a bien vu ce phénomène : Suret-Lefort est réélu dans la Meuse avec la complaisance secrète des conservateurs.

Des élections de 1889 et de 1893, le personnel politique sortait profondément renouvelé [3]. Aux victimes du boulangisme s'ajoutaient celles du Panama. Les hommes qui ont dominé la vie politique depuis l'avènement de la République disparaissent, qu'il s'agisse des opportunistes ou des radicaux. 190 élus sont de nouveaux venus. Sans doute, des vaincus de 1889 retrouvent leur siège en 1893, mais, sauf Goblet ou Jaurès, ils n'ont pas grande envergure. Les hommes qui comptent sont entrés depuis peu dans la vie politique : Léon Bourgeois chez les radicaux, Paul Deschanel, Jonnart, Georges Leygues, Poincaré chez les modérés. André Siegfried, familier des dîners parlementaires qu'organisait son père, discernait en eux « une autre génération, distincte des ancêtres républicains et qui, née dans le régime, n'avait pas eu à souffrir pour le fonder ». Ces hommes vont dominer la scène politique jusqu'aux alentours de 1930. Ils donnèrent un style nouveau à l'opportunisme discrédité en imposant le terme de « progressisme ». C'est Deschanel qui, dans un discours programme dès la rentrée parlementaire, affirme la nécessité d'une politique « progressiste » pour épargner à la France les périls du socialisme révolutionnaire.

1. Cf. notre article, « Droites et ralliés à la Chambre des députés au début de 1894 », *Revue d'histoire moderne et contemporaine,* 1966.
2. Cf. Michel Denis, *Les Royalistes de la Mayenne et le monde moderne XIXe-XXe siècle,* Klincksieck, 1977.
3. Cf. P. Sorlin, *Waldeck-Rousseau, op. cit.,* p. 354-355.

4. *Le temps des « progressistes »*

Contrairement à ce que l'on pouvait escompter au vu des résultats, les premières années de la législature ouverte par les élections de 1893 furent marquées par une extrême instabilité ministérielle. Quatre gouvernements se succédèrent de novembre 1893 à avril 1896 ; en revanche, le ministère Méline, d'avril 1896 à juin 1898, battit tous les records de durée atteints jusque-là. La majorité modérée issue des élections ne se dégagea, en effet, véritablement qu'au milieu de la législature, de la même manière que ce n'était qu'en 1883, derrière Ferry, que s'était affirmée la majorité issue des élections de 1881. Sans suivre les péripéties d'une histoire politique complexe, il faut marquer les grandes étapes de la période, avant de dire le sens politique de la république progressiste.

Dès la rentrée parlementaire, Charles Dupuy démissionna, abandonné par les ministres proches des radicaux. Casimir-Perier forma le 3 décembre un gouvernement de centre [1]. Il engagea aussitôt la lutte contre les anarchistes, mettant à profit l'émotion créée par l'attentat de Vaillant le 9 décembre à la Chambre. Il fit voter une loi sur la presse qui frappe la provocation, même non suivie d'effet, au vol, meurtre, incendie, crimes contre la sûreté de l'État, et une loi sur les « associations de malfaiteurs », dont les adversaires craignaient qu'elles ne fussent utilisées contre les socialistes. D'autre part, sans faire de concessions à la droite, le ministère annonça une politique d'apaisement en matière religieuse. Spuller, l'ancien collaborateur de Gambetta, est ministre de l'Instruction publique, des Beaux-Arts et des Cultes. Le 3 mars 1894, lors d'un débat de grande importance, il affirma qu'il était temps de « faire prévaloir en matière religieuse un véritable esprit de tolérance ». Il fit appel à un « esprit nouveau » défini comme « l'esprit qui tend, dans une société aussi profondément troublée que celle-ci, à ramener tous les Français autour des idées de bon

1. Il passe de dix à onze ministres, par la création, par la loi du 20 mars 1894, d'un ministère des Colonies.

sens, de justice et de charité qui sont nécessaires à toute société qui veut vivre ». Sous le vague du propos apparaît bien le désir de « réconcilier tous les citoyens » face au péril socialiste. Mais n'était-ce pas rompre avec la tradition « républicaine » ? Aussi le gouvernement, qui refuse les voix de la droite comme de la gauche, doit-il accepter un ordre du jour de confiance dans la volonté du gouvernement de « maintenir les lois républicaines et de défendre les droits de l'État laïque » : il obtient 280 voix contre 120. La droite et les ralliés se sont partagés entre le vote hostile (16 intransigeants qui se joignent à l'extrême gauche), l'abstention (que choisissent 45 conservateurs) et le vote favorable (il est le fait de 18 députés — quelques bonapartistes et une dizaine de ralliés). Une cinquantaine de radicaux ont voté contre le gouvernement avec les socialistes. Les autres se sont abstenus.

La majorité de centre chère au cœur de Casimir-Perier est donc fort étroite. Elle est menacée par la « coalition des partis extrêmes » que stigmatise Paul Deschanel, et la surenchère que ceux-ci exercent sur les groupes proches d'eux. Le 22 mai 1894, Millerand et un monarchiste venu de l'Œuvre des cercles catholiques ouvriers, Augustin de Ramel, réclament, contrairement au ministre des Travaux publics, Jonnart, que la loi de 1884 sur les syndicats « s'applique aux ouvriers et employés des exploitations de l'État ». Le gouvernement eut contre lui 251 voix, pour lui 217. Si 37 députés de droite (dont 22 ralliés) votent pour Casimir-Perier, dont ils approuvent le conservatisme social, les autres s'abstiennent ou votent contre. Surtout, le gouvernement est abandonné par une fraction des républicains modérés réunis dans le groupe de l'Union progressiste d'Isambert. Plus que son attitude en matière syndicale, ils désapprouvent sa politique religieuse et sont réticents devant l'« esprit nouveau ».

Charles Dupuy revient aux affaires et forme un gouvernement le 30 mai. Poincaré est aux Finances, Barthou aux Travaux publics, Georges Leygues à l'Instruction publique, Delcassé aux Colonies. Un nouveau personnel ministériel s'affirme. Le gouvernement va s'appuyer sur la même majorité de centre. Celle-ci, après l'assassinat du président Carnot à Lyon par l'anarchiste Caserio, le 24 juin 1894, élit Casimir-Perier par 451 voix sur 851 à la magistrature suprême. Brisson, de la Gauche radicale, n'eut que 195 voix. L'élection d'un représentant des « dynasties bourgeoises » méconnaissait, selon le mot de Daniel Halévy, la « loi non écrite » du régime qui écartait du sommet de l'État les hautes classes.

Charles Dupuy fit voter une nouvelle loi contre les « théories anarchistes ». Elle transférait des jurys aux tribunaux correctionnels la « propagande anarchiste par voie de presse ». Les socialistes, la majorité des radicaux, l'extrême droite s'opposèrent, en des débats houleux, à ces mesures « scélérates », adoptées le 27 juillet. L'ensemble fut voté par 269 voix contre 163. Le gouvernement était harcelé par les socialistes et les radicaux dont les leaders Goblet et Brisson multiplient interpellations et questions. Par crainte de perdre des électeurs de gauche, une frange des républicains modérés vote contre le gouvernement et s'efforce de ne pas perdre le contact avec les radicaux. Charles Dupuy succomba à son tour le 14 janvier 1895 aux attaques de Millerand sur l'application des conventions avec les compagnies de chemin de fer.

La crise ministérielle se doubla d'une crise présidentielle ; le 15 janvier, Casimir-Perier démissionnait. Très violemment attaqué par les socialistes pour qui, actionnaire de la Compagnie d'Anzin, petit-fils du ministre de Louis-Philippe, il incarnait le Capital, le président de la République supportait mal cette « campagne de diffamation et d'injures ». Ennemi des radicaux, il vit dans l'échec de Charles Dupuy le signe de la division de la majorité qui l'avait élu à l'Élysée. Surtout, il ne pouvait s'accommoder du rôle dévolu par la pratique à la présidence de la République. Le ministre des Affaires étrangères Hanotaux lui refusait la connaissance des dépêches [1]. Dans le message qu'il adressa aux Chambres, Casimir-Perier dénonça sa situation : « Je ne me résigne pas à comparer le poids des responsabilités morales qui pèsent sur moi et l'impuissance à laquelle je suis condamné. »

La troisième crise présidentielle de l'histoire de la République se termina par l'appel à une personnalité de second plan, conformément à une tradition établie. Au Congrès, le 17, au premier tour, Brisson eut les suffrages des radicaux et des socialistes, les modérés se divisèrent entre deux anciens gambet-

1. J. Reinach, *Histoire de l'Affaire Dreyfus,* t. I, Fasquelle, 1901, p. 554. Reinach était un ami du président de la République.

tistes : Waldeck-Rousseau, élu depuis peu au Sénat après plusieurs années de retraite politique, et Félix Faure, le ministre de la Marine. Waldeck, peu connu des nouveaux députés progressistes, suspect d'autoritarisme, obtint 184 voix, venues surtout du Sénat ; Félix Faure obtint 244 voix. Sa personnalité rassurait. Waldeck se désista. Au second tour, Félix Faure fut élu par 430 voix contre 361 à Brisson avec l'appui de la majorité de la droite. Ne s'était-il pas prononcé contre l'expulsion des princes et n'était-il pas favorable à un rapprochement avec les ralliés ? Une nouvelle majorité se dessinait.

Avant, pourtant, que ne se constitue un gouvernement soutenu par la droite, deux cabinets furent encore nécessaires. Ils levèrent tour à tour l'hypothèque d'un retour à la concentration et celle d'un gouvernement radical. Successeur de Charles Dupuy, Ribot tenta la concentration le 26 janvier 1895 avec un « cabinet d'union républicaine ». Il fit voter des mesures d'amnistie, rompant avec la politique de son prédécesseur. L'adoption d'une loi fiscale taxant les congrégations, dite loi d'abonnement, affaire apparemment de peu d'importance, prit des proportions exceptionnelles. *La Croix,* organe des assomptionnistes, mena une campagne appelant à la résistance. Les « réfractaires » montèrent en épingle cette « persécution » pour démontrer la vanité du ralliement. Attaqué à droite, Ribot ne s'imposa pas à gauche. Il fut renversé le 28 octobre pour avoir refusé la publication d'un rapport sur le scandale d'une compagnie de chemin de fer en Provence. Une nouvelle fois, la collusion entre les affaires et la politique entraînait une crise ministérielle.

Léon Bourgeois forma le 1er novembre 1895 un ministère homogène radical, faute d'avoir le concours de modérés [1]. Il n'avait de majorité à la Chambre qu'avec la tolérance d'une partie des républicains de gouvernement. Au Sénat, il était nettement en minorité. Le gouvernement comportait des figures nouvelles : Paul Doumer, député de l'Aisne, aux Finances, Émile Combes à l'Instruction publique, aux Beaux-Arts et aux Cultes, Gustave Mesureur au Commerce et à l'Industrie. Huit membres du

1. Gabriel Hanotaux, ministre plénipotentiaire, ministre des Affaires étrangères depuis le 30 mai 1894, refuse l'offre de Léon Bourgeois de rester au Quai d'Orsay, sur la pression de ses amis modérés ; cf. *Carnets,* Pedone, 1981.

gouvernement sont francs-maçons [1]. Bien que Bourgeois ajourne la perspective de la séparation et annonce simplement une loi sur les associations préalable à un règlement des relations entre l'Église et l'État, il trouve l'hostilité résolue de la droite catholique. Celle-ci, hormis les rares démocrates chrétiens, n'est pas moins opposée, comme le sont les républicains modérés, à l'impôt sur le revenu, seul point du programme radical que conserve Léon Bourgeois. Il souhaite par une réforme de la fiscalité corriger les inégalités sociales et mettre en œuvre une politique de solidarité dont il esquisse, dans un article de *la Nouvelle Revue* [2] qui eut un grand retentissement, les fondements. Il développe la théorie du quasi-contrat social, pour montrer la dette des privilégiés vis-à-vis des déshérités. L'impôt progressif, les lois d'assurance sociale et de protection ouvrière, l'arbitrage obligatoire sont les revendications qui découlent de cette doctrine. Mesureur, le ministre du Commerce et de l'Industrie, annonça « un socialisme sage, pratique ».

Les projets de réforme fiscale comportant la déclaration du revenu parurent ouvrir la voie à l'inquisition et au collectivisme. Le ministère fit simplement voter par la Chambre le principe de l'impôt sur le revenu. Encore un amendement de l'opposition rejetant la « déclaration globale et la taxation » ne fut-il rejeté que grâce aux voix des ministres. Lors de leur session de printemps, 55 conseils généraux marquèrent leur défaveur à l'encontre du projet, 24 furent favorables avec des réserves [3]. Dès lors, un certain nombre de députés hésitants abandonnèrent le gouvernement. Sans véritable majorité à la Chambre, celui-ci fut contraint à démissionner par l'opposition du Sénat.

Le conflit dura trois mois et posa un problème constitutionnel considérable : le Sénat avait-il le droit de renverser un gouvernement ? La démission de Tirard en 1890, après un vote défavorable du Sénat, avait paru un prétexte et n'avait pas créé de véritable précédent. Léon Bourgeois dans ces conditions ne tint pas compte des votes d'hostilité du Sénat. Celui-ci ajourna alors le vote des crédits destinés à ramener le corps expéditionnaire de Madagas-

1. J. Kayser, *Les Grandes Batailles du radicalisme, op. cit.*, p. 229.
2. Publié ensuite en volume, *Solidarité,* Colin, 1897.
3. *L'Année politique,* 1896.

car. Les présidents des groupes de la majorité du Sénat affirmèrent : « Trois fois le Sénat, à des majorités considérables, a refusé sa confiance au ministère. Cependant, en violation de la loi constitutionnelle, ce ministère s'est maintenu au pouvoir... Nous ne refusons pas les crédits, mais nous ne pouvons pas les accorder au ministère actuel. » Léon Bourgeois démissionna enfin. Sans doute n'avait-il pas de majorité à la Chambre, mais, par son geste, il donnait au Sénat un pouvoir dont celui-ci ne manquerait pas d'user dans la suite de l'histoire de la troisième République, et particulièrement après 1919.

La majorité de centre issue des élections de 1893 trouvait enfin le port. Le 29 avril, Méline, l'ancien ministre de l'Agriculture de Ferry, l'homme de la politique protectionniste, forma un gouvernement homogène modéré. Deux anciens collaborateurs de Ferry figuraient dans le gouvernement : Alfred Rambaud à l'Instruction publique, Gabriel Hanotaux, non parlementaire, ministre plénipotentiaire, aux Affaires étrangères dont il avait déjà détenu le portefeuille du 30 mai 1894 au 1er novembre 1895. Louis Barthou était à l'Intérieur. Le président du Conseil détenait le portefeuille, cher à son cœur, de l'Agriculture. Le gouvernement aurait le soutien de la France des campagnes. Il trouva aussi l'appui du Sénat et, à la Chambre, une majorité étroite, mais fort stable, qui se renforça pendant les vingt-six mois que dura le ministère.

La raison de cette exceptionnelle stabilité est simple : les républicains de gouvernement, sauf le groupe de l'Union progressiste qui s'était rapproché des radicaux, acceptaient la rupture avec la gauche ; bien plus, ils s'accommodaient de l'appui ou de l'abstention favorable de la droite, même non ouvertement ralliée à la République. C'est ainsi que, le 12 mars 1898, lors d'une interpellation sur la politique générale du gouvernement, tous les députés de la droite, sauf une dizaine d'abstentionnistes, votèrent pour le gouvernement qui obtint 295 voix contre 215. Aussi bien, Méline avait-il rejeté « l'anticléricalisme, où il voyait une tactique des radicaux pour tromper la faim des électeurs », et poursuivait-il l'apaisement religieux. Certes, il ne renonça pas à affirmer les droits de l'État en face de l'Église avec qui il eut des conflits mineurs. Il ne mit pas davantage en question les lois laïques, mais il ne poursuivit qu'avec lenteur la laïcisation des écoles publiques, il ferma les yeux sur le retour des congréganistes. Était-ce l'apaisement et l'« esprit nouveau », et l'annonce de la fin des luttes sur la question religieuse ?

5. *Mutations des forces politiques à la fin du siècle*

Face à la majorité modérée, l'opposition de gauche radicale et socialiste se fortifia. Ainsi se profile un rapprochement de grande portée. Le socialisme assure son implantation par la conquête de mairies. Les élections municipales de 1896 sont un succès : Lille, Roubaix, Denain, Dijon, Montluçon, Commentry, Roanne, Limoges, Firminy, Marseille, Toulon, Sète, Carmaux, autant de grandes villes ou de petits centres industriels qui demeurent ou deviennent socialistes. L'heure d'un socialisme municipal a sonné : guesdistes, vaillantistes, broussistes, indépendants pratiquent un réformisme de fait, s'efforçant de développer les services publics communaux, et de recourir à une fiscalité démocratique.

Après ce succès, à l'initiative des républicains socialistes du XIIe arrondissement, dans la circonscription de Millerand, un banquet des municipalités socialistes réunit le 30 mai 1896 tous les leaders du socialisme sauf les allemanistes. Sont présents Brousse, Guesde, Vaillant et les trois députés socialistes indépendants qui ont pris à la Chambre une place considérable, Jaurès, Millerand, Viviani. Millerand s'efforça de dresser les bases d'un programme commun. Il définit le socialisme par la « substitution nécessaire et progressive de la propriété sociale à la propriété capitaliste ». Il imagine donc un passage par étapes au socialisme, les raffineries de sucre lui semblent l'exemple d'une industrie suffisamment concentrée et « mûre dès à présent pour l'appropriation sociale ». Il rassure en revanche les petits propriétaires. La « conquête des pouvoirs publics » se fera par le suffrage universel, les « moyens révolutionnaires » sont écartés. De même que Millerand fond le courant démocratique et le courant socialiste, il ne sépare pas l'affirmation de l'internationalisme de l'attachement à la « patrie française, incomparable instrument de progrès matériel et moral ». Le discours de Saint-Mandé, dont le retentissement fut considérable, ne doit pas être mal interprété : malgré son ton rassurant, il inquiète au plus haut degré la bourgeoisie [1]. Bien que réformiste, il ne trouva pas sur le moment l'opposition des guesdistes. Ceux-ci ne s'orientent-ils pas alors vers une voie parlementaire, voire réformiste [2] ? Un premier pas était fait vers l'unité socialiste, vingt-huit socialistes de la Chambre approuvèrent une déclaration proche du discours de Saint-Mandé. Les allemanistes restèrent à l'écart.

Les propos de Millerand, autant qu'aux socialistes, s'adressaient aux radicaux-socialistes et aux radicaux, alliés indispensables. Ébranlé par la crise boulangiste et l'affaire de Panama, le radicalisme prend alors la figure qu'il va garder jusqu'à la fin du régime. Selon le mot de Daniel Halévy, « le radicalisme moderne va naître ». S'il perd les grandes villes et d'abord Paris, il étend son audience dans la France rurale du Centre et du Sud-Ouest comme l'ont révélé les élections de 1893. Signe de cet enracinement, les radicaux entrent au Sénat. A l'initiative de Combes, sénateur de la Charente, ils forment le groupe de la « Gauche démocratique », dont Ranc, mentor de la République, élu depuis peu dans la Seine, devient le président le 26 octobre 1891. Le groupe se définit comme hostile à la République « ouverte » aux nouveaux ralliés, et favorable aux réformes sociales [3]. Appelé à une longue histoire, il réunit une quarantaine de sénateurs appartenant à la famille radicale.

Celle-ci reste partagée à la Chambre entre une aile qui se proclame « radicale-socialiste » et ne veut pas rompre avec les socialistes et une aile modérée, plus nombreuse, qui correspond à l'ancienne « Gauche radicale » et dont les dénominations varient. Camille Pelletan, qui crée en mars 1892 le « groupe républicain radical-socialiste », et René Goblet incarnent la première tendance. Après les élections de 1893, le groupe va prendre le vieux nom d'« Extrême gauche » sous la présidence de Barodet, avant de se donner définitivement le nom de groupe « radical-socialiste [4] ». Mais une partie de ses adhérents adhère aussi à la

1. P. Sorlin, *Waldeck-Rousseau, op. cit.*, p. 358.
2. C. Willard, *op. cit.*
3. J. Kayser, *op. cit.*
4. Sur tout ceci, voir J. Kayser, *op. cit., passim.*

« Gauche progressiste » qui réunit les radicaux modérés. Tous en effet se retrouvent dans l'anticléricalisme militant et le refus de toute concession à la droite et aux ralliés.

Face aux républicains modérés, qui paraissent trahir la République, les radicaux vont entreprendre un effort nouveau d'organisation, regroupant les fédérations et les comités des départements. En novembre 1894, de jeunes radicaux — René Renoult, un collaborateur de Floquet, Klotz, rédacteur au *Voltaire* —, qui n'ont pas atteint la trentaine, fondent le Comité central d'action républicaine. Patronné par les principales personnalités radicales, Floquet, Brisson, Bourgeois, le Comité se propose une tâche de propagande et d'organisation. Il veut maintenir une liaison entre les comités radicaux dans le pays, les loges maçonniques, la presse locale amie, toutes réalités qui forment le terreau du radicalisme. Le Comité est infiniment plus dynamique que l'Association pour les réformes républicaines, qui réunit des parlementaires à l'initiative du député de la Seine Mesureur. Les deux organisations fusionnent en novembre 1895 en un Comité d'action pour les réformes républicaines. Celui-ci regroupe 70 comités, 53 loges maçonniques, 62 journaux. On est aux origines de la constitution quelques années plus tard, en 1901, du parti radical.

Divisés sur les questions économiques et sociales, les radicaux attaquent Méline sur sa politique religieuse. « L'Église s'infiltre partout », s'écrie Léon Bourgeois à Château-Thierry en 1897. « C'est à Rome qu'aux prochaines élections se dresseront les listes panachées destinées à former à la Chambre une majorité de droite. » La lutte contre le cléricalisme, l'« Internationale noire », est le mot d'ordre que développent, inlassables, les orateurs radicaux. Les loges soutiennent cet effort. La maçonnerie glisse alors de l'opportunisme au radicalisme et le convent de septembre 1897 veut la fin du « gouvernement réactionnaire et clérical ». Henri Brisson décrit les mille formes de l'hydre cléricale : « Ces comités électoraux répandus partout et obéissant au mot d'ordre des Pères de l'Assomption, le journal *la Croix* multipliant ses éditions locales, enrôlant sous sa bannière, avec le clergé des paroisses, toutes les congrégations d'hommes et de femmes et les mille confréries enfantées par l'imagination féconde de l'Église ; les petits fonctionnaires surveillés, espionnés, terrorisés ou embrigadés ; les gros incertains et inquiets [1]. » Bref, l'« esprit nouveau » mène au retour de la Ligue… Discours profondément révélateur de la peur que suscite l'Église catholique et de la crainte d'un retour d'influence des notables vaincus après le 16 mai 1877.

Aussi bien l'anticléricalisme, autant que stratégie politique qui permet l'union des gauches et qu'orientation philosophique, est-il l'expression de l'idéal social du radicalisme : il fonde l'émancipation des petites gens vis-à-vis des notables traditionnels, de la « société », au sein de laquelle, particulièrement en province, l'influence sociale du catholicisme est si considérable. L'anticléricalisme est démocratique et fait peuple. Face à la réaction cléricale, les radicaux revendiquent le retour à la République laïque et militante bien plus qu'ils n'insistent sur l'impôt sur le revenu. La moitié seulement des élus radicaux en 1893 et 1898 le réclament [2]. Un thème demeure présent : celui de la révision de la Constitution : les deux tiers des élus de 1893 la souhaitent. Mais, à mesure de la montée des radicaux au Sénat, cette idée s'affaiblit.

Face au dynamisme radical et socialiste, les « progressistes » sont mal à l'aise. S'ils ont la majorité à la Chambre, leur organisation dans le pays est quasi inexistante. Le Comité national républicain du commerce et de l'industrie [3], fondé en avril 1897, patronné par Deschanel, Jules Siegfried, Poincaré, Waldeck, renforce l'évolution des modérés vers le protectionnisme, suscite brochures et réunions pour défendre le ministère Méline. Mais il s'agit avant tout d'un groupe de pression. Une autre organisation se forme à l'initiative de la *Revue politique et parlementaire,* fondée en 1894 par un ancien professeur de droit, Marcel Fournier, pour donner une doctrine aux « partisans résolus de l'initiative privée ». La revue devient très vite l'organe de réflexion de la République modérée. Fournier, qui s'est assuré de l'appui de Waldeck-Rousseau, crée en 1898 le Grand Cercle républicain, lieu de réunion et secrétariat politique à la fois qui veut, au-delà du monde de la politique et de l'administration, toucher la bourgeoisie du commerce et de l'industrie.

1. Cité par E. Lecanuet, *Les Signes avant-coureurs de la séparation, 1894-1910,* Alcan, 1930, p. 110.
2. Kayser, *Les Grandes Batailles du radicalisme, op. cit.*, p. 202.
3. P. Sorlin, *Waldeck-Rousseau, op. cit.,* p. 363 et 381.

Le Cercle recueillit à peine un millier d'adhésions. La bourgeoisie de province bouda ce regroupement, sauf dans l'Est et le Nord où l'industriel Eugène Motte, le futur vainqueur de Guesde à Roubaix, lui donne son appui. Waldeck-Rousseau, lors de l'inauguration du Cercle le 22 mars 1898, exalta les principes de la Révolution française, face au socialisme. Il invita à « les défendre contre toutes les contre-révolutions, contre-révolutions monarchiques qui finissent, contre-révolutions socialistes qui commencent » et « à ne pas concevoir le progrès en dehors de la liberté [1] ». Mais, ni dans l'élaboration d'un programme, ni dans la mise sur pied d'une organisation, le Grand Cercle républicain ne répondit aux espoirs de Waldeck. Celui-ci souhaitait un « grand parti compact, homogène, ayant des principes supérieurs et constants », mais le centre ne sut constituer cette majorité solide de gouvernement à laquelle aspirait Waldeck, fidèle à la suprême pensée du gambettisme. S'il faut tenir compte du faible goût de cette famille politique pour l'organisation, il convient également d'observer que, dans leurs circonscriptions, nombre de républicains modérés, en butte aux attaques des réactionnaires, ne veulent pas se couper du parti du mouvement, de la gauche. Fidèle à la tradition des opportunistes, Méline disait : « ni la révolution, ni la réaction ». Le soutien de la droite donna à croire à certains de ses amis politiques, sensibles aux campagnes des radicaux, que Méline risquait bien de favoriser la « réaction ».

L'attitude de la droite intransigeante ne pouvait que renforcer cette manière de voir. A la Chambre, la droite conservatrice et les ralliés appuient certes Méline. Mais les catholiques intransigeants voient là un marché de dupes. L'administration, s'indignent-ils, reste sectaire, les lois laïques demeurent « intangibles ». Le gouvernement ne satisfait pas les intérêts catholiques. Il ne s'engage pas non plus, malgré quelques rares mesures, sur la voie des réformes sociales, souhaitées par les démocrates chrétiens et catholiques sociaux. Ainsi le ralliement, effectif à la Chambre, est bien moins visible dans le pays. « Réfractaires », ralliés du bout des lèvres qui n'acceptent et, avec quelles réticences, que le terrain constitutionnel, sans prononcer le mot de République, partisans d'une République chrétienne qui rêvent d'abolir au plus

1. Cité par la *Revue politique et parlementaire,* 1900, p. 337.

tôt les lois scolaires et militaires, démocrates chrétiens qui acceptent la République, mais jugent socialement rétrograde le régime, républicains catholiques qui acceptent à titre d'hypothèse les lois laïques, les catholiques français sont partagés entre plusieurs courants. Mais les plus nombreux sont ceux qui, acceptant tout au plus les institutions, veulent changer la législation et faire l'union des catholiques sur le terrain de la défense religieuse.

L'important groupe de presse animé par les Pères de l'Assomption est à la pointe de la lutte contre le gouvernement. Le réseau des diffuseurs de *la Croix* et de l'hebdomadaire de grand tirage *le Pèlerin* est mis à profit pour donner naissance à une organisation en vue des élections, les comités « Justice-Égalité ». Rien ne pouvait davantage inquiéter les républicains, modérés ou radicaux. La polémique antilaïque véhémente de *la Croix,* sa démagogie sociale anticapitaliste, marquée d'un antisémitisme aux fondements économiques et religieux à la fois [1], les convainquent que l'Église, pour « ressaisir sa domination, se dit républicain et socialiste [2] ».

En vue des élections de 1898, Rome s'efforça de pousser à l'union des catholiques. Jacques Piou était desservi par sa timidité en matière sociale et son passé monarchiste. Léon XIII se tourna vers Étienne Lamy, républicain de toujours. A l'appel de celui-ci, un certain nombre de groupements catholiques, des démocrates chrétiens et des amis de Lamy aux comités Justice-Égalité, formèrent une Fédération électorale. Le programme était un compromis : « Acceptation loyale du terrain constitutionnel, réforme, en ce qu'elles ont de contraire au droit commun et à la liberté, des lois dirigées contre les catholiques, entente avec tous ceux qui veulent un régime de paix, dans la liberté et la justice. » Lamy avait dû composer avec ses alliés les plus puissants : les comités Justice-Égalité. Il engage même des négociations infructueuses avec Méline sur les lois scolaires. Coalition hétérogène, la Fédération électorale éclata rapidement [3].

1. P. Sorlin, *« La Croix » et les Juifs,* Grasset, 1968.
2. Appel du Comité central d'action républicaine, 1894.
3. Cf. E. Lecanuet, *Les Signes avant-coureurs de la séparation, 1894-1910, op. cit.,* et J.-M. Mayeur, *Un prêtre démocrate, l'abbé Lemire,* Casterman, 1968.

L'épisode confirma deux données capitales : l'extraordinaire division des catholiques et l'hostilité du plus grand nombre des catholiques militants (il en était autrement des simples pratiquants ou des catholiques de tradition) aux lois laïques. Dès lors que la République s'identifiait à la laïcité, le ralliement ne pouvait être qu'un échec, les élections de 1898 le confirmèrent. En fait, les initiatives de Léon XIII avaient eu pour conséquence principale de mettre fin aux fidélités monarchiques, faisant désormais de la défense catholique l'un des thèmes majeurs de la droite. Ainsi, conjonction des centres au Parlement, le ralliement se heurtait-il dans le pays à la lutte des blocs jamais assoupie, et à l'hostilité de la droite et de la gauche sur la question religieuse.

6

La « Défense républicaine » et le « Bloc »

De l'avènement de Waldeck-Rousseau en juin 1899 à la chute de Combes en janvier 1905, s'inscrit une période originale de l'histoire de la vie politique sous la troisième République : celle de la Défense républicaine, puis celle du Bloc, après les élections de 1902. Ce sont des années de stabilité gouvernementale, la République se défend, fait « bloc », contre les nationalistes et les « cléricaux » qui, à la faveur de l'Affaire Dreyfus, ont paru menacer le régime. Ce sont des années dominées par les luttes religieuses et les passions anticléricales, qui contrastent aussi bien avec la décennie précédente dominée par la « question sociale » qu'avec les années de l'avant-guerre. Marquer le rôle de l'Affaire Dreyfus dans la vie politique, dire la signification de la Défense républicaine et du Bloc, suivre l'évolution des forces politiques en des années où se constituent des formations appelées à une longue histoire, voilà notre démarche.

1. *Portée de l'Affaire Dreyfus*

Ce que représenta l'Affaire Dreyfus [1], nul peut-être n'a su mieux le dire que Péguy. Dans *Notre Jeunesse* [2], à une dizaine

1. Il faut toujours revenir à ce grand livre d'histoire immédiate qu'est l'*Histoire de l'Affaire Dreyfus* de Joseph Reinach. Depuis, la bibliographie est infinie. On se reportera à l'introduction précise et aiguë de P. Vidal-Naquet à Alfred Dreyfus, *Cinq Années de ma vie (1894-1899)*, Maspero, 1982, et à J.-D. Bredin, *L'Affaire*, Julliard, 1983.
2. *Cahiers de la quinzaine*, 17 juillet 1910.

d'années de distance, il y discerne avec nostalgie le « dernier sursaut » de la mystique républicaine : « Nous ne voulions pas que la France fût constituée en état de péché mortel. » C'est bien une quête mystique de la justice et de la vérité qui pousse les premiers défenseurs de l'innocence du capitaine Dreyfus, Bernard Lazare, Scheurer-Kestner, Joseph Reinach et tant de jeunes intellectuels (le mot, on le sait, naît alors). S'opposent à eux des hommes mus par un autre système de valeurs, fondé sur l'autorité de la chose jugée, l'honneur de l'armée que rien ne saurait mettre en cause, la raison d'État enfin.

L' « Affaire » prend une telle ampleur parce qu'elle se situe à l'aboutissement d'une poussée de fièvre antisémite [1], révélée par le succès du livre de Drumont, *la France juive*, en 1886, attisée après les difficultés économiques. Celle-ci touche aussi bien la gauche, socialiste ou radicale, que la droite catholique. Seuls, somme toute, les milieux véritablement libéraux sont indemnes. Avec l' « Affaire », un débat judiciaire fut porté devant l'opinion, à la faveur du rôle exceptionnel de la presse [2] dans la France de la fin du XIXe siècle. La presse d'opinion se passionna, dans l'un ou l'autre camp. La grande presse, d'abord hésitante, suivit bien souvent son public, passant de l'antidreyfusisme de départ à l'acceptation de la révision. Telle fut l'attitude du *Petit Parisien*, tandis que *le Petit Journal* resta antidreyfusard, et vit une partie de son public l'abandonner.

L' « Affaire », phénomène d'opinion, mais non directement politique, favorisa l'essor d'associations comme les Ligues, aussi bien à gauche qu'à droite. C'est en février 1898 qu'un sénateur de centre gauche, Ludovic Trarieux, crée la Ligue des droits de l'homme et du citoyen [3], rassemblement d'intellectuels, histo-

1. Cf. M.-R. Marrus, *Les Juifs de France à l'époque de l'Affaire Dreyfus*, Calmann-Lévy, 1972, et M. Winock, *op. cit.*

2. Cf. Patrice Boussel, *L'Affaire Dreyfus devant la presse*, et l'article de J. Ponty, « *le Petit Journal* et l'Affaire Dreyfus (1897-1899) », *Revue d'histoire moderne et contemporaine*, octobre-décembre 1977.

3. Sur les débuts de la Ligue, de bonnes pages oubliées dans L. Capéran, *L'Anticléricalisme et l'Affaire Dreyfus, 1897-1899*, Toulouse, 1948. Pour une vue d'ensemble, J. et M. Charlot, « Un rassemblement d'intellectuels : la Ligue des droits de l'homme », *Revue française de science politique*, décembre 1959, p. 995-1028.

riens [1], juristes, hommes de science, attachés à la rigueur dans la quête de la vérité et à la cause du droit. La Ligue créa des comités dans les villes et les bourgs. Ils réunissaient, selon le mot de Thibaudet, les « idéalistes de province », les intellectuels du chef-lieu, professeurs, instituteurs, avocats, médecins, receveurs des Finances, petits fonctionnaires et notables républicains. La Ligue, après le départ de Ludovic Trarieux, remplacé par un socialiste dreyfusard venu du centre gauche, Francis de Pressensé, tint une place considérable dans l'histoire de la gauche, entre les radicaux et les socialistes.

A droite, plus que les ligues antisémites [2] qui ne touchent à Paris ou Lyon que quelques milliers d'extrémistes, parfois venus du blanquisme, plus que la vieille Ligue des patriotes de Déroulède qui a survécu au boulangisme, s'impose la Ligue de la patrie française. Née d'un appel publié le 31 décembre 1898, qui associe des écrivains — François Coppée, Jules Lemaître — à des universitaires, la Ligue est un rassemblement disparate. Elle compte un courant proche de Déroulède, violemment antiparlementaire, « trublion », avec le député de Paris Syveton ou le poète François Coppée, et un courant peu éloigné de Méline avec Jules Lemaître, venu de la Ligue de l'enseignement, ou l'universitaire Louis Dausset, qui fut président du conseil municipal de Paris en 1901. La Ligue de la patrie française, mouvement nationaliste conservateur, mais républicain et légaliste, semble avoir connu un écho considérable dans la bourgeoisie, les classes moyennes, et disposé d'un appui populaire à Paris. Elle aurait eu entre 150 000 et 200 000 adhérents [3].

Mais, lorsqu'elle se plaça sur le terrain électoral, cette nébuleuse se décomposa. Ce fut l'échec aux législatives de 1902. Entre la droite catholique, les républicains modérés antidreyfusards et l'extrême droite antirépublicaine, la Ligue ne put occuper le

1. Cf. M. Rebérioux, « Histoire, historiens et dreyfusisme », *Revue historique*, 1976, 2.

2. Des indications dans Z. Sternhell, *La Droite révolutionnaire en France, 1885-1914, op. cit.*, sur les milieux intellectuels, C. Charle, *La Crise littéraire à l'époque du naturalisme*, Presses de l'ENS, 1979.

3. Cf. J.-P. Rioux, *Nationalisme et conservatisme. La Ligue de la patrie française, 1899-1904*, Beauchesne, 1977, et la thèse de 3e cycle inédite de P. Charpentier de Beauvillé, Paris IV, 1977.

terrain. Aussi bien sa vocation n'était-elle pas d'être un parti ou une organisation politique. Sa véritable signification fut de faciliter le glissement vers une droite nouvelle, républicaine, nationale, d'une partie de l'électorat républicain modéré. A cet égard, le Bloc national de 1919 se situe dans le prolongement de la Ligue de la patrie française, et il n'est pas indifférent que L. Dausset ait été élu président du conseil général de la Seine en 1919.

Cet itinéraire illustre une observation plus générale : l'« Affaire », comme toute crise d'opinion et toute crise de la conscience nationale, suscite reclassements et ruptures. Qu'au départ, elle n'ait guère entraîné l'intérêt des formations politiques, est chose bien connue. L'examen du « Barodet » démontre que rares furent les députés élus en 1898 qui évoquèrent l'Affaire Dreyfus [1]. Bien plus, les familles politiques se divisèrent, des monarchistes et des conservateurs furent dreyfusards, des radicaux-socialistes tel Godefroy Cavaignac antidreyfusards. Rien ne serait plus contraire à la réalité que de souscrire à l'image d'une gauche unanimement dreyfusarde. Les socialistes furent en fait longtemps hésitants, voire hostiles, hormis Millerand [2]. Les radicaux, comme l'atteste l'évolution de *la Dépêche* [3], firent leur la cause de Dreyfus quand la République parut menacée par l'agitation nationaliste, et que la lutte des blocs reprit son intensité. Mais, au départ, comme Léon Blum l'a montré de façon inoubliable dans ses *Souvenirs sur l'Affaire*, ce furent les libéraux, les hommes de centre, attentifs au droit et aux libertés, qui prirent parti.

L'Affaire accéléra un glissement des valeurs nationales et du nationalisme à droite, cependant que, face à la « caste militaire », s'affirmait l'antimilitarisme dans certains courants du socialisme et du syndicalisme, et que les idées pacifistes gagnaient les radicaux. L'engagement des intellectuels, des gens « qui vivent dans les laboratoires et les bibliothèques » selon le mot méprisant de Brunetière, valut au socialisme de nouvelles recrues, fortifiant durablement un socialisme universitaire dans la ligne de Jaurès. D'autre part, l'Affaire Dreyfus et la crise antisémite amenèrent enfin le socialisme français à prendre ses distances vis-à-vis de

1. Les électeurs de Digne ne réélirent pas Joseph Reinach en 1898.
2. L. Derfler, *Alexandre Millerand, The Socialist Years, op. cit.*
3. H. Lerner, *« La Dépêche », journal de la démocratie, op. cit.*

l'antisémitisme. Socialistes nationalistes venus du boulangisme et antisémites rejoignirent alors le camp de la « droite révolutionnaire [1] ».

L'attitude antisémite, sinon du monde catholique officiel, au total prudent, mais de la grande presse catholique, *la Croix* de Paris et les *Croix* de province [2], des militants des organisations catholiques, attisa les passions anticléricales. Malgré le ralliement qui fonda tant de craintes dans la gauche laïque, elles demeuraient vivaces, particulièrement sensibles au progrès de l'enseignement secondaire libre et à l'influence des congrégations. Ainsi l'Affaire Dreyfus contribua-t-elle, sans être déterminante dans cette évolution, à rendre à la question religieuse une place primordiale dans la vie politique. Retour de la « question religieuse », et donc de l'affrontement des blocs, menaces sur le régime du fait de l'agitation nationaliste, l'heure fragile de la « conjonction des centres » s'éloignait une fois encore. Surtout, les républicains de gouvernement unis depuis tant d'années allaient se diviser : ce n'était pas la moindre des conséquences politiques de l'Affaire Dreyfus.

2. *La Défense républicaine*

Les élections législatives des 8 et 22 mai 1898 [3] furent dominées par la vive campagne des radicaux contre le gouvernement « clérical » de Méline. L'abstentionnisme recula de près de 5 points, passant à 23,9 %. Les résultats parurent renforcer les républicains modérés. Les monarchistes reculaient. La progression en voix des radicaux et des socialistes ne se traduisait pas par une poussée en sièges. Les partisans de Méline étaient environ 250 [4]. A nouveau se posait la question des alliances : concentration

1. Selon la dénomination de Z. Sternhell.
2. Cf. notre article « Les catholiques dreyfusards », *Revue historique*, 1979.
3. Les élections prévues pour septembre, comme à l'accoutumée, furent anticipées pour éviter l'incidence toujours fâcheuse des récoltes. Les législatives eurent désormais lieu au printemps.
4. Cf. l'excellente étude de Marcel Fournier, « Après les élections

avec des radicaux ou appoint des ralliés et des conservateurs ? Or, une partie des « progressistes » avait été irritée par l'attitude de la droite intransigeante dans la campagne électorale. Celle-ci, et notamment les comités « Justice-Égalité » de *la Croix*, avait fait campagne contre les membres de la majorité de Méline, entraînant l'échec d'un certain nombre de sortants, dont celle du ministre des Colonies André Lebon. Abandonné par une trentaine de députés hostiles à la poursuite d'une majorité où figure la droite, Méline démissionna le 15 juin 1898.

Henri Brisson forma le 28 juin un gouvernement formé de radicaux et de quelques républicains modérés. Le président du Conseil, qui prit pour lui l'Intérieur, confia les Affaires étrangères à Delcassé qui garda ce département jusqu'en juin 1905. A la Guerre, il nomme un radical avancé, un nom de la République, qui se rapproche des nationalistes, Godefroy Cavaignac. Celui-ci crut démontrer la culpabilité de Dreyfus en produisant le faux, dû au colonel Henry, qui devait démontrer la culpabilité de Dreyfus. Le gouvernement, par trop axé à gauche aux yeux des progressistes, fut emporté par les remous dus à la découverte du faux Henry et démissionna le 26 octobre 1898. Charles Dupuy forma le 1er novembre 1898 un gouvernement de centre dont l'axe est fait des républicains modérés : Freycinet est, une nouvelle fois, à la Guerre, Georges Leygues à l'Instruction publique.

Mais le président du Conseil ne parut pas résister avec suffisamment d'énergie à l'agitation des ligues nationalistes qui commencent à inquiéter le personnel républicain. Indice significatif : c'est Loubet, le président du Sénat, qui est élu le 18 février 1899 président de la République après le décès de Félix Faure. Il a pour lui la gauche de la Chambre et la majorité du Sénat, hostiles à Méline. Celui-ci ne pose pas sa candidature [1]. Loubet obtient 483 voix, 270 voix perdues se portent sur le nom de Méline. Loubet,

---

générales », *Revue politique et parlementaire*, juin 1898, p. 489-511. Radicaux et radicaux-socialistes gagnaient plus de 300 000 voix, les socialistes environ 200 000, ils obtenaient respectivement environ 170 et 50 élus. Les républicains de gouvernement obtiennent comme en 1893 environ 3 200 000 suffrages.

1. Cf. P. Sorlin, *Waldeck-Rousseau, op. cit.*, essentiel sur toute cette crise.

qui avait été président du Conseil lors de la crise de Panama, fut conspué par les ligues à son retour de Versailles au cri de « Panama premier ». Le 23 février, Déroulède tenta une « journée ». Il ne fut pas suivi, mais fit naître la peur d'un « coup de force ». Le gouvernement Dupuy, intervenant dans la révision du procès Dreyfus, inquiète les républicains en déposant le projet de dessaisissement de la Chambre criminelle au profit de la Cour de cassation toutes chambres réunies. La Chambre criminelle est supposée en effet favorable à Dreyfus. Atteinte supplémentaire aux règles libérales : le projet, contrairement à la règle de la non-rétroactivité des lois, doit être applicable aux instances en cours.

La Chambre vota le projet le 10 février, malgré une vive résistance. Poincaré, Jonnart, Barthou n'hésitent pas à signer un manifeste avec Léon Bourgeois, Millerand, Pelletan. Au Sénat, le vieux sénateur inamovible du Centre gauche, René Bérenger, condamne le projet. Waldeck le 28 février se place sur le terrain politique. Il dénonce le péril des ligues, « l'aurore de l'anarchie (...) Le complot matériel n'est nulle part, mais la conspiration morale est partout », ajoutant : « on voit se répandre une sorte de résignation du pays, où ceux qui veulent rester libres semblent n'être plus assez défendus ». Propos qui stigmatisent le gouvernement et qui disent l'inquiétude profonde des hommes attachés à la République et au droit. Les incidents se multiplient : acquittement de Déroulède le 31 mai par la cour d'assises, réception le 1er juin par les nationalistes du commandant Marchand, héros de Fachoda, coup de canne du baron Cristiani au président de la République à Auteuil le 5 juin. Le 12, Charles Dupuy, emporté par la crise nationaliste, démissionnait, après avoir été mis en minorité.

La crise qui conduit à la formation du gouvernement Waldeck-Rousseau et à la naissance, un an après les élections modérées, d'une majorité nouvelle de « Défense républicaine » dura dix jours. Loubet appelle d'abord Poincaré qui, prudent, se réserve, avant de se tourner vers Waldeck. Celui-ci, d'emblée, songe, pour mettre l'armée au pas, à confier la Guerre au général de Galliffet, lié au monde gambettiste, à la retraite depuis 1895. Il trouve en revanche des difficultés avec les modérés de la Chambre et notamment Poincaré. Le 19, il renonce, mais c'est pour être plus sûrement rappelé le 22 et former aussitôt le gouvernement [1].

Celui-ci va établir un record de durée : presque trois années. Il associe à des républicains de gauche, qui ont choisi la Défense républicaine et qui sont l'axe du gouvernement, trois radicaux-socialistes et un socialiste, Alexandre Millerand, au Commerce et à l'Industrie [2]. Sa désignation aux côtés de Galliffet fit scandale lors de la présentation du gouvernement, mais entraîna moins de remous dans le monde socialiste qu'on ne l'a parfois dit. Le président du Conseil s'est réservé l'Intérieur et les Cultes, un sénateur, Monis, est à la Justice. Un jeune député de la Sarthe, inspecteur des Finances, fils d'un ministre de Mac-Mahon, Joseph Caillaux, âgé de trente-huit ans, est ministre des Finances. Seuls deux ministres sur onze figuraient dans le gouvernement précédent, Delcassé et Leygues.

Waldeck a fait preuve d'autorité en constituant le gouvernement, menant seul les négociations, demandant une réponse immédiate, refusant tout dosage. A peine installé, le président du Conseil rappelle à la préfecture de police Lépine [3], mute hauts magistrats et généraux. Galliffet adresse une circulaire à l'armée qu'émaille la formule : « Silence dans les rangs. » Le 26, la lecture de la déclaration du gouvernement amène un vote favorable sans débat du Sénat : sur 203 votants, 178 sont favorables (contre 25) à un ordre du jour comptant sur la « vigilance et la fermeté du gouvernement pour défendre les institutions républicaines [4] ». Ne prennent pas part au vote 85 sénateurs, dont des pères fondateurs de la République, depuis des années au Centre droit, comme de Marcère et Wallon. Ils refusent ainsi de marquer leur hostilité à la « Défense républicaine ». Le Sénat faisait bon accueil à un président du Conseil issu de ses rangs et attaché au libéralisme.

A la Chambre, la séance fut autrement difficile. Les modérés sont hostiles à la présence de Millerand, les radicaux jugent leur

1. Sur tout ceci, P. Sorlin, *Waldeck-Rousseau, op. cit.*
2. Le gouvernement compte un seul sous-secrétaire d'État, nommé le 24 juin aux Postes et Télégraphes, Léon Mougeot, qui figurait déjà dans les cabinets Brisson et Dupuy.
3. Cf. L. Lépine, *Mes souvenirs*, Payot, 1929.
4. Débats parlementaires, Sénat, *Journal officiel*, 27 juin 1899.

place dans le gouvernement insuffisante et les radicaux de tendance « nationaliste » sont défavorables. Une partie des socialistes et des nationalistes venus de l'extrême gauche crient « vive la Commune » à l'intention de Galliffet, qui avait été associé à la répression. L'attitude des radicaux et des modérés fut déterminante. Deux hommes, a rappelé Joseph Reinach en des pages inoubliables, sauvèrent la partie, « également républicains et convaincus également de l'innocence de Dreyfus [1] ». Brisson « éleva les bras dans un appel où les initiés reconnurent le signe maçonnique de détresse » et entraîna le gros des radicaux. Le grand bourgeois catholique lyonnais Édouard Aynard ne prit pas la parole, mais « arracha à Méline, un par un, près de la moitié des modérés ».

L'ordre du jour de confiance fut adopté par 262 voix (dont celle de l'orléaniste Conrad de Witt, gendre de Guizot) contre 237. A la droite, aux nationalistes, aux amis de Méline, s'étaient joints une trentaine de radicaux proches des nationalistes. Dans les 62 abstentionnistes, on comptait 20 socialistes, 13 radicaux dont Pelletan, 29 modérés dont Ribot et Barthou. Comme Drumont l'observait par la suite dans *la Libre Parole*, il aurait suffi du déplacement d'une douzaine de voix pour renverser Waldeck, ajoutant : « Aynard les lui a données [2]. » Une majorité nouvelle est née : elle va de la majorité des socialistes que Waldeck fait entrer dans le système à une partie des républicains modérés. Contrairement à ce qui est parfois écrit, elle n'a pas pour axe les radicaux, au départ bien réticents [3], mais ces républicains modérés qui font passer la défense du régime avant la peur sociale et la crainte du socialisme. Se séparant ainsi des amis de Méline, ils vont donner naissance à l'Alliance démocratique. Le gouvernement du centre a vécu. Une fois encore, la gauche fait bloc pour sauver le régime.

Nul n'a mieux exprimé ce tournant que Célestin Jonnart, le

1. Joseph Reinach, *Histoire de l'Affaire Dreyfus, op. cit.*, t. V, p. 193. Lépine s'était porté garant de Waldeck auprès d'Aynard, gendre de Jonnart. *Mes Souvenirs, op. cit.*, p. 237.

2. 11 mars 1902.

3. Faut-il redire le mot de Waldeck à Lépine sur son lit de mort : « Vous direz, n'est-ce pas, que je n'ai jamais été ni socialiste ni radical » (*op. cit.*, p. 240).

gendre d'Aynard, alors député du Pas-de-Calais. Dans une lettre au directeur de la *Revue politique et parlementaire*, il dénonce les adversaires renouvelés de la République : « La coalition sans nom et sans drapeau que nous avons connue au 16 mai, retrouvée debout en 1889, nous conviait dans ce siècle finissant à de nouvelles guerres de race et de religion », formule qui vise les antisémites. Il justifie son choix face aux critiques de ses amis politiques par la formule célèbre qu'il faut citer dans son intégralité : « Modéré, libéral, oui, je l'ai toujours été, je le suis toujours, mais non pas modérément républicain. » Face aux attaques contre « la forme du gouvernement » et « les plus précieuses conquêtes de l'esprit moderne », il « n'hésite pas à rallier le gros de l'armée », ne demandant « à ceux qui tiennent le drapeau que d'être républicains », c'est-à-dire « partisans résolus, irréductibles de la liberté d'examen et de la prédominance du pouvoir civil [1] ». Comme en 1877 du Centre gauche aux radicaux, l'unité des républicains se fait à nouveau, cette fois d'une partie des « républicains de gouvernement » aux socialistes, contre le cléricalisme et la mise en cause de la République parlementaire. Une fois encore, l'idéologie prime les clivages fondés sur les antagonismes de classe.

Waldeck mit au pas l'armée et l'agitation nationaliste. Il fit poursuivre la congrégation non autorisée des assomptionnistes, propriétaire de *la Croix*. Surtout, il fit voter en juillet 1901 la loi sur les associations, aboutissement d'une vieille revendication libérale. Mais le titre III soumettait à un régime d'autorisation les congrégations non autorisées. L'application de la loi par laquelle Waldeck voulait parvenir à un « concordat des congrégations », mais que la gauche orienta dans un sens hostile aux congrégations, s'engageait à peine quand Waldeck quitta le pouvoir. Face aux grèves, il s'efforça de développer l'arbitrage dans le règlement des conflits sociaux et d'étendre la législation du travail, fidèle en cela à l'héritage de Gambetta et aux vœux des socialistes réformistes.

Affirmant son autorité sur ses ministres d'une manière inhabituelle [2], fortifié à la Chambre par les attaques très vives des

1. « La politique républicaine, liberté et responsabilité », *Revue politique et parlementaire*, 10 décembre 1899, p. 477-487.

2. « Tout ce qui concerne la politique du cabinet appartient au président

nationalistes, qui l'emportent à Paris aux municipales de 1900, et de la droite catholique, Waldeck vit sa majorité lui demeurer fidèle, voire s'accroître [1]. Il sut avec son autorité hautaine respecter dans sa politique un équilibre [2] qui lui valut de ne pas perdre ses divers soutiens.

Les élections de 1902 se firent sur la « question religieuse », pour ou contre la loi de 1901 sur les associations. L'abstentionnisme recule de 23,9 % en 1898 à 20,8 %, signe de politisation intense ; au premier tour, l'écart entre les deux camps ne dépassa pas, au témoignage des observateurs contemporains, 300 000 voix sur 11 058 702 électeurs inscrits, soit 2,27 %. La lutte des deux blocs [3] s'affirmait plus que jamais. Le mode de scrutin et le jeu de la discipline républicaine du second tour valurent à la gauche du « Bloc » environ 350 sièges pour 250 à l'opposition. A ses bastions de l'Ouest normand et armoricain, du sud-est du Massif central, s'ajoutait le Nord-Est qui suivait Méline. Le Nord, la Champagne, la France du Sud-Est et du Centre, le Midi aquitain et méditerranéen votaient pour le Bloc.

Dans la coalition de gauche [4], les socialistes demeuraient 48, les représentants de la famille radicale, les vrais vainqueurs du

---

du Conseil et à lui seul », affirme-t-il au conseil selon le secrétaire général de l'Élysée Combarieu, cité par P. Sorlin, *op. cit.*, p. 405.

1. Le 28 juin 1901, la loi des associations est approuvée par 305 voix contre 225.

2. C'est ainsi qu'il met fin à la crise dreyfusienne après le procès de Rennes par la grâce du condamné de l'île du Diable, mais il fait voter l'amnistie pour les infractions commises à l'occasion de l'Affaire Dreyfus, le 27 décembre 1900, donnant ainsi satisfaction à l'armée.

3. Les résultats donnés habituellement des élections de 1902 suivent le tableau de M. Duverger (*Constitution et documents politiques*, p. 282) qui reprend les indications du livre de P.G. La Chesnais, *La Représentation proportionnelle et les partis politiques*, 1904, p. 56. Celui-ci a l'inconvénient majeur de regrouper les « républicains » favorables et hostiles à Waldeck, on le reproduit cependant en l'absence d'étude. Sur 8 412 727 votes « dont il a été tenu compte », compte tenu des inclassables, on a : socialistes révolutionnaires (guesdistes et vaillantistes), 344 445 ; socialistes, 531 087 ; radicaux-socialistes, 853 140 ; radicaux, 1 413 931 ; républicains, 2 501 429 ; libéraux, 385 615 ; nationalistes, 1 194 900 ; réactionnaires, 1 188 180. Ces chiffres majorent le poids des nationalistes et ne distinguent pas les républicains hostiles ou favorables au Bloc.

4. On suit ici les estimations différentes mais convergentes données par Seignobos, *l'Année politique, l'Annuaire du Parlement* (1902).

scrutin, plus de 200, les amis de Waldeck étaient moins d'une centaine. L'opposition comprenait au centre droit les « progressistes », derrière Ribot (127), les ralliés, désormais regroupés à l'Action libérale populaire (35), les nationalistes (43), les conservateurs de tradition monarchiste (41).

Le 1er juin, Léon Bourgeois fut élu président de la Chambre par 303 voix contre 267 à Deschanel, chiffre qui majore quelque peu l'importance de l'opposition, car certains membres du Bloc votèrent pour le député d'Eure-et-Loir ou s'abstinrent. Waldeck-Rousseau démissionna le 4 juin, convaincu que les élections imposaient un gouvernement dirigé par un radical : « ils sont trop », avait-il dit au soir des élections. Il est aussi soucieux, comme l'a suggéré Pierre Sorlin, de prendre du champ pour préparer son élection à la présidence de la République. Loubet appela Émile Combes. Le parti radical devenait, enfin, un parti de gouvernement.

3. *Le Bloc*

Ancien séminariste devenu médecin, ardemment anticlérical, venu à la politique au terme de longues luttes avec les bonapartistes dans la Charente, ministre de l'Instruction publique de Léon Bourgeois, président de la Gauche démocratique du sénat, Combes forma un gouvernement dominé par les radicaux : ils sont six sur onze ministres [1]. Les républicains de gouvernement sont en minorité : Delcassé garde les Affaires étrangères à la demande du président de la République [2]. Rouvier, la victime du Panama, est aux Finances, effectuant un remarquable retour vers la carrière gouvernementale. Avec lui, Combes a voulu rassurer : « Il me fallait un ministre des Finances assez bien vu de la haute banque et des capitalistes pour les prémunir contre des frayeurs excessives, et aussi assez large d'idées pour consentir à inaugurer

1. Un seul sous-secrétariat d'État, aux Postes et Télégraphes.

2. « J'ai un seul désir, un seul, à vous soumettre. Je suis avec beaucoup d'attention la politique étrangère et je me suis habitué à Delcassé. Laissez-le moi, vous me ferez plaisir », dit Loubet ; (Émile Combes, *Mon ministère*, p. 23).

une politique de réformes fiscales [1]. » En fait, Rouvier va « enterrer » l'impôt sur le revenu. Un sénateur proche de Waldeck est à l'Instruction publique : Joseph Chaumié. A la Guerre, Combes conserve le général André, de sympathie radicale, qui avait remplacé Galliffet démissionnaire le 29 mai 1900. Les radicaux tiennent l'Intérieur et les Cultes avec Combes, l'Agriculture avec Mougeot, les Colonies avec Gaston Doumergue.

Le gouvernement ne compte pas de ministre socialiste, à la fois parce que la participation à un gouvernement bourgeois est de plus en plus contestée maintenant que s'éloigne la nécessité de la Défense républicaine, et parce que l'appoint socialiste, vu le résultat des élections, n'est plus nécessaire comme en 1899. Mais les socialistes, absents du gouvernement, vont faire partie de la majorité du Bloc. Les guesdistes et les vaillantistes eux-mêmes ne font jamais défaut lors des scrutins importants. Les amis de Jaurès sont pleinement intégrés à la majorité, par le biais de la « Délégation des gauches ».

Combes vit en celle-ci « le rouage essentiel de son ministère [2] ». Elle est formée de délégués élus par chaque groupe de la majorité gouvernementale, proportionnellement à son importance. Ces groupes sont l'Union démocratique, qui réunit les républicains modérés du Bloc, les radicaux, les radicaux-socialistes, les socialistes jaurésiens du parti socialiste français. Usurpation sur les traditionnelles prérogatives du Parlement, cette instance revient à faire du gouvernement l'agent fidèle de la majorité et contribue à rapprocher le régime d'un régime d'assemblée [3]. Au sein de la Délégation des gauches, Jaurès joua un rôle considérable, apparaissant comme le « saint Jean Bouche-d'Or » de la majorité combiste.

Fondé sur l'organisation de la majorité gouvernementale au Parlement, le système de gouvernement, que ses adversaires vont dénommer le combisme [4], s'appuie dans le pays sur un recours inégalé aux pressions administratives et sur le réseau des comités

1. *Ibid.*
2. *Ibid.*, p. 228.
3. Cf. les remarques de F. Goguel dans son cours à l'Institut d'études politiques.
4. Cf. notamment l'ouvrage polémique de Géraud-Bastet, *M. Combes et les siens*, 1904.

radicaux et des « délégués ». Dans une circulaire aux préfets, dès son arrivée au pouvoir, le 20 juin, Combes, dont le propre fils est secrétaire général du ministère de l'Intérieur, enjoint aux préfets d'exercer « une action politique sur tous les services publics ». Illustrant à sa manière la maxime volontiers prêtée aux radicaux, « la justice pour tout le monde et les places pour les amis », il poursuivait : « Si, dans votre administration, vous devez la justice à tous, sans distinction d'opinion ou de parti, votre devoir vous commande de réserver les faveurs dont vous disposerez seulement à ceux de vos administrés qui ont donné des preuves non équivoques de fidélité aux institutions républicaines [1]. »

La pratique n'était pas neuve, mais elle dépassa les limites habituelles. Surtout, la fidélité aux institutions républicaines, une fois qu'une partie des républicains était dans l'opposition, revenait à désigner le dévouement au gouvernement en place. Dès lors que tous ceux « qui détiennent ou aspirent à détenir une parcelle de la puissance publique [2] » doivent présenter cette garantie de fidélité, les préfets sont invités à se munir du maximum de renseignements. Là encore, la chose n'était guère nouvelle. Allait plus loin en revanche l'invite faite aux préfets de puiser les renseignements auprès de personnalités « choisies comme délégués ou correspondants administratifs en raison de leur autorité morale et de leur attachement à la République [3] ». Combes définissait le « délégué » comme le « notable de la commune qui est investi de la confiance des républicains et qui à ce titre les représente auprès du gouvernement quand le maire est réactionnaire [4] ». En fait, il s'agit d'un représentant du comité radical, ou de la société de libre pensée, ou de la loge maçonnique ou de la Ligue des droits de l'homme, pleinement acquise au combisme [5], au risque d'oublier les principes qui présidèrent à son origine. C'est donc bien un véritable réseau de militants qui encadre le pays, et apporte son soutien à la politique de Combes.

Celle-ci est dominée par la lutte contre l'Église : proscription

1. Cité par *l'Année politique*, 1902.
2. Circulaire aux préfets du 18 novembre 1904, *ibid.*, p. 447.
3. *Ibid.*, p. 442.
4. Combes au Parlement le 19 novembre, *ibid.*
5. Des libéraux comme Ludovic Trarieux et Joseph Reinach l'abandonnent alors.

des congrégations, qui se voient refuser les autorisations prévues par la loi de 1901 [1], interdiction de l'enseignement aux congréganistes, conflit avec Rome qui mène Combes, favorable au départ à une application stricte du concordat, à déposer en novembre 1904, après la rupture des relations diplomatiques avec le Saint-Siège, un projet de loi de séparation des Églises et de l'État. Dans cette « campagne laïque [2] », Combes trouve dans une partie du pays un incontestable écho qu'attestent les manifestations populaires lors des voyages du président du Conseil en province et les envois de pétitions [3] de soutien au gouvernement. Un petit peuple anticlérical et libre penseur, petit-bourgeois mais aussi ouvrier, se retrouve derrière le président du Conseil, incarnation d'une France démocratique, ennemie des autorités sociales. Le philosophe Émile Chartier, Alain, si représentatif, voyait dans Camille Pelletan, le ministre de la Marine, honni des amiraux, mais incarnation de la gauche pour *la Dépêche* de Toulouse, le ministre selon son cœur.

La politique antireligieuse entraîna des manifestations de protestation ; des officiers donnèrent leur démission pour ne pas prendre part à l'expulsion des congrégations, ainsi du commandant Le Roy-Ladurie. Mais, pas plus qu'au temps de Ferry, l'opposition catholique ne gêna véritablement le gouvernement. Plus grave fut pour lui l'effritement de sa majorité. Elle ne garda pas la cohésion de celle de Waldeck, malgré la Délégation des gauches dont l'autorité fut bientôt contestée. A l'Union démocratique, d'anciens ministres de Waldeck comme Georges Leygues marquent de plus en plus leurs réserves vis-à-vis des méthodes et de la politique de Combes. Des radicaux modérés, animés par Paul Doumer, ancien gouverneur général de l'Indochine, député de l'Aisne, jugent que Combes donne trop de gages aux socialistes, et dénoncent ses « procédés bonapartistes [4] ». L'ancien minis-

1. Le meilleur ouvrage demeure celui de L. Capéran, *L'Invasion laïque de l'avènement de Combes au vote de la séparation*, Desclée, 1935.

2. C'est le titre des discours du président du Conseil édités avec une préface d'Anatole France.

3. Cf. l'article de Gérald Baal, « Combes et la République des comités », *Revue d'histoire moderne et contemporaine*, avril-juin 1977.

4. Doumer, président de la commission du Budget, demande de réduire les fonds secrets du ministère de l'Intérieur, « budget de la corruption ».

tre socialiste de Waldeck, Millerand, s'en prend à l'absence de réformes sociales et aux « pratiques abjectes » du président du Conseil [1]. Le soutien sans faille par Jaurès de la politique gouvernementale fonde les attaques de Guesde et de Vaillant. Surtout, le congrès de l'Internationale à Amsterdam en août 1904, scellant le débat sur le « cas Millerand », condamne la participation à un gouvernement bourgeois. La présence des socialistes dans la majorité est désormais mise en question.

C'est dans ce climat qu'éclate l'« affaire des fiches ». Le 28 octobre 1904, l'interpellation du député nationaliste de la Seine Guyot de Villeneuve [2] révèle que depuis 1901 un proche collaborateur du général André prenait avis du Grand Orient, renseigné par ses loges, lors des nominations d'officiers. Malgré la mise en garde de Jaurès qui vola au secours de Combes, refusant que le parti républicain livre le pays « aux césariens d'aventure », l'ordre du jour ne fut adopté que par 294 voix contre 263. Une trentaine de « ministériels » abandonnaient le gouvernement.

Un manifeste du Conseil de l'ordre du Grand Orient justifia celui-ci d'avoir fait son devoir, et dénonça les républicains qui avaient refusé de « faire bloc contre la réaction déchaînée [3] ». Cependant, *le Figaro, l'Écho de Paris, le Gaulois* publiaient les fameuses fiches du Grand Orient [4]. Un nouveau débat eut lieu le 4 novembre. Combes blâma les procédés, qu'il dit avoir ignorés. L'ordre du jour issu de la Délégation des gauches obtint difficilement 285 voix contre 276. Le nationaliste Syveton [5] gifla le général André, sauvant ainsi temporairement le gouvernement. Le 15 novembre, le général André démissionnait, étranglé par les « muets du sérail », selon le mot de Clemenceau [6]. Il fut remplacé

La majorité des socialistes votent les crédits ; *Année politique*, 1904, p. 441.

1. *Ibid.*, 9 décembre ; Millerand lui aussi évoque le souvenir du second Empire.
2. *L'Année politique* reproduit les principaux discours, *ibid.*, p. 347-396.
3. Cité par *l'Année politique*, 1904.
4. Le secrétaire adjoint du Grand Orient Bidegain est responsable de la communication des documents.
5. Personnage trouble, il se suicide le 8 décembre.
6. *L'Aurore*, le 14 novembre.

par un député radical-socialiste de Seine-et-Oise, riche agent de change, Maurice Berteaux.

En fait, le gouvernement était aux abois. Le 10 janvier 1905, Doumer était élu président de la Chambre contre Ferdinand Buisson par 265 voix contre 240. Combes annonça son intention de faire passer à la discussion des projets de loi sur la séparation, les retraites ouvrières, l'impôt sur le revenu. Il obtint sur ce programme 287 voix contre 281, liant ainsi en quelque manière son successeur, puis, le 18 janvier, il démissionnait, « traqué, disait-il, depuis dix-huit mois, par une coalition d'ambitions impatientes et de haines cléricales ou nationalistes [1] ». Il considérait que le dernier vote de la Chambre faisait de son programme « une loi pour le gouvernement de demain ». En fait, après lui se ferait un reclassement vers le centre avec Rouvier mais, ultime succès de la majorité combiste, aucun de ceux qui avaient voté contre Combes, dissidents ou progressistes, n'entra dans le nouveau gouvernement.

Avec la chute de Combes prenait fin une période où les conflits idéologiques et les divisions des Français avaient atteint une acuité exceptionnelle. La primauté de la lutte des blocs, les qualités d'homme d'État de Waldeck, le rôle de la Délégation des gauches sous Combes expliquent l'absence de crises gouvernementales et la stabilité au long de deux gouvernements, pendant plus de cinq ans et demi, chose inouïe dans toute l'histoire du régime.

1. *L'Année politique*, 1905, p. 17.

7

Les forces politiques et leur géographie au début du siècle

1. *Les forces*

Le début du XXe siècle vit la naissance de véritables partis et des mutations dans le style de la vie politique. La physionomie des partis se modifie à la faveur de la loi sur les associations de 1901. Elle offre un cadre juridique à leur activité, alors que l'ensemble de la société française est traversée par un mouvement d'essor des associations qui rompt avec l'individualisme du XIXe siècle. Cette évolution vers l'organisation est sensible à l'extrême gauche, à gauche, au centre, mais aussi à droite.

Ni la droite conservatrice de tradition monarchiste, forte, surtout dans l'Ouest, d'un réseau de fidélités et de clientèles, ni la droite nationaliste, qui ne parvint pas à passer de l'effervescence des ligues, phénomène largement parisien, à la création d'un parti, n'appellent à ce propos de longs commentaires. En revanche, il faut s'attarder sur le parti issu du groupe des ralliés, l'Action libérale populaire. C'est le 5 juillet 1901 que Jacques Piou, l'ancien fondateur de la Droite républicaine, exposa le programme du groupe parlementaire de l'Action libérale. Celui-ci donna naissance, après les élections de 1902, à un parti : l'Action libérale populaire [1]. L'ajout de l'adjectif populaire marquait que

1. Ses statuts sont déposés le 17 mai 1902. Ce parti reste mal connu. Beaucoup d'indications dans l'ouvrage d'un de ses dirigeants : E. Flornoy, *La Lutte pour l'association. L'Action libérale populaire, 1907*. On se reportera aussi à B.F Martin, « The Creation of the Action Libérale

cette formation voulait s'ouvrir aux préoccupations du catholicisme social. Elle attire à elle nombre de militants et de dirigeants de l'Association catholique de la jeunesse française. Ce mouvement de jeunesse, fondé en 1884, avait évolué vers l'acceptation de la République et le réformisme social. Henry Reverdy, Henri Bazire, Joseph Denais, Jean Lerolle entrent à l'ALP. Mais elle comptait aussi en son sein des conservateurs libéraux, tels Jean Plichon, député de Bailleul, qui étaient liés au patronat catholique conservateur du Nord. L'unité du parti, qui ne se voulait pas confessionnel, réside dans la défense des libertés religieuses face à la politique anticléricale. Le nouveau parti s'efforça de se doter d'une véritable organisation en se donnant pour modèle le Centre allemand. Il trouva souvent le soutien du clergé et des organisations catholiques. Cette force, qui lui valut d'atteindre 250 000 adhérents et de compter 2 000 comités dans le pays [1], fit aussi sa faiblesse.

Les catholiques intransigeants lui reprochèrent sa dénomination libérale et son refus d'une véritable politique confessionnelle. Ainsi, le parti souffrit des luttes internes du catholicisme français. Pie X, pape en 1903, parut, au long des années, marquer une sympathie croissante aux adversaires de l'ALP, ce qui nuisit à son essor. A l'inverse, les petits groupes catholiques républicains et démocrates de la démocratie chrétienne ou du Sillon de Marc Sangnier jugèrent que l'ALP était localement liée au vieux monde conservateur. Enfin, les républicains modérés entrés dans l'opposition à Combes, les « progressistes » de la Fédération républicaine, jugèrent l'ALP « cléricale », épithète toujours compromettante dans la vie politique française.

Aussi le parti, après un départ rapide, s'essouffla-t-il. Le groupe parlementaire oscilla jusqu'en 1914 entre vingt et trente élus du Nord, de l'Ouest, des terres de chrétienté du Massif central. Cependant, l'existence du parti de Jacques Piou se prolongea jusqu'en 1919, lors des élections du Bloc national.

Au long de ses congrès, l'ALP mena à bien un effort de réflexion important, souvent méconnu, dont on retrouva les traces

---

Populaire as Exemple of Party Formation in Third Republic's France », *French Historical Studies*, 1976, p. 660-689.

1. J. Piou, *Le Ralliement, son histoire*, Spes, 1928, p. 92.

après la guerre aussi bien au parti démocrate populaire que dans les divers courants de réforme de l'État. Elle demanda les trois RP : la représentation proportionnelle en matière électorale, la répartition proportionnelle scolaire ou « bon scolaire » (aide aux pères de famille qui envoyaient leurs enfants à l'école libre), la représentation professionnelle enfin. Reprenant les idées des catholiques sociaux, elle voyait en effet dans l'organisation professionnelle, dans la « profession organisée », le fondement à la fois des réformes sociales et des réformes politiques. Elle défendit à son congrès de 1909 l'idée d'un Sénat professionnel, lui-même issu de conseils régionaux élus par les membres de la profession. L'organisation et la représentation professionnelles sont une des propositions de réformes constitutionnelles formulées au congrès de 1906.

L'ALP est en outre favorable à l'institution d'une Cour suprême, garantie contre des lois qui portent atteinte aux libertés, demande l'élection du chef de l'État par un collège élargi [1], afin de lui rendre une autorité, elle demande le recours au référendum, garantis là encore contre la loi votée par le Parlement. Ainsi, à la démocratie représentative, l'ALP oppose la représentation professionnelle venue du catholicisme social, et le recours au verdict populaire que défendait, d'autre part, la droite bonapartiste et nationaliste. Dans le groupe parlementaire figurent du reste d'anciens bonapartistes — le baron de Mackau, le baron Amédée Reille, Jules Dansette, Jules Delafosse —, des nationalistes comme le commandant Driant, le gendre de Boulanger.

Famille politique modeste et pourtant diverse, la démocratie chrétienne ne s'identifie pas à l'ALP, même si des démocrates chrétiens sont dans le parti de Piou. La Ligue de la jeune République, fondée par Marc Sangnier en 1911, après la condamnation du mouvement du Sillon par le pape Pie X, réunit l'aile gauche des démocrates d'inspiration chrétienne. Les « jeunes républicains » veulent une « République nouvelle » fondée sur le référendum, avec une Chambre des intérêts, un réformisme social à base de coopération et de participation. D'autre part, des petits

1. Elle ne va pas jusqu'à l'élection du président de la République au suffrage universel qu'envisagent Déroulède (cf. le discours de 1910 cité par Z. Sternhell, *La Droite révolutionnaire en France, 1885-1914, op. cit.*, p. 92) ou certains bonapartistes.

groupes de « démocrates », de « républicains démocrates » font vivre, dans le Nord et en Bretagne surtout, le flambeau allumé à la fin du siècle. Mais la conjoncture romaine, et la conjoncture politique française ne sont guère favorables à ces initiatives, qui témoignent pourtant de virtualités.

Une frontière parfois subtile, mais bien réelle, sépare l'ALP de la Fédération républicaine [1] fondée en novembre 1903 au congrès présidé par un industriel, député de Roubaix, Eugène Motte. Celle-ci réunit les progressistes, amis de Méline et de Ribot qui, lors de l'Affaire Dreyfus, et de la « Défense républicaine », sont entrés dans l'opposition. Ils représentent une droite nouvelle, pleinement républicaine et qui n'a jamais eu à se poser la question du ralliement, profondément attachée à la République parlementaire — ce qui n'est pas toujours le cas à l'ALP ou dans la droite monarchiste —, socialement conservatrice, moins ouverte à certaines réformes sociales que l'ALP, patriote, ennemie de la politique anticléricale sectaire mais défiante vis-à-vis du cléricalisme. Ces républicains libéraux constituent la principale force d'opposition parlementaire au temps du Bloc et dans les années suivantes.

La Fédération républicaine est présidée de 1906 à 1911 par Joseph Thierry, ministre de Barthou en 1913. Elle a une organisation lâche. Comme l'écrivait un de ses membres, le député d'Ille-et-Vilaine Alexandre Lefas, à Louis Marin : « Il est insipide de dépendre d'un agent local ou d'un comité local [2]. » Louis Marin lui-même qui, après la guerre, présida le parti, en reste indépendant à ses débuts, lorsqu'il devient député de Meurthe-et-Moselle à une élection partielle le 8 octobre 1905. C'est en Normandie et surtout dans la France de l'Est — Meurthe-et-Moselle, Vosges, Doubs avec un de Moustier — que cette formation connaît ses succès les plus remarquables. Après 1919, l'entrée en son sein de la droite conservatrice de tradition catholique modifie la géogra-

1. Sur les débuts de la Fédération républicaine, W.D. Irvine, *French Conservatism in Crisis : The Republican Federation of France in the 1930's*, Baton Rouge, Louisiana University Press, 1979.

2. Cf. la thèse inédite de J.-F. Eck, *Louis Marin et la Lorraine, 1905-1914. Le pouvoir local d'un parlementaire sous la IIIe République*, IEP, 1980.

phie de la Fédération, désormais forte dans l'Ouest et le sud-est du Massif central.

Si la Fédération républicaine se situe au centre droit, l'Alliance républicaine démocratique est au centre gauche, distinction en apparence modeste et pourtant décisive. L'Alliance réunit les progressistes dissidents qui ont suivi Waldeck. Du groupe parlementaire de l'Union démocratique naît en mai 1901 le parti, qui est un rassemblement de personnalités. Son premier président est Adolphe Carnot, le frère de l'ancien président de la République, inspecteur général des Mines. Il compte en ses rangs J. Magnin, ancien gouverneur de la Banque de France, Eugène Étienne, Maurice Rouvier, tous trois venus du gambettisme, Barthou, Poincaré, Jules Siegfried, Caillaux. Le programme est fondé sur un équilibre qui retrouve le « ni révolution, ni réaction » de l'opportunisme vingt ans plus tôt. L'Alliance veut une politique « anticollectiviste (...) mais préoccupée (...) de progrès social », « antinationaliste, mais jalouse gardienne de la puissance et de l'honneur de la patrie », « anticléricale, mais non antireligieuse [1] ». Contre les nationalistes et les cléricaux, contre les collectivistes, l'Alliance veut « rapprocher les deux fractions du grand parti républicain [2] », c'est-à-dire ne pas se couper des radicaux.

En somme, l'Alliance réunit un personnel de gouvernement, soucieux de gestion, attaché au libéralisme économique et politique, à la laïcité et à la tradition républicaine. Elle se distingue des radicaux avancés et des radicaux de comité parce qu'elle accepte les contraintes du pouvoir. C'est bien pourquoi les hommes de l'Alliance abandonnèrent Combes, jugé un idéologue sectaire. Mais elle se distingue aussi de la Fédération républicaine et des progressistes, parce qu'elle refuse de se commettre avec les cléricaux, si peu que ce soit, et de renoncer à la laïcité. La fameuse réplique de Poincaré à Charles Benoist— « Il y a entre nous toute l'étendue de la question religieuse » — définit, une fois encore, la ligne de clivage qui sépare, aux heures décisives, deux centres, et rend si difficile leur conjonction.

1. Cité par G. Lachapelle, *L'Alliance démocratique*, Grasset, 1935, p. 19.

2. Discours de Carnot à la première assemblée générale le 16 décembre 1901, *ibid.* Il évoque « surtout dans les campagnes (...) ces républicains (...) sans épithète spéciale », auxquels s'adresse l'Alliance.

Une formation de ce type ne se préoccupait guère de se doter d'une organisation : tel n'était pas son objectif. Elle donne simplement des investitures aux élections. Nombre de ses candidats à la Chambre, plus encore au Sénat, se réclament aussi du parti radical. C'est ainsi que l'Alliance peut s'attribuer 197 élus en 1902, chiffre qui recouvre plus un capital de sympathie qu'une réalité. En fait, l'Alliance démocratique se définit d'abord par ses hommes. Elle est un vivier où puise tout président du Conseil. Elle constitue une phalange de vieux routiers de la politique. Ces notables républicains sont forts de leur influence dans les Académies, la presse, de l'austère *Temps* à la grande presse : *Petit Parisien* et *Matin*. Ils sont présents parfois dans les affaires ou les organisations agricoles républicaines dont Méline avait favorisé l'essor face au syndicalisme agricole conservateur.

Quelques mois avant l'Alliance démocratique, en prévision des élections de 1902, avait été fondé le parti républicain, radical et radical-socialiste. Le congrès du 22 juin 1901 est le terme d'une longue histoire, pendant laquelle il existe bien des radicaux, un radicalisme, mais non un parti radical. Tenu à l'appel d'un Comité d'action pour les réformes républicaines, le congrès réunit les représentants de 155 loges maçonniques, de 215 journaux, de 476 comités. Cet intitulé donne la juste image du tissu politique de la France de l'époque, fait de sociétés de pensée, de salles de rédaction de chefs-lieux, de comités de bourgs et de petites villes. Le congrès, congrès de délégués, est aussi un congrès d''élus. Ceux-ci sont plus de 1 100, dont 201 députés et 78 sénateurs.

Malgré le congrès constitutif, il faut attendre 1903 pour l'adoption des statuts, dont l'article 1 marque fortement l'enracinement du parti. Il est en effet composé de « comités, ligues, unions, fédérations, sociétés de propagande, groupes de libre pensée, loges, journaux et municipalités ». Dans ce parti, dont la création sanctionne la réalité de fait, combien vivante, les structures locales comptent bien plus que l'organisation centrale. Fédération de comités, le parti radical ne s'organise que lentement au plan départemental. Le congrès de 1905 fait état de 830 comités et 18 fédérations départementales [1]. Dans les instances nationales

1. On s'appuie pour tout ceci sur S. Berstein, *Histoire du parti radical*, t. I, FNSP, 1980.

— comité exécutif, bureau —, les membres de droit, les élus, sont en position de force au regard des militants [1].

Jusqu'à 1910, les députés membres du parti se partagent entre deux groupes parlementaires : Gauche radicale-socialiste, Gauche radicale où ils voisinent avec des parlementaires qui ne sont pas du parti. C'est en 1910 que le comité exécutif décida que les députés du parti ne pouvaient pas appartenir en même temps à l'Alliance démocratique. Un groupe unique fut constitué à partir de 1913. Il ne parvint pas à réaliser en son sein la discipline de vote. Au Sénat, il n'existe pas de groupe radical, mais le groupe de la Gauche démocratique, qui n'est pas composé seulement de radicaux. Il constitue un lieu de rencontre avec les républicains laïcs de l'Alliance démocratique.

Au début du siècle, les zones de force du radicalisme [2] associent le Midi de *la Dépêche*, aquitain et languedocien — mais non plus le Midi méditerranéen, gagné au socialisme —, l'Est et la Bourgogne — Haute-Saône, Doubs, Jura, Saône-et-Loire, Côte-d'Or, Ain —, un ensemble de départements du Massif central — Cantal, Corrèze, Creuse, Puy-de-Dôme —, les départements ruraux déchristianisés du Bassin parisien — Seine-et-Marne, Seine-et-Oise, Loiret, Oise, Aisne. Ni les pays de chrétienté, ni les terres gagnées au socialisme, ni le Nord-Est fidèle aux républicains modérés ne sont bastions du radicalisme.

Celui-ci sait offrir plusieurs visages : radicalisme fondé sur le clientélisme avec les frères Sarraut dans le Sud-Ouest ; radicalisme de petits notables ruraux avec un Sarrien, « grand homme en Saône-et-Loire », dont Thibaudet a laissé l'inoubliable portrait ; radicalisme de proconsuls, ainsi Paul Doumer, député de l'Aisne après avoir été gouverneur général de l'Indochine, adversaire de Combes ; radicalisme universitaire d'un Chartier, d'un Herriot, d'un Buisson ; radicalisme d'hommes d'affaires, tel Maurice Berteaux, riche agent de change, qui laissa son nom à tant de rues de communes de la Seine-et-Oise… ; radicalisme lié aux groupes de pressions professionnels, présents dans les Comités républicains pour le commerce et l'industrie, désigné du nom de son

1. Avant 1914, les estimations sur leur nombre sont fort variables : de 80 000 à 250 000, chiffre manifestement gonflé.
2. On s'inspire de S. Berstein, *op. cit.*, nuancé sur quelques points.

fondateur, le bijoutier Mascuraud. C'est bien un parti singulièrement divers, et cela constitue l'une de ses forces, qui accède au pouvoir à partir de 1902, devenant le « parti dominant » de la République pour une dizaine d'années.

Au début du siècle, le socialisme s'insère dans la gauche et la vie politique nationale et trouve en même temps le chemin de l'unité, avec la naissance en 1905 de la SFIO. Il n'est pas indispensable de redire le rôle de l'Affaire Dreyfus dans cette évolution, ni de revenir sur la portée de l'entrée de Millerand dans le gouvernement de « Défense républicaine », et du soutien socialiste au Bloc. Il importe en revanche de marquer les hostilités qu'a suscitées cette intégration à la gauche politique [1]. Malgré un manifeste du parti ouvrier français et du parti socialiste révolutionnaire condamnant l'entrée de Millerand dans le gouvernement, celle-ci trouva au départ un accueil favorable bien au-delà des socialistes indépendants, dans des fédérations du POF et auprès d'Allemane, pour qui primaient la défense républicaine et la lutte contre le cléricalisme. Les attaques contre le ministérialisme s'enflèrent quand le congrès confédéral de la CGT en septembre 1901 eut rejeté le projet de loi sur l'arbitrage obligatoire en cas de grève. Les syndicalistes révolutionnaires, forts dans la CGT, sont hostiles à la participation, puis, sous Combes, au soutien au gouvernement. Nombre d'intellectuels enfin, derrière Péguy et les *Cahiers de la quinzaine*, accusent Jaurès de cautionner avec Combes un radicalisme sectaire à courte vue.

Les divisions socialistes demeurent. Guesde et Vaillant dénoncent la participation, et s'inquiètent des tentatives d'unité socialiste autour de Jaurès. De l'inquiétude née de l'Affaire Dreyfus était né le Congrès général des organisations socialistes à la salle Japy en décembre 1899. Mais, aux congrès suivants, les guesdistes en septembre 1900, les vaillantistes en mai 1901 se détachent de cette première tentative d'unité. Le parti ouvrier français de Guesde, le parti socialiste révolutionnaire de Vaillant, l'Alliance communiste (né en 1896 d'une scission du parti ouvrier socialiste révolutionnaire allemaniste) se regroupèrent le 30 juin 1901 [2]

1. Cf. M. Rebérioux dans l'*Histoire générale du socialisme* dirigée par J. Droz, PUF, 1974, t. II.

2. Cf. J. Howorth, *Édouard Vaillant : La création de l'unité socialiste en France, op. cit.*, p. 290 *sq*.

dans l'Unité socialiste révolutionnaire, sur le thème de l'opposition à l'État bourgeois.

En septembre 1902, au congrès de Commentry, l'Unité socialiste révolutionnaire donna naissance au parti socialiste de France (PSDF). Ce parti dont la direction est centralisée aurait eu 16 000 militants en 1904. Le rapprochement entre guesdistes et vaillantistes se fit difficilement. L'attitude intransigeante du PSDF n'attire guère les électeurs. Aux élections de 1902 il obtient moins de 300 000 voix. Les désistements du second tour qui sont favorables à ses adversaires réformistes ne lui valent que 12 élus [1]. En 1904, aux élections municipales, il recule à Paris et dans le Nord, un de ses fiefs.

Un autre regroupement s'est fait autour de Briand et de Jaurès : 31 fédérations socialistes se sont réunies à Tours en mars 1902 peu avant les élections pour former le parti socialiste français (PSF). Il reconnaît l'autonomie des fédérations, et recueille, dans le Centre, le bassin houiller du Nord, la région lyonnaise, les fruits du broussisme et du socialisme indépendant. Dans le Midi viennent à lui des guesdistes favorables au ministérialisme. Le parti aurait 12 000 militants en 1904, mais il obtient plus de 500 000 voix en 1902, et 37 élus. Ces deux partis, parti socialiste de France et parti socialiste français, ne réunissent pas tous les socialistes. Sept fédérations restent autonomes, et le parti ouvrier socialiste révolutionnaire, allemaniste, qui se survit et va se fondre dans le syndicalisme révolutionnaire, demeure à l'écart.

Le sentiment que la division était une cause de faiblesse, la mise en cause, facilitée par la chute de Combes, de la collaboration avec les radicaux, l'attitude de l'Internationale au congrès d'Amsterdam, toutes ces raisons conduisent à l'unité. Le congrès de la salle du Globe, le 23 avril 1905, approuva la déclaration d'unité, ratifiée préalablement par les congrès des deux partis, socialiste de France et socialiste français. La nouvelle formation, parti socialiste unifié, SFIO, section française de l'Internationale ouvrière, se définissait comme « un parti de lutte de classes et de révolution ». Il ne jugeait aucune alliance possible « avec une portion quelconque de la classe capitaliste ». Révolutionnaire, la SFIO ne

1. Sur tout ceci, G. Lefranc, *Le Mouvement socialiste sous la troisième République*, nouvelle éd., Payot, 1977, 2 vol.

s'interdisait pas de poursuivre « la réalisation des réformes immédiates » que revendique la classe ouvrière. Le nouveau parti vit donc une contradiction entre les affirmations et les aspirations révolutionnaires d'une part, les invites et les exigences du réformisme d'autre part.

Les statuts, qui s'inspirent de l'exemple de la social-démocratie allemande, donnent aux adhérents un rôle déterminant dans la vie du parti. Entre les congrès, le parti est administré par un conseil national, formé de délégués des fédérations, du groupe parlementaire, et de la Commission administrative permanente élue par le congrès. A partir de 1907, les tendances sont représentées à la proportionnelle à la Commission administrative permanente (CAP), instance fondamentale dans la conduite de la politique du parti, tandis que le bureau et le secrétariat sont des simples rouages administratifs.

Dans le nouveau parti, le courant guesdiste persiste, notamment dans les fédérations du Nord et du Pas-de-Calais. Jaurès et ses amis se trouvent au centre, s'efforçant de réaliser une synthèse entre des tendances diverses, voire opposées. Après 1905 s'affirme, autour de Gustave Hervé, un courant antimilitariste, proche des syndicalistes révolutionnaires, et fort dans les fédérations marquées par l'allemanisme : Yonne, Côte-d'Or. Enfin avec Albert Thomas, normalien, agrégé d'histoire, une aile proprement réformiste mène une réflexion originale sur l'évolution des sociétés industrielles.

Le nombre d'adhérents et l'implantation électorale progressent entre la naissance de la SFIO et 1914. Les adhérents passent de 44 000 en 1906 à 90 000 en juillet 1914, chiffre considérable dans le paysage politique français, dérisoire au regard du million d'adhérents de la social-démocratie allemande, ou des centaines de milliers d'adhérents du parti conservateur britannique. Les adhérents viennent des milieux populaires, mais bien plus encore de la petite et moyenne bourgeoisie, salariés de la fonction publique, membres de l'enseignement. Au sein du groupe parlementaire, ces dernières catégories sont particulièrement représentées. Comme le nombre des adhérents, l'électorat progresse nettement à partir de 1910. En 1906, le parti plafonne avec environ 900 000 voix ; en 1910, il dépasse le million de voix. En 1914, tirant profit de sa campagne contre la loi de trois ans, il atteint 1 400 000 voix.

Surtout, il étend son influence. En 1906, dans plus de la moitié des départements, il n'y a pas plus de 5 % d'électeurs socialistes ; 28 départements sont dans ce cas en 1914. Le nombre des élus passe de 52 en 1906 à 76 en 1910, à 101 en 1914. La SFIO n'est pas un parti de masse, ni un parti ouvrier, mais un grand parti parlementaire, selon le mot de Madeleine Rebérioux, et, ajoutons-le, un grand parti d'électeurs. A la veille de la guerre, les bastions électoraux de la SFIO sont la banlieue parisienne, les départements industriels du Nord, du Pas-de-Calais, des Ardennes, les vieilles terres démocratiques de l'ouest et du nord du Massif central — Limousin, Allier, Cher, Nièvre —, le Midi provençal et languedocien, où la SFIO a pris le relais des radicaux.

Parti d'électeurs, mais non d'adhérents, parti populaire, mais non ouvrier, sans lien avec une organisation syndicale, parti révolutionnaire par son discours, réformiste dans sa pratique parlementaire et municipale, la SFIO trouve sa force en son enracinement dans la sensibilité républicaine et de gauche. Elle est un grand parti républicain, prolongement de la République démocratique, et, en ce sens, Jaurès exprime fortement sa vérité dans la synthèse difficile qu'il recherche entre le marxisme et la tradition démocratique et républicaine.

Il serait aussi injuste qu'inexact d'identifier le socialisme français du début du siècle à la SFIO. Un certain nombre de dirigeants et de militants socialistes n'entrent pas en 1905 dans la SFIO, ou en sortent très vite. Ils se retrouvent dans le groupe parlementaire des socialistes indépendants, où figurent Briand, Millerand, Viviani. D'anciens guesdistes, comme Alexandre Zévaès dans l'Isère, rejoignent des hommes venus du socialisme indépendant parce qu'ils n'admettent pas la discipline d'un parti. Du groupe parlementaire formé après les élections de 1910 naquit en décembre 1911 le parti républicain socialiste, fort d'une vingtaine d'élus. Cette formation de centre gauche, entre les radicaux et la SFIO, est une pépinière de ministres parce qu'appoint de bien des majorités. Dans la Loire avec Briand, le Rhône avec Augagneur et Colliard [1], dans le Gard, l'Hérault, l'Isère, la Seine avec

1. Cf. Y. Lequin, *Les Ouvriers de la région lyonnaise (1848-1914)*, *op. cit.*, t. II, *Les Intérêts de classe et la République*, p. 350.

Millerand, Viviani, les républicains socialistes ont quelques fiefs tenus par de fortes personnalités.

Ils incarnent la tradition d'un socialisme réformiste, étranger au marxisme comme à la discipline de parti. Ils se veulent « l'aile avancée du parti républicain » et souhaitent « compléter la démocratie politique par la démocratie sociale ». L'évolution ultérieure de certains de ces hommes vers le centre ou la droite a détourné de s'interroger sur les raisons de la persistance de ce courant. Les liens avec les syndicats réformistes, la recherche d'une voix médiane fondée sur l'arbitrage dans les conflits sociaux, la participation sociale, la gestion paritaire [1], formule voisine de celle que souhaitent certains radicaux ou démocrates chrétiens, l'acceptation des réalités du pouvoir, tous ces traits définissent un socialisme qui ne fut pas fidèle à une orthodoxie ou à une ligne partisane, mais qui est une composante durable du paysage politique

2. *La France politique au début du siècle*

C'est dans les années de la fin du siècle et du début de ce siècle, avec le ralliement du Sud-Ouest aquitain à la démocratie radicale, que la géographie politique de la France prend le visage qu'elle va garder jusqu'à la fin du régime et parfois au-delà. Les grandes villes, très largement républicaines et donc de gauche au début du régime, sont maintenant partagées entre les deux grands blocs [2]. Dès lors, leur attitude politique est plus rarement différente de celle de la région avoisinante que dans les années 1880. Le phénomène reste cependant sensible dans l'Ouest, où les villes, même petites, sont souvent « bleues », voire, comme Brest, gagnées par le socialisme, quand les campagnes demeurent volontiers conservatrices.

A partir de la fin du XIXe siècle et des élections de 1892 et 1896

1. Cf. l'ouvrage de Millerand, *Le Socialisme réformiste français, 1903*, et l'article de M.-G. Dezès, « Participation et démocratie sociale : l'expérience Briand de 1909 », *Le Mouvement social*, avril-juin 1974.
2. M. Agulhon, in *Histoire de la France urbaine, op. cit*, t. IV, 1983.

un certain nombre de municipalités sont passées au socialisme. Ce sont soit des villes moyennes, aux activités diversifiées, de tradition de gauche, comme Dijon, Toulon, Limoges, soit des villes industrielles à dominante ouvrière — Montluçon, Commentry, Roanne, Firminy.

Des expériences de socialisme municipal, gérant les services publics, sont mises en œuvre. Elles mériteraient une étude d'ensemble qui fasse le bilan d'authentiques réalisations. Celles-ci ne sont pas du reste le propre des mairies socialistes. Des radicaux tel Herriot à Lyon (il est maire en 1905) ont à leur actif une œuvre appréciable.

Radicales ou républicaines modérées, les grandes villes ne sont pas aux mains des socialistes. Ceux-ci ne gardent pas durablement avant 1914 Lille et Marseille. Une évolution originale est celle de Paris. Jusque-là acquise à la gauche, la capitale, lors de la fièvre boulangiste, puis surtout de la crise nationaliste, est gagnée par une droite « populiste ». Certes, les résultats des élections de 1900 tiennent à un découpage qui est favorable à la gauche. Cependant l'évolution est maintenant engagée qui mène du Paris de la Commune au Paris des ligues et du 6 février 1934. En revanche, le socialisme prend le relais du radicalisme dans la banlieue, en pleine croissance démographique. Demeure cependant une discordance entre le vote législatif avancé et le vote municipal, qui maintient longtemps des gestionnaires aux affaires [1].

Dans la France rurale, conformément à une typologie établie de façon décisive par Pierre Barral et retouchée sur quelques points par Maurice Agulhon [2], s'opposent les pays démocratiques et les pays conservateurs. Les pays démocratiques sont dominés par le poids des petits propriétaires ou exploitants indépendants. L'attitude vis-à-vis de l'Église et l'intensité des passions politiques constituent deux variables. La France du Nord-Est, Lorraine, Champagne, Bourgogne, celle de Méline, de Ferry, de Poincaré, le centre et le nord du Massif central, les Alpes du Dauphiné et de

1. Cf. J.-P. Brunet, *Saint-Denis, la ville rouge (1890-1939)*, Hachette, 1980.

2. Respectivement dans *les Agrariens français*, Colin, 1968, et dans l'*Histoire de la France rurale*, Éd. du Seuil, t. III, qui donne le bilan des nombreuses monographies régionales fruit du travail des historiens, géographes, sociologues.

Savoie sont des « démocraties républicaines », acquises d'emblée au régime. Elles associent des pays de pratique religieuse et des pays de simple tradition chrétienne. Mais le souci y est également vif de maintenir l'Église dans son rôle spirituel et la défiance vis-à-vis de toute intervention cléricale est sensible. Avec le début du siècle, certaines de ces régions évoluent vers un radicalisme modéré, d'autres, tout particulièrement la Lorraine patriote, glissent vers le camp « progressiste », mais il serait excessif de les situer dès cette date à droite [1].

Les démocraties anticléricales ont déjà, à plusieurs reprises, été évoquées. Venues souvent à la République dès 1849, elles vont toujours plus à gauche, du radicalisme avancé au socialisme. Le communisme rural y trouvera après 1920 ses bastions. Le Limousin, une partie du Berry, des « pays » dans l'Eure, l'Eure-et-Loir, la Sarthe, le Midi rouge (Basse-Provence, Languedoc méditerranéen) : constatons, sans passer de la corrélation à la causalité, que cette carte n'est pas sans rapport avec celle des « pays de mission » que décrivit pour la première fois le chanoine Boulard dans ses *Problèmes missionnaires de la France rurale*, photographie de la déchristianisation à la fin des années trente [2].

Également acquises à la démocratie avancée, en ces temps où les huguenots hostiles à l'Église catholique romaine se rangent dans le camp de la gauche et de la République, les « terres protestantes » de l'Ardèche, du Gard, de la Lozère, de l'Hérault, du Tarn, du Tarn-et-Garonne, des Charentes et de la Vienne, îlots dont la seule présence peut entraîner les contrastes de la carte électorale, ou taches plus considérables comme dans le Gard, l'Ardèche.

Certaines contrées, en revanche, sont venus à la République, voire à la gauche, sans passion. Dans ces « démocraties neutres » priment le souci de la défense des intérêts matériels et l'acceptation du pouvoir établi ; tel est le cas d'une partie de la Normandie. Dans le Sud-Ouest aquitain, les radicaux habiles à tenir les réseaux de clientèles ont su prendre la suite des derniers bonapartistes.

1. P. Barral, *Histoire de la Lorraine de 1900 à nos jours*, Privat, 1979.
2. La célèbre carte de la pratique religieuse dans la France rurale est publiée en 1947.

Il est enfin des « démocraties cléricales ». Dans le Léon, la Flandre, le Pays basque, une paysannerie indépendante, attachée à l'Église et au clergé, mais hostile à la tutelle des notables, donna sa chance à la démocratie chrétienne, politiquement à droite, selon les critères du temps, socialement à gauche. L'abbé Lemire, élu à Hazebrouck à partir de 1893, l'abbé Gayraud, élu dans la 3e circonscription de Brest en janvier 1897, illustrent cette virtualité...

A ces pays démocratiques s'opposent les pays de hiérarchie. Mais la hiérarchie sociale, celle du hobereau, du propriétaire, n'est véritablement acceptée que lorsqu'aux raisons sociales s'ajoutent les traditions historiques : le souvenir de la Contre-Révolution et l'influence de l'Église. C'est dans l'Ouest intérieur — Vendée, Bretagne intérieure, marges armoricaines —, dont André Siegfried dressa un inoubliable *Tableau politique* au début du siècle [1], que ce modèle offre sa forme la plus accomplie. On peut y rattacher les hautes terres du sud-est du Massif central, de l'Ardèche à la Lozère et à l'Aveyron.

Il est remarquable que, là où la fidélité religieuse ne va pas de pair avec l'existence d'une hiérarchie sociale, le conservatisme politique n'ait pas grand avenir. Dans l'Allier, l'opposition des métayers menait à une démocratie anticléricale ; en Île-de-France, une partie des agrariens se rallia à une « démocratie neutre », à un radicalisme très modéré.

Au total, cette analyse suggère que la variable la plus susceptible d'expliquer le comportement politique des campagnes est l'attitude vis-à-vis de l'Église. Une fois encore, le poids de la « question religieuse » dans la vie politique apparaît déterminant, tout particulièrement dans la France des bourgs et des campagnes. Dans les villes industrielles et les banlieues, en revanche, la « question sociale » fait de plus en plus sentir son poids dans la vie politique. Une gauche sociale prend le relais de la gauche politique.

Dans le débat politique, le poids des thèmes politiques nationaux est déterminant. L'uniformisation de la vie politique et l'intensité de l'idée nationale laissent une faible place à d'éven-

1. Le *Tableau politique de la France de l'ouest sous la troisième République* est publié en 1913.

tuelles revendications politiques de type régionaliste, et ce serait anachronisme que de voir dans l'agitation des vignerons du Midi en 1907 quelque mouvement régionaliste. A vrai dire, à cette date, les Français du nord de la Loire ont parfois le sentiment d'être gouvernés par le Midi. Jean Estèbe [1] a montré que l'impression est inexacte sur l'ensemble de la période 1871-1914 : la sur-représentation du Midi est légère, celle du Nord-Est, moins connue, est non moins apparente. Mais la chronologie rend compte du sentiment des contemporains au début du siècle : « Souillac est capitale de la France [2]. » Sur 76 ministres entre 1906 et 1911, la moitié viennent du sud de Souillac. Le département du Nord n'a aucun ministre depuis 1889, la Meurthe-et-Moselle aucun depuis 1883. A mesure que l'on entrait dans la République radicale, le Sud-Ouest tenait une place croissante dans le personnel ministériel, celle du Nord et du Nord-Est déclinait.

1. *Les Ministres de la République,* FNSP, 1981.
2. C'est le titre d'un article de Maurice Colrat dans *l'Opinion,* en mars 1911. Souillac est le fief de Malvy.

8

Vers de nouveaux problèmes

(1905-1914)

De l'avènement de Rouvier à l'entrée de la France dans la guerre, s'inscrit une période de la vie politique qui contraste fortement avec les années qui vont de la chute de Méline à celle de Combes. Sa complexité rend bien plus difficile de retrouver un fil conducteur que dans les années précédentes. C'en est fini de l'affrontement brutal des deux Blocs et d'une vie politique dominée par la question religieuse, comme de 1899 à 1905. Des questions nouvelles apparaissent, ou reparaissent au premier plan [1]. La « question sociale », certes présente, et combien, dans les années 1890, prend de nouvelles dimensions avec la pesée croissante des syndicats, la poussée syndicaliste révolutionnaire, l'apparition, sans le nom, d'un syndicalisme de fonctionnaires [2]. Surtout, les problèmes extérieurs, du coup de Tanger en 1905 à l'affaire d'Agadir, tiennent désormais un rôle déterminant dans les clivages politiques. Le jeu des forces politiques perd sa simplicité, dans une conjoncture où les essais de reclassement au centre s'opposent aux tentatives de reconstitution du Bloc. Atteint à nouveau par l'instabilité, et confronté à des problèmes difficiles, le système politique est mis en cause et des aspirations à sa réforme se font jour.

1. Cf. l'introduction de Georges Bonnefous au t. I de l'*Histoire politique de la troisième République*, PUF, 1956. La disparition en 1905 de *l'Année politique* rend indispensable la consultation de la série due à G. et E. Bonnefous, qui ne rend cependant pas tout à fait les mêmes services que *l'Année politique*.
2. André Siegfried y a insisté.

1. *La fin du Bloc*

Après la démission de Combes, Loubet appela Rouvier à former le gouvernement. Une fois encore, en une heure difficile, le pouvoir revenait à un gambettiste. Parmi les quelques figures nouvelles que comporte le gouvernement formé le 24 janvier 1905 figurent deux autres gambettistes, Étienne à l'Intérieur et Thomson à la Marine. Rouvier, qui conserve pour lui les Finances, garde trois ministres du précédent cabinet : Delcassé aux Affaires étrangères, Berteaux à la Guerre [1], et Chaumié qui passe à la Justice. Le nouveau président du Conseil est tenu par l'ancienne majorité de ne prendre aucun des « dissidents », mais l'axe du gouvernement, formé de radicaux et de modérés, est déplacé vers le centre. Le débat lors de la déclaration ministérielle le 27 janvier confirme cet infléchissement. Après que Rouvier eut réprouvé la délation, il dit son intention de « reconstituer l'ancienne majorité, mais élargie », et appela à la « concorde, l'apaisement et l'union de tous les républicains ».

Comme en 1887, Rouvier est l'homme du reclassement au centre. Le vote sur l'ordre du jour le démontra : le gouvernement obtenait 373 voix contre 99. La majorité comprend 186 députés de la majorité de Combes et 187 députés venus de l'opposition : droite, ralliés, progressistes, radicaux dissidents. Les 99 voix hostiles associent 15 élus de droite, 41 socialistes, 43 radicaux. Dans les 100 abstentionnistes figurent 64 radicaux, 6 socialistes, 30 députés de droite. Ainsi les socialistes et une partie importante des radicaux passaient à l'opposition ou à la réserve. En cours de législature, une majorité nouvelle se définissait, après le « combisme » et l' « affaire des fiches ». Le fait rarement observé montre que le phénomène des « majorités de reflux » (X. Delcros), c'est-à-dire le passage d'une majorité de cartel à une concentration au centre, n'est pas propre à l'entre-deux-guerres.

L'opposition de droite cessa ses attaques, mais la marge de manœuvre du gouvernement était étroite, entre le souci de « faire

1. Étienne remplace Berteaux, démissionnaire, à la Guerre le 12 novembre 1905. Le radical Fernand Dubief lui succède à l'Intérieur.

œuvre d'apaisement » et de « ne pas s'aliéner les éléments avancés du Bloc[1] ». C'est dans cette sorte de trêve que fut débattue au printemps de 1905 à la Chambre la loi de séparation des Églises et de l'État. Le rapporteur du projet de loi, le socialiste Briand, sut tenir compte des revendications des Églises et faire voter une loi libérale adoptée le 3 juillet par 341 voix contre 232[2], chiffre qui signifie qu'un certain nombre de républicains modérés acceptaient la politique de sécularisation de l'État et l'aboutissement de l'œuvre de laïcité. Encore le vote hostile des progressistes ne signifiait-il pas une hostilité au principe de la loi. C'est de Rome et des catholiques intransigeants, non de l'opposition parlementaire, que vinrent les difficultés.

Quelques semaines plus tôt, un remaniement du gouvernement avait été la conséquence de la première crise marocaine. Guillaume II à Tanger le 31 mars avait dit sa volonté de sauvegarder les intérêts de l'Allemagne au Maroc[3], Delcassé s'était opposé à la réunion d'une Conférence internationale, mais, le 6 juin, le conseil des ministres, unanime, et le président Loubet n'avaient pas suivi le point de vue du ministre des Affaires étrangères, inamovible au Quai d'Orsay depuis près de sept ans. Il démissionna et Rouvier prit les Affaires étrangères[4]. Chose remarquable, la démission du ministre n'ébranla pas le gouvernement, et n'entraîna pas de remous parlementaires. La droite n'abandonna pas Rouvier, qui grâcia les condamnés nationalistes de la Haute Cour et refusa le droit syndical aux ouvriers de l'État.

Après l'élection à la présidence de la République d'Armand Fallières[5], président du Sénat comme l'était son prédécesseur Émile Loubet[6], Rouvier constitua le 18 février 1906 un nouveau

1. Préface à *l'Année politique,* 1905, VI.
2. Cf. J.-M. Mayeur, *La Séparation de l'Église et de l'État,* Julliard, coll. « Archives », 1966.
3. P. Renouvin, *Histoire des relations internationales,* Hachette, 1955, t. VI, p. 19.
4. Pierre Merlou, sous-secrétaire d'État aux Finances, le remplaça rue de Rivoli.
5. Il l'emporte sur Doumer soutenu par la droite et une partie du centre par 449 voix contre 371. Les amis de Ribot n'étaient pas favorables à Doumer, qui voulait affirmer l'autorité présidentielle.
6. Premier président de la République à transmettre ses pouvoirs après son septennat.

gouvernement identique au précédent. Il semblait assuré de la durée, bien que trop modéré aux yeux des radicaux [1], quand la tempête des inventaires l'emporta. Dans un certain nombre de régions, les catholiques s'opposèrent par la force aux inventaires prévus par la loi, en vue de la dévolution des biens d'église aux associations cultuelles. En Flandre, à Bœschèpe, le fils de l'inspecteur de l'enregistrement tua un manifestant. Dans les régions de chrétienté, l'agitation était à son comble, faisant naître chez les catholiques intransigeants l'espoir d'une victoire de l'opposition aux législatives de mai. Comme si souvent dans l'histoire du régime, les troubles entraînèrent un sursaut de défense républicaine. D'autre part, les membres de l'opposition de droite qui soutenaient Rouvier l'abandonnèrent comme ils l'avaient fait en 1887. Mis en minorité, Rouvier démissionna le 9 mars 1906. Une nouvelle fois, l'essai d'ouverture vers le centre droit échouait. On revenait à une formule orientée à gauche.

Un radical, Sarrien, personnage effacé, « l'homme à la tête de veau », disait-on en Saône-et-Loire selon Thibaudet, forma un gouvernement habilement composé. Il donnait satisfaction aux radicaux par la présence de Léon Bourgeois aux Affaires étrangères, de Doumergue aux Colonies, surtout de Clemenceau à l'Intérieur, flanqué comme sous-secrétaire d'État d'Albert Sarraut, qui inaugure une longue carrière Place Beauvau. Le socialiste indépendant Briand, ministre de l'Instruction publique, des Beaux-Arts et des Cultes, est responsable de l'application de la loi de séparation. D'autre part, le gouvernement s'ouvrait à des membres du Bloc qui avaient été des adversaires de Combes, Poincaré, aux Finances, présent dans un gouvernement pour la première fois depuis dix ans, Barthou aux Travaux publics, Georges Leygues aux Colonies. Au total, le gouvernement associait les radicaux aux républicains modérés, d'autant plus indispensables que le soutien socialite faisait défaut.

Clemenceau, lors de la discussion de la loi de séparation, s'était opposé à Briand traité de « socialo-papalin ». Ministre pour la première fois l'un et l'autre, ils vont surmonter la crise des inventaires et de l'application de la loi de séparation. Clemenceau,

1. C'est pourquoi Maurice Berteaux avait démissionné du ministère de la Guerre le 12 novembre 1905.

garantie de laïcité intransigeante, diffère en fait à l'automne les formalités d'inventaire là ou elles ont fait difficulté. Briand s'efforce d'amener les catholiques à accepter les associations cultuelles. Il ne parvient pas à triompher de l'hostilité de Rome qui redoute l'influence des laïques au sein de celles-ci, mais, chargé des cultes pendant près de cinq ans [1], il laisse aux catholiques la jouissance des églises, fait voter la loi sur la liberté de réunion qui met fin au « délit de messe », oriente la jurisprudence du Conseil d'État dans un sens favorable à l'Église catholique [2]. Au long des années, à la faveur de l'application, libérale, de la loi de séparation, la « question religieuse » devait perdre de son importance dans la vie publique. De plus en plus, en revanche, les débats porteraient sur la seule « question scolaire », c'est-à-dire sur la situation de l'enseignement privé catholique.

Les élections des 6 et 20 mai 1906 [3] se firent dans le calme : les passions électorales dissipaient la fièvre des inventaires. La participation était la plus élevée depuis 1877 avec 20,1 % d'abstentionnistes. Le nombre des candidats était faible et les élections, comme en 1902, opposaient un bloc à un autre. La victoire de la gauche, malgré l'affaire des « fiches » et la séparation, fut éclatante. L'opposition de droite ne dépassait pas 3 800 000 voix, soit 43,1 % des suffrages exprimés. L'ensemble de la gauche gagnait environ 300 000 voix par rapport à 1902 [4]. La progression radicale était sensible. Dès le premier tour, 427 députés furent élus, il n'y eut que 155 ballottages. Au total, le Bloc gagnait une soixantaine de sièges. L'opposition — conservateurs (50), Action libérale populaire (20), nationalistes (31), progressistes (66) — n'atteignait pas 180 sièges. Le recul des progressistes, en porte à faux dans l'opposition, était sensible. L'ampleur du succès de la gauche rendait possible une majorité sans les socialistes (54 unifiés, 20 indépendants), forte des républicains de gauche (90), des radicaux (115), des radicaux-socialistes (132). En fait, tandis que l'opinion semblait évoluer vers la gauche, les

1. Dans le cabinet Clemenceau, puis dans les deux gouvernements dont il est président du Conseil.
2. Notamment lorsque des associations cultuelles « schismatiques » revendiquent les lieux de culte.
3. Cf. G. Bonnefous, dont on suit les estimations en sièges.
4. Cf. G. Lachapelle, *Les Régimes électoraux, op. cit.*, p. 85.

familles politiques étaient déportées à la Chambre vers le centre, ainsi des républicains de gauche et d'une partie des radicaux.

Plus encore qu'en 1902, le parti radical était maître du jeu. Quelques mois après les élections, Sarrien démissionna et céda la place à l'homme fort de son gouvernement : Clemenceau. Celui-ci constitua, le 25 octobre, son premier cabinet. Le « tombeur de ministères » du temps de l'opportunisme devenait président du Conseil. Son gouvernement, le dernier long gouvernement de la période, dura deux ans et neuf mois.

L'axe du gouvernement était formé des radicaux : 7 sur 12 ministres. Clemenceau gardait l'Intérieur. Aux Affaires étrangères, il nommait Stephen Pichon, son ancien collaborateur à *la Justice,* un quart de siècle plus tôt, devenu, après une carrière diplomatique, sénateur du Jura. Caillaux, qui se rapproche des radicaux, est aux Finances, désireux de faire aboutir l'impôt sur le revenu. Le général Picquart est à la Guerre, mesure symbolique qui témoigne de la victoire du dreyfusisme [1]. Briand est à l'Instruction publique et aux Cultes, puis à la Justice et aux Cultes. Un nouveau ministère est créé, celui du Travail et de la Prévoyance sociale, confié au socialiste indépendant Viviani, signe des orientations réformistes du gouvernement radical.

En fait, Clemenceau eut à affronter une agitation sociale violente, il dut faire face à la fois aux vignerons du Midi, aux syndicalistes révolutionnaires,aux fonctionnaires qui réclament le droit de se syndiquer et dénoncent arbitraire et favoritisme [2]. Clemenceau, en jacobin, sut faire preuve de fermeté et maintint l'ordre dans la rue, trouvant à l'occasion l'appui d'une partie de l'opposition. Il rencontra en revanche l'hostilité des radicaux attachés au Bloc, qui ne voulaient pas paraître tomber à droite, et qui n'appréciaient pas le style autoritaire du président du Conseil. C'est ainsi que, le 14 mai 1907, le gouvernement obtint 299 voix pour le soutenir alors que 135 députés (socialistes et environ 80

1. Le capitaine Dreyfus a été proclamé innocent par les chambres réunies de la Cour de cassation le 12 juillet 1906.

2. L'article 65 de la loi de Finances du 22 avril 1905, né de l'affaire des fiches, avait donné droit dans certains cas à la communication du dossier au fonctionnaire menacé de sanctions ; cf. G. Thuillier, « La communication du dossier » in *Bureaucratie et bureaucrates en France au XIXe siècle,* Droz, 1980, p. 423-452.

radicaux) défendaient une motion favorable aux syndicalistes frappés par le gouvernement.

Ces majorités de rencontre, fondées sur la défense de l'ordre social, ne détournèrent pas Clemenceau de ses projets de réforme. Le 7 décembre 1906, la Chambre vota le rachat du chemin de fer de l'Ouest par 364 voix contre 187. La droite est hostile à la naissance d'un embryon de réseau de chemin de fer d'État. Le Sénat accepta la loi. En revanche, il refusa le projet d'impôt sur le revenu voté par la Chambre. La législation sociale ne fit guère de progrès.

Clemenceau parvint à gouverner pendant presque trois ans. Mais, le 20 juillet 1909, abandonné par une partie des radicaux, privé du soutien d'une droite qui escomptait un véritable reclassement, il fut renversé par 212 voix contre 196 ; près du tiers des députés s'étaient abstenus. C'en était durablement fini des majorités de Défense républicaine et de Bloc. Dès lors la longue période de stabilité gouvernementale qui, somme toute, avait duré de 1899 à 1909, prenait fin. S'ouvrait à nouveau une ère d'instabilité, cependant que le système politique revêtait des aspects nouveaux, et que des aspirations à sa réforme se faisaient jour.

2. *Mutations du système politique et tentatives de réforme*

A l'heure de la République radicale, bien des traits décrits plus haut au temps de l'opportunisme, demeurent. Cependant, avec le tournant du siècle, le visage de la République de Grévy et de Sadi-Carnot s'est quelque peu modifié. La première mutation tient sans doute à la « démocratisation » du personnel politique [1]. Jusqu'aux élections de 1902, le personnel est resté dominé par le poids de la bonne et moyenne bourgeoisie. A partir de 1902, avec l'entrée dans la « République radicale », les membres de la

1. Cf. M. Dogan, « Les filières de la carrière politique en France », *Revue française de sociologie,* 1968.

petite bourgeoisie, voire du peuple, tiennent une place accrue à la Chambre. Dénués de fortune, ils attachent un prix particulier à leur réélection. On est loin d'un Waldeck qui avait abandonné la vie politique de 1885 à 1894. En fait, on assiste à la naissance de la « profession parlementaire » selon la pertinente formule de Robert de Jouvenel [1]. Elle se traduit par un véritable esprit de corps : « qu'on soit modéré, radical ou révolutionnaire, on est avant tout député » (R. de Jouvenel). L'adoption du tutoiement entre députés, à partir de 1910, traduit bien le style nouveau du personnel politique et l'entrée dans la « République des camarades ». La démocratisation, dans la mesure où l'élu n'a plus l'indépendance d'une fortune et d'une situation acquise, le lie davantage au groupe parlementaire, et au parti : cette évolution est sensible à gauche. Elle fonde d'autre part la revendication d'un relèvement de l'indemnité parlementaire.

Celle-ci était restée au taux fixé en 1848, rétabli en 1871, maintenu en 1875, soit 25 F par jour, 9 000 F par an, chiffre inférieur au traitement d'un inspecteur général de l'Instruction publique (12 000 F) et bien en dessous de celui d'un conseiller d'État (25 000 F). Les charges de la vie parlementaire ne permettaient pas à nombre de députés dénués de fortune de joindre les deux bouts, et le président de la Chambre, Brisson, était, au dire de Seignobos, effrayé par le nombre de députés dont l'indemnité était frappée d'opposition par leurs créanciers. Un vote par surprise et sans discussion, le 22 novembre 1906, porta l'indemnité, non à 12 000 F, comme on s'y attendait, mais à 15 000 [2]. Le 30, l'affaire fut remise en cause, mais acquise par 290 voix contre 218. Dans la minorité, 25 radicaux et 39 socialistes, qui désapprouvaient la procédure, s'étaient joints à la droite. La SFIO obligea ses élus à verser une part de l'indemnité dans la caisse du parti, ce qui n'allait pas toujours sans mal. Le relèvement de l'indemnité parlementaire, concomitant de son introduction en Allemagne (en 1906) et en Grande-Bretagne (1911), nourrit les campagnes de l'antiparlementarisme qui se déchaîna contre les QM [3]. En fait, il était la conséquence de l'avènement d'un personnel nouveau qui

1. Dont l'essai, *la République des camarades,* paraît chez Grasset en 1914.
2. Cf. G. Bonnefous, *op. cit.*
3. Sigle qui stigmatise les quinze mille.

n'appartenait plus à la bourgeoisie indépendante, ni au monde des notables.

Il y a un lien entre cette « démocratisation » du personnel et le déclin de la conception traditionnelle du député. Celui-ci n'est plus tout à fait le personnage indépendant qu'il était dans la doctrine parlementaire classique, représentant non d'un parti, ni d'un arrondissement, mais de l'ensemble du pays, libre vis-à-vis de ses électeurs, sans aucun mandat impératif, votant « selon sa conscience ». Attentif à sa réélection, le député, selon le mot de Combes, regarde vers sa circonscription. Le poids sans doute croissant des interventions politiques pour la moindre nomination à un emploi tient autant à l'intensité des luttes idéologiques qu'à un clientélisme dont les partisans de la représentation proportionnelle prétendront délivrer les élus de l'arrondissement.

Moins indépendant dans sa circonscription, le député l'est moins aussi à la Chambre. L'usage s'étend depuis des années de nommer des commissions permanentes à compétence très large. Le 17 novembre 1902 fut introduit le système de 17, puis 20 commissions permanentes, ce sans préjudice d'autres commissions spéciales [1]. Le 1er juillet 1910, la nouvelle Chambre modifia le système de nomination des commissions. A la désignation par les « bureaux » en l'honneur jusque-là, elle substitua des listes préparatoires de candidatures établies par les groupes parlementaires. C'était reconnaître officiellement l'existence de groupes parlementaires, et rendre impossible la fluidité et la double appartenance, fréquentes jusque-là. Jaurès plaida en faveur d'une « juste représentation de tous les partis » dans les commissions, établies à la proportionnelle. A cette fin, la Chambre décida que les listes électorales des groupes devaient être remises au président de la Chambre au début de la session. Ce fut chose faite le 5 juillet : pour être représentés, les élus indépendants de tout groupe formèrent un groupe des non-inscrits.

Sans doute la réalité des groupes parlementaires préexistait-elle

1. Cf. le *Traité de droit parlementaire* d'Eugène Pierre, le secrétaire général de la Chambre pendant quarante ans, de 1880 à 1925. La commission du Budget jusqu'en 1915 fut désignée par les « bureaux ». Elle suivit ensuite le sort commun et fut baptisée commission des Finances. C'est sous la législation du Bloc national que le Sénat crée de grandes commissions permanentes à l'exemple de la Chambre.

au droit, même s'il est peu probable qu'au temps de la République opportuniste les groupes aient tenu un même rôle qu'au temps de l'Assemblée nationale. Cependant, la réforme de 1910 marque un tournant puisque, pour être membre d'une commission, il faut désormais passer par l'intermédiaire d'un groupe. On passe d'une conception individualiste à une conception organisée de la vie parlementaire. Ce n'est pas pour autant une « République des partis ». En effet, la SFIO est seule à réaliser l'adéquation entre parti et groupe parlementaire [1]. Au centre, à gauche, à droite, les groupes ne sont pas l'expression pure et simple de partis, dont l'existence est du reste lâche. Les groupes expriment une réalité proprement parlementaire, distincte de la vie partisane. Ce fait explique le rôle déterminant de personnalités, qui ont, au Parlement, des amis, et une manière de clientèle, Briand, Caillaux, Poincaré.

Démocratisation, professionnalisation, moindre indépendance de l'élu, peut-être ces raisons rendent-elles compte de l'autorité croissante du Sénat face à la Chambre des députés. Le droit lui est désormais reconnu de renverser les gouvernements [2]. Les présidents du Conseil des trois longs gouvernements de la décennie 1899-1909 — Waldeck, Combes, Clemenceau — sont des sénateurs. A partir de Loubet, s'instaure la coutume qui veut que le président du Sénat accède à la présidence de la République. Déjà s'annonce le rôle considérable du Sénat dans la République de l'entre-deux-guerres.

Le retour à l'instabilité après 1909, le sentiment d'une certaine inefficacité du régime, l'absence, passé le temps du Bloc et des luttes anticléricales, d'un grand débat simple et mobilisateur, toutes ces raisons ravivèrent un antiparlementarisme jamais disparu. Il prit un nouvel éclat dans deux familles idéologiques différentes, mais entre qui purent se nouer certaines convergences, l'Action française [3] et le syndicalisme révolutionnaire [4]. L'une

1. Tous les membres du groupe de l'Action libérale populaire ne sont pas membres du parti de J. Piou, notamment plusieurs nationalistes.
2. Il est responsable de la chute de Briand en 1913.
3. Malgré d'innombrables travaux, la meilleure vue d'ensemble reste celle d'E. Weber, *l'Action française,* Stock, 1962.
4. Cf. l'excellente mise en place d'H. Dubief, *Le Syndicalisme révolutionnaire,* Colin, 1969.

et l'autre mirent en cause la République parlementaire, l'une au nom du néo-monarchisme nationaliste, l'autre au nom de l'idéal de gestion directe par les syndicats et les producteurs. L'une et l'autre trouvèrent un certain écho au-delà du cercle étroit de leurs partisans : chez les ouvriers et les intellectuels déçus par le socialisme parlementaire, chez les républicains conservateurs et nationaux inquiets de l'avenir du régime et du pays et sensibles à la critique maurrassienne des faiblesses de la démocratie. Il serait cependant excessif de majorer l'audience de ces thèmes et il importe de voir dans leur succès relatif un signe d'insatisfaction plus qu'une vraie menace sur le régime.

Au sein du personnel parlementaire se firent jour des aspirations limitées à une réforme de l'État. L'Action libérale populaire est seule, avec les républicains nationalistes, à demander une véritable révision, fondée sur l'élargissement du collège électoral du président de la République [1], le referendum, une Cour suprême. Les nationalistes vont le plus loin qui, avec Déroulède, envisagent un président élu au suffrage universel et des ministres pris hors des Chambres. Mais l'écho de ces idées est modeste.

D'ordinaire, cependant, n'est préconisé qu'un retour à l'esprit des institutions de 1875 afin de restaurer les pouvoirs du président de la République. Pour cela, pensait-on, la révision n'était pas indispensable. L'important était dans la réforme des mœurs politiques et la constitution de partis qui assurent une majorité au gouvernement, par la réforme électorale [2]. On comprend alors le sens des campagnes pour la représentation proportionnelle. Celles-ci commencèrent dès 1902. Un député de l'Action libérale populaire du Nord, Jules Dansette, exposa un projet inspiré de l'exemple belge. D'innombrables articles et conférences, à l'initiative notamment du Comité républicain de la RP, avec l'historien Ernest Lavisse, répètent les mérites du système : garantie contre les influences locales et administratives et la pression des intérêts, condition de l'organisation de partis dotés de programmes, gage de disparition des coalitions immorales du second tour.

1. Député de Paris, auteur de *la Réforme parlementaire* (Plon, 1902), Charles Benoist joue un rôle appréciable dans ce courant.

2. Cf. la réponse de Poincaré en 1908 à une enquête de *la Revue* sur l'impuissance parlementaire, citée par P. Miquel, *Poincaré,* Fayard, 1961, p. 240.

Les conservateurs, les progressistes, mais aussi l'Alliance démocratique et les socialistes sont favorables à la réforme. Les radicaux, sauf un petit nombre dont Ferdinand Buisson, sont hostiles à la RP, et attachés à l'arrondissement. Briand fit sien le projet pour ensuite prendre ses distances. En juin 1911, la Chambre adopta la règle du quotient : « Chaque liste a autant de sièges que le nombre moyen de ses suffrages contient le quotient électoral. » Pour l'attribution des restes, problème délicat, le socialiste indépendant Painlevé proposa l'apparentement : plusieurs listes déclaraient avant le vote mettre en commun les voix non utilisées, et ce groupement de listes avait la même part dans l'attribution des restes qu'une liste unique [1]. La Chambre adopta la réforme, mais celle-ci avorta au Sénat, dominé par les radicaux. Le vote des femmes ne trouva pas meilleur sort. Ainsi aucune réforme ne fut-elle apportée au système politique avant la guerre, mais nombre d'essayistes jugeaient celui-ci inadapté aux nécessités du pouvoir. La guerre donna force à ces analyses.

3. *Le retour à l'instabilité*

De la chute du cabinet Clemenceau à la guerre, cinq ans plus tard, onze gouvernements se succèdent, dont quatre présidés par Aristide Briand. L'instabilité, vieille tare du régime, est revenue, après dix années d'une remarquable stabilité, et avec elle l'antiparlementarisme. Les raisons majeures de l'instabilité sont la dislocation du Bloc et le passage de la SFIO à l'opposition. A vrai dire, le rôle dominant du parti radical eût permis la stabilité gouvernementale si les radicaux n'avaient été divisés, une aile regardant vers les socialistes, alliés obligés lors des désistements, une aile inquiète du pacifisme et de l'agitation sociale tournée vers le centre. Fin manœuvrier, homme de clientèles, Briand sut sentir cette conjoncture et les aspirations à la réforme électorale. Dans le cabinet qu'il forme le 24 juillet 1909, il conserve une bonne partie

1. Seignobos, *op. cit.*, p. 279 ; sur le problème, P.G. La Chesnais, *La Représentation proportionnelle et les Partis politiques,* Société nouvelle de librairie et d'édition, 1904.

de l'équipe de Clemenceau, mais Caillaux abandonne les Finances confiées à Georges Cochery [1]. Dans un discours-programme à Périgueux, le 20 octobre 1909, Briand annonça une « politique d'apaisement », formule destinée aux catholiques. Surtout, il prit position en faveur de la représentation proportionnelle afin de « faire passer, à travers toutes les petites mares stagnantes, (...) un large courant purificateur ». Il heurtait ainsi les radicaux arrondissementiers, mais non les socialistes, désireux de rompre les alliances électorales avec les radicaux, ce que permettait la proportionnelle. Progressistes et conservateurs souhaitaient également la réforme électorale, à la fois pour permettre une représentation équitable et pour limiter la pression administrative. Cependant, en vieux routier de la vie parlementaire, Briand ajourna la réforme avant les élections.

Celles-ci, les 24 avril et 8 mai 1910, sont originales à plusieurs égards. L'absence d'affrontement bloc à bloc, pour la première fois depuis 1898, peut expliquer la remontée de l'abstentionnisme à 22,5 % [2] et le nombre exceptionnellement élevé de ballottages : 363 députés seulement furent élus au premier tour. La répartition des forces au premier tour ne connaissait pas de mutations sensibles. Les divisions entre socialistes et radicaux sur la réforme électorale, l'attitude d'électeurs catholiques qui préférèrent, notamment dans le Midi, un socialiste favorable à la RP et non sectaire à un radical firent qu'une quinzaine de socialistes furent élus avec des voix de droite au second tour, ainsi de Marcel Cachin à Bordeaux, de Compère-Morel à Uzès. Les élections portèrent à la Chambre 235 députés nouveaux, comme si se faisait une relève de génération. Beaucoup de ces élus étaient d'« opinion indécise » (C. Seignobos) et, même s'ils adoptaient la dénomination de radical, étaient en fait des modérés. Ainsi la nouvelle Chambre était-elle plus au centre que la précédente, alors que l'électorat semblait poursuivre son évolution vers la gauche, avec la montée des voix socialistes et radicales [3].

1. Millerand a les Travaux publics, Postes et Télégraphes.
2. Cf. A. Lancelot, *op. cit.* Sur les élections de 1910, G. Bonnefous et C. Seignobos, *op. cit.*
3. 1 110 561 voix vont à la SFIO au premier tour et 345 202 aux républicains socialistes. Radicaux-socialistes et radicaux indépendants avoisinent 2 700 000 voix.

Pour la première fois, les élus durent s'inscrire à un seul groupe parlementaire fermé et la liste de ceux-ci fut publiée au *Journal officiel* [1]. La désignation des membres des commissions par les groupes rendait nécessaire cette réforme et l'officialisation des groupes parlementaires. Le groupe de la SFIO avait 75 députés, les républicains socialistes 30, les républicains radicaux-socialistes 150, la Gauche radicale (dont Joseph Caillaux) 113, la Gauche démocratique 72, les républicains progressistes 75, l'Action libérale 34, le groupe des Droites 19 (de tradition royaliste [2]), le groupe des Indépendants 20 (il comprend des nationalistes comme Barrès et des non-inscrits).

Les élections fortifiaient Briand qui resta aux affaires. Le 28 juin, il obtint la confiance par 404 voix contre 121, les socialistes et l'extrême droite. En octobre 1910, il brisa une tentative de grève générale des cheminots, réquisitionnant les grévistes et recourant à l'armée. Devant les attaques de ses anciens amis socialistes, Briand déclara le 29 octobre qu'il n'aurait pas « hésité à aller » jusqu'à l'illégalité. L'ordre du jour qui approuva le gouvernement consacra la rupture entre les socialistes et la majorité des radicaux. 329 députés suivaient Briand, 183 socialistes, radicaux avancés, extrême droite lui étaient hostiles.

Afin de mieux résister à l'opposition socialiste, Briand démissionna pour former un nouveau gouvernement, le 3 novembre, dont le dosage s'efforçait de rassurer les radicaux. Mais le président du Conseil paraissait insuffisamment laïc à ceux-ci. Il démissionna le 27 février, sans avoir été mis en minorité. Il n'avait une courte majorité qu'avec l'appoint progressiste et, fidèle à une loi non écrite du régime, Briand ne voulut pas paraître prisonnier de la droite. Il revenait à Monis, un sénateur, l'ancien ministre de la Justice de Waldeck, de marquer un léger infléchissement vers la gauche, avec un gouvernement formé le 2 mars où Caillaux revenait aux Finances, Berteaux à la Guerre. Théodore Steeg, le fils du collaborateur de Ferry, était à l'Instruction publique. Après l'accident du champ d'aviation d'Issy-les-Moulineaux le 21 mai, qui tuait Berteaux et blessait Monis, ce dernier fut contraint à démissionner le 23 juin. Principale personnalité du

1. *Journal officiel* du 6 juillet 1910, p. 2424.
2. 13 sur 19 ont un nom à particule.

gouvernement, Caillaux devenait président du Conseil le 27. Il annonçait les « réformes laïques, fiscales et sociales ». Le nouveau gouvernement s'engageait à intervenir auprès des compagnies de chemin de fer pour la réintégration des cheminots révoqués après les grèves d'octobre. C'est ce gouvernement que devait toucher de plein fouet la seconde crise marocaine...

4. *La « question nationale »*

Dans les années 1910-1914, plus que les institutions et la réforme électorale, les débats sur l'armée, la guerre et la paix passionnèrent l'opinion. Au vrai, c'était là chose nouvelle, tant l'avait emporté pendant longtemps le consensus autour de l'armée — l'« arche sainte » — et des exigences de la défense nationale. Pour la première fois depuis 1887, la crise de Tanger en 1905 parut ouvrir la perspective d'un conflit avec l'Allemagne. Désormais, la menace de la guerre était à nouveau présente. L'attitude de l'opinion, pour autant qu'on puisse la saisir, et celle des forces politiques, doit être esquissée, avant d'apprécier l'incidence des questions extérieures sur la vie politique.

En apparence, les clivages sont simples : la droite nationaliste, voire belliciste, paraît s'opposer à une gauche internationaliste, pacifiste, voire antimilitariste. En fait, l'analyse montre une réalité plus complexe. Effectivement, l'extrême gauche est antimilitariste. Les amis de Gustave Hervé à la SFIO, organisés en tendance en 1906, qui s'expriment dans l'hebdomadaire *la Guerre sociale,* les syndicalistes révolutionnaires de la CGT, les jeunes instituteurs de l'« École émancipée » dénoncent l'armée, alliée du patronat dans les grèves, et le « chauvinisme guerrier ». La Charte d'Amiens de 1906, manifeste de la CGT très représentatif du syndicalisme révolutionnaire, proclame : « La propagande antimilitariste et antipatriotique doit devenir toujours plus intense et audacieuse. » Mais l'antimilitarisme est loin de s'accompagner toujours d'antipatriotisme, et il recule au sein de la CGT à partir de 1911.

Une autre gauche, Jaurès et ses amis à la SFIO, une frange des radicaux est internationaliste, et pacifiste. Elle condamne la guerre au nom de la fraternité entre les peuples, s'en prend à une armée qui serait ennemie de la nation, dont elle se méfie depuis les lendemains du boulangisme et surtout l'Affaire Dreyfus. Mais cette gauche ne rejette pas le patriotisme qui tient, disait Jaurès, « par ses racines mêmes (...) à la physiologie de l'homme ». Le patriotisme de Jaurès va de pair avec l'internationalisme. Dans *l'Armée nouvelle,* ce gros livre qui est l'exposé des motifs d'une proposition de loi en vue de la réforme du service militaire, Jaurès s'efforce à une synthèse. Il préconise une armée de milices, qui rapproche les officiers « de la grande vie nationale et populaire ». Il croit à l'arbitrage, à la négociation, à la force de paix que représente la social-démocratie. Toute une gauche universitaire se retrouve dans ses idées.

A l'inverse, les années qui précèdent la guerre sont marquées par la montée du nationalisme dans une partie de la jeunesse intellectuelle. Péguy, venu du pacifisme dreyfusard, animateur des *Cahiers de la quinzaine,* redécouvre en 1905 avec la crise de Tanger les valeurs nationales et le péril allemand : « Tout le monde en même temps connut que la menace d'une invasion allemande est présente, qu'elle était là, que son imminence était réelle » *(Notre patrie).* Ernest Psichari, le petit-fils de Renan, écrit en 1913 *l'Appel des armes.* Fils d'un instituteur socialiste et pacifiste, le héros retrouve dans l'exemple de son capitaine les traditions nationales. Les fils font la leçon aux pères, oublieux de la défaite. L'ouvrage se termine sur l'apologie de la guerre « divine » reprise de Joseph de Maistre.

Ce nationalisme s'accompagne du retour aux valeurs religieuses. Le lien du nationalisme et du catholicisme qui exalte l'Église, force d'ordre, fait la fortune de *l'Action française.* La revue à couverture grise fondée en 1898 devient en 1908 un quotidien. Les « camelots du roi » tiennent le haut du pavé au Quartier latin. Le « néo-monarchisme » n'a sans doute qu'un écho limité, mais l'Action française est portée par la vague du nationalisme qui touche une partie de la jeunesse. En 1912, sous le pseudonyme d'Agathon, Alfred de Tarde et Henri Massis font paraître dans *l'Opinion* une enquête, reprise en volume, sur *les Jeunes Gens d'aujourd'hui.* Elle révèle le goût de l'action, le culte nouveau du sport, la méfiance devant l'intellectualisme, l'audience de la philosophie de Bergson qui rompt avec un rationalisme desséchant, l'attente fiévreuse de la guerre. Normalien, rentrant d'un séjour en Allemagne, André François-Poncet, le futur homme politique et diplomate, assure que les jeunes gens reviennent de leur voyage à l'étranger avec une disposition belliqueuse [1].

Des conclusions excessives ont parfois été tirées de tels témoignages. Ils concernent un monde restreint, la jeunesse des « Écoles », et encore pas tout entière, et ne portent guère sur la province. Mise en cause du monde politique en place et des valeurs dominantes, l'enquête d'Agathon annonce l'avenir — la génération qui s'affirme avec les élections du Bloc national — plus qu'elle n'est pleinement représentative du présent, de la même façon que les « non-conformistes des années trente » ont compté vingt et trente ans plus tard. Cependant, elle n'en est pas moins révélatrice des aspirations d'une jeunesse intellectuelle qui s'éloigne des idées jusque-là dominantes.

En fait, plus que le nationalisme, frappe l'intensité d'un patriotisme « défensif », attaché à la sécurité de la France, non à la recherche de l'aventure. Le peuple français « ne veut pas être jeté dans une aventure guerrière », observait l'ambassadeur d'Allemagne. Les études régionales confirment cette appréciation [2]. Ce patriotisme « défensif », celui d'un Ribot, d'un Poincaré, d'un Léon Bourgeois, d'un Clemenceau, constitue bien l'armature véritable d'un pays qui paraît profondément divisé par les querelles de politique intérieure, ou de politique extérieure. L'universitaire Aulard, en 1904, dans *la Dépêche* de Toulouse [3], exaltait le patriotisme des instituteurs, « patriotisme d'hommes éclairés qui ont horreur de la guerre, mais qui, si l'Europe monarchique voulait réduire en esclavage la France républicaine, suivraient l'exemple des patriotes de 1793 ». Hôtesse d'un salon dreyfusard et républicain, la marquise Arconati-Visconti, la fille de l'anticlérical Peyrat, écrivait à son ami Jaurès, avec qui elle devait rompre en 1913 :« il nous faut aujourd'hui une politique de concorde nationale entre l'humanitarisme prématuré et l'écœu-

1. Cf. l'article de Philippe Beneton, « La génération de 1912-1914, image, mythe et réalité », RFSP, octobre 1971, p. 981-1009.
2. Cf. R. Vandenbussche, *La Vie politique dans le Nord,* thèse de 3e cycle inédite, université de Lille III, 1976.
3. 23 mars 1904.

rant nationalisme [1] ». L'un comme l'autre témoignent d'un patriotisme républicain, que Roger Thabault avait justement observé à Mazières-en-Gâtine, comme André Siegfried au Havre, et dont tant de monographies confirment l'intensité.

Raison de la force du régime, ce patriotisme de « synthèse républicaine », pour reprendre le mot de Stanley Hoffmann, refus de l'aventure comme de l'abandon, est la clef qui introduit aux péripéties politiques de l'avant-guerre. Le coup de Tanger éveilla sans nul doute l'inquiétude de l'opinion, mais la démission de Delcassé sous la pression de l'Allemagne n'entraîna pas de remous politique [2] qui mette en cause la politique prudente de Rouvier. Sous Clemenceau, méfiant vis-à-vis des « entraînements des chefs militaires [3] », intervint une détente relative dans les relations franco-allemandes, qui aboutit à l'accord économique franco-allemand sur le Maroc de février 1909. Mais, deux ans plus tard, l'entrée des troupes françaises à Fez le 21 mai, à Meknès le 8 juin, à la suite de la révolte des tribus contre le sultan, conduisit l'Allemagne à saisir un gage en vue d'une compensation. Le 1er juillet, la canonnière *Panther* mettait l'ancre devant Agadir. Caillaux, président du Conseil depuis quelques jours, accepta, aux termes de négociations menées par-dessus le ministre des Affaires étrangères, de Selves, de céder une partie du Congo à l'Allemagne, et signa la convention franco-allemande du 4 novembre 1911 [4].

A la Chambre, à partir du 14 novembre, il fut vivement attaqué par la droite conservatrice et nationaliste. Albert de Mun dénonça « cet abandon territorial qu'on est convenu d'appeler le prix du protectorat du Maroc ». L'orléaniste Denys Cochin, le bonapartiste Jules Delafosse dirent leur hostilité. Le traité fut ratifié le

1. G. Baal, « Un salon dreyfusard, des lendemains de l'Affaire à la Grande Guerre : la marquise Arconati-Visconti (1840-1923) », *Revue d'histoire moderne et contemporaine,* juillet-septembre 1981.

2. Denys Cochin, qui aura une attitude tout autre en 1911, intervient avec discrétion, et la revue de ses amis, *le Correspondant,* le 25 juillet 1905, s'inquiète plutôt de l'excessive liberté où le système politique a laissé Delcassé pendant sept ans.

3. David Watson, « Clemenceau, Caillaux et Pichon : la politique étrangère du premier gouvernement Clemenceau », *Travaux et Recherches,* Metz, 1973, p. 68-77.

4. Cf. J.-C. Allain, *Agadir 1911*, Publications de la Sorbonne, 1976.

20 décembre par 393 voix contre 36, venues des divers groupes de droite, mais 141 députés s'abstinrent. Aucun des députés des départements lorrains ne votait le traité. Cependant, le vote de la Chambre ne mettait pas en cause la politique du président du Conseil.

L'opposition s'affirme en revanche au Sénat. Poincaré, lorrain, incarnation de la fermeté patriotique, fut désigné pour être rapporteur de la commission chargée d'examiner le traité. Il approuva l'ensemble de la négociation, mais mit en question les méthodes de Caillaux et son attitude de fond face à l'Allemagne. Clemenceau, en pleine commission, somma le ministre des Affaires étrangères de confirmer la déclaration de Caillaux selon laquelle il n'y avait pas eu de « tractations » secrètes. De Selves se tut et démissionna. Caillaux fit appel pour le remplacer à Delcassé, son ministre de la Marine, auquel eût succédé Poincaré. En vain. Il démissionna le 11 janvier [1].

L'heure de Poincaré avait sonné. Il offrait une garantie patriotique et pouvait seul faire ratifier le traité au Sénat, et le faire accepter par l'opinion. Dans son gouvernement, formé le 14 janvier, il prit pour lui, comme Rouvier en 1905, les Affaires étrangères. L'axe du gouvernement revenait vers le centre, mais Poincaré veillait à donner au gouvernement le caractère d'une union des républicains de gauche, sans appel aux progressistes, et encore moins à la droite catholique. Briand était à la Justice, Millerand à la Guerre, Delcassé conservait la Marine, Albert Lebrun les Colonies [2], Jean Dupuy, sénateur de l'Alliance démocratique et propriétaire du *Petit Parisien,* était ministre des Travaux publics. L'Alliance démocratique formait le fond du gouvernement. Mais Poincaré avait le souci de ne pas se couper des radicaux, qu'attestait la présence de Théodore Steeg à l'Intérieur, de Léon Bourgeois au Travail, de Jules Pams à l'Agriculture. Ces choix déçurent fort la presse de droite.

Dans sa déclaration ministérielle, le président du Conseil défendit le traité de 1911, mais marqua son intention de ne plus s'entendre avec l'Allemagne que « dans la dignité ». Il dit sa volonté que l'école laïque demeure « une école nationale, ouverte

1. Cf. P. Miquel, *Poincaré, op. cit.*
2. Député de Briey.

à tous les enfants de France, et constamment respectueuse de la liberté de conscience », affirmant la laïcité, mais désavouant l'antimilitarisme et le sectarisme. Il annonça, sans trop de précision, une « réforme électorale ».

Patriote lorrain, ferme républicain, rassurant à droite sans se couper de la gauche, porté par un mouvement d'opinion, Poincaré pouvait regarder vers l'Élysée, couronnement d'une brillante carrière. Mais l'affaire n'allait pas de soi. L'annonce de sa candidature à la fin de 1912 rencontra celle de Paul Deschanel, le président de la Chambre, et d'Antonin Dubost, le président du Sénat. Clemenceau soutenait le radical Pams, ministre de l'Agriculture du gouvernement Poincaré. La réunion préalable des « républicains » se tint sans la droite, non invitée. Les socialistes n'assistèrent pas à la réunion. Au terme de trois tours de scrutin, Pams devançait de peu Poincaré [1]. Poincaré allait-il se retirer, conformément à l'usage, et comme le lui demandaient Combes et Clemenceau au nom des radicaux ? Il refusa. Le 17 janvier, l'Assemblée nationale se réunit. Poincaré fut élu au deuxième tour par 483 voix contre 296 à Pams, à qui l'apport des 69 voix socialistes restées fidèles jusqu'au bout à Édouard Vaillant [2] n'eût pas permis de l'emporter.

Contrairement à la tradition, le candidat proposé par la réunion des républicains avait échoué devant une personnalité qui, il est vrai, n'offrait pas moins de garantie républicaine, et qu'avaient soutenue Briand et Léon Bourgeois. Contrairement aussi à la tradition, c'est une figure de premier plan qui accédait à l'Élysée, portée par un courant d'opinion qui n'avait pas pu ne pas retentir sur le Congrès et qui ne tenait pas seulement au rôle de la grande presse. Dans *l'Écho de Paris*, l'anonyme Junius l'avait écrit : « Si le pays était appelé lui-même à désigner le chef de l'État, je sais bien sur quel candidat se porteraient les préférences. » Mais la loi

1. Au premier tour, Poincaré obtient 180 voix, Pams 174, Dubost 107, Deschanel 83, Ribot 52. Dubost se retira en faveur de Pams qui obtint 283 voix au deuxième tour, pour 272 à Poincaré. Le 16, Pams avait 323 voix, Poincaré 309. Cf. Bonnefous, *op. cit.*, p. 316-320.

2. Les votants sont 897. Au premier tour, Poincaré a 429 voix, Pams 327, Vaillant 63, Deschanel 18, Ribot 16. Une trentaine d'électeurs de Pams et les électeurs de Deschanel et Ribot se reportent sur Poincaré au second tour.

du système ferait de Poincaré, respectueux de la coutume constitutionnelle, le « prisonnier de l'Élysée ».

Dans le message qu'il adresse aux Chambres le 20 février, Poincaré glisse deux phrases significatives : l'une sur sa fonction — « l'amoindrissement du pouvoir exécutif n'est ni dans les vœux de la Chambre, ni dans ceux du pays » —, l'autre sur la politique extérieure — « il n'est possible à un peuple d'être pacifique qu'à la condition d'être toujours prêt à la guerre. Une France diminuée, une France exposée, par sa faute, à des défis, à des humiliations, ne serait plus la France ». C'était rappeler les exigences pressantes de la défense nationale auxquelles le nouveau président de la République prêta une attention particulière.

Le cabinet Briand qui succède le 21 janvier au gouvernement Poincaré [1] et conserve la même assise politique déposa le projet de loi établissant le service de trois ans, qui répondait aux vœux de l'état-major. Mais le Sénat mécontent de l'adoption de la proportionnelle par la Chambre renversa le gouvernement le 18 mars. Poincaré chargea le ministre de la Justice de Briand, son vieil ami Barthou, de former un gouvernement. Celui-ci s'ouvrait au centre droit. Pour la première fois depuis 1899, un progressiste, Joseph Thierry, est ministre, aux Travaux publics. L'unité des modérés est en train de se refaire, comme l'atteste la majorité qui, le 7 juillet 1913, vote les trois ans par 339 voix contre 223 : elle comprend la droite, le centre, une partie de la gauche. Au Sénat, en revanche, la loi est adoptée à la quasi-unanimité par 244 voix contre 36. Les sénateurs radicaux-socialistes votent la loi, que n'adopte qu'une minorité des députés radicaux.

Si Barthou a une majorité à la Chambre sur la politique extérieure, il est abandonné par une partie des radicaux qui veulent la réforme fiscale, et démissionne le 2 décembre. A nouveau, le balancier revient vers la gauche. Le radical Doumergue forme le 9 décembre un gouvernement où Caillaux, depuis peu chef du parti radical, prend les Finances. Mais on aurait tort de croire pour autant que ce gouvernement rompe avec les exigences de la défense nationale définies par Barthou. Il veut « appliquer loyalement la loi de trois ans ». Il est remarquable, et

1. Poincaré a démissionné dès son élection. Lorsqu'il entra en fonction le 18 février, Briand démissionna, pour former le même gouvernement.

rarement observé, que figurent dans ce gouvernement deux élus de la France de l'Est, proches de Poincaré, membres de l'Alliance démocratique, Albert Lebrun aux Colonies, André Maginot, jeune député de Bar-le-Duc, sous-secrétaire d'État à la Guerre. Le gouvernement fut remanié lorsque, le 17 mars 1914, Caillaux démissionna, après l'assassinat par sa femme du directeur du *Figaro* Calmette, pour révélations touchant à sa vie privée. René Renoult remplaça alors Caillaux, et Louis Malvy succéda à Renoult à l'Intérieur. Il devait conserver ce portefeuille au long de bien des crises, jusqu'à l'été 1917.

Les élections des 26 avril et 10 mai 1914 se firent, en partie, sur le thème de la lutte contre la loi des trois ans, occasion de rencontre entre les socialistes et les radicaux. Au centre, à l'initiative de Briand, Barthou, Chéron, Jean Dupuy (le directeur du *Petit Parisien*) se constitue la « Fédération des gauches », cartel électoral qui réunit les partisans de la laïcité, mais aussi de la loi de trois ans. La consultation donna aux contemporains le sentiment d'une défaite des partisans de la loi, à cause de la tendance qui se dégageait et notamment de la nette montée des adversaires les plus déterminés de la loi, les socialistes. En fait, comme l'a solidement établi Jean-Jacques Becker [1], la consultation attestait l'existence d'une majorité, mais résignée et en régression, pour la loi de trois ans. La participation demeurait voisine de celle de 1910 avec 22,7 % d'abstentionnistes. Les socialistes obtenaient 1 413 044 voix, les socialistes indépendants plus de 300 000, les radicaux-socialistes près de 1 500 000 voix [2], les radicaux indépendants et républicains de gauche 2 200 000 voix, la Fédération républicaine 1 588 075, la droite conservatrice 1 300 000 [3].

Conséquence habituelle du découpage et du mode de scrutin, la gauche est sur-représentée : 104 socialistes, 24 républicains socialistes, 172 radicaux [4], soit la moitié des sièges pour 38 % des

1. *1914. Comment les Français sont entrés dans la guerre,* FNSP, 1977, p. 77.
2. 1 496 058 voix selon S. Berstein, *op. cit.*, t. I, p. 81. Le parti fait élire 165 députés. Sept élus adhèrent ensuite au groupe.
3. Cf. G. Lachapelle, *Les Régimes électoraux, op. cit.*
4. On suit ici la liste publiée des groupes, *Journal officiel* du 24 juin 1914. Les indications qui figurent dans M. Duverger, *Constitutions et documents politiques, op. cit.*, sont souvent reprises d'un livre à l'autre et sont inexactes.

exprimés. La majorité des radicaux bénéficient du désistement socialiste au second tour. Les divers groupes de centre — Union républicaine radicale-socialiste (23), Gauche radicale (67), Gauche démocratique (34), Républicains de gauche (54) — représentent près de 180 députés, la droite à peine 121 — Fédération républicaine (37), Action libérale (23), Groupe des Droites (15), non-inscrits (46). L'évolution générale vers la gauche faisait que désormais les groupes dits de gauche siégeaient au centre droit, selon la juste remarque de Seignobos.

Doumergue démissionna lors de l'entrée en fonction de la nouvelle Chambre. Sans doute ce radical, favorable à l'application de la loi de trois ans, jugeait-il la nouvelle majorité trop à gauche. La crise fut dominée par les préoccupations nées de la situation extérieure. Une première tentative du républicain socialiste Viviani échoua. Certains radicaux s'opposaient à tout ajournement de l'abolition des trois ans. Viviani subordonnait celle-ci à la situation extérieure. A l'appel de Poincaré, Ribot forma le 9 juin un gouvernement qui ne comportait pas de radicaux-socialistes de la Chambre, mais des membres de la Gauche radicale et de la Gauche démocratique du Sénat dont Léon Bourgeois. Il annonça le maintien des trois ans et fut renversé le 12 juin lorsqu'il se présenta à la Chambre par 306 voix contre 206 [1], socialistes, radicaux, républicains socialistes. La gauche l'avait bien emporté aux élections, et le montrait par ce vote, mais, au sein de cette gauche, un certain nombre de radicaux et de républicains socialistes n'étaient pas désireux de mettre fin à la loi de trois ans.

L'échec de Ribot ouvrait la voie à Viviani. Il fut l'homme du compromis que la crise permettait de dégager. Le jour même, il forma un gouvernement. Il prenait pour lui les Affaires étrangères, avec un sous-secrétaire d'État convaincu des exigences de la défense nationale, Abel Ferry, député des Vosges, neveu de l'homme d'État. Malvy retrouvait l'Intérieur. Le gouvernement, dominé par les radicaux, comprenait une majorité de partisans de la loi de trois ans contre laquelle avait voté Viviani. Le président du Conseil, reprenant le programme de Ribot dont la tentative n'avait pas été vaine, défendit la loi [2], mais eut l'habileté de se

1. Cf. G. Bonnefous, *op. cit.*
2. *Journal officiel,* séance du 16 juin 1914.

réclamer d'une « majorité exclusivement républicaine ». Il obtint le 16 juin 362 voix contre 139 : les socialistes et une trentaine de radicaux. La Gauche radicale, la Gauche démocratique, les républicains de gauche le soutenaient avec la grande majorité des radicaux. D'emblée, le résultat apparent des élections de 1914 s'évanouissait et la majorité des vainqueurs se retrouvait avec ses adversaires de la Fédération des gauches. Le gouvernement Viviani correspondait en fait au sentiment des électeurs. Les menaces extérieures précipitaient ainsi une évolution vers le centre habituelle en cours de législature. Six semaines plus tard, la France entrait dans la guerre.

9

A l'épreuve de la guerre

(1914-1918)

Parfois négligée par les historiens, l'étude des formes que revêt la vie politique pendant la guerre est en réalité de grande importance. Quel serait le destin de la République parlementaire, confrontée pour la première fois à l'épreuve d'un conflit de longue durée et qui mettait en jeu l'indépendance nationale ? Comment les institutions libérales résisteraient-elles aux exigences de rapidité, d'efficacité, de secret ? Quelles relations s'établiraient entre le pouvoir civil et les autorités militaires, entre l'exécutif et le législatif ?

A ces interrogations se superpose une question majeure sur l'attitude de l'opinion. Un pays divisé par les luttes religieuses et les passions sociales retrouverait-il son unité, et affirmerait-il un certain consensus devant la menace extérieure ? Plus qu'en toute autre période, il est indispensable, en un temps de crise, de ne pas s'éloigner de la chronologie. Elle invite à évoquer l'heure de l'Union sacrée, avant de décrire la crise de 1917 que surmonta le gouvernement Clemenceau.

1. *L'Union sacrée*

Dans une étude qui se recommande par la minutie et la finesse des analyses, Jean-Jacques Becker s'est attaché à décrire la manière dont les Français sont « entrés dans la guerre [1] ». Il fait

1. *1914. Comment les Français sont entrés dans la guerre,* FNSP, 1977.

justice d'idées reçues. Le 1er août, l'annonce de la mobilisation ne suscita pas l'enthousiasme. Au départ, consternation et résignation dominent. Mais en quelques heures, comme il arrive lors des crises de la conscience nationale, l'opinion se retourne, passant de la désolation à la résolution. Les Français ont la conviction d'avoir la justice pour eux, d'être victimes d'une agression, de défendre la République démocratique face à un Empire autoritaire. Face aux Empires centraux, la France de la troisième République devient l'héritière de la « Grande Nation », elle défend la liberté des peuples dans la « guerre du droit ».

Contraints à la guerre, les Français vont alors donner au conflit un objectif sur lequel le consensus va être très large : recouvrer les « provinces perdues [1] ». Hormis les milieux nationalistes, nul ne songeait avant la guerre à risquer un conflit pour l'Alsace-Lorraine. Le patriotisme fait de piété pour le souvenir des provinces perdues n'était pas belliciste. Mais, avec la guerre, la plaie ouverte en 1871 reparaît béante.

Face à l'épreuve nationale, les idées pacifistes, internationalistes, antimilitaristes sont sans vigueur. Sans aborder l'histoire, qui déborde celle de la vie politique, du mouvement ouvrier devant la guerre, on se bornera à l'essentiel. Il y eut bien une agitation ouvrière contre la guerre dans la courte période qui précéda la mobilisation. Mais le mouvement, calme et marqué d'un petit nombre d'incidents, est en perte de vitesse dès le 31 juillet. Après la retombée de la flambée syndicale, un mouvement d'opposition à la guerre se fit jour dans la SFIO, mais il était trop tard. « Les événements nous ont submergés », convenait le 1er août l'appel de la CGT. Aux obsèques de Jaurès, assassiné le 31 juillet, Jouhaux retrouve le ton révolutionnaire de la « patrie en danger », il exalte la classe ouvrière « qui s'est toujours nourrie des traditions révolutionnaires des soldats de l'an II allant porter la liberté au monde ». Les solidarités nationales passent avant l'internationalisme prolétarien. Seule une minorité qui ne trouve que peu d'échos ne s'associe pas à cet enthousiasme.

Par son message aux Chambres, le 4 août 1914, le président de

1. L'historien Maurice Baumont rappelait que c'est seulement après la mobilisation qu'il entendit parler de l'Alsace-Lorraine comme d'un but de guerre, *Bulletin de la société d'histoire moderne*, 1964, 2.

la République Poincaré consacre le terme d' « Union sacrée [1] ». Qu'en est-il en fait au niveau de la réalité gouvernementale ? Lors de l'entrée en guerre, le gouvernement Viviani ne connaît, le 3 août, qu'un remaniement fort limité. Le président du Conseil abandonne le portefeuille des Affaires étrangères, confié à Doumergue. L'entrée au gouvernement d'Augagneur, à la Marine, et d'Albert Sarraut, à l'Instruction Publique, traduit simplement un renforcement de la part des radicaux-socialistes. Que Viviani soit le premier président du Conseil sans portefeuille de la troisième République mérite également d'être relevé, mais, au total, les modifications apportées au gouvernement né des élections d'avril sont modestes.

Il faut l'aggravation de la situation militaire pour que Viviani, malgré ses réticences, démissionne le 26 août et forme un deuxième gouvernement après un remaniement d'importance. Delcassé devient ministre des Affaires étrangères. Millerand, proche de l'état-major, prend la Guerre, dont il a été ministre dans le cabinet Poincaré de 1912. Ribot devient ministre des Finances, portefeuille qu'il va conserver jusqu'au 20 mars 1917. Briand est à la Justice. Ainsi Delcassé, l'artisan des alliances extérieures de la République, contraint à démissionner en 1905 après le coup de Tanger, revient-il aux affaires, comme reviennent au pouvoir, avec Millerand, Ribot, Briand, les hommes de centre, adversaires de la coalition de gauche victorieuse en mai 1914.

Cependant, aucun représentant de l'opposition de droite, conservatrice et catholique n'est ministre : à cet égard, le gouvernement n'est pas un gouvernement d'unanimité nationale. En revanche, la SFIO, pour la première fois, entre dans un gouvernement. Jules Guesde est ministre sans portefeuille, apportant sa caution de socialiste intransigeant à l'Union sacrée. Marcel Sembat est ministre des Travaux publics. Le 18 mai 1915, un troisième socialiste entre dans le cabinet Viviani : Albert Thomas, sous-secrétaire d'État à l'Artillerie et aux Munitions, l'un des réformistes de la SFIO.

Au sein du gouvernement, un homme, par ses initiatives, joue un rôle décisif : Malvy, le ministre de l'Intérieur. Il ne fait pas

1. La France « sera héroïquement défendue par tous ses fils, dont rien ne brisera devant l'ennemi l'union sacrée ».

arrêter les militants antimilitaristes inscrits au carnet B [1], mesure d'apaisement fondée sur la conviction que les milieux ouvriers ne vont pas s'opposer à l'entrée dans la guerre. D'autre part, par un télégramme aux préfets du 2 août 1914, il invite à suspendre l'application des mesures à l'encontre des congrégations prises en application des lois de 1901 et 1904 : dissolution, fermeture, refus d'autorisation [2]. Les congrégations désormais tolérées retrouvent une existence précaire. Une ouverture appréciable est faite vers le monde catholique, qui n'est plus au ban de la République.

Aucune organisation particulière des pouvoirs publics n'était prévue pour le temps de guerre. Le gouvernement recourut aux diverses mesures autorisées par les lois existantes. Le régime de l'« état de siège politique », organisé par la loi du 9 août 1849, complété par la loi du 3 avril 1878, pouvait être déclaré par décret « en cas de péril imminent, résultant d'une guerre étrangère ou d'une insurrection à main armée [3] ». Le parlement devait se réunir de plein droit deux jours après pour confirmer le décret. Le 2 août 1914, le président de la République signa le décret déclarant en état de siège tous les départements. Le Parlement donna force de loi au décret par la loi du 5 août. Il fallut attendre septembre 1915 pour que les préfets et les maires, hors de la zone des armées, retrouvent les pouvoirs de police dont ils avaient été dessaisis. Encore l'autorité militaire conservait-elle le droit de faire des perquisitions de jour et de nuit, et d'interdire publications et réunions de nature à exciter ou entretenir le désordre.

A l'état de siège s'ajoute un régime draconien en matière de presse. Le 4 août, le gouvernement fit voter une loi « réprimant les indiscrétions de la presse en temps de guerre ». Indépendamment de ce régime répressif, la censure préventive fut instaurée, sans acte juridique. Le 4 août au soir, le gouvernement invitait à ne publier aucune information sur la guerre sans qu'elle ait été « visée

1. J.-J. Becker, *Le Carnet B. Les pouvoirs publics et l'antimilitarisme avant la guerre de 1914,* Klincksieck, 1973.

2. Le 14 août, le Garde des Sceaux Bienvenu-Martin enjoint aux procureurs généraux de suspendre les poursuites contre des congréganistes ou des ministres de culte engagées en application des lois laïques ; cf. Léon Noël, *Le Statut de l'Église de France après la séparation,* p. 6.

3. Cf. P. Renouvin, *Les Formes du gouvernement de guerre,* 1925, p. 38. On suit largement ce livre qui demeure indépassé.

au bureau de presse » du ministère de la Guerre. La censure devait frapper les informations non seulement d'ordre militaire et diplomatique, mais aussi politique. La libre expression de l'opinion publique se trouva singulièrement entravée, et la vie politique dans le pays allait prendre un rythme ralenti et un ton assourdi, tout particulièrement dans les premiers mois du conflit.

Le 4 août, le gouvernement fit adopter un projet de loi lui donnant le droit d'ouvrir des crédits par décret pendant la prorogation des Chambres. Le 3 septembre, le président de la République signait le décret de clôture de la session parlementaire. Pendant près de quatre mois, le pouvoir exécutif devait gouverner sans contrôle, exerçant une quasi-dictature [1]. L'heure était dramatique. Le 2 septembre, le gouvernement décidait, « pour veiller au salut national », de quitter Paris. « Partout, pour l'indépendance, poursuivait le communiqué, les Français se lèveront. Mais, pour donner à cette lutte formidable tout son élan et toute son efficacité, il est indispensable que le gouvernement demeure libre d'agir. » La leçon de 1870, présente dans tant de mémoires avait été retenue. Le gouvernement ne devait pas courir le risque d'être enfermé dans Paris assiégé. Bordeaux devenait pour quelques semaines une manière de capitale, comme au début de 1871, comme en juin 1940. Georges Bonnefous, alors au début de sa carrière parlementaire, y trouva une atmosphère de désordre et de défaitisme [2].

La victoire de la Marne dissipa ces miasmes. Début octobre, le président de la République et le ministre de la Guerre regagnaient Paris. Le Parlement y fut convoqué le 22 décembre. Les divers ministères rentrèrent alors dans la capitale ; désormais, le gouvernement, à mesure que le pays s'installait dans une guerre longue, s'attacha à collaborer avec les Chambres et renonça à exercer son droit de clôture.

L' « Union sacrée » recouvrait deux notions [3] : la volonté de défense nationale, qui était le fait de la presque unanimité des

1. *Ibid.*, p. 92.
2. Cf. *Histoire politique de la IIIe République*, t. II, *La Grande Guerre*, PUF, 1957.
3. Cf. J.-J. Becker, *1914. Comment les Français sont entrés dans la guerre*, conclusion.

Français ; une trêve dans les luttes partisanes pendant un conflit dont on pensait qu'il ne serait pas de longue durée. Dans le mouvement ouvrier et le socialisme, l'opposition à l'Union sacrée demeure discrète dans les deux premières années du conflit. S'affirme, dès l'automne 1914, une opposition syndicaliste autour de *la Vie ouvrière* avec Pierre Monatte et Alfred Rosmer, avec le soutien de la Fédération des métaux de Merrheim, de *l'École émancipée*. En mai 1915, une fédération socialiste prend ses distances vis-à-vis de l'Union sacrée, celle de la Haute-Vienne, dont l'organe est *le Populaire du Centre*. Un manifeste dû à Paul Faure, un guesdiste, met en garde contre le chauvinisme, demande que le parti soit accessible à « toutes propositions de paix », sans pour autant accepter une paix « coûte que coûte ». Désormais, aux majoritaires, tenants de l'Union sacrée, s'opposent les minoritaires de la SFIO. Ils veulent « reconstruire » la IIe Internationale, reprendre contact avec la minorité pacifiste de la social-démocratie. Ils s'appuient sur quatre importantes fédérations : la Haute-Vienne, l'Isère avec Raffin-Dugens, le Rhône, Paris enfin, avec Jean Longuet, le petit-fils de Marx, et Pierre Laval, député depuis 1914 de la 2e circonscription de l'arrondissement de Saint-Denis. Ce n'est qu'en avril 1916 qu'ils déposent une motion distincte de la SFIO. Le 1er mai 1916, *le Populaire* est fondé et devient leur organe parisien.

Les « zimmerwaldiens » (la conférence de Zimmerwald, en Suisse, a réuni en septembre 1915 les partisans d'une paix « sans annexions ni indemnités ») trouvent d'abord un écho dans certaines fédérations syndicales : les métaux, l'enseignement. Mais les idées zimmerwaldiennes vont exercer une influence dans la SFIO. Trois parlementaires, socialistes, instituteurs, Blanc, du Vaucluse, Brizon, de l'Allier, Raffin-Dugens, de l'Isère, se rendent à une deuxième Conférence internationale à Kienthal en avril 1916. Ils votent désormais contre les crédits de guerre. Les zimmerwaldiens français ne professent pas, comme les bolcheviks, le « défaitisme révolutionnaire », mais ils condamnent la « guerre impérialiste », la « collaboration de classe », font campagne pour la paix. Des minoritaires de la CGT comme de la SFIO se retrouvent dans le « Comité pour la reprise des relations internationales », zimmerwaldien. L'opposition entre majoritaires et minoritaires ne recouvre pas les anciens clivages. C'est ainsi que la majorité des guesdistes est dans l'Union sacrée, mais des fédérations guesdistes (Haute-Vienne, Isère) sont minoritaires.

Redire cette histoire, bien connue [1], des tendances et des divisions du mouvement ouvrier et du socialisme était indispensable, mais il est plus important pour notre propos d'apprécier l'incidence de la montée des idées zimmerwaldiennes et des thèses minoritaires sur l'opinion et la vie politique. Force est de reconnaître que jusqu'à l'année 1917 elles n'ont qu'un écho limité, et ne mettent pas véritablement en cause l'Union sacrée.

Si, du pays, on se tourne vers le Parlement, on constate un réveil de l'opposition au début de 1915. Celle-ci met en cause la manière dont la guerre est conduite. La commission sénatoriale de l'Armée, menée par le vieux Freycinet, le collaborateur de Gambetta un demi-siècle plus tôt, critique Millerand, le ministre de la Guerre, tenu pour responsable de l'insuffisance de l'artillerie lourde, accusé de laisser s'étendre à l'excès les pouvoirs de l'état-major. Le ministre s'aliéna les parlementaires par ses manières autoritaires et son hostilité aux missions de contrôle aux armées [2]. Pour réduire les pouvoirs de Millerand, il fut entouré de trois sous-secrétaires d'État, Albert Thomas à l'Artillerie, Joseph Thierry, un progressiste, aux Marchés, Justin Godart, un radical, au Service sanitaire, ceux-ci avaient la signature pour les affaires qui les concernaient.

Cependant, le cabinet s'usait. L'entrée en guerre de la Bulgarie, le 22 septembre, aux côtés des Empires centraux, fut un échec pour le ministre des Affaires étrangères Delcassé, hostile à l'expédition de Salonique, engagée pour soutenir l'armée serbe. La mort de son fils à la guerre l'ébranla. Le 13 octobre, Delcassé démissionna. Viviani, qui s'était montré opposé à la réunion de la Chambre en comité secret, obtint la majorité, mais, jugeant que le nombre des abstentionnistes — 155 —, ne lui permettait pas de garder le pouvoir, il démissionna le 29 octobre. Aussitôt son Garde des Sceaux Briand fut appelé à former un gouvernement, où Viviani prenait la Justice. Ce chassé-croisé permit d'éliminer Millerand sans conflit ouvert [3].

1. Cf. A. Kriegel, *Aux origines du communisme français (1914-1920)*, Mouton, 1964, 2 vol.

2. Cf. le témoignage d'Abel Ferry, le neveu de Jules Ferry, dans ses *Carnets secrets (1914-1918)*, Grasset, 1957. — 3. *Ibid.*

Mettant fin à la formule d'une présidence du Conseil sans portefeuille, Briand prit pour lui les Affaires étrangères. A ses côtés, cinq ministres d'État — la formule est nouvelle — devaient symboliser l'Union sacrée : Léon Bourgeois, Émile Combes, Freycinet, Guesde, Denys Cochin. Avec celui-ci, pour la première fois depuis l'avènement de la « République des républicains », un représentant de la droite catholique entrait au gouvernement. Chose encore plus remarquable, Cochin n'incarnait pas la droite ralliée à la République, mais l'orléanisme parlementaire, fidèle au comte de Paris.

Le portefeuille de la Guerre allait au général Galliéni. Il chercha à collaborer avec les commissions parlementaires, mais, guère soutenu par le président du Conseil, malade, il démissionna le 14 mars 1916 [1] pour être remplacé le 16 par un autre militaire, le général Roques. Briand dut accepter la procédure des comités secrets, prévue par l'article 5 de la loi du 16 juillet 1875. Le premier comité secret vit la Chambre, le 16 juin 1916, débattre de la bataille de Verdun. Abel Ferry y prit la tête de l'opposition à Briand contre qui votèrent 97 députés, dont Maginot. Briand dut accepter le contrôle parlementaire aux armées. De nouveaux comités secrets se tinrent le 28 novembre et le 7 décembre. Depuis le début de 1916, les parlementaires, et notamment Abel Ferry, avaient contesté la création par Briand, le 2 décembre 1915, d'un généralissime, en la personne de Joffre, chargé d'assurer « l'unité de direction, indispensable à la conduite de la guerre ». Le comité secret du 7 décembre 1916 se termina par un vote de confiance, mais Briand fut conduit à enlever ses fonctions à Joffre, nommé conseiller technique du gouvernement, et à remanier le 12 son gouvernement.

La formule des ministres d'État était abandonnée, et ceux-ci quittaient le gouvernement, à l'exception de Denys Cochin, qui devenait sous-secrétaire d'État au Blocus. Le général Lyautey, résident général au Maroc, prenait le ministère de la Guerre. Le départ de Guesde et de Marcel Sembat [2] fit que le gouvernement

1. Il meurt le 26 mai. Sur tout ceci, cf. J.-B. Duroselle, *La France et les Français, 1914-1920,* Éd. Richelieu, 1972, et les *Carnets* d'Abel Ferry.

2. Il est remplacé par Édouard Herriot, maire de Lyon et sénateur dont c'est le premier ministère ! Il regroupe Travaux publics, Transports et Ravitaillement.

ne comptait plus qu'un socialiste, Albert Thomas. De sous-secrétaire d'État à l'Artillerie et aux Munitions, il devient ministre à part entière avec le portefeuille de l'Armement. Ce réformiste est désireux, à la faveur de la guerre, d'intégrer la classe ouvrière à la nation. La création en janvier 1917 de délégués ouvriers veut ouvrir la voie à un système contractuel [1]. Albert Thomas souhaite aussi associer l'initiative privée et l'État. Il n'est pas indifférent que Briand, adepte de la participation et d'une « troisième voie » sociale, ait désigné un ministre qui, avec l'appui de la CGT, saura surmonter les grèves, notamment dans les industries d'armement, chez Panhard, au début de 1917. Le gouvernement Briand compte, chiffre inhabituel, douze sous-secrétaires d'État. Parmi eux, aux Fabrications de guerre, un ingénieur, devenu avant la guerre un grand industriel, Louis Loucheur, type de technicien que la guerre conduit à la politique. De même, un directeur au ministère des Travaux publics, Albert Claveille, est sous-secrétaire d'État aux Transports.

Mettant fin à l'existence d'un généralissime, le nouveau gouvernement, par le décret du 13 décembre 1916, créa un commandant en chef des armées du Nord et du Nord-Est, Nivelle, et un commandant en chef de l'armée d'Orient, Sarrail. Selon le mot du juriste Léon Duguit, c'était le retour à la correction constitutionnelle. Le pouvoir militaire abandonnait la situation exceptionnelle qu'il avait acquise. Peu après, Joffre fut nommé maréchal, perdant ses fonctions de conseiller technique. Un communiqué du 28 décembre 1916 pouvait affirmer : « Il n'y a plus d'autre conseiller technique du gouvernement pour la guerre que le ministre de la Guerre [2]. »

Se conformant enfin au vœu exprimé hors de l'ordre du jour de la Chambre le 7 décembre 1916 : « concentrer sous une direction restreinte la conduite générale de la guerre et l'organisation du pays », Briand forma un comité de guerre. Il réunissait les ministres de la Guerre, de la Marine, des Affaires étrangères, des

1. Cf. A. Hennebicque, « Albert Thomas et le régime des usines de guerre (1915-1917) », in *1914-1918. L'autre front, Cahiers du Mouvement social,* 1977, p. 111-144. Le décret du 17 janvier 1917 créa dans chaque région un « comité permanent de conciliation et d'arbitrage paritaire ».

2. Cf. G. Pedroncini, « Les rapports du gouvernement et du haut commandement en France en 1917 », *Revue d'histoire moderne et contemporaine*, janvier-mars 1968.

Finances, de l'Armement. Mais ce comité, à l'encontre de son équivalent britannique, n'a pas de pouvoir de décision, et prépare les décisions que doit adopter le conseil des ministres.

Le cabinet Briand, dans sa seconde formule, n'eut qu'une existence brève. L'occasion de sa chute fut un incident entre le ministre de la Guerre Lyautey et la Chambre des députés. En séance publique, lors d'un débat sur l'aviation militaire, le ministre de la Guerre se justifia de ne pas aborder le terrain technique, ajoutant que, même en comité secret, il se refusait à « exposer la défense nationale à des risques ». Devant les protestations des députés dans les rangs socialistes et radicaux, il dut démissionner sur-le-champ, le 14 mars. Face aux refus des personnalités pressenties pour prendre le portefeuille de la Guerre, le chef du gouvernement donna sa démission, le 18. L'épisode appelle deux commentaires. Avec Lyautey prend fin le recours pendant la guerre, au total peu convaincant, de ministres de la Guerre généraux. L'incident atteste également la montée d'une crise de confiance. Aussi bien la chute du cabinet Briand ouvre-t-elle l'année difficile : 1917.

2. *La crise de 1917 : l'heure de Clemenceau*

C'est l'heure, selon la forte formule de Pierre Renouvin, de la « fatigue des peuples ». La guerre qui n'en finit pas, l'échec sanglant en avril de l'offensive Nivelle, porteuse de tant d'espérances, la hausse des prix, voilà les raisons de « l'affaissement moral de la population » qu'observe le préfet de l'Isère en juin 1917. Témoignage nullement isolé : dans 44 départements, le « moral » est jugé médiocre ou mauvais [1]. La révolution russe est au début ressentie comme un atout pour les alliés, tant le tsarisme semblait usé, mais bien vite les succès bolcheviks rallument, ici et là, la flamme révolutionnaire. La manifestation du 1er mai 1917, réunit à Paris plusieurs milliers de manifestants, au cri de : « A bas la guerre ! » En mai-juin, des grèves dans la couture, puis dans les industries de guerre touchent 100 000 grévistes, pour les trois

1. Cf. J.-J. Becker, *Les Français dans la Grande Guerre,* Laffont, 1980.

quarts des femmes. Certes, ces grèves ne comportent pas de revendications politiques, mais elles sont un signe de lassitude de l' « arrière ». Au front même, les mutineries qui éclatent le 20 mai 1917 [1] traduisent, non quelques menées politiques, comme le croit l'état-major, mais une crise profonde du moral. Alliant, la fermeté — 629 condamnations à mort, dont 75 sont exécutées — et le souci de la condition du fantassin, Pétain surmonta la crise de l'armée.

Baisse du moral, difficultés sociales, trouble dans l'armée, les conditions d'un profond malaise politique étaient présentes Il revêtit deux formes : l'une discrète, l'aspiration dans une partie du personnel politique à une paix de compromis, l'autre publique, le retour à l'instabilité gouvernementale. Un certain nombre d'hommes politiques de gauche et de centre s'inquiètent de la poursuite du conflit et des issues possibles. Caillaux, dès 1915, est acquis à une paix de compromis. Il craint que la France sorte exsangue de la guerre, que celle-ci serve la cause des révolutionnaires, que l'Action française ne profite du conflit pour abattre le régime. Caillaux a, à ses côtés, des hommes politiques radicaux de second plan, tel L. Accambray, député de l'Aisne, P. Meunier, député de l'Aube. Dans ses relations imprudentes, figurent des personnages tarés : Bolo, homme d'affaires et journaliste, Almeyreda, anarchiste, rédacteur du *Bonnet rouge*. Ils sont liés à la propagande allemande [2] en France. Meunier entre en contact avec les représentants de l'Allemagne à Berne, qui voient en lui, semble-t-il avec raison, un émissaire de Caillaux. Celui-ci qui, dans son discours de Mamers, affirmait qu'il ne consentirait pas à une paix sans « la réintégration pure et simple de l'Alsace-Lorraine » paraît avoir sous-estimé les ambitions allemandes.

Celles-ci font également avorter les sondages de Briand fondés sur l'hypothèse d'une restitution de l'Alsace-Lorraine, d'un accord économique franco-allemand, les mains étant laissées libres à l'Allemagne à l'est. Mais, à cette date, l'Allemagne n'est

1. Cf. l'étude décisive de G. Pedroncini, *Les Mutineries de 1917,* PUF, 1967.

2. Sur tout ceci la publication de documents d'A. Scherer et J. Grünewald, *L'Allemagne et les Problèmes de la paix pendant la Première Guerre mondiale,* t. I, 1962, T. II, 1966, et les comptes rendus de J. Bariéty, *Revue historique,* avril-juin 1965 et avril-juin 1968.

nullement disposée à l'abandon de l'Alsace-Lorraine. Les contacts de Painlevé avec l'Autriche-Hongrie n'eurent pas plus d'avenir. Les hommes politiques responsables se risquèrent d'autant moins à aller plus avant qu'à l'été 1917 plusieurs scandales de trahison — à la faveur des arrestations d'Almeyreda, de Bolo, du député radical-socialiste Turmel — éclatèrent à Paris. De cette histoire secrète et complexe, il importe si nécessaire de retenir qu'une partie du personnel politique n'exclut pas pendant un temps l'idée de la recherche d'une paix de compromis. En fait, l'attitude de l'Allemagne, forte de sa carte de guerre, décourage ces hypothèses.

Les deux gouvernements qui succédèrent à Briand ne durèrent pas huit mois, indice d'un retour à une instabilité révélatrice d'une situation de crise. Après la démission de Briand et le refus de P. Deschanel, le président de la Chambre, de former le gouvernement, Alexandre Ribot devint président du Conseil le 20 mars. Avec le chef des progressistes, la présidence du conseil revenait ainsi à un homme du centre, incarnation de la République modérée. Il prit pour lui le portefeuille des Affaires étrangères. Painlevé, républicain socialiste, professeur à la faculté des sciences de Paris, prit la Guerre. Il eut à assumer la responsabilité de l'offensive Nivelle, préparée avant lui, et sut, après l'échec, désigner Pétain. Maginot, député de Bar-le-Duc, grand blessé de guerre, adversaire déterminé de Briand, devenait ministre des Colonies. Sa présence témoignait du poids dans la Chambre des députés combattants. Les Finances, abandonnées par Ribot, passèrent à un progressiste, J. Thierry, qui fit adopter les dispositions portant impôt sur le revenu. La guerre rendait inéluctable la réforme si longtemps différée.

L'audience croissante des thèses minoritaires dans le groupe socialiste apparut lors du débat, en comité secret, sur le refus de passeport aux députés socialistes désireux de se rendre à la Conférence socialiste internationale de Stockholm. Le 5 juin, Ribot obtint la confiance par 467 voix contre 52. Il avait contre lui 47 socialistes, dont Vincent Auriol, Brizon, Laval, Longuet. Se prononcèrent pour lui 39 membres de la SFIO, dont Renaudel, leader des majoritaires, dont la position était désormais ébranlée.

Attaqué par l'extrême gauche, le gouvernement était aussi mis en cause par ceux qui lui reprochaient son manque de fermeté.

Après l'arrestation de l'administrateur du *Bonnet rouge* et celle d'Almereyda, Clemenceau au Sénat, le 22 juillet, dénonce Malvy, inamovible ministre de l'Intérieur, et ses liens avec les milieux anarchistes et antimilitaristes. Léon Daudet dans *l'Action française* [1] orchestre la campagne. Celle-ci s'intensifie avec la mort d'Almeyreda à Fresnes le 20 août après un suicide qui soulève des doutes. Elle entraîne la démission de Malvy, le 31.

Le gouvernement avait déjà connu deux démissions : le 2 août, l'amiral Lacaze, ministre de la Marine, se refusant à une commission d'enquête parlementaire, avait quitté ses fonctions. Le 17 août, Denys Cochin avait abandonné le sous-secrétariat d'État au Blocus. Les raisons de cette démission furent motivées à l'époque par des désaccords sur les relations avec la Grèce et la politique du blocus. En fait, Cochin estimait que l'Union sacrée n'existait plus, et que sa présence donnait au ministère « une apparence inexacte [2] ». L'incident était motivé par le refus de Ribot de donner connaissance au conseil des ministres d'une lettre du secrétaire d'État, le cardinal Gasparri, sur le protectorat religieux de la France en Orient.

Plus généralement, le monde catholique avait le sentiment, avec le vote, en février 1917, de l'amendement Sixte-Quenin, prévoyant que les ecclésiastiques des classes antérieures à la séparation pourraient être versés dans tous les corps de troupe et non dans le corps de santé, d'une offensive laïque. La réaction anticléricale suscitée par l'offre de médiation du pape Benoît XV dans sa Note du 1er août 1917 confirma cette impression de retour à la laïcité militante, même si la très grande majorité des catholiques français désapprouva l'initiative du pape. Aucun des représentants de la droite catholique n'accepta de remplacer Cochin. Dans son refus, le sénateur de Las Cases fit observer à Ribot que « certains actes récents avaient ému à juste titre les catholiques et que ceux-ci ne pouvaient comme tels accepter la responsabilité du gouvernement [3] ». Rarement évoqué, cet épisode nuance l'image habituelle des gouvernements de guerre

1. Cf. Alfred Kupferman, « Le rôle de Léon Daudet et de *l'Action française* dans la contre-offensive morale, 1915-1918 », *Études maurrassiennes,* 1973, p. 121-144.

2. Lettre à Ribot, 29 juillet 1917 ; cf. notre article « Le catholicisme français et la Première Guerre mondiale », *Francia,* 2, 1974.

3. Lettre de D. Cochin, 14 août, *ibid.*

auxquels, somme toute, la droite catholique ne fut associée que pendant un peu moins de deux ans.

Mais ce fut la démission de Malvy qui emporta Ribot. Le président du Conseil démissionna le 7 septembre. Il essaya en vain de former un nouveau gouvernement et échoua devant le refus de participation socialiste. Painlevé forma le gouvernement le 12 septembre sans trouver davantage le concours des socialistes : c'était bien la fin de l'Union sacrée. Ribot gardait les Affaires étrangères et Painlevé la Guerre. Loucheur remplaçait Albert Thomas à l'Armement. Un radical-socialiste, Steeg, succédait à Malvy à l'Intérieur. Comme Briand deux ans plus tôt, Painlevé s'entourait de ministres d'État [1], membres du comité de guerre désormais doté d'un pouvoir de décision. Hormis Ribot, Barthou, Jean Dupuy, et les « techniciens », le gouvernement était formé de radicaux et de républicains socialistes. La droite et les modérés lui apportèrent leur soutien. Le gouvernement obtint la confiance par 368 voix contre 0 [2]. Dans les 131 abstentionnistes figuraient 86 socialistes (sur 96) et une fraction des radicaux proches de Caillaux et Malvy.

Ainsi, le gouvernement Painlevé annonçait déjà la majorité qui allait deux mois plus tard soutenir Clemenceau. Mais il ne parvint pas à imposer son autorité. La levée le 20 septembre de l'immunité parlementaire du député radical-socialiste Turmel, agent allemand, les attaques de Léon Daudet contre Malvy, surtout l'arrestation le 29 de Bolo, lié à Caillaux, la mise en cause par Clemenceau, dans *l'Homme enchaîné* le 15 octobre, de Briand affaiblirent l'autorité du gouvernement. En comité secret le 16, Ribot s'expliqua sur les contacts avortés de Briand, expliquant qu'il l'avait persuadé de ne pas poursuivre l'affaire. L'ordre du jour fut voté par 313 voix contre 0, mais les socialistes s'abstinrent, et 187 députés de centre et de droite ne prirent pas part au vote. Le remplacement de Ribot par Barthou ne raffermit pas l'autorité du gouvernement. Le 13 novembre, Painlevé, qui demandait l'ajournement des interpellations sur les affaires judiciaires en

1. Barthou, Bourgeois, Doumer, Jean Dupuy et le radical Franklin-Bouillon.

2. Sur tout ceci, renvoyons à *l'Histoire politique de la IIIe République*, dont le tome traitant de la guerre est dû à Georges Bonnefous, alors député, et a valeur souvent de témoignage.

cours, était mis en minorité par 277 voix contre 186. Premier et seul gouvernement renversé pendant la guerre, il avait contre lui 76 socialistes, désormais acquis aux thèses minoritaires. D'autre part, la droite et les modérés lui retiraient leur confiance pour ouvrir la voie à Clemenceau.

Poincaré, malgré une vieille animosité personnelle, le 16, appela le vieux jacobin qui allait gouverner, selon le mot de Daniel Halévy, moins en homme d'État qu'en homme de guerre. A l'instabilité et à l'incertitude faisait place un gouvernement déterminé qui resta aux affaires, non sans remaniements, jusqu'au 20 janvier 1920, pendant plus de deux ans. S'il s'appuie sur la droite, Clemenceau n'associe pas celle-ci au gouvernement. La majorité des 14 ministres est faite de radicaux. Deux hommes de l'Alliance démocratique sont ministres : Albert Lebrun, polytechnicien, député de Briey, au Blocus, et Georges Leygues à la Marine, dont il détint si souvent, dans sa longue carrière, la responsabilité. Quatre ministres du gouvernement précédent restent en fonction : Klotz aux Finances, Loucheur à l'Armement, et l'inamovible Clémentel au Commerce [1]. De plus, un haut fonctionnaire, Albert Claveille, devenu sous-secrétaire d'État aux Transports sous Briand, est ministre des Travaux publics et des Transports, comme sous Painlevé. La continuité est sensible dans ces ministères techniques. Clemenceau prend pour lui le portefeuille de la Guerre, et Stephen Pichon, à qui il est lié depuis près de quarante ans, les Affaires étrangères, comme en 1906. A l'Intérieur Pams, l'adversaire de Poincaré aux élections à la présidence de la République, à l'Instruction publique Lafferre, éminente personnalité du Grand Orient, sont une garantie d'orthodoxie radicale. Au Travail, le républicain socialiste Colliard maintient des liens avec le monde syndical.

Une idée reçue, contestable, veut que le gouvernement soit fait de personnages de second plan. Il est plus exact de dire que les ministres sont choisis pour leur fidélité au président du Conseil. Le gouvernement compte 9 sous-secrétaires d'État. Jules Jeanneney, député radical de la Haute-Saône qui a refusé jusque-là un

1. Son action mériterait étude. Il a pour directeur de cabinet l'historien Henri Hauser. Il détient ce portefeuille d'octobre 1915 à 1920.

portefeuille, est sous-secrétaire d'État à la présidence du Conseil. Il va exercer un rôle inappréciable de coordination [1] comme secrétaire du comité de guerre. Le général Mordacq dirige le cabinet militaire du président du Conseil. Georges Mandel, collaborateur de Clemenceau depuis 1907 [2], dirige le cabinet civil. Le rôle considérable de cet homme à peine âgé d'une trentaine d'années, qui tient les fonds secrets, la presse et la police, irrite les adversaires de Clemenceau, déjà hostiles au style autoritaire du président du Conseil.

Le 20, Clemenceau prononce sa déclaration ministérielle que résume le célèbre : « Je fais la guerre. » Il obtient la confiance par 418 voix contre 65, dont 64 socialistes. S'abstiennent 25 socialistes et 15 radicaux, dont Caillaux et Malvy. Dès le 11 décembre, Clemenceau fait engager des poursuites contre Caillaux, incarnation de la paix de compromis, éventualité désormais exclue. L'ancien président du Conseil compromis par ses relations avec Bolo est arrêté le 14 janvier 1918. Le 22 novembre, Malvy est déféré, sur sa demande, devant le Sénat réuni en Haute Cour. Son procès, du 16 juillet au 4 août 1918, lui vaut une condamnation de cinq ans de bannissement pour avoir « forfait » à sa charge « en laissant s'accroître chaque jour un danger dont il ne pouvait méconnaître la gravité [3] ». En avril 1920, la Haute Cour condamne Caillaux, pour imprudence ayant servi les intérêts de l'ennemi, à trois ans de prison. C'en était fini des velléités de « paix blanche » et de contact avec les « défaitistes ».

Clemenceau concentre en ses mains des pouvoirs considérables, mais il ne demande en rien de « pleins pouvoirs ». Pour échapper à l'autorité du président de la République, il réunit volontiers des conseils de cabinet, dont ensuite le conseil des ministres présidé par Poincaré entérine les décisions. Le contrôle parlementaire demeure. « Nous sommes sous votre contrôle. La question de confiance sera toujours posée », affirme-t-il en arrivant au pouvoir, fidèle à la règle d'or du régime parlementaire. La loi du 10 février 1918 donne seulement au gouvernement le pouvoir

1. Painlevé en avait ressenti le besoin, qui créa le 13 septembre 1917 un éphémère secrétariat général de la présidence du Conseil, organe d'études, sans crédits propres, mais qui annonçait l'avenir.
2. Cf. le bon livre de J. Sherwood sur Mandel, Stanford, 1970.
3. Cf. G. Bonnefous, *op. cit.*

d'agir par décrets pour prohiber certaines importations et pour régler la production et le commerce des denrées alimentaires. Rien là d'exorbitant. L'exceptionnelle autorité de Clemenceau tient au soutien de l'opinion, qui, après le flottement du printemps 1917, se redresse et, convaincue que la victoire est la seule issue à la guerre, adhère à une manière de « morosité patriotique » (J.-J. Becker). Ce redressement de l'opinion, sensible à partir d'août 1917, a préparé l'avènement de Clemenceau autant qu'il est renforcé par la détermination du président du Conseil.

Les partis sont sans vie. Les radicaux, pour se démarquer de Caillaux, désignent un nouveau président en la personne du sénateur du Nord, Charles Debierre. A la SFIO, le poids des minoritaires va croissant. Ils font échouer l'hypothèse d'une participation au gouvernement Clemenceau. Certes, au conseil national du 17 février 1918, les majoritaires gardent de peu leur supériorité. Mais, au conseil national du 28 juillet, la majorité se renverse. La motion Longuet de refus des crédits de défense nationale l'emporte par 1 544 voix contre 1 172. Au congrès du 6 au 9 octobre, alors que se profile la victoire, les ex-minoritaires prennent la direction du parti et L. O. Frossard, un ancien instituteur du territoire de Belfort, devient secrétaire général.

Ces affrontements internes, aux conséquences considérables pour la suite, n'ont pas grande portée sur l'opinion, et Clemenceau n'a cure d'une opposition parlementaire faite de la grande majorité des socialistes et d'une vingtaine de radicaux. Plus préoccupantes sont les importantes grèves du printemps 1918 à Paris et dans la Loire. Elles révèlent l'importance des groupes pacifistes, sans qu'elles aillent jusqu'au « défaitisme ». Au total, le quasi-consensus sur la nécessité de la défense nationale ne fut pas réellement ébranlé [1]. Là réside la raison du succès de Clemenceau.

Victoire de la République, la guerre conforta le régime : la République parlementaire n'avait-elle pas surmonté une épreuve qui avait emporté les monarchies autoritaires ? Ce thème fut volontiers développé dans les années vingt. Le régime tint bon, malgré ses réelles faiblesses : il suffit de se reporter aux descrip-

1. On suit les conclusions de J.-J. Becker, *op. cit.*

tions sévères des réunions du cabinet Viviani laissées par Abel Ferry [1], qui seul des sous-secrétaires d'État assiste au conseil des ministres. Chose remarquable : les institutions ne furent pas modifiées et le gouvernement n'eut pas à user de pleins pouvoirs. En revanche, la guerre suscita des mutations dans l'organisation du travail gouvernemental. La naissance du comité de guerre, le besoin d'une coordination exercée à la présidence du Conseil qu'atteste aussi la création de comités interministériels, le développement de sous-secrétariats d'État — une dizaine sous Clemenceau —, l'apparition de commissaires généraux — ainsi Tardieu nommé aux États-Unis le 15 avril 1917 —, autant de réalités nouvelles. Léon Blum, directeur du cabinet de Marcel Sembat, s'interrogea sur ces mutations dans ses « Lettres sur la réforme gouvernementale », publiées anonymes dans *la Revue de Paris* en 1918.

Le contrôle parlementaire, passé les premiers mois du conflit, s'exerça, moins bien entendu en séances publiques que dans les commissions. La Chambre se réunit à huit reprises en comité secret du 16 juin 1916 au 10 octobre 1917, et le Sénat à quatre reprises, mais Clemenceau ne recourut pas à une procédure qu'il jugeait vaine. La guerre entraîna un développement de fait du rôle des commissions du Parlement. Elle constitue là une étape d'une évolution dont on verra l'ampleur.

Une autre institution marqua la volonté des parlementaires de ne pas être dessaisi des affaires : le contrôle parlementaire aux armées, institué en juillet 1916, après une longue lutte avec Briand, avocat de l'état-major. Abel Ferry avait été l'un des protagonistes de cette revendication, où il voyait le retour aux traditions révolutionnaires. Les enquêtes des commissions, les rapports des commissaires aux armées attestent la réalité du rôle du Parlement, que la guerre n'avait pas mis en cause.

1. *Les Carnets secrets d'Abel Ferry (1914-1918), op. cit.* et Michel Baumont, « Abel Ferry et les étapes du Contrôle aux armées (1914-1918) », *Revue d'histoire moderne et contemporaine*, janvier-mars 1968.

10

Après-guerre et Bloc national

(1918-1924)

Les années qui suivent immédiatement la guerre ont une physionomie originale : primat des problèmes de politique extérieure et du règlement de la paix, effervescence sociale née de la vie chère, mais aussi des aspirations révolutionnaires fortes de l'exemple bolchevik, souci de « reconstruction » des régions touchées par la guerre. Ce n'est qu'un an après la fin du conflit que reprit une vie politique normale (le régime de l'état de siège n'est levé que par le décret du 12 octobre 1919), après les élections de novembre 1919. Aussi convient-il d'évoquer tour à tour les lendemains de l'armistice, les consultations de la fin de 1919 et du début de 1920, et la configuration nouvelle des forces politiques, avant d'aborder la législature du Bloc national.

L'armistice du 11 novembre 1918 n'entraîne pas une coupure dans la vie politique. Clemenceau, fort de son prestige de « père la Victoire », reste à la tête du pays et va le demeurer jusqu'au 18 janvier 1920. Le gouvernement n'est pas modifié, tout au plus le ministre de l'Armement, Loucheur, devient-il, le 26 novembre, ministre de la Reconstitution industrielle, tandis qu'Albert Lebrun abandonne le Blocus pour se consacrer aux seules régions libérées. La majorité reste inchangée : la droite, les républicains modérés, la majorité des radicaux, quelques socialistes « nationaux » qui viennent de fonder le parti socialiste français, après avoir rompu avec la SFIO.

Clemenceau réprime les manifestations, comme celle interdite du 1er mai 1919, brise les grèves dans la métallurgie parisienne, dont l'allure révolutionnaire [1] sert un gouvernement qui s'appuie

1. Cf. le « soviet » de Saint-Denis évoqué par J.-P. Brunet, *Saint-Denis, la ville rouge, op. cit.*

sur la peur des bolcheviks. Soucieux de couper l'herbe sous le pied à l'agitation sociale, et malgré l'hostilité du patronat, il fait voter le 23 avril la loi limitant la journée de travail à huit heures. Certes, le mouvement ouvrier ne comprend qu'une minorité bolchevisante, « ultra-gauche » anarchiste, extrême gauche proche du syndicalisme révolutionnaire qui, avec Monatte et Monmousseau, identifie soviets et syndicats. Le « Comité de la IIIe Internationale », issu du Comité pour la reprise des relations internationales, de Zimmerwald, milite pour l'adhésion à la IIIe Internationale. Ces thèses, malgré la sympathie pour la révolution bolchevique, ne trouvent pas un large écho avant l'été 1920. Au Congrès de Strasbourg de février 1920 l'emporte la non-adhésion immédiate à la IIIe Internationale. Mais les manifestations des grévistes de mai 1919, l'orientation révolutionnaire des militants socialistes qui affluent vers le parti (133 327 cartes au 31 décembre 1919 pour 35 793 au 31 décembre 1918 [1]) font craindre aux milieux attachés à l'ordre social une menace bolchevique en France même. Clemenceau va savoir jouer de cette peur.

Dans le règlement de la paix, il imposa son autorité aux nationalistes. Soucieux de la suprématie du pouvoir civil, il coupe court le 2 juin 1919 au projet de République rhénane du général Mangin [2]. Soutenu par l'opinion, Clemenceau fait accepter la paix de Versailles à la droite nationale qui, avec Louis Marin, souhaitait d'autres garanties en matière de sécurité sur le Rhin et de réparations [3]. Mais les adversaires du traité ne peuvent prendre le risque d'ouvrir une crise, et le sentiment prévaut qu'il n'était pas possible d'obtenir davantage. Le président de la République, Poincaré, ne cache pas, dans son journal, son irritation : « Le sort de la France se décide sans que le président de la République, ni les Chambres, ni le pays ne sachent rien [4] », et ne dissimule pas son indignation face à « ce fou dont le pays a fait un Dieu [5] ». Mais, président irresponsable vis-à-vis d'un gouvernement responsable, il s'incline devant un traité qu'il désapprouve.

1. A. Kriegel, *Aux origines du communisme français, op. cit.*
2. Cf. le témoignage de G. Wormser, *La République de Clemenceau,* PUF, 1961, p. 345.
3. Cf. P. Miquel, *La Paix de Versailles et l'opinion publique française,* Flammarion, 1971.
4. Cf. *Au service de la Paix,* Plon, 1974, p. 293.
5. *Ibid.*, p. 323.

A la Chambre comme au Sénat, le traité est ratifié. Le 2 octobre 1919, 372 députés votent la ratification. Parmi les 53 adversaires figurent 49 socialistes qui jugent la paix trop sévère, mais aussi des nationalistes irréductibles comme Louis Marin et le radical Franklin-Bouillon. Dans les 72 abstentionnistes, on trouve 33 socialistes et 18 radicaux-socialistes, mais aussi des représentants de la droite nationale ou du centre : Ybarnegaray et Maginot. Clemenceau avait imposé à l'opinion et au personnel politique le règlement de la paix, comme il avait imposé la conduite de la guerre. Parviendrait-il, comme le souhaitaient ses amis politiques, à présider aux destinées de la France dans la paix ?

1. *Les élections de l'après-guerre*

Toutes les consultations électorales avaient été suspendues pendant la durée du conflit. Avant l'échéance de l'élection à la présidence en janvier 1920, il fallait renouveler tous les corps élus. La question de la réforme du mode d'élection à la Chambre des députés, restée ouverte à la veille de la guerre, se posait à nouveau. Fidèle à la doctrine républicaine selon laquelle il appartient aux élus eux-mêmes de décider de leur mode d'élection, le gouvernement de Clemenceau s'abstint de prendre parti [1] dans les débats longs et confus qui menèrent au vote de la loi du 12 juillet 1919. Fruit d'un compromis, celle-ci établissait le scrutin de liste à la proportionnelle avec une prime majoritaire. Le Sénat et les radicaux renonçaient à l'arrondissement et au scrutin uninominal à deux tours, l'attitude du parti socialiste ne permettant plus d'envisager d'accord de second tour.

Le 15 octobre, Clemenceau fait adopter par la Chambre le calendrier électoral. A la différence de la commission du suffrage universel et de Briand, il souhaite que les législatives viennent en tête et non les municipales, afin de dégager nettement la volonté du pays. Les législatives sont fixées au 16 novembre, les municipales aux 30 novembre et 7 décembre, les élections aux conseils

1. Cf. le témoignage de son collaborateur Georges Wormser, *La République de Clemenceau, op. cit.*, p. 363.

généraux et d'arrondissement aux 14 et 21 décembre, les élections aux deux tiers sortants du Sénat (du fait de la guerre) au 11 janvier. L'élection à la présidence de la République pouvait avoir lieu alors après le renouvellement des deux assemblées. Cette cascade inouïe de consultations ne trouvait de précédent qu'à l'aube du régime, en 1876.

La loi du 12 juillet 1919 disposait qu'« à titre transitoire » chaque département, en l'attente d'un nouveau recensement, conservait le même nombre de députés. Le département formait une circonscription, mais, quand le nombre de députés à élire était supérieur à six, le département pouvait être divisé en circonscriptions. Une loi publiée au *Journal officiel* du 14 octobre sectionna huit départements [1]. L'arrière-pensée des sortants était d'éviter que le cadre départemental ne mette en cause les situations acquises. Un habile découpage devait donc éviter l'échec de vieux républicains dans des départements conservateurs, comme l'Aveyron, la Loire-Inférieure, le Maine-et-Loire.

Les listes incomplètes, et même les candidatures individuelles, étaient possibles. Tout candidat qui avait obtenu la majorité absolue était élu. C'était donc le système majoritaire qui jouait dans ce cas. En l'absence de majorité absolue, les sièges à pourvoir étaient répartis selon le système du quotient : « il est attribué à chaque liste autant de sièges que sa moyenne contient de fois le quotient électoral » (art. 10). Pour la répartition des restes, la prime majoritaire jouait à nouveau puisque les sièges restant étaient « attribués à la plus forte moyenne ». Les électeurs pouvaient panacher, et les sièges devaient être, « dans chaque liste, attribués aux candidats qui auront réuni le plus de suffrages ».

Le mode de scrutin et la prime majoritaire imposaient des listes d'union, aussi larges que possible. Les socialistes, par la motion Bracke du 14 septembre, décidèrent de faire des listes homogènes. L'évolution du parti socialiste, dans l'opposition depuis 1917, ne permettait plus une entente avec les radicaux. L'Alliance démocratique, au centre, prit l'initiative de former un « Bloc national ». L'accord du 22 octobre 1919 voulait associer les représentants de

1. 21 départements présentaient les conditions requises. La Seine fut divisée en 4 circonscriptions. Cf. Barthélémy et Duez, *op. cit.*, p. 388.

toutes les fractions républicaines, de l'Action libérale populaire et de la Fédération républicaine aux républicains socialistes et socialistes restés fidèles à l'Union sacrée. Sur le vieux mot d'ordre « ni réaction, ni révolution », s'esquissait une conjonction des centres, dominée par la volonté de lutter contre le bolchevisme, l'acceptation de certaines réformes sociales, le souci d'éviter la reprise de la querelle religieuse.

L'appel des partisans du Bloc national affirmait : « Le fait de la laïcité de l'État doit se concilier avec les droits et les libertés de tous les citoyens, à quelque croyance qu'ils appartiennent [1]. » Cette acceptation d'une laïcité ouverte par les catholiques venus de l'Action libérale rendait possible, comme sous Méline, une vingtaine d'années plus tôt, l'union des hommes de centre. Dans un important discours, à Strasbourg, le 4 novembre, Clemenceau invitait à la constitution d'une « majorité cohérente », d'une « majorité de gouvernement ». Réservé vis-à-vis de toute révision de la Constitution, il proposait en revanche une réforme des mœurs parlementaires et une profonde décentralisation, « l'organisation du régime de liberté régionale », les Chambres s'allégeant du travail « revenant aux assemblées locales ». Ce thème n'est alors nullement isolé. Au lendemain de la guerre, la critique de la bureaucratie et de la centralisation s'affirme avec force. Elle est un des thèmes des hommes du Bloc national.

Celui-ci rencontra l'hostilité aussi bien des tenants de la laïcité militante que des catholiques intransigeants. Le 7 novembre, le Comité exécutif du parti radical, présidé depuis septembre 1919 par Édouard Herriot, anti-clemenciste, se retira du Bloc national. Cependant, dans un certain nombre de départements, des radicaux figurèrent sur les listes du Bloc national. Les catholiques intransigeants, jugeant inadmissible l'acceptation de la laïcité, suscitèrent ici et là des listes de droite, qui allaient jusqu'à l'extrême droite monarchiste, d'Action française, exclue de la coalition du Bloc national. Celui-ci eut donc des visages divers. Il est parfois limité aux vieux républicains, de l'Alliance démocratique aux radicaux (ainsi dans le Nord), parfois ouvert aux hommes de l'Action libérale et de la Fédération républicaine, avec la

1. Cf. le livre du journaliste démocrate populaire Robert Cornilleau, *De Waldeck-Rousseau à Poincaré,* Spes, 1926.

participation des radicaux ou sans ceux-ci. On mesure le caractère hétéroclite de cette coalition, que les historiens ont par la suite trop vite identifiée à la seule droite, alors que celle-ci n'en était qu'une des composantes, et que l'extrême droite n'y figurait pas. On comprend aussi les divisions et les tensions qui suivirent la victoire.

Celle-ci tient à une série de raisons : la désaffection vis-à-vis des députés sortants, observée par les préfets, la rancune des combattants vis-à-vis du personnel parlementaire, identifié à l' « arrière », la crainte du péril bolcheviste, attisée par l'Union des intérêts économiques, qui diffuse la fameuse affiche illustrée de « l'homme au couteau entre les dents ». Les abstentions furent considérables : 28,9 %. En effet, les listes électorales n'avaient pas été revues après les bouleversements de population dus à la guerre. La SFIO connaissait une stagnation ; certes, elle passait d'1 400 000 voix en 1914 à 1 728 000, mais elle obtenait 113 000 voix dans les départements recouvrés, et le scrutin de liste lui permettait d'avoir des candidats partout, alors qu'en 1914 elle n'était pas présente dans certains arrondissements. Les radicaux-socialistes, qui avaient été seuls à la bataille, obtenaient un peu plus d'1 400 000 voix, chiffre auquel il convient d'ajouter les 400 000 voix de socialistes indépendants et républicains socialistes pour obtenir le total des voix de gauche et d'extrême gauche, soit 3 500 000.

A l'opposé, le centre et la droite obtenaient 4 300 000 suffrages, 500 000 voix allaient aux radicaux indépendants, 890 000 aux républicains de gauche, 1 800 000 à l'Entente, 1 100 000 à la droite conservatrice [1]. La gauche victorieuse en 1914 connaissait un sensible reflux. La SFIO avait souffert de son pacifisme et les radicaux d'être associés aux souvenirs de l'avant-guerre et des affaires Caillaux et Malvy.

Le mode de scrutin renforça la victoire du Bloc national. Il obtint 338 mandats, il en eût obtenu 275 à la RP intégrale selon

1. L'existence de listes de coalition, à géométrie variable, rend complexes les estimations sur les scores des forces politiques. C'est ainsi que les chiffres donnés sur le parti radical ne prennent pas en compte les voix radicales sur les listes du Bloc national. On suit ici les estimations d'un bon connaisseur, G. Lachapelle : *Élections législatives du 16 novembre 1919,* Paris, Roustan, 1920, reprises par M. Duverger, *Constitutions et documents politiques, op. cit.*

G. Lachapelle. Le système majoritaire joua en faveur du Bloc national. Dans certains départements, le Bas-Rhin, la Seine-et-Oise, sa liste l'emporta entièrement. La répartition des restes, quand jouait le quotient, avantagea également le Bloc national. Le scrutin de liste limita les possibilités d'interventions administratives : préfets et sous-préfets purent beaucoup moins peser dans le vote qu'à l'arrondissement, la gauche en pâtit. La possibilité du panachage permit bien souvent aux électeurs de décapiter les têtes de listes, laissées aux sortants. « La guerre ne vous a donc rien appris » est une formule qui revient souvent dans la campagne à l'encontre du personnel parlementaire.

La Chambre fut formée d'une majorité d'hommes nouveaux, 59 % de nouveaux élus, qui se prévalaient volontiers de leur compétence de techniciens et de leur refus de la politique partisane. Nombre d'entre eux sont des anciens combattants qui veulent rester « unis comme au front », d'où le nom de Chambre « bleu horizon » qui resta à la Chambre du 16 novembre 1919. Les socialistes étaient 68 [1], les républicains socialistes 26, les radicaux-socialistes 82, dont 46 élus sur des listes propres ou avec les républicains socialistes, 15 sur des listes de concentration [2] avec les républicains de gauche de l'Alliance démocratique, 21 sur des listes de Bloc national étendues à la droite. Tous les autres élus appartiennent à des groupes de centre et de droite qui se réclament du Bloc national [3].

Si les législatives marquaient une évolution vers le centre et la droite, et une volonté de changement, en revanche les élections aux conseils municipaux, les 23 et 30 novembre, et aux conseils généraux, les 14 et 21, virent les radicaux garder leurs positions, comme si les électeurs, selon le type de consultation, diversifiaient leur vote et souhaitaient corriger le premier. Dans la banlieue parisienne, les socialistes remportèrent des succès, alors que les

1. Après la scission de Tours, en décembre 1920, se forma un groupe parlementaire se réclamant de l'Internationale communiste, fort de douze membres, la majorité des députés demeurant à la SFIO.

2. On préfère ce terme usité à l'époque à celui de centre droit utilisé par S. Berstein, dont on suit d'autre part les chiffres (*Histoire du parti radical*, *op. cit.*, t. I).

3. A cause des 24 députés des départements recouvrés, le nombre des députés se monte à 626.

législatives leur avaient été défavorables. Il n'est pas surprenant, dès lors, que le renouvellement des deux tiers du Sénat [1], le 11 janvier 1920, ait confirmé, malgré un léger tassement d'une vingtaine de sièges, la place des radicaux. D'une certaine façon, le Sénat allait se trouver à gauche de la Chambre. Les présidents du Conseil du Bloc national durent tenir compte de cette discordance, qui est une des clefs de l'histoire de la législature.

Après les élections législatives du 16 novembre, succès pour sa politique, Clemenceau se borna à remplacer les deux ministres battus Lafferre et Colliard, conformément à la tradition républicaine. Il ne posa pas officiellement sa candidature à la présidence de la République à la veille du Congrès, mais laissa ses amis l'avancer. Le principe d'une réunion préliminaire fut maintenu. Mandel, qui venait d'être élu député de la Gironde, et qui croyait servir Clemenceau, fit admettre qu'elle soit ouverte à tous les députés, c'est-à-dire aussi bien à l'Entente à droite qu'aux socialistes. La réunion préparatoire se tint au Luxembourg le 16. Clemenceau obtint 389 voix, devancé par Deschanel, avec 408 voix [2]. Celui-ci venait d'être réélu président de la Chambre et avait su donner des gages aux députés catholiques en promettant le rétablissement de l'ambassade près le Saint-Siège. D'autre part, Herriot et Léon Blum avaient préféré Deschanel à Clemenceau. Enfin, Briand, exclu du pouvoir depuis 1916, avait pesé contre Clemenceau. Celui-ci, à la différence de Poincaré en 1913, refusa d'être candidat devant le Congrès qui, le 17, à Versailles, élit Deschanel par 734 voix.

Dès le lendemain, sans attendre l'entrée en fonction du nouveau président, Clemenceau démissionnait. Son échec à l'Élysée confirmait la coutume qui menait à l'élection de personnalités sans grande autorité. Un député se serait écrié : « Nous voterons pour Deschanel en criant " Vive Clemenceau ". » La Chambre du Bloc national élue sous l'égide de Clemenceau, comme celle de 1877

1. S'ajoutent aux sièges normalement à pourvoir 14 sièges attribués aux départements recouvrés et 2 sièges libérés par le décès des derniers inamovibles.

2. 16 voix s'étaient portées sur Poincaré, 58 parlementaires étaient absents ; sur tout ceci, E. Bonnefous, *op. cit.*, et le témoignage de Georges Wormser, alors chef de cabinet de Clemenceau, *la République de Clemenceau, op. cit.*

élue sous l'égide de Gambetta, n'avait pas admis que la présidence de la République aille à un homme qui risque de porter ombre au pouvoir parlementaire. Ce faisant, les élus ne se conformaient guère au mandat implicite de leurs électeurs, discordance qu'on retrouvera à d'autres occasions et qui, sans conteste, affaiblit le régime.

2. *Gouvernements et majorité dans la législature du Bloc national*

Le soir même de la démission de Clemenceau, Poincaré chargeait Millerand, qui avait fait figure de leader du Bloc national, de constituer le gouvernement : la nouvelle législature s'ouvrait véritablement. Malgré l'existence d'une majorité, elle ne fut pas marquée, dans une première phase, par la stabilité gouvernementale. Sans doute le remplacement de Millerand par Georges Leygues le 24 septembre tient-il à l'élection du président du Conseil à la présidence de la République en remplacement de Deschanel démissionnaire pour raison de santé, mais les difficultés de Millerand et de Leygues avec leur majorité, l'arrivée de Briand le 16 janvier 1921 montrent que la nouvelle assemblée ne trouva que progressivement son point d'équilibre. Il fallut le retour de Poincaré le 15 janvier 1922 pour trouver le port et la stabilité attendue.

Pour comprendre la signification d'une histoire aujourd'hui lointaine, d'autant moins perçue que le Bloc national est parfois présenté comme l'expression d'une droite monolithique, il importe de décrire les forces politiques de centre et de droite au Parlement au début de la législature. Les députés du Bloc national, hormis la frange de radicaux et de républicains socialistes élus sur des listes du Bloc, se répartissent en quatre groupes parlementaires [1] : Gauche républicaine démocratique (96), Républicains de gauche (61), Action républicaine et sociale (46),

1. On se reportera au livre toujours utile de J. Carrère et G. Bourgin, *Manuel des partis politiques en France,* Rieder, 1924, et à la liste des groupes au *Journal officiel* du 31 janvier 1920.

Entente républicaine démocratique (183). Les élus qui se réclament de l'Alliance démocratique se partagent entre les trois premiers groupes au gré des affinités, et de nuances subtiles. A la Gauche républicaine démocratique se retrouvent de vieux routiers de la politique, Barthou, Charles Dumont, très attachés à une concentration avec les radicaux. Les Républicains de gauche, selon le mot célèbre de Joseph-Barthélémy, sont des hommes du centre que le malheur des temps oblige à siéger à droite. On y trouve des clemencistes comme Loucheur ou Tardieu, des modérés comme Noblemaire, des démocrates chrétiens qui acceptent le régime de laïcité, ainsi Paul Simon, député du Finistère, ou l'abbé Lemire.

A l'Action républicaine et sociale, présidée par le professeur de droit Joseph-Barthélémy, se retrouvent de nouveaux élus soucieux de privilégier les réalisations concrètes, notamment sur le plan social, face aux débats idéologiques. C'est le cas d'un Maurice Bokanowski, venu du radicalisme, d'un démographe comme Landry, du pasteur Édouard Soulier.

Le groupe de l'Entente, de loin le plus important des groupes-parlementaires du Bloc national, associe en fait des composantes diverses. Y cohabitent des progressistes membres du parti de la Fédération républicaine, tels les lyonnais Auguste Isaac et Laurent Bonnevay, des nationalistes comme Barrès ou l'ancien boulangiste Marcel Habert, des catholiques venus souvent de l'Action libérale, proches souvent du catholicisme social, ainsi des Boissard, Duval-Arnold, Join-Lambert, de Menthon. Adhèrent à ce groupe des députés alsaciens et mosellans de tradition chrétienne sociale, parmi eux un jeune avocat de Metz, Robert Schuman.

C'est, en fait, au sein du groupe de l'Entente que passent les clivages qui contribuent à expliquer l'histoire politique du Bloc national. Si certains élus aspirent, comme d'autres collègues, notamment à l'Action républicaine et sociale, à un réformisme social, la majorité est conservatrice, et ne souhaite pas plus que la Gauche républicaine démocratique d'initiative en la matière. Le clivage sur la question sociale se double d'un clivage sur la question religieuse. Une partie des élus de l'Entente est « cléricale » et ne se satisfait pas du statu-quo sur les lois de laïcité. Elle est sensible à la surenchère des 29 indépendants, où se retrouvent les partisans d'une droite intransigeante et traditionaliste. Des aristocrates de l'Ouest, A. de Baudry d'Asson, H. de la Ferronnays, voisinent avec des blancs du midi, H. de Gailhard-Bancel, A. de Ramel. Là sont présentes les idées de l'Action française, que défend le pamphlétaire Léon Daudet. Une partie des membres de l'Entente n'est guère éloignée de ses revendications en matière religieuse et scolaire, et déplore que le ministère de l'Intérieur reste aux mains des radicaux.

Ainsi la fragmentation en divers groupes parlementaires explique-t-elle le manque d'unité, l'absence d'organisation et de cohésion de la majorité du Bloc national. Nombre d'élus, nouveaux venus à la politique, eurent assez vite un sentiment de déception et d'échec. En fait, dans la coalition, les hommes du centre eurent un poids bien plus considérable que les représentants de la droite, à la fois parce qu'ils étaient autrement familiers des réalités politiques, et parce que le souci de tenir compte du Sénat s'imposa aux gouvernants.

Le gouvernement constitué par Millerand à l'appel de Poincaré [1] après la démission de Clemenceau est remarquable à la fois par le souci d'innovation, rarement observé, et par la volonté de tenir compte des contraintes politiques et de ne pas heurter les traditions. Millerand est attentif à ne pas se couper du Sénat et des radicaux : Théodore Steeg, garantie laïque, est à l'Intérieur, Albert Sarraut, qu'on retrouvera si souvent dans des gouvernements d'union nationale, est aux Colonies. Un nouvel élu radical, au début d'une longue carrière, est sous-secrétaire d'État à l'Agriculture : Henri Queuille. Les autres ministres appartiennent aux groupes du centre. L'Entente a une représentation qui n'est pas en proportion de son poids dans la majorité, même si Auguste Isaac est ministre du Commerce et de l'Industrie. La présence dans le gouvernement de ce catholique libéral lyonnais, personnalité du mouvement familial, marque une ouverture aux catholiques, comme la désignation à des sous-secrétariats d'État de Robert Thoumyre et Robert David, l'un au Ravitaillement, l'autre à l'Intérieur. Pour la première fois depuis 1877, si on

1. Démissionnaire lors de l'entrée en fonction de Deschanel, ce gouvernement est reconduit le 18 février.

excepte la présence du seul Denys Cochin pendant la guerre, des personnalités catholiques connues comme telles sont présentes dans un gouvernement.

Un autre trait original est l'appel à des ministres non parlementaires. François-Marsal, un banquier, est aux Finances, J.-H. Ricard, un ingénieur agronome, à l'Agriculture, un ancien préfet de la Meuse, Ogier, aux Régions libérées, un authentique ouvrier, syndicaliste, Coupat, est sous-secrétaire d'État à l'Enseignement technique. Ces nominations sont caractéristiques de ce prestige des experts, des techniciens, déjà évoqué. Non moins remarquable, la création d'un nouveau ministère de l'Hygiène, Assistance et Prévoyance sociales, confié au républicain socialiste Jules-Louis Breton. Il correspond à la préoccupation du temps d'une politique démographique et de solidarité sociale. Au Travail, Millerand maintient un industriel du Haut-Rhin, Paul Jourdain, nommé par Clemenceau le 2 décembre 1919 après l'échec électoral de Colliard. Millerand, comme Clemenceau, souhaite l'apport de l'expérience alsacienne en matière d'assurances sociales. Une innovation doit enfin être mentionnée : la création du sous-secrétariat d'État à l'aéronautique avec à sa tête P.-E. Flandin, alors au début de sa carrière ministérielle.

Dans sa déclaration ministérielle, Millerand proclama sa conception de l'équilibre des pouvoirs : « le régime parlementaire n'exclut ni un pouvoir exécutif fort, ni un pouvoir judiciaire libre dans le cercle de leurs attributions : ils lui sont nécessaires », propos qui allaient dans le sens de la révision limitée qu'il avait évoquée lors de la campagne électorale, notamment dans un discours au théâtre de Ba-Ta-Clan.

Le président du Conseil dut surtout défendre, face aux attaques de Léon Daudet et au mécontentement de l'Entente, la présence de Steeg à l'Intérieur. Il expliqua qu'il s'était refusé à des dosages, mais avait eu le souci de donner leur place aux diverses nuances du parti républicain [1]. Propos significatif. Dans l'esprit de celui qui, après la retraite de Clemenceau, est son véritable leader, le Bloc national est l'héritier des républicains de gouvernement, ennemi

1. Millerand obtint la confiance par 481 voix contre 70 (dont les 67 socialistes et Léon Daudet). Dans les 46 abstentionnistes, une vingtaine de parlementaires de droite rejoignaient les radicaux les plus avancés.

des extrêmes, refusant la révolution sociale, comme le montrent la répression de la grève des cheminots de mai 1920, de même que la « réaction cléricale ». Lorsque, le 11 novembre 1920, les « restes d'un soldat inconnu » sont transférés à l'Arc de Triomphe, le cœur de Gambetta est transféré au Panthéon, pour le cinquantenaire de la République. La victoire, qui est la victoire de la République, conduit à commémorer le héros de la Défense nationale et le fondateur de la République, dont se réclame le Bloc national.

De président du Conseil, Millerand devait devenir président de la République. Deschanel, atteint d'une maladie nerveuse, donna le 21 septembre sa démission. Millerand, en posant sa candidature, évoqua dans une déclaration l'amélioration « nécessaire » des lois constitutionnelles. A ses yeux, le président de la République, « sans être l'homme d'un parti, peut et doit être l'homme d'une politique arrêtée et appliquée en étroite collaboration avec ses ministres [1] ». Ces propos suscitèrent la vive réaction de la Gauche démocratique du Sénat, présidée par Doumergue. Il s'en prit à la politique « qui tendrait à substituer le pouvoir de l'Élysée à celui du Parlement et du pays ». Ainsi, dès l'élection de Millerand, se nouait le conflit qui mènerait à sa démission quatre ans plus tard. Cependant, la réunion préparatoire du 23 donna d'emblée une nette majorité à Millerand, triomphant du président de la Chambre Raoul Péret et de celui du Sénat Léon Bourgeois par 512 voix sur 812 votants. Au Congrès, le lendemain, Millerand rassemblait 695 voix sur 892 votants. Le socialiste Delory obtenait 69 suffrages.

Dans le message qui suit son élection, Millerand affirme : « la confusion des pouvoirs est le germe de toute tyrannie », et invite les parlementaires à « apporter d'une main prudente aux lois constitutionnelles les modifications souhaitables ». C'était, une fois encore, l'invite à la révision. En même temps, le choix à la présidence du Conseil de Georges Leygues, qui garde le même ministère, annonçait un nouveau style à l'Élysée. S'ouvrait une expérience d'exercice du pouvoir inédite, dont l'histoire n'a jamais été vraiment faite. Millerand veut continuer à intervenir dans la conduite des affaires, et tout particulièrement de la

1. Cf. Raoul Persil, *Alexandre Millerand,* Paris, 1949, p. 137.

politique extérieure, par-dessus le président du Conseil [1]. Mais, le 12 janvier 1921, le personnel parlementaire qui reproche à Leygues son manque d'autorité, et son manque de fermeté dans la question des réparations, se cabre. A l'appel de Laurent Bonnevay de l'Entente — « la confiance dans la nuit, nous nous y refusons » —, 447 voix votent contre le gouvernement.

Millerand appela Briand le 16 janvier et tenta une expérience de centre gauche qui ne correspondait guère à la tonalité de la Chambre. Des satisfactions limitées furent données à l'Entente. Surtout, Paul Doumer prit les Finances, Barthou la Guerre, un sénateur radical, Marraud, l'Intérieur, un autre radical, Daniel Vincent, le Travail. En fait, Briand, président du Conseil et ministre des Affaires étrangères (comme le furent tous les présidents du Conseil de la législature), donne sa vraie physionomie au gouvernement. D'abord ferme vis-à-vis de l'Allemagne, menacée « d'une main ferme qui s'abattrait sur son collet [2] », il s'engage vers la conciliation, cependant que Tardieu compare sa politique à celle « du chien crevé qui suit le fil de l'eau ». Amorce d'un reclassement : Briand trouve le soutien d'Herriot sur sa politique extérieure, que dénonce Poincaré, président de la commission sénatoriale des Affaires étrangères depuis 1921.

Il n'est pas de notre propos de traiter de la Conférence de Cannes, où Briand, en échange de la garantie britannique, accepte un moratoire des réparations. Il importe en revanche d'insister sur l'intervention directe du président de la République. Millerand préside, en l'absence du président du Conseil, deux conseils des ministres, les 10 et 11 janvier 1922. Le 11, il adresse un télégramme à Briand à Cannes lui demandant de repousser le moratoire s'il n'est pas assorti de garanties suffisantes et s'opposant à la reconnaissance même indirecte de l'URSS [3]. Briand regagne Paris et démissionne le 12. Si le président de la Républi-

1. Cf. les souvenirs de Jules Laroche, *Au Quai d'Orsay avec Briand et Poincaré (1913-1926)*, 1957.

2. Le 5 avril au Sénat. Il fait occuper trois villes de la Ruhr. Cf. Renata Bournazel, *Rapallo, naissance d'un mythe*, FNSP, 1974, et J. Bariéty, *Les Relations franco-allemandes après la Première Guerre mondiale,* Pedone, 1977.

3. Cf. R. Persil, *op. cit.*, p. 141. Il s'agit du projet de conférence de Gênes.

que a pu peser ainsi sur la conduite des affaires, c'est parce qu'il a le soutien de la grande presse, de la majorité du personnel parlementaire, de certains ministres de Briand, Doumer et Barthou. En fait, l'hypothèque Briand levée, l'heure était venue de l'appel à Poincaré. Après une période d'instabilité, la majorité du Bloc national trouvait le port, et se donnait un chef.

Retour aux affaires, pour la première mais non la dernière fois de l'histoire du régime, d'un ancien président de la République, âgé il est vrai de soixante-deux ans seulement, l'expérience Poincaré appelle d'autant plus la réflexion qu'elle n'est pas toujours exactement perçue. La composition du gouvernement formé le 15 janvier 1922 traduit la volonté, comme dix ans plus tôt, de ne pas se couper de la famille radicale. Maurice Maunoury, député d'Eure-et-Loir, de la Gauche radicale, est à l'Intérieur. Un ancien gambettiste, Paul Strauss, sénateur de la Seine, familier de longue date de ces problèmes, est ministre de l'Hygiène, Assistance et Prévoyance sociales. Surtout, Albert Sarraut garde les Colonies, qu'il occupe depuis le premier cabinet Millerand, et un autre radical, Paul Laffont, est sous-secrétaire d'État aux PTT. Mais l'axe du ministère est formé des hommes de l'Alliance démocratique, amis de Poincaré, comme Barthou à la Justice, Henri Chéron à l'Agriculture, Maginot à la Guerre et aux Pensions, ou d'anciens collaborateurs qui ont la confiance du président du Conseil, tel Léon Bérard à l'Instruction publique, Charles Reibel aux Régions libérées, Maurice Colrat, sous-secrétaire d'État à la présidence du Conseil [1]. L'Entente n'est guère représentée si ce n'est par la présence aux Finances de Charles de Lasteyrie, ancien inspecteur des Finances et directeur du cabinet de Denys Cochin au Blocus. Soucieux de réduire le nombre des sous-secrétaires d'État, Poincaré n'en désigne que cinq.

Le paradoxe du cabinet Poincaré du 15 janvier 1922 est que le président du Conseil, ministre des Affaires étrangères, donne satisfaction à l'Entente par sa politique extérieure de fermeté vis-à-vis de l'Allemagne, mais la déçoit par sa politique intérieure et son souci de ne pas se couper des radicaux. Ceux-ci, du reste, se

1. S'affirme à nouveau le souci constant pendant toute la période d'une coordination de l'action gouvernementale.

partagent entre l'abstention (ils sont une trentaine à suivre Herriot) et le vote favorable. Lors de l'intervention dans la Ruhr en janvier 1923, Poincaré ne trouve contre lui que l'extrême gauche socialiste et communiste : 452 suffrages l'approuvent contre 72. Mais, avec les mois, les radicaux prennent leurs distances vis-à-vis de l'occupation de la Ruhr. Surtout, les échéances électorales, et la recherche d'une alliance avec les socialistes désormais privés de leur extrême gauche depuis le Congrès de Tours, conduisent les radicaux à durcir leur opposition.

Comme si souvent dans l'histoire du régime, c'est face aux menées de l'extrême droite que se mobilise la gauche et que se refait son unité. Les manifestations des camelots du roi, qui s'en prennent à trois députés — Marius Moutet, Maurice Viollette, Marc Sangnier —, amènent Herriot à dénoncer l'inaction du gouvernement. Le 31 mai 1923, 48 radicaux, 15 républicains socialistes se joignent aux socialistes et aux communistes pour voter contre le gouvernement. Le 15 juin, Poincaré, à qui les orateurs de l'Entente demandent de choisir entre eux et les radicaux, s'efforce une fois encore de définir une majorité « républicaine et nationale ». Il en exclut aussi bien Léon Daudet et ses amis d'extrême droite, tout en estimant que la République n'est pas en danger, que les partisans de la lutte des classes ou ceux « qui se flattent de pactiser avec eux », propos qui visait les radicaux tentés par un cartel avec les socialistes. Mais le président du Conseil ne parvient pas à éviter le passage de la majorité des radicaux à l'opposition : 58 votent contre le gouvernement, 9 s'abstiennent, 12 restent favorables.

Quelques jours plus tard, le Comité exécutif du parti invite les trois ministres radicaux à démissionner, ce dont ils ne firent rien. Du reste, si les députés radicaux regardent vers les socialistes, les sénateurs radicaux continuent à aspirer à une concentration au centre gauche, entre les républicains modérés et les radicaux. Remarquable à cet égard est le discours que prononce au début d'août 1923 le sénateur Chaumet, successeur de Mascuraud à la tête du Comité républicain du Commerce et de l'Industrie, ce pont entre l'Alliance démocratique et les radicaux modérés. Il s'en prend aux « républicains camouflés » de l'Entente, adversaires des lois laïques, félicitant du reste les présidents du Conseil successifs de ne pas leur avoir livré « la clef de la République », c'est-à-dire le ministère de l'Intérieur.

En fait, Poincaré n'était pas à l'unisson de la majorité du Bloc national, que, selon le mot du journaliste démocrate chrétien Robert Cornilleau, « il n'aimait pas [1] ». Sans doute en était-il moins proche que Millerand, mais celui-ci, après avoir appelé à la présidence du Conseil une forte personnalité, ne pouvait plus intervenir dans la vie politique comme il l'eût souhaité. On le vit dans l'affaire de la Ruhr. Après l'abandon de la résistance passive par le nouveau chancelier Stresemann, Poincaré se refuse à une négociation bilatérale avec Berlin et reprend la suggestion anglo-saxonne d'un comité des experts. Légalisme, refus de l'isolement diplomatique, conscience des difficultés qui menacent le franc, quoi qu'il en soit des raisons de son choix, le président du Conseil impose à la droite réticente et aux quelques clemencistes — Tardieu, Franklin-Bouillon, Mandel — une politique de négociation qu'acceptent en revanche les radicaux. Il n'est pas inutile ici d'insister sur le fait que l'attitude de Poincaré, à la fin de 1923 et au début de 1924, dément l'image souvent présentée d'une politique étroitement nationaliste [2]. Il importe pour notre propos de relever que ni le président de la République, favorable à l'autonomie rhénan, ni une partie de la majorité, contrainte de soutenir Poincaré, n'approuvent en fait la politique du président du Conseil.

Une crise parlementaire illustre ces relations difficiles entre le président du Conseil et sa majorité. Face aux difficultés du franc, le gouvernement fait adopter à la Chambre le 14 mars, par 33 voix de majorité, plus difficilement au Sénat, réservé devant cette procédure inédite, des décrets-lois portant économies et impôts nouveaux (le double décime). Mais, le 26 mars, le gouvernement est en minorité (par 271 voix contre 264) lors de la discussion de la loi sur les pensions. Après rectification des votes, Poincaré retrouve une majorité, mais il se sent tenu de démissionner. Millerand le charge de constituer le nouveau gouvernement le 29. Il comporte 13 ministres, et aucun sous-secrétaire d'État pour

1. *Du bloc national au Front populaire,* t. I *(1919-1924),* Spes, 1939, p. 179.

2. les travaux de Jacques Bariéty et Denise Artaud ont fait justice de cette vision des choses.

raison d'économies. N'y figurent que deux ministres du précédent cabinet : Maginot à la Guerre, et Yves Le Trocquer, inamovible ministre des Travaux publics depuis 1920. L'Entente obtient des satisfactions : départ du ministre de l'Intérieur Maunoury, remplacé par de Selves, nomination de Lefebvre du Prey à la Justice, de Louis Marin aux Régions libérées. Mais, d'autre part, le gouvernement, que quittent les ministres radicaux en difficulté avec leur parti, s'ouvre au centre gauche : retour des briandistes Daniel Vincent au Travail, Loucheur au Commerce, Industrie, Postes et Télégraphes, remplacement de Léon Bérard, dont la réforme de l'enseignement secondaire favorable aux humanités gréco-latines a heurté la gauche, par Henry de Jouvenel. Enfin, aux Finances, le sénateur François-Marsal prend la place de Lasteyrie, atteint par l'impôt du double décime. Ce gouvernement, malgré la caution apportée par Louis Marin, ne devait en fait guère donner satisfaction à la droite intransigeante qui le fit bien voir aux amis de Poincaré lors des élections de mai 1924.

Au total, la législature du Bloc national s'achevait dans une « atmosphère de malaise [1] » et de déception, de l'aveu même de ses partisans. Les historiens se sont peu souciés d'expliquer cet échec, peut-être parce qu'ils avaient été insuffisamment sensibles au « désir de renouveau [2] » qui animait nombre des élus du Bloc national, favorables pour beaucoup à une réforme des mœurs politiques, voire des institutions. Ni la réorganisation administrative, ni la rénovation politique, ni le réformisme social ne virent le jour. Les raisons de cet échec sont diverses : persistance des vieux clivages politiques et de la méfiance réciproque des républicains laïcs et de la droite catholique, différence de sensibilité entre le personnel politique en place avant la guerre et les hommes nouveaux, parfois pleins d'illusion, entrés au Parlement, influence d'un Sénat plus à gauche que la Chambre, si on entend par ce terme l'attachement à la laïcité et le refus d'alliance à droite, mais hostile à tout changement social.

Faut-il ajouter que le poids des questions extérieures — les quatre présidents du Conseil furent ministres des Affaires étran-

1. Cf. la préface d'une publication, *Le Bilan de la XIIe législature,* éditée en 1924 par la Société d'études et informations économiques, liée au grand patronat.
2. *Ibid.*

gères — conduisit à l'ajournement des problèmes intérieurs, et que la reconstruction économique et les difficultés du franc laissaient une marge d'initiative limitée ? Surtout, peut-être, la législature du Bloc national illustre les limites et les contradictions d'une coalition du centre et de la droite, comme les difficultés, dans le système politique français, de faire passer le changement par une telle coalition.

11

Cartel des gauches et retour des modérés

(1924-1932)

Avec les élections législatives du 11 mai 1924, et la victoire du Cartel des gauches s'ouvre une période nouvelle de la vie politique. Désormais, et jusqu'au début des années trente, les problèmes de politique intérieure prennent le pas sur les questions de politique extérieure liées au règlement de la guerre. L'esprit des luttes politiques de l'avant-guerre souffle à nouveau, comme l'atteste la campagne laïque du Cartel. Mais la gauche au pouvoir, à la différence du temps de Combes et de Rouvier, ne maîtrise pas les difficultés financières. Le Cartel doit, au bout de deux ans, céder la place à l'Union nationale, derrière Poincaré, avant que le passage à l'opposition des radicaux, au lendemain des élections de 1928, ne laisse le champ libre au gouvernement des modérés. Trois moments donc s'offrent à l'analyse, non qu'on ambitionne de faire la chronique d'une période complexe, mais l'approche chronologique permet seule de décrire les nuances du jeu politique.

1. *Le Cartel et sa victoire*

Pour comprendre les origines du Cartel, il faut revenir sur l'évolution du socialisme depuis 1920. Après l'échec électoral et syndical des stratégies héritées de l'avant-guerre, le mouvement socialiste se tourne vers Moscou, « ville sainte du socialisme ». L'adhésion à la IIIe Internationale, jusque-là différée, apparaît comme la condition du renouveau du socialisme. Tel est le sentiment d'un Frossard. A Tours, le 29 décembre 1920, c'est par 70 % des mandats qu'est votée l'adhésion à la IIIe Internationale et que sont acceptées, dans l'équivoque, les vingt et une conditions qui réclament un parti de type nouveau. Le nouveau parti, le parti communiste, section française de l'Internationale communiste, né de la scission, n'est pas tout de suite un parti bolchevik. Vers lui va la majorité des 178 372 adhérents de la SFIO. Mais le PC (SFIC) est d'emblée un parti révolutionnaire et internationaliste qui lutte activement contre l'intervention dans la Ruhr.

Les adversaires de l'adhésion à la IIIe Internationale associent des réformistes comme Albert Thomas, mais aussi le Comité de résistance socialiste, avec Léon Blum qui, fidèle à la tradition jaurésienne, refuse la Révolution faite par une minorité. Reste enfin dans la « vieille maison » de la SFIO l'aile droite du « Centre reconstructeur », avec Paul Faure. Ces anciens « minoritaires » face à l'Union sacrée auraient accepté de « reconstruire » l'Internationale, mais refusent les vingt et une conditions de Moscou [1]. Ce sont ces hommes et ces courants divers, des réformistes aux marxistes orthodoxes, qui vont rebâtir la SFIO. Celle-ci est forte des nombreux élus nationaux et locaux demeurés dans le parti, forte aussi d'une culture politique de gauche, laïque et démocratique, au sein de laquelle socialistes et radicaux se retrouvaient.

La scission de Tours, loin d'être un obstacle à la gauche, comme le dit volontiers l'historiographie, ouvrait à nouveau la voie à des accords à gauche, entre les radicaux et les socialistes, privés de leur aile révolutionnaire et fidèles à la tradition républicaine des alliances électorales. Dès janvier 1921, les sénatoriales le démontrèrent, comme les cantonales de mai 1922.

Fondée à l'automne 1921, présidée par Painlevé, la Ligue de la République réunit de jeunes députés radicaux, Daladier, Chautemps, et des républicains socialistes. L'hebdomadaire *le Progrès civique*, un nouveau journal, *le Quotidien*, qui a pour emblème le bonnet phrygien, développent les thèmes d'une gauche géné-

1. Sur tout ceci, A. Kriegel, *op. cit.*

reuse, attachée aux droits de l'homme, à la laïcité, à la paix [1]. Lieux de rencontre entre les radicaux et les socialistes, la Ligue des droits de l'homme, la maçonnerie jouent un rôle considérable dans la naissance d'un cartel des gauches. Son tissu est constitué localement de comités, de sociétés de pensée, de loges, comme au temps du Bloc, vingt ans plus tôt, si présent encore dans la mythologie de la gauche. Une donnée nouvelle est le soutien de la Fédération des fonctionnaires, proches de la CGT, dirigée par le socialiste Charles Laurent qui revendique le droit syndical, ou l'appui des organisations d'enseignants, tout particulièrement le Syndicat national des instituteurs. Bien plus qu'un quart de siècle plus tôt, la gauche trouve le soutien des organisations, désormais puissantes, de la fonction publique, même si elles ne bénéficient pas encore d'une reconnaissance officielle. L'hostilité des fonctionnaires à la politique de Poincaré est d'autant plus vive que les économies prévues au titre des décrets-lois conduisent à des suppressions d'emploi.

Les radicaux souhaitaient une entente avec les socialistes, afin d'éviter que le mode de scrutin ne joue à leur encontre, comme en 1919. Au Congrès de Marseille de la SFIO, au début de 1924 [2], quatre courants s'affirmèrent : front unique avec le parti communiste, listes homogènes conformément à la motion Bracke de 1919, programme commun avec les radicaux-socialistes et les républicains socialistes, cartel purement électoral, « d'une minute ». Tel était le point de vue du centre du parti, incarné par Paul Faure et Léon Blum, qui l'emporta à l'unanimité. Cette formule permettait au parti de préserver « l'intégrité de sa doctrine ». Les socialistes présents sur des listes de coalition devaient y défendre « contre toutes les entreprises du capitalisme, du cléricalisme et de l'impérialisme, les intérêts solidaires de la République et de la paix ».

L'essentiel était bien dans ces deux mots, qui, dans leur généralité et leur idéalisme, étaient le fonds commun du Cartel : défendre la République menacée par les cléricaux, les « intérêts »,

1. Sur les origines du Cartel, on se reportera au livre utile de Michel Soulié, *Le Cartel des gauches,* Dullis, 1975, et bien entendu à celui de Serge Berstein, *Histoire du parti radical, op. cit.*, t. I.

2. Cf. G. Lefranc, *Le Mouvement socialiste en France sous la troisième République, op. cit.*

les velléités de « pouvoir personnel » prêtées à Millerand, depuis qu'à Évreux, en octobre 1923, il avait à nouveau évoqué l'heure d'une révision ; défendre la paix que Poincaré menaçait aux yeux de la gauche par l'intervention dans la Ruhr, et la méfiance vis-à-vis de l'Allemagne de Weimar et des institutions de Genève.

Le Cartel des gauches ne se forma pas partout. Il vit le jour dans 50 départements, soit 57 circonscriptions [1]. Dans 18 départements, la SFIO présenta des listes autonomes, ou, dans 3 départements, élargies aux socialistes-communistes, c'est-à-dire à des exclus du PC. Dans 21 départements, les socialistes ne furent pas présents dans la bataille électorale. Cette absence est l'indice, parmi d'autres, de ce que la vie politique française est encore loin d'être uniformisée, et traduit le contrecoup de la crise ouverte par la scission. Les listes homogènes émanaient de fédérations guesdistes, dans le Nord, le Pas-de-Calais, la Haute-Vienne, mais les situations locales et les rapports de force avec les radicaux (ainsi dans la Haute-Garonne) constituent également un élément d'explication de l'attitude socialiste.

Dans 40 cas, les radicaux firent donc des listes sans les socialistes, avec des républicains socialistes (14 fois), ou des hommes de l'Alliance démocratique (16 fois) [2], qui avaient soutenu Poincaré. Ce dernier fait, parfois négligé, ajoute à la complexité de la consultation. Le Cartel des gauches ne se constitue pas dans un nombre important de départements, et dans 16 cas les radicaux s'allient à des hommes de centre. Ils gardaient bien plusieurs fers au feu, malgré la passion très vive de la lutte électorale et de la campagne.

Le Cartel porta ses attaques sur la politique extérieure de Poincaré, sa politique financière symbolisée par le double décime, sa politique religieuse présentée comme contraire à la laïcité. Il est significatif du climat de l'après-guerre que ce thème n'ait que la troisième place dans les professions de foi qui figurent au Barodet. Enfin, de vives critiques étaient portées contre le président de la République accusé d'être sorti de la légalité constitutionnelle en s'adressant à la nation par son discours d'Évreux du 14 octobre 1923. Millerand s'était prononcé à nouveau pour une révision

1. On suit S. Berstein, *op. cit.*, et M. Soulié, *op. cit.*
2. Cf. S. Berstein, *op. cit.*

limitée et avait appelé à « une politique républicaine, sociale, nationale ». Cette intervention inhabituelle dans la bataille électorale contrastait avec le silence de Poincaré. Celui-ci était fidèle à l'usage qui voulait que le président du Conseil n'intervînt pas au nom de la majorité sortante, et tenait à se réserver la possibilité de gouverner avec les radicaux, en faisant une concentration.

L'attitude de Poincaré et de ses amis, qui allèrent parfois seuls à la bataille, leur valut de vives critiques de la part des hommes de l'Entente [1]. A l'extrême droite, les catholiques intransigeants, déçus par le Bloc national, suscitèrent dans certains départements des listes qui formulaient notamment des revendications en matière scolaire et réclamaient la Répartition proportionnelle scolaire [2]. La majorité du Bloc national, dont les listes s'appelaient désormais listes d'union ou de concentration républicaine, n'allait donc pas toujours unie à la bataille. Le mode de scrutin — celui de 1919, à ceci près qu'il interdit par la loi du 15 mars 1924 les listes incomplètes —, allait cette fois jouer contre elle.

La répartition des sièges entre les départements fut modifiée. La loi du 12 juillet 1919 avait prévu cette réforme, mais faute de recensement on conserva en novembre 1919 la répartition ancienne. La loi du 11 avril 1924, à partir du recensement de 1921, arrêta le nombre des députés à 584. Chaque département avait au moins trois députés. Malgré la sur-représentation des petits départements, due à cette disposition, les inégalités de représentation étaient légèrement réduites puisque chaque département avait autant de députés qu'il comptait 75 000 habitants de nationalité française.

La participation électorale fut considérable. Le chiffre des abstentionnistes était de 16,9 %, le plus bas depuis 1871, indice de l'intensité de la lutte et de l'intégration croissante de la population à la politique. En voix, les adversaires du Cartel l'emportaient. Bien plus, la droite et le centre faisaient un score supérieur à

1. Cf. G. Lachapelle dans son livre sur les *Élections législatives du 11 mai 1924*.

2. Les propositions en faveur de celles-ci n'avaient trouvé aucun écho pendant la législature du Bloc national, qui ne voulut pas mettre en cause les lois de la laïcité. L'amendement de M. de Baudry d'Asson en faveur de la RPS fut rejeté en 1921, une partie de l'Entente votant avec les partisans du statu-quo en matière de laïcité.

l'ensemble des gauches [1]. Plus de 4 500 000 voix, contre environ 4 200 000. Encore est-il artificiel d'additionner les voix obtenues par les listes du Bloc ouvrier et paysan à celles du Cartel, que le parti communiste dénonçait avec autant de vigueur que les listes conservatrices. Certes, par rapport à 1919, la gauche socialiste et radicale connaissait une réelle remontée, mais elle n'avait pas la majorité en voix dans le pays.

Cependant, il faut le redire, ce mode d'analyse n'est pas celui auquel, à l'époque, s'arrête l'opinion, d'autant que les totaux ne sont pas d'emblée accessibles, et que leur lecture est complexe. Ce qui compte, comme l'observait Seignobos, ce sont les sièges, et là le succès du cartel est incontestable. Trois données accentuent son avance : les divisions des modérés et de la droite dans un certain nombre de départements, la prime majoritaire, les inégalités de représentation, qui favorisent la France cartelliste du sud de la Loire. Les listes du cartel obtenaient la majorité absolue dans 28 circonscriptions, dont l'Hérault, le Var, les Hautes et Basses-Alpes, le Rhône, la Drôme, l'Isère, la Loire. Ses adversaires avaient la majorité absolue dans 18 circonscriptions.

La loi électorale avait, on l'a dit, légèrement réduit le nombre des députés de la métropole : ils passaient de 610 en 1919 à 568, auxquels s'ajoutaient 16 élus d'Algérie et des colonies. Le parti communiste avait 28 élus, la SFIO 105, les républicains socialistes 42, les radicaux-socialistes 139. Le Cartel obtenait donc

1. Moyenne des suffrages obtenus par les divers groupements en métropole (G. Lachapelle, *op. cit.*) :

Conservateurs et Action française	328 003
Union républicaine	3 190 831
Total droite	3 518 834
Républicains de gauche et radicaux nationaux	1 020 229
Total droite et centre	4 539 063
Cartel des gauches	2 644 769
SFIO (sur listes distinctes)	749 647
Total Cartel	3 394 416
Parti communiste	875 812
Divers	89 235

François Goguel, dans sa *Politique des partis,* avait bien analysé ces résultats, parfois méconnus par des synthèses récentes.

286 sièges, soit un peu moins que la majorité absolue des sièges [1]. A ce cartel « dénudé », selon le mot d'A. Siegfried, il convient d'ajouter les 41 élus du groupe de la Gauche radicale, dont certains ont été élus sur des listes de cartel, et d'autres sur des listes poincaristes. Ces républicains modérés, ces hommes du centre désireux de ne pas se couper des radicaux, vont, dans un premier temps, faire partie de la majorité du Cartel, pour ensuite rechercher une concentration. Leur passage à l'opposition enlevait toute véritable majorité au Cartel

Les adversaires du Cartel (233) se partagent en plusieurs groupes parlementaires : Gauche républicaine démocratique (43 membres), Républicains de gauche (38), où se retrouvent les hommes de l'Alliance démocratique, Union républicaine démocratique (104), l'ancienne Entente, expression parlementaire de la Fédération républicaine, enfin indépendants (28) de tradition monarchiste. Un groupe nouveau voit le jour, celui des Démocrates (14). Cette naissance, qui précède celle du parti démocrate populaire, marque la volonté des députés issus de la tradition démocrate chrétienne de ne plus se disperser entre divers groupes.

La législature du Cartel s'ouvrit par un débat sur les institutions qui mena à la démission du président de la République. La presse du Cartel, et particulièrement *le Quotidien*, avait engagé une campagne en vue du départ de Millerand. Leader du parti radical, Herriot était réservé, mais il céda à la pression des militants et des élus. Après la démission, le 1er juin, du gouvernement Poincaré, le groupe radical, le lendemain, vota une motion selon laquelle le maintien en fonction du président de la République « blesserait la conscience républicaine ». L'ensemble du Cartel s'y associait. Le 5, Herriot refusa de former un gouvernement. C'était, comme avec Grévy en 1887, la « grève des ministères ». Millerand fit appel en vain à Steeg et à Poincaré. Il envisageait d'adresser un message au Parlement et, s'il trouvait l'approbation du Sénat, de dissoudre. Cette stratégie tourna court [2].

1. A la proportionnelle intégrale, le Cartel n'aurait disposé que de 217 sièges, selon G. Lachapelle, *op. cit.*

2. Cf. le témoignage d'un proche de Millerand, Raoul Persil, *Alexandre Millerand, op. cit.*, p. 163.

Le 8, Millerand forma un gouvernement de minorité présidé par François-Marsal. Il avait pour but de permettre à Millerand d'adresser à la Chambre un message qui l'invitait à respecter la Constitution et rappelait l'irresponsabilité de la présidence de la République. Le 10, François-Marsal lut le message qui contenait une mise en garde : « S'il était entendu désormais que l'arbitraire d'une majorité peut obliger le président de la République à se retirer pour des motifs politiques, le président de la République ne serait plus qu'un jouet aux mains des partis. » Par 327 voix contre 217, la Chambre vota la motion Herriot par lequel elle refusait « le débat inconstitutionnel » auquel elle était conviée, et « refusait d'entrer en relations avec un ministère qui était la négation des droits du Parlement ». En fait, ce vote lui-même était inconstitutionnel : la Chambre pouvait voter un ordre du jour de blâme au gouvernement, non formuler un vote dirigé contre le chef de l'État [1]. Mais cette procédure évitait la discussion du message présidentiel. Celle-ci eût mis en difficulté certains des membres de la Gauche radicale, qui s'associent à la motion Herriot. Les amis de Briand votèrent avec le Cartel. Au Sénat, sur l'attitude duquel Millerand fondait quelques espérances, une interpellation Chéron favorable au président de la République fut repoussée par 150 voix contre 144.

Les deux scrutins démontrent qu'une partie du personnel républicain modéré, dont Poincaré, pensait, avec les radicaux et les socialistes, que Millerand, coupable de s'être engagé par le discours d'Évreux dans la lutte politique, devait démissionner. L'idée de révision, comme celle de renforcement de l'autorité du président de la République, échouaient face à la tradition républicaine. Le 11 juin, Millerand démissionna.

Les groupes du Cartel n'invitèrent à la réunion préparatoire à l'élection du président de la République que les parlementaires de la nouvelle majorité. Painlevé, qui venait d'être élu président de la Chambre, obtint 306 voix sur 475 votants [2] (324 députés et 151 sénateurs). Doumergue, le président du Sénat, qui n'avait pas posé sa candidature, obtint 149 voix. Il refusa de se retirer

1. Comme le note L. Duguit, *op. cit.*, p. 554.
2. Cf. E. Bonnefous, *Histoire politique de la troisième République, op. cit.*, t. IV, *Cartel des gauches et Union nationale.*

de la compétition, estimant qu'il n'avait pas été candidat à la réunion préparatoire. Le 13, il fut élu par le Congrès, avec 515 voix, contre 309 à Painlevé.

L'ancienne majorité du Bloc national, grossie des élus de la Gauche radicale et des sénateurs radicaux, mettait en échec le candidat du Cartel et esquissait une autre majorité possible. Le scrutin secret, de règle lors de l'élection à la présidence de la République, avait permis un reclassement. Dans la crise présidentielle et son dénouement, le Sénat avait tenu un rôle déterminant. Refusant Millerand comme Painlevé, il montrait que le président de la République devait constituer, comme le déclara Doumergue, « au-dessus des partis » un « arbitre impartial ». L'élection de Doumergue marque à la fois la fidélité à la conception de la présidence de la République qu'avait fondée Grévy, et l'attachement à des formules de concentration qui permettent, sans les socialistes, l'entente des radicaux et des républicains modérés.

2. *L'échec du Cartel*

Sans faire ici la chronique politique qui mène de juin 1924 à juillet 1926 et d'Herriot à Poincaré, et sans décrire la politique du Cartel au pouvoir, il est indispensable de marquer l'originalité de cette expérience politique, comme de dire les raisons de son échec. Doumergue appela Herriot à former un gouvernement. Les socialistes décidèrent le « soutien sans participation ». Herriot, qui prit pour lui les Affaires étrangères, forma un gouvernement de 14 ministres et 4 sous-secrétaires d'État, à dominante radicale (13 sur 18) avec un appoint de républicains socialistes et de membres de la Gauche radicale. Aux Finances, Clementel, ministre du Commerce et de l'Industrie pendant les années de guerre, devait rassurer les milieux économiques. A la Guerre, le général Nollet, président de la commission interalliée du contrôle du désarmement allemand, devait offrir une garantie aux exigences de sécurité. Chautemps à l'Intérieur, Daladier aux Colonies, Queuille à l'Agriculture (dont il avait été déjà sous-secrétaire d'État dans les cabinets Millerand et Leygues) incarnaient un nouveau personnel ministériel radical, appelé à un avenir considérable.

Succès de la gauche, le Cartel voulait incarner une rupture avec la politique menée depuis la fin de la guerre. Des mesures symboliques furent prises d'emblée, chères au cœur de la gauche. Dès juillet, la Chambre amnistia Caillaux et Malvy, mesure que le Sénat n'accepta qu'en janvier 1925. Le 23 novembre 1924, le transfert des cendres de Jaurès au Panthéon, au son des trompettes d'Aïda, voulut marquer la victoire de la République, de la paix et de la justice. Les incidents suscités par les manifestants communistes qui protestaient contre l'accaparement de Jaurès suscitèrent de vives polémiques. Le nationaliste Pierre Taittinger dénonça à la Chambre la « saturnale révolutionnaire ».

Sans doute la brève destinée du Cartel a-t-elle fait oublier l'enthousiasme qu'il suscita dans le monde des fonctionnaires, des enseignants, chez les militants des comités, des associations laïques. Elle a fait oublier aussi les passions hostiles qu'il fit naître dans la droite nationaliste et dans la droite catholique. Aussi bien un tournant s'affirme-t-il dès l'arrivée au pouvoir de Herriot sur le plan de la politique extérieure et de la politique religieuse.

L'adoption du plan Dawes prévoyant le règlement échelonné des réparations s'inscrit dans une continuité et Poincaré avait admis dès mars cette issue. Mais le style est tout autre, dominé par un pacifisme généreux, qui s'accompagne d'incompétence. Herriot accepte, sans véritable garantie, l'évacuation en un an du bassin de la Ruhr [1]. Cette diplomatie nouvelle est symbolisée par un important mouvement dans le haut personnel diplomatique, qui parut donner satisfaction à la formule du *Quotidien* : « Toutes les places et tout de suite. » Enfin, la reconnaissance de l'Union soviétique en octobre 1924, réclamée par Herriot depuis 1922 et son livre *la Russie nouvelle*, mit fin à la politique du « cordon sanitaire ».

Si les militants du Cartel se satisfont de ces orientations et de la confiance mise dans les institutions de Genève, ils se soucient bien davantage de l'annonce du retour à une stricte laïcité. Sous la législature du Bloc national avaient été rétablies, grâce à l'initiative de Briand, les relations diplomatiques avec le Saint-Siège. Poincaré ensuite avait réglé le contentieux de la séparation.

1. Cf. J. Bariéty, *Les Relations franco-allemandes après la Première Guerre mondiale, op. cit.*

L'encyclique *Maximam gravissimanque* du 18 janvier 1924, au terme de longues négociations, autorisait la constitution d'associations diocésaines pour gérer les biens du culte. Comme au temps des campagnes laïques de Combes, la République parut menacée, et l'on aurait tort de sous-estimer la passion anticléricale qui anima les partisans du Cartel. La nomination d'un ardent laïque, François-Albert, à l'Instruction publique eut valeur de symbole. Dès sa présentation à la Chambre, Herriot annonça l'extention de la législation laïque aux départements recouvrés, où le concordat ainsi que la loi Falloux en matière scolaire demeuraient en vigueur. Il annonça aussi l'application, suspendue en 1914, des lois frappant les congrégations. Un projet de loi fut déposé visant à mettre fin aux relations diplomatiques avec le Saint-Siège.

La réaction des catholiques fut vive, particulièrement en Alsace et Moselle. Les projets de Herriot, se greffant sur un malaise lié aux problèmes issus de la réintégration à la France après une coupure de près d'un demi-siècle, favorisèrent la naissance de la crise autonomiste [1]. Dans l'ensemble du pays, se tinrent des meetings de protestation, à l'appel de la Fédération nationale catholique, groupement de défense religieuse présidé par le général de Castelnau, et de la DRAC, Ligue pour les droits des religieux anciens combattants, qu'anime un jésuite, le père Doncœur. Vingt ans plus tôt, au temps de Combes, ou quarante ans plus tôt, au temps de Ferry, une protestation comparable avait été sans effet. En 1924, elle mène Herriot à renoncer à ses projets. L'esprit public a changé et l'opinion qui avait admis, précédemment, la laïcisation de l'École et celle de l'État ne souhaitait pas que fût remis en cause l'équilibre qui s'était instauré à la faveur de la séparation et de l'Union sacrée. Les militants des loges et des comités n'avaient pu faire revivre le temps d'Émile Combes et de Camille Pelletan.

Le Cartel dut affronter de plus graves problèmes. La crise du franc, aggravé par la crise de confiance des porteurs de bons du trésor, l'emporta. Sans entrer ici dans l'exposé technique de cette

1. Cf. F.G. Dreyfus, *La Vie politique en Alsace,* Colin, 1969, et Christian Baechler, *Le Parti catholique alsacien, 1890-1940,* Strasbourg, 1982.

histoire [1], il faut dire les divisions de la majorité cartelliste. La Gauche radicale, la majorité des radicaux ne veulent pas s'écarter des formules orthodoxes. Les socialistes, une aile des radicaux préconisent l'impôt sur le capital, dont la seule menace aggrave la fuite des capitaux. Signe de ces divisions, Clementel, le ministre des Finances, hostile à l'impôt sur le capital, démissionne le 2 avril 1925. Il est remplacé par Anatole de Monzie, qui prévoit un prélèvement exceptionnel de 10 % sur le capital, mais, le 10 avril, le Sénat, à l'appel de Poincaré, renverse Herriot par 156 voix contre 132. Le scrutin révèle qu'une partie des Sénateurs du groupe de la Gauche démocratique, à laquelle appartiennent les sénateurs radicaux, a voté contre le gouvernement. Pour la première fois, le Sénat renverse le gouvernement sur une question d'ordre purement financier [2].

S'ouvre alors, d'avril 1925 à juillet 1926, une période d'instabilité, dont, par-delà les péripéties, il suffit de marquer la signification. Faute de trouver la confiance des milieux financiers, aucun des six gouvernements qui se succèdent ne résout la crise. Les divisions, au sein même des radicaux, fondent l'instabilité. La concentration avec les modérés, vœu des radicaux du Sénat et d'une partie des radicaux de la Chambre, trouve l'opposition des radicaux cartellistes.

Significative est l'expérience du cabinet Painlevé qui succède à Herriot le 17 avril 1925. Caillaux, tout juste amnistié, non parlementaire (il sera élu le 12 juillet sénateur), est nommé ministre des Finances sur sa réputation de technicien. Il souhaite une politique d'austérité. Ses projets sont adoptés le 12 juillet à la Chambre par 295 voix contre 228. Dans sa majorité ne figurent que 96 des députés du Cartel. Est-ce la concentration, avec les modérés, sans les socialistes ? Mais l'affrontement de Caillaux et d'Herriot au Congrès radical de Nice en octobre conduit Painlevé à démissionner le 27 octobre pour pouvoir constituer un nouveau gouvernement, sans Caillaux, qui donne satisfaction à la majorité

1. Cf. Jean-Noël Jeanneney, *François de Wendel en république,* Éd. du Seuil, coll. « Univers historique », 1976 ; et *Leçon d'histoire pour une gauche au pouvoir. La faillite du Cartel, 1924-1926,* Éd. du Seuil, coll. « Histoire immédiate », 1977.

2. F. Goguel, *Le Rôle financier du Sénat français. Essai d'histoire parlementaire,* Sirey, 1937.

des radicaux. Le président du Conseil prend pour lui le portefeuille des Finances, cependant que Georges Bonnet, âgé de trente-six ans, devient ministre du Budget. Il reprend le projet d'impôt sur le capital. Le gouvernement est renversé le 22 novembre.

Le ministre des Affaires étrangères de Painlevé, Briand, qui va garder le Quai d'Orsay pendant sept années, s'efforce alors, au long de trois cabinets successifs, de réaliser la concentration, sans y parvenir. En effet, les modérés ne veulent pas être l'appoint d'une concentration qui laisse aux radicaux le rôle dominant. Ils souhaitent en fait le retour de Poincaré. Lorsque Caillaux, vice-président du Conseil et ministre des Finances du dixième cabinet Briand, demande le 17 juillet une délégation de pouvoirs, Louis Marin et André Tardieu reviennent sur le passé d'un homme à qui François de Wendel [1], partisan de Poincaré, reproche de n'être pas « national ». Herriot, président de la Chambre, abandonne son fauteuil. En complet veston, non plus en habit, il s'oppose à Caillaux, dont la personnalité l'inquiète. Il est suivi par 48 radicaux, renversant le gouvernement. Le président de la République ne pouvait qu'appeler à la présidence du Conseil l'auteur de la chute du gouvernement. Du même coup, rappelant Herriot deux ans après les débuts du Cartel, il levait une hypothèque. Le deuxième cabinet Herriot est renversé le 21 juillet, dés sa présentation à la Chambre : la livre sterling, qui valait 96 F au début de 1924, atteignait 240 F.

Sans doute le système politique avait-il rendu indispensable cette cascade de crises, qui ouvrait la voie en cours de législature à un reclassement de majorité, et à l'Union nationale autour de Poincaré. L'expérience du Cartel démontrait l'échec de la gauche en matière financière, et plus encore peut-être ses divisions sur ce sujet. Dés lors une formule d'union qui visait à faire revivre l'âge d'or de la gauche avant la Première Guerre mondiale ne pouvait qu'avorter, quitte à imputer au « mur d'argent » les causes de ses malheurs [2].

1. Cf. J.-N. Jeanneney, *François de Wendel..., op. cit.*

2. Sur l'échec du Cartel, J.-N. Jeanneney, *Leçons d'histoire pour une gauche au pouvoir. La faillite du Cartel,1924-1926, op. cit.*, et S. Berstein, *Histoire du parti radical*, t. I, *op. cit.*

3. *Poincaré et l'Union nationale*

Dans la nuit du 21 au 22 juillet, Doumergue appela Poincaré. C'était le deuxième retour, à la tête du gouvernement, de l'ancien président de la République, du républicain éprouvé, qui avait été ministre pour la première fois trente-trois ans plus tôt en 1893. Il incarnait la République parlementaire, la laïcité, la fermeté patriotique, l'orthodoxie financière enfin. Il rassurait à droite sans inquiéter à gauche, recueillant les fruits de sa réserve lors de la campagne électorale, et de la crise présidentielle de 1924. Il forma un gouvernement d'Union nationale, formule qui voulait évoquer l'Union sacrée, de la droite aux radicaux et aux républicains socialistes. Poincaré, devant la Chambre, définit son cabinet comme « formé dans un esprit de réconciliation nationale ».

Le gouvernement comptait en son sein six anciens présidents du Conseil sur treize ministres. Quatre d'entre eux étaient sénateurs. Par souci d'économies, les sous-secrétaires d'État étaient supprimés. Poincaré cette fois se réservait les Finances. Les Affaires étrangères restaient à Briand, qui avait fait approuver le 26 février 1926 par une écrasante majorité (413 voix contre 71) les accords de Locarno. Poincaré cautionnait ainsi la politique de rapprochement franco-allemand, mais à l'inverse reprenait à son compte un des aspects de la politique du Cartel. « Les deux compères ont aussi besoin de l'un que de l'autre », notait le directeur du *Journal des Débats,* Étienne de Nalèche.

A la Justice, Louis Barthou, vieux compagnon de Poincaré depuis trente ans, comme Georges Leygues, une fois encore à la Marine. A l'Intérieur, Albert Sarraut, rentré au parti radical après son exclusion de 1923 [1], garde à son parti la mainmise sur l'administration préfectorale. Ami de Poincaré, qui fut du reste un collaborateur de *la Dépêche* de Toulouse, il représente un radicalisme d'Union nationale. On le retrouvera à l'Intérieur sous Doumergue en 1934 et Daladier en 1938. Herriot à l'Instruction publique, Queuille à l'Agriculture, le sénateur de l'Isère Léon

1. Herriot l'avait nommé ambassadeur en Turquie ; il venait d'être élu au Sénat.

Perrier aux Colonies confirment la place importante des radicaux dans le gouvernement. Le républicain socialiste Painlevé a le portefeuille de la Guerre, déjà occupé par lui à plusieurs reprises. André Fallières de la Gauche radicale, le fils de l'ancien président de la République, a le ministère du Travail. Tardieu, absent de tout gouvernement depuis la démission de Clemenceau, prend les Travaux publics, Maurice Bokanowski le Commerce et l'Industrie : place limitée est ainsi faite au centre droit. Seul Louis Marin, aux Pensions, représente l'Union républicaine démocratique. Encore aucun ministre n'appartient-il à la droite conservatrice catholique, qui va cependant soutenir Poincaré.

Il fallait insister sur la composition de ce gouvernement, non seulement parce qu'il va durer deux ans et trois mois [1], longueur exceptionnelle, mais parce qu'il représente un équilibre subtil. Il donne satisfaction à la gauche par la politique extérieure et le contrôle du pouvoir, à la droite par la politique financière. Il associe un personnel politique de l'avant-guerre et de nouveaux venus. Il est dominé par l'entente, à nouveau scellée, des républicains de gouvernement et des radicaux. Pour la première fois, selon le mot de Seignobos, il réalise le « gouvernement par les centres ».

Certes, Poincaré trouva l'opposition des socialistes, mais elle resta courtoise et sans passion. C'est ainsi que, si les socialistes votent contre le gouvernement lors de sa présentation, ils s'abstiennent sur la procédure d'urgence pour la discussion des projets financiers. Une frange de radicaux — ils sont 49 à s'abstenir lors de la présentation du gouvernement — s'abstient ou vote contre. Malgré leur harcèlement, Poincaré dispose d'une majorité sûre, qui va voter rapidement les projets de redressement financier. Le régime parlementaire fonctionne ainsi avec efficacité, démontrant, selon le mot du président du Conseil au Sénat le 3 août 1926,

1. Les remaniements sont restreints, Loucheur remplace Fallières, battu aux législatives, au Travail le 1er juin 1928. Oberkirch devient sous-secrétaire d'État au Travail le 4 juin. La présence de ce parlementaire du Bas-Rhin, modéré, marque le souci de Poincaré de couper court à l'agitation autonomiste. Le décès de M. Bokanowski amène le 14 septembre son remplacement par Henri Chéron, Laurent-Eynac devient en même temps ministre de l'Air. Cet élu de la Haute-Loire de la Gauche radicale a déjà été, à deux reprises, sous-secrétaire d'État à l'Aéronautique.

qu'il n'est « ni incompatible avec l'autorité, ni incapable de se prêter au vote rapide des mesures qu'impose la crise financière ».

On sait celles-ci : rétablissement de l'équilibre par de nouveaux impôts qui frappent notamment le capital immobilier, amortissement de la dette par la création solennelle, par la loi constitutionnelle adoptée par l'Assemblée nationale lors de la révision du 10 août 1926, d'une Caisse autonome d'amortissement. Surtout, le retour de la confiance est décisif. Ce redressement permet après les élections d'avril 1928 de stabiliser le franc au cinquième de la valeur or d'avant 1914, soit 65,5 mg d'or, le 24 juin 1928. Poincaré fait accepter cette mesure à la droite attachée à la défense du franc d'avant 1914 et de la petite épargne. Comme en politique extérieure, où Briand poursuit la politique de rapprochement avec l'Allemagne de Weimar, Poincaré impose aux hommes de la Fédération républicaine, qui n'ont pas de politique de rechange, d'accepter les réalités.

La réforme du mode de scrutin et le retour à l'arrondissement ne furent pas non plus pour eux un sujet de satisfaction. Le ministre de l'Intérieur Albert Sarraut, préoccupé par le péril communiste, estime que l'abandon du mode de scrutin de 1919 et 1924 est la seule façon de réduire l'influence du PC. Léon Blum, à la SFIO, fait triompher l'analyse selon laquelle l'arrondissement est préférable au statu-quo, dés lors que la proportionnelle intégrale est exclue. Au reste, l'abandon du scrutin de liste permet d'éviter les listes communes avec les radicaux présents dans le gouvernement. Dès la victoire du Cartel, les radicaux avaient réclamé le retour à l'arrondissement. En 1926, 67 conseils généraux demandaient le retour du mode de scrutin dont, selon Sarraut, la démocratie française avait « l'habitude et le goût ». La réforme fut votée le 12 juillet 1927, par 320 voix contre 234. Le gouvernement ne s'était pas engagé, conformément à la tradition. Dans ce vote, où la gauche non communiste refaisait l'unité, la Chambre avait retrouvé « une âme cartelliste » (F. Goguel). Le Sénat ne pouvait qu'être favorable. Le nombre des députés était accru, passant à 612, disposition qui permit, en donnant un siège supplémentaire par 100 000 habitants, de tenir compte, partiellement, des mutations démographiques. Mais les écarts redevenaient considérables puisque chaque arrondissement a un siège.

La circonscription de Castellane dans les Basses-Alpes à 25 258 habitants, la deuxième de Corbeil : 137778[1]. La loi du 21 juillet 1927 disposa également que le deuxième tour aurait lieu une semaine et non plus deux semaines après le premier tour, afin, croyait-on, de réduire les marchandages.

Le premier tour des élections, le 22 avril 1928, fut marqué par un taux de participation exceptionnel, puisque l'abstentionnisme reculait encore de près d'un point par rapport à 1924, passant à 16,2 %. Le très grand nombre de candidatures, pour la première consultation au scrutin uninominal depuis quatorze ans, entraîna de très nombreux ballotages : 422 au total, chiffre inhabituel avant la guerre. Les communistes progressaient, dépassant le million de voix, la SFIO distançait les radicaux-socialistes : 1 700 000 voix pour 1 680 000. Les républicains socialistes avaient environ 500 000 voix, les républicains modérés obtenaient 2 200 000 voix, la Fédération républicaine 2 millions de voix, l'extrême droite, victime du poincarisme et de la condamnation de l'Action française par Rome, guère plus de 200 000 voix[2]. Au total, les gauches représentaient plus de 4 800 000 voix, le centre et la droite 4 500 000.

Mais cette appréciation doit être corrigée par deux faits. D'une part, le parti communiste, au nom de la tactique « classe contre classe », se maintint au second tour, entraînant des élections triangulaires qui, dans 36 circonscriptions, selon le calcul de Seignobos[3], servirent la droite. Cependant, tous les électeurs communistes ne suivirent pas les consignes du parti. D'autre part, les candidats radicaux, dans leur majorité, se sont réclamés du gouvernement Poincaré. Bien plus, dans un certain nombre de circonscriptions (37 selon S. Berstein), les électeurs radicaux ne vont pas, au second tour, voter pour un socialiste arrivé en tête. Environ 400 000 électeurs radicaux auraient ainsi voté pour un modéré, attitude qui confirme le glissement au centre droit d'une partie du parti radical. Au total, le « gouvernement des centres »,

1. Cf. Joseph-Barthélémy et P. Duez, *Traité de droit constitutionnel, op. cit.*, p. 351.
2. Cf. G. Lachapelle, *Les Élections de 1928,* et S. Berstein, *Histoire du parti radical, op. cit.*, t. I.
3. « La signification historique des élections françaises de 1928 », *in Études de politique et d'histoire,* PUF, 1934, p. 332.

fondé sur le terrain parlementaire en juillet 1926, avait été approuvé par l'électorat. Les incidences du second tour et du mode de scrutin donnèrent une Chambre dominée par le centre et la droite. Les divers groupes de centre, dont l'émiettement s'accroît, ont 165 élus, l'URD et la droite un peu moins. Les communistes sont réduits à la douzaine, les socialistes sont une centaine. Favorisés par le mode de scrutin, les radicaux ont 125 élus [1], républicains socialistes et indépendants de gauche sont une cinquantaine.

En apparence, le gouvernement Poincaré était confirmé par un électorat unanime, sauf aux extrêmes, pour la paix et le relèvement du franc. Mais les modérés songent à se séparer des radicaux. Dans la campagne électorale, s'est esquissée une tentative d'organisation autour du Centre de propagande des républicains nationaux et de *l'Écho de Paris*. A l'inverse, les militants radicaux se défient d'un gouvernement que le soutien de la droite fait juger « réactionnaire ». Surtout, les élus radicaux sont pour les deux tiers (86 selon S. Berstein) élus avec des voix socialistes, voire communistes, de second tour, et ils ne souhaitent pas rester coupés de la SFIO. Les élus des groupes de centre eux-mêmes doivent tenir compte de leur électorat de second tour. Ils ne furent que 45 en 1928 à n'avoir besoin ni d'un appoint de voix cléricales sur leur droite, ni de voix socialistes [2], selon la situation locale.

C'est dire qu'une fois encore la conjonction des centres, réalité au Parlement, est fragile dans le pays, et que la polarisation entre la gauche et la droite attire les membres des groupes du centre et interdit leur cohésion. Là réside la raison de ce paradoxe. Les élections de 1928, succès pour Poincaré, portaient en elles la rupture de l'Union nationale et le passage à une majorité gouvernementale dominée par les modérés. Le passage des radicaux à l'opposition se fit sur une question en apparence mineure, mais combien symbolique, les articles 70 et 71 de la loi de Finances, relatifs le premier à l'affectation aux diocésaines des

1. Ils sont 118 en métropole, 125 avec les élus d'outre-mer. Cf. S. Berstein, *op. cit.*, t. II, p. 63.

2. J. Morini-Comby in *l'Année politique française et étrangère*, décembre 1929. Cité par A. Siegfried, *Tableau des partis en France*, Grasset, 1930, p. 179.

biens du culte qui n'avaient pas été confisqués en application de la loi de 1905, le second à l'autorisation donnée aux congrégations missionnaires d'avoir leur noviciat en France, en application de la loi de 1901. Les radicaux ennemis de l'Union nationale — Caillaux, Daladier, Malvy — croient ainsi mettre en difficulté les ministres radicaux. Au Congrès radical d'Angers début novembre, une motion demande la disjonction des articles litigieux, l'école unique, le droit syndical sans réserves pour les fonctionnaires. « Ne tirez pas sur le pianiste », demande Herriot avant de regagner Paris. Mais, après le départ des ministres, en séance de nuit, l'Union nationale est condamnée, Caillaux rend à Herriot la monnaie de la pièce de 1926. Les ministres radicaux démissionnent, le 6 novembre, ainsi que le gouvernement, qui n'a pas été mis en minorité, et qui est victime d'un congrès de parti.

Doumergue, tirant, somme toute, la leçon des élections, charge Poincaré de former un nouveau gouvernement constitué le 11. Le président du Conseil qui se réserve de suivre les négociations sur les réparations et les dettes ne conserve pas de portefeuille, les Finances vont à Henri Chéron, remplacé au Commerce et à l'Industrie par Georges Bonnefous. Pour le reste, les remaniements sont limités : un sénateur de la Gauche démocratique, Pierre Marraud, va à l'Instruction publique, surtout Tardieu est à l'Intérieur, choix qui heurte les radicaux. Lors de sa présentation, le gouvernement obtient 330 voix, 139 voix lui sont hostiles, 134 députés s'abstiennent, dont une centaine de radicaux. Lors du débat de politique générale au début de 1929, 116 radicaux votent contre le gouvernement. Léon Meyer, député radical de Seine-Inférieure, s'en prenant à Tardieu, déplore que l'Intérieur soit « confié à un homme dont la politique n'est pas celle de partis de gauche ».

Poincaré porta son attention principale aux questions extérieures. Au terme de longs débats, il parvient à faire ratifier le plan Young, signé le 31 mai 1929, qui réduit les annuités des réparations, et les accords Mellon-Bérenger du 29 avril 1926, sur les dettes interalliées, jamais proposées jusque-là à la sanction du Parlement. Incidence remarquable de la politique intérieure sur la politique extérieure [1], la gauche favorable à la rafitication vote

1. Cf. R. Rémond, *Mélanges Pierre Renouvin*, PUF, 1966.

contre et la droite, très critique, et que Paul Reynaud rallie à la cause du gouvernement, vote pour, afin de soutenir celui-ci. La ratification est votée le 20 juillet par 300 voix contre 292. Poincaré, malade, n'avait pu prendre part à la fin du débat : après cet ultime succès, il démissionnait le 27 juillet.

Chargé par Doumergue de tenter l'Union nationale, Briand ne parvenait pas à séduire les radicaux, et se bornait à reconduire le cabinet Poincaré. Mais le 22 octobre, après que la Conférence de La Haye, en août, eut adopté le plan Young et réglé l'évacuation de la Rhénanie, Briand était renversé sur la politique extérieure. A la gauche se joignait une partie de l'URD qui, avec Louis Marin, regrettait l'évolution de la politique extérieure. Une période de stabilité politique prenait fin. Une génération abandonnait le pouvoir auquel elle avait été associée depuis la fin du siècle.

4. *Le temps des modérés*

De novembre 1929 à mai 1932, huit gouvernements se succèdent, laissant une impression d'instabilité, malgré l'existence d'une même majorité de centre droit. Elle accorde sa confiance à trois cabinets Tardieu et à trois cabinets Laval consécutifs, auxquels quelques sénateurs d'origine radicale donnent une « apparence de concentration » (Seignobos). L'hostilité du Sénat à cette orientation vers la droite et l'attitude d'une fraction du centre qui ne veut pas se couper des radicaux expliquent deux expériences radicales avec Chautemps (21-25 février 1930) et Steeg (13 décembre 1930-22 janvier 1931), également éphémères.

Après la chute de Briand, Doumergue veut d'abord lever l'hypothèque cartelliste. Daladier, mandaté par son parti pour gouverner avec les socialistes, trouve l'accord du groupe parlementaire, non du Conseil national de la SFIO. Clementel échoue à son tour dans une tentative de concentration radicale. Doumergue rappelle alors Tardieu qui forme son gouvernement le 3 novembre 1929. Ces péripéties n'ont en elles-mêmes qu'une importance modeste, mais elles illustrent la longueur croissante des crises et leur issue de plus en plus difficile, donnée nouvelle, qui ajoute aux maux de l'instabilité. Tardieu ne parvient pas à élargir la majorité aux radicaux, mais se refuse à consulter le groupe parlementaire : « La Constitution ne connaît pas les partis, je ne les consulterai pas [1]. » Malgré l'offre de huit portefeuilles, le refus l'emporte. Seuls entrèrent dans le gouvernement, à titre individuel, certain radicaux du Sénat.

Sans s'attarder à la chronique des trois cabinets Tardieu (3 novembre 1929-17 février 1930, 2 mars 1930-4 décembre 1930, 20 février 1932-10 mai 1932), la personnalité du nouveau président du Conseil, ses idées et son système de gouvernement, la portée de l'expérience méritent attention. A la différence de tant de présidents du Conseil de la troisième République, Tardieu n'est pas provincial, mais issu de la bonne bourgeoisie parisienne. Reçu premier à l'École normale supérieure, il en démissionna pour passer le concours des Affaires étrangères. Membre du cabinet de Waldeck-Rousseau en 1899, il abandonne la carrière diplomatique pour devenir chroniqueur de politique étrangère au *Temps*. Aux élections de 1914, il est élu comme républicain de gauche contre un radical à Rueil. Il fait la guerre au front, puis devient, le 15 avril 1917, Haut Commissaire de la République française aux États-Unis. Ce clemenciste est critique vis-à-vis du Bloc national et de Poincaré, mais en 1926 il accepte d'entrer dans le gouvernement d'Union nationale.

Favorable à une démocratie d'action et d'efficacité, fondée sur le bipartisme et l'autorité de l'exécutif, Tardieu veut fonder un grand parti conservateur à l'exemple anglo-saxon, au sein duquel il intégrerait les radicaux. A ce programme politique répond un programme économique et social, fondé sur la mystique de la prospérité, mais que va démentir la réalité de la crise qui touche la France à partir de 1931. En somme, il reprend les idées qui s'exprimaient dans le groupe de l'Action républicaine et sociale sous le Bloc national, et au « redressement français » d'Ernest Mercier [2], dans l'aile du patronat acquise à ce qu'on appelle à

1. Cité par E. Bonnefous, *Cartel des gauches et Union nationale, op. cit.*, p. 371.
2. Sur ce mouvement encore insuffisamment connu, cf. E. Kuisel, *Ernest Mercier : French Technocrat*, Berkeley, 1967.

l'époque le « néo-capitalisme [1] ». Dés sa déclaration ministérielle du 7 novembre 1929, Tardieu, qui a été ministre des Travaux publics de Poincaré, se dit déterminé à « accélérer de façon décisive l'équipement de la nation ». Présentant au Sénat le 4 décembre 1930 son plan « d'outillage et d'équipement national », il y voit « le plus vaste plan de travaux et de réformes » depuis Freycinet.

Conservateur réformiste, Tardieu reprend les propositions des radicaux. Loucheur met sur pied les assurances sociales. La gratuité de l'enseignement secondaire est introduite à partir de la sixième. Un ministère de la Santé publique est créé, dans le deuxième cabinet Tardieu, pour connaître des problèmes démographiques.

Dans les gouvernements Tardieu, apparurent les représentants d'une nouvelle génération ministérielle : Paul Reynaud, ministre des Finances de deux cabinets, Maurice Petsche, sous-secrétaire d'État à la Guerre, puis aux Finances, enfin à la présidence du Conseil dans le troisième cabinet, Auguste Champetier de Ribes, leader du petit parti démocrate populaire, ministre des Pensions du second cabinet Tardieu. Tardieu, dont les deux premiers gouvernements étaient nombreux, ressentit la nécessité d'une meilleure coordination gouvernementale. Il revint le 20 février 1932 à treize ministres. Il créa un ministère de la Défense nationale substitué aux trois ministères, Guerre, Marine, Air. Cette formule, abandonnée par ses successeurs, ne retrouva vie qu'en 1936.

Ce style novateur, cet « orléanisme à l'américaine » (R. Rémond), ne rencontra pas le soutien de la droite traditionnelle. Léon Daudet, le pamphlétaire d'Action française, ironisait sur les « mirobolants ». Surtout, la gauche provinciale ne se reconnut pas dans Tardieu malgré son souci constant d'ouvrir ses gouvernements à des représentants de la famille radicale, que leur participation mena à des difficultés avec leur parti. En vérité, deux styles s'opposaient, celui du grand bourgeois acquis à la modernité, celui, rassurant, peuple, démocrate, d'un Édouard Herriot.

1. Cf. l'article d'Edmond Giscard d'Estaing dans *la Revue des deux mondes,* 1er août 1928.

Les trois cabinets Laval (27 janvier 1931-13 juin 1931, démissionnaire lorsque Paul Doumer devient président de la République, 13 juin 1931-12 janvier 1932, démissionnaire après le décès du ministre de la Guerre Maginot, 14 janvier-16 février 1932 enfin), par la majorité qui les soutient, de la Gauche radicale à la droite, et par leur composition, évoquent les cabinets Tardieu. Celui-ci figure, du reste, dans les cabinets Laval, à l'Agriculture, puis à la Guerre. Mais la manière et les idées de Laval diffèrent de celles de Tardieu. D'origine modeste, avocat des syndicats, député socialiste d'Aubervilliers en 1914, minoritaire pendant la guerre, devenu républicain socialiste après 1919, sénateur de la Seine, non inscrit à un groupe et maire d'Aubervilliers, Laval évolue dans le sillage de Briand. Celui-ci en fait un sous-secrétaire d'État, puis un ministre de la Justice, en 1925 et 1926. Fort de ses amitiés syndicales, il devient ministre du Travail du second cabinet Briand avant d'accéder à la présidence du Conseil. Comme Briand, c'est un homme de couloirs et de manœuvre, qui a su se faire des clientèles. Cependant, pas plus que Tardieu, et bien que Caillaux soit favorable à une participation radicale, il ne trouve le soutien d'Herriot et du parti radical.

Le premier cabinet Tardieu, le 17 février 1930, tomba à la Chambre, la Gauche radicale ne désespérant pas d'une concentration, que Chautemps va tenter en vain. Le deuxième cabinet Tardieu fut renversé par le Sénat le 4 décembre, tout comme le troisième cabinet Laval le 16 février 1932. La Haute Assemblée, où les radicaux se sont renforcés au détriment des modérés lors du renouvellement du tiers le 20 octobre 1929, reste attachée à l'idéal d'une concentration républicaine. Surtout, elle s'émeut du projet de loi électorale que le gouvernement a fait adopter le 12 février 1932. Conforme aux vues de Georges Mandel, il prévoit le scrutin uninominal à un tour, avec l'élection à la majorité relative, selon l'exemple britannique. Cette formule est favorable aux modérés, susceptibles de s'unir au premier tour. La chute de Laval, remplacé par Tardieu, fit que le projet n'eut pas de suite.

Au total, de 1928 à 1932, la majorité modérée de la Chambre demeura cohérente malgré certaines hésitations (la mise en minorité du premier cabinet Tardieu, la confiance à Steeg en décembre 1930), mais elle dut tenir compte du Sénat hostile à toute évolution vers la droite. Ce souci d'équilibre du Sénat s'affirma lors de l'élection présidentielle du 13 mai 1931. A Briand, soutenu par les radicaux de la Chambre et les socialistes, s'opposa le président du Sénat Paul Doumer, soutenu par les modérés et une partie des radicaux. Il obtint 442 voix au premier tour, contre 401 à Briand, frisant de peu la majorité absolue, et fut élu avec 504 voix au second tour. L'échec de Briand, qui abandonne le portefeuille des Affaires étrangères le 12 janvier 1932 et meurt le 7 mars, marquait, comme le départ de Poincaré en juillet 1929, la fin d'une génération politique.

12

Les forces politiques à l'aube des années trente

Après la description du jeu de la vie politique, le retour vers les forces elles-mêmes s'impose. C'est sans doute autour de 1930 qu'il est le plus aisé d'en prendre la mesure, avant que les reclassements dus aux crises qui s'ouvrent à partir de 1933, sur le plan intérieur comme extérieur, ne modifient les données acquises. La fin des années vingt et le début des années trente voient du reste la publication d'un certain nombre d'essais et de bilans, comme si les contemporains avaient eu conscience qu'un temps allait prendre fin. A cet égard, on ne voit guère qu'une période comparable, les dernières années de la quatrième République, pour connaître une telle floraison d'essais sur la politique française.

Les livres d'André Siegfried, *Tableau des partis en France* publié en 1930, d'Albert Thibaudet, *Les Idées politiques de la France,* en 1932, de Daniel Halévy, *La République des comités,* en 1934, demeurent parmi les expressions les plus achevées de cette volonté de compréhension de la vie politique française. Mais on pourrait citer aussi *Les forces historiques de la France* de Pierre de Préssac, les pamphlets d'Emmanuel Berl [1] ou Julien Benda [2] sur le monde intellectuel ou, oubliées aujourd'hui, la suggestive *Histoire de la France depuis la guerre* du critique littéraire et romancier Jean Prévost et l'attachante *République de la province* de Jacques Fourcade. C'est dire que le moment auquel se place ce tableau n'est en rien arbitraire et dénué de signification.

La présentation des forces politiques impose de prendre en

1. *Mort de la pensée bourgeoise,* 1929.
2. *La Trahison des clercs,* 1927.

compte les mutations et les continuités. Continuité : la *summa divisio* qui dans le pays oppose la droite et la gauche, même si un des traits, déjà analysés, de la période est, au plan parlementaire, le succès des formules de conjonction des centres et le poids des modérés. Une mutation considérable par rapport à l'avant-guerre est la naissance, avec le parti communiste, d'une extrême gauche qui n'est pas seulement révolutionnaire, là n'est pas la nouveauté, mais qui subordonne aux impératifs d'une révolution victorieuse en Union soviétique les préoccupations propres de la politique française, comme l'atteste l'abandon de la règle de la « discipline républicaine » lors de maintes consultations électorales.

L'originalité des années qui vont de 1920, formation du premier cabinet Millerand, à 1932, est que les républicains modérés et la droite, celle-ci cependant minoritaire dans les conseils du gouvernement, ont été au pouvoir sans solution de continuité, si ce n'est de juin 1924 à juillet 1926. Certes, cette entente de la droite et des républicains modérés trouva le plus souvent l'adhésion de radicaux, mais celle-ci ne fut jamais le fait de tous les radicaux, et les radicaux ne furent qu'un appoint dans des majorités axées à leur droite. Là est bien la différence par rapport aux années de l'avant-guerre. Encore l'évolution qui se fait jour dès 1909-1910 annonçait-elle ce changement. C'est dire l'importance d'une étude de la ou plutôt des droites pendant cette période.

1. *Droites et centre*

Le pluriel s'impose, non qu'il n'y ait des éléments d'unité : patriotisme et affirmation des valeurs « nationales », volonté de défense de l'ordre social face au péril « bolchevik » et à la montée du communisme révolutionnaire, souci de défense du franc et nostalgie de l'avant-guerre, du temps d'avant l'inflation. Mais par-delà ces thèmes, qui définissent assez exactement le poincarisme, les raisons de division sont évidentes [1], qu'elles tiennent aux héritages de l'histoire et aux traditions des droites ou aux attitudes différentes face à la conjoncture. C'est ainsi que Poin-

1. R. Rémond y a, avant bien d'autres, fortement insisté.

caré sut faire accepter à une partie de ses amis de la droite « nationale » aussi bien la politique de Briand que la dévaluation.

La droite contre-révolutionnaire, incarnée par l'Action française, connaît incontestablement un grand rayonnement dans les années qui suivent la victoire dans le monde intellectuel. Le « parti de l'intelligence » est sensible aux idées maurrassiennes, et celles-ci trouvent également un écho profond dans le monde catholique. Mais cette constatation appelle une double réserve. L'Action française, qui est on l'oublie trop, à l'écart de la coalition du Bloc national, ne connaît que des succès politiques fort modestes. D'autre part, au lendemain de la guerre, la réconciliation de la République et de l'Église, le « second ralliement [1] », se fait malgré l'irritation des catholiques d'Action française. Dès Benoît XV et les débuts de Pie XI, les catholiques favorables à la démocratie d'inspiration chrétienne ont le soutien du Saint-Siège.

Surtout, à la fin de 1926, s'ouvre un grave conflit entre l'Église et l'Action française. A la demande de Rome, le cardinal Andrieu, archevêque de Bordeaux, dans une lettre du 25 août 1926, s'en prend à Maurras et à ses amis, « athées ou agnostiques », et dénonce le positivisme des néo-monarchistes qui veulent le « politique d'abord ». Mais la majorité de l'épiscopat répugne à s'engager dans le conflit, à la fois par sympathie pour des hommes qui ont été des champions de la défense religieuse et pour ne pas susciter la division dans le monde catholique. Rome intervient alors directement. Pie XI, dans une lettre au cardinal Andrieu le 5 septembre, s'en prend au naturalisme et au paganisme de l'Action française. Le 20 décembre, dans une allocution consistoriale, il condamne une école de pensée qui fait passer « les intérêts de parti avant la religion » et qui s'écarte du dogme et de la morale catholiques. Le 29 décembre, sept livres de Maurras sont mis à l'Index. Le 8 mars 1927, une déclaration collective des évêques français lève toute équivoque [2].

Ce n'est pas le lieu ici d'aborder une crise religieuse considéra-

1. H.W. Paul, *The Second Ralliement : the Rapprochement between Church and State in France in the Twentieth Century,* Washington, 1967.

2. En attendant les travaux de Jacques Prévotat, la meilleure présentation demeure celle d'Adrien Dansette dans *l'Histoire religieuse de la France contemporaine,* rééd., Flammarion, 1961.

ble, marquée par l'application sévère de sanctions canoniques et le refus des sacrements aux ligueurs d'Action française. Qu'il suffise de dire les incidences politiques du conflit. Celui-ci est, d'évidence, dû au premier chef à des raisons religieuses et, lorsque les pamphlétaires d'Action française affirmaient être frappés pour leur hostilité à la politique extérieure de Briand qui avait la faveur de Rome, ils déformaient la réalité. Mais il est incontestable que Rome, comme au temps du ralliement, souhaitait que les catholiques français s'écartent des voies intransigeantes, et apportent leur soutien à une politique de rapprochement avec la République de Weimar et à la recherche de l'arbitrage dans les relations internationales. La condamnation de l'Action française affaiblit le mouvement, réduit à ses seules forces, et facilita l'essor, dans la fin des années vingt et le début des années trente, des organisations et des groupements qui se réclamaient de la démocratie d'inspiration chrétienne et d'un catholicisme social réformiste. Nombre de jeunes gens qui avaient subi l'influence de l'Action française, tel Edmond Michelet, militèrent dans ces mouvements. Le catholicisme française à l'aube des années trente amorce ainsi un virage considérable [1] qu'atteste l'évolution du quotidien *la Croix*. D'autre part, le fait que l'Action française perde ses liens avec le monde catholique facilite l'évolution de certains des siens vers le fascisme.

Différente de l'Action française, la droite antiparlementaire mais républicaine, désireuse non d'abattre la République mais de réformer le régime par la révision, ne connut, dans la décennie qui suivit la guerre, qu'une audience modeste. La raison de cette situation est aisée à déceler : les modérés furent au pouvoir pendant l'essentiel de la période et le régime parlementaire fonctionna convenablement. Ce fait ne pouvait que dissuader les adhérents éventuels d'organisations antiparlementaires. Il est significatif, en revanche, que, pendant la brève période du Cartel, la tradition des ligues ait connu une résurgence, avec les Jeunesses patriotes. Celles-ci sont d'abord autonomes au sein de la vieille Ligue des patriotes, puis en 1926 deviennent indépendantes de celle-ci. En leur sein, Pierre Taittinger, député de la Charente-

1. Cf. René Rémond, *Les Catholiques dans la France des années trente*, Éd. Cana, 1979.

Inférieure en 1919, de Paris en 1924, joue un rôle déterminant. Il a présidé les Jeunesses bonapartistes de la Seine avant 1914 [1]. Les JP militent pour un renforcement de l'exécutif. L'allure paramilitaire du mouvement : imperméable bleu, béret, insigne à tête de gaulois, va suffire à nourrir l'accusation de fascisme.

En fait, le seul mouvement qui, alors, s'inspire du fascisme italien est le « Faisceau », fondé par Georges Valois, dissident de l'Action française, séduit par le syndicalisme révolutionnaire, adepte d'un régime corporatif. Valois est, par son itinéraire et ses idées, une figure originale, qui a suscité ces dernières années diverses études [2], mais le « Faisceau » n'eut qu'une existence éphémère et un écho très limité. Cette constatation confirme une fois encore le décalage entre l'histoire des idéologies et celle des forces politiques. L'originalité et la nouveauté des idées ne se traduit pas nécessairement au plan politique. Les réalités politiques ont leur pesanteur et leur durée sur laquelle l'innovation ne porte que lentement. Dans l'histoire de la vie politique du temps, la droite conservatrice et libérale compte en fait plus que les extrêmes dont les idéologies n'ont pas lassé la curiosité des historiens.

Peu étudiée, la droite conservatrice de la Fédération républicaine [3] constitue la composante à la fois la plus considérable et la plus mal connue au sein des droites. Elle porte en elle un triple héritage, sensible à l'observateur familier de ces réalités et déjà évoqué lors de la présentation de groupes parlementaires, celui des progressistes, des ralliés de l'Action libérale populaire, de la droite catholique traditionnelle. Dans le même parti cohabitent des libéraux, profondément attachés à la République parlementaire — ainsi du député du Rhône Laurent Bonnevay ou du sénateur du Doubs de Moustier —, et des hommes qui n'ont guère de sympathie pour le régime et qui, avec la crise, vont aller, dans

1. Cf. les notations de P. Machefer, *Ligues et fascismes en France, 1919-1939,* PUF, 1974.
2. Valois a cet égard a connu la même fortune que tous les non-conformistes de la « droite révolutionnaire ». Y. Guchet lui a consacré un ouvrage (Éd. Albatros, 1975) et Z. Sternhell l'évoque, *Ni droite, ni gauche,* Éd. du Seuil, 1983.
3. Cf. le livre utile de D. Irvine, *French Conservation in Crisis : The Republican Federation of France in the 1930's, op. cit.*

les années trente, vers les formules autoritaires — ainsi de Philippe Henriot, élu de la Gironde. Une autre ligne de clivage sépare l'aile nationaliste, dominée par les deux députés de Meurthe-et-Moselle, Louis Marin et François de Wendel, d'hommes qui admettent la politique de Briand, ainsi Georges Pernot, député catholique du Doubs.

Enfin, et cette dernière ligne de clivage ne coïncide pas pleinement avec les autres, une aile « cléricale » se distingue, par ses revendications en matière de défense religieuse, d'hommes qui, tels Marin, Wendel, Bonnevay, préconisent la discrétion en la matière, et estiment que le parti n'a en rien intérêt à paraître lié à l'Église. En revanche, un nombre important d'élus de la Fédération républicaine, souvent issus des terres de chrétienté de l'Ouest ou du sud-est du Massif Central, sont étroitement liés à la Fédération nationale catholique du général de Castelnau, l'organisation de défense religieuse fondée lors du Cartel. Proches des organisations agrariennes, marqués par le catholicisme social traditionnaliste, ennemis de l'étatisme comme du libéralisme, ce sont eux qui en 1930 se comptent derrière le contre-projet, défendu par le député de l'Ardèche Xavier Vallat, qui organise les assurances sociales dans le cadre de la région et de la profession.

Partagée entre des courants si divers, la Fédération républicaine, malgré les efforts de Louis Marin qui la préside à partir de 1925, ne put être une formation bien cohérente ni bien vivante. Elle reste un parti de notables et de cadres, se défiant des militants. « Ce qu'il nous faut, disait le marquis de Moustier, ce sont des électeurs. Mais des militants, point du tout. Il n'y a rien de plus em… que les militants [1]. » Il faut cependant ne pas négliger l'effort d'organisation mené à bien dans certains départements, ainsi le Doubs avec Georges Pernot. Celui-ci mit sur pied un cartel modéré, l'Union nationale républicaine, fort des comités catholiques et des syndicats agricoles nés avant la guerre, qui explique les succès de la Fédération dans ce département longtemps dominé par la gauche.

Le parti est pauvre, malgré l'aisance de ses élus. Il a l'aide de

1. Cité par J.-N. Jeanneney in *la France et les Français en 1938-1939*, FNSP, 1978.

François de Wendel et de l'Union des intérêts économiques, groupement patronal qu'anime le sénateur de la Seine E. Billiet, mais il trouve bien plus difficilement le soutien des milieux d'affaires que l'Alliance démocratique. Celle-ci, plus présente au pouvoir, est, dès lors, autrement liée aux intérêts [1].

Ce parti demeure au cœur de la vie politique française. Pivot de toutes les combinaisons politiques, il a été déporté par l'évolution générale des forces politiques du centre gauche au centre droit, mais il demeure proche des réalités du pouvoir. Au lendemain de la guerre, l'Alliance, alors présidée par Jonnart, avait pris le nom de Parti républicain démocratique et social, mais, en novembre 1926, elle retrouva sa dénomination originelle. Ses élus se partagent, on l'a montré, entre plusieurs groupes parlementaires à la Chambre des Députés. Il en est de même au Sénat. Comme la Fédération républicaine, l'Alliance laisse à ses élus la liberté de vote. Un congrès extraordinaire en mars 1933 affirme la volonté d'une unité de tactique. Au même congrès, Pierre-Étienne Flandin devient président du parti. Au printemps 1939, dans le pays, l'Alliance compte des comités et fédérations dans 42 départements et dispose de 23 861 affiliés [2]. En fait, elle n'est organisée que là où elle a des élus, et l'organisation n'a de fin qu'électorale.

En fait, rien ne serait plus fallacieux que d'appliquer à un tel parti, — et la remarque vaut pour la Fédération républicaine, voire pour le parti radical — les critères conçus pour des partis de masse, qu'il s'agisse des partis sociaux-démocrates ou du parti conservateur anglais. La raison d'être du parti n'est ni d'encadrer les électeurs, ni de former des militants. Elle est d'être la plate-forme nécessaire à l'action politique d'un personnel attaché à la gestion, et soucieux de l'exercice du pouvoir. Dès lors, ce qui compte, ce ne sont ni le nombre des militants, ni l'organisation, ni les idées, hormis les références obligées aux traditions de la République et à ses fondateurs, mais les hommes. L'Alliance démocratique réunit un personnel de gouvernement, et celui-ci, bien sûr, est divisé en son sein selon les amitiés, les affinités, les

1. André Siegfried l'avait justement noté.
2. Cf. Rosemonde Sanson, in *La France et les Français en 1938-1939, op. cit.*, et un rapport inédit du même auteur qui utilise le tableau des fédérations et comités de l'Alliance à la date du 1er mai 1939.

clientèles. Aux anciens — Barthou, Leygues, Poincaré —, se joint une génération nouvelle avec Maginot, député de Bar-le-Duc depuis 1910, prématurément disparu en 1932, Lebrun, député de Briey depuis 1900, Flandin, Reynaud, Petsche.

Ils se séparent sur la stratégie à suivre. Certains, derrière Tardieu, acceptent une union des modérés qui englobe la Fédération républicaine. Mais les hommes qui ont vécu les luttes de l'avant-guerre, Barthou, Leygues, Poincaré, restent fondamentalement attachés à l'idée d'une concentration avec les radicaux. Au Comité républicain pour le Commerce et l'Industrie, ou au Sénat, ils se retrouvent avec les radicaux de gestion. Ils ont en commun un même attachement à l'ordre social et au libéralisme économique, mais aussi, on l'oublie parfois, une même fidélité à la laïcité et une même défiance vis-à-vis des « cléricaux ». Nombre d'entre eux, du reste, au second tour des élections à la Chambre ou au Sénat, peuvent avoir besoin de voix radicales face à un conservateur. Dans ces hésitations des républicains modérés, partagés entre l'union des droites et la concentration, réside une des raisons de l'instabilité de la législature 1928-1932. Somme toute, à la fin du siècle, le refus d'une partie des républicains de gouvernement de se couper des radicaux et la peur de tomber à droite avait déjà eu semblable conséquence.

L'inventaire des formations de droite et de centre serait incomplet si quelque place n'était faite à la famille démocrate d'inspiration chrétienne [1]. En 1919, les élus issus de la démocratie chrétienne étaient environ une trentaine : républicains démocrates, héritiers des cercles démocrates chrétiens des débuts du siècle, membres de la Ligue de la Jeune République, fondée par Marc Sangnier au lendemain de la condamnation du Sillon en 1911, amis des Semaines sociales, cette université d'été du catholicisme social, représentants des départements recouvrés, formés avant 1918 à l'expérience du Centre alsacien-lorrain, à l'exemple du grand parti allemand. Ces élus ne formèrent en 1919 ni un parti ni un groupe parlementaire propre et ils se dispersèrent à la Chambre entre plusieurs formations.

Les raisons de cette division sont multiples. Marc Sangnier,

1. En attendant la thèse de J.-C. Delbreil sur le PDP, on est réduit à se reporter à des études partielles. La meilleure vision d'ensemble est celle de Marcel Prélot in *la Vie intellectuelle,* 1950, p. 532-539.

malgré l'espoir de ses amis, a refusé de prendre la tête d'un groupement. Membre, mais « non inscrit », de la majorité du Bloc national, il va bientôt se consacrer uniquement à l'action pour la paix. Surtout, ces hommes, qui se disent fils d'un même « esprit », ont connu des expériences et des itinéraires divers : l'ACJF, les groupes démocrates chrétiens, le Sillon, l'Action libérale populaire. Ils ont des tempéraments différents, les uns plus « sociaux », les autres plus « politiques ». Sur la stratégie politique même, l'unité est loin d'être faite. Faut-il, comme le souhaitent les républicains démocrates, être l'aile réformiste en matière sociale d'une majorité modérée ? Faut-il aller vers la gauche laïque, voire socialiste, comme le pense la Jeune République ?

Ces divisions paraissent bientôt fâcheuses. Sur l'invite de Gaston Tessier, secrétaire général de la CFTC, la Confédération française des travailleurs chrétiens fondée en 1919, d'Adéodat Boissard, secrétaire général des Semaines sociales, de Charles Flory, président de l'ACJF, des républicains démocrates de la région parisienne, est fondé un Bureau d'action civique, organe de liaison des catholiques sociaux et des républicains démocrates. Cette initiative eut un aboutissement politique. Après les élections de 1924, malgré les échecs électoraux dus au Cartel des gauches, fut constitué un « groupe des démocrates », présidé par le député du Finistère Victor Balanant, qui compte 13 membres. A ce début de regroupement à la Chambre répond la création, le 16 novembre 1924, d'une formation politique, le parti démocrate populaire (PDP) : celui-ci ne réunissait pas l'ensemble de la famille démocrate chrétienne française. La Ligue de la Jeune République resta à l'écart. Mais, pour la première fois dans l'histoire politique française, une formation d'inspiration démocrate chrétienne allait avoir une existence politique de quelque durée.

Par son nom même le PDP est a-confessionnel, comme le PPI, le parti populaire italien. A se dire démocrate et populaire, le parti semble affirmer un pléonasme, puisque le premier adjectif a un sens social autant que politique. Il semble que l'adjectif populaire fut adopté pour rallier les Alsaciens de l'Union populaire républicaine, l'UPR [1], la formation régionale issue du Centre alsacien du

1. Sur l'UPR, renvoyons à Christian Baechler, *Le Parti catholique alsacien,* Strabourg, 1982.

début du siècle. Mais l'adoption de ce terme signifie aussi l'influence de Sturzo et du « popularisme ». Populaire renvoie à la conception anti-individualiste et organique de l'État et de la société, venue certes par le catholicisme social du traditionnalisme, mais à laquelle Sturzo a donné une nouvelle jeunesse. Aussi les idées développées dans le programme du PDP ou, en 1928, dans le *Manuel Politique* du parti par Raymond Laurent et Marcel Prélot, traducteur de Sturzo en France, évoquent-elles sensiblement les autres partis « populaires » européens, par la revendication déjà formulée par l'Action libérale populaire de l'organisation de la profession, du Sénat professionnel, de la décentralisation.

Le nouveau parti a une structure fédérale qui contraste avec le centralisme de la Jeune République. Les fédérations, qui doivent compter au moins cent cotisants, sont largement autonomes. Le parti aurait atteint 10 000 membres. La composition des instances nationales, lors de la création du parti, marque la volonté de faire place à ses diverses composantes. Le président du parti est le docteur Thibout, personnalité incontestée des républicains démocrates de la région parisienne. En 1929, lui succéda Auguste Champetier de Ribes, un membre de la grande bourgeoisie parisienne, député des Basses-Pyrénées depuis 1924. Les vice-présidents du parti sont Emmanuel Desgrées du Loû, qui apporte le soutien du grand quotidien *l'Ouest Éclair,* Philippe de Las Cases, ancien de l'ACF, le député du Finistère Paul Simon, Léon Vieillefon, syndicaliste chrétien du Nord, Michel Walter, leader de l'alsacienne UPR. Raymond Laurent est l'actif secrétaire général du parti. Joseph Zamanski, dirigeant du patronat chrétien, est trésorier, le journaliste Robert Cornilleau est secrétaire du groupe parlementaire. Lui succédèrent, en 1928, Marcel Prélot et, en 1930, Georges Hourdin.

Aboutissement politique des initiatives du catholicisme social française, le PDP paraissait disposer des atouts appréciables. En outre, la condamnation de l'Action française par Rome à la fin de 1926 ne permettait plus aux adversaires des démocrates chrétiens de se prévaloir du soutien de la hiérarchie. Bien plus, le Saint-Siège marquait discrètement sa sympathie au PDP, notamment pour ses orientations internationales.

Les élections de 1928, les premières auxquelles le nouveau parti se présenta sous ses couleurs, marquèrent des succès pour le PDP, malgré le retour au scrutin d'arrondissement. Il atteint une vingtaine d'élus. Dans l'Ouest, il a huit élus et deux sympathisants. Ces succès sont obtenus souvent contre des membres de l'aristocratie de tradition monarchiste, avec l'appoint de voix républicaines au second tour. C'est le cas en Vendée, où sont élus Charles Gallet et Auguste Durand, dans le Morbihan, avec Ernest Pezet et l'abbé Desgranges. Cette poussée de la démocratie chrétienne dans l'Ouest est une conséquence de la condamnation de l'Action française qui incite un certain nombre d'électeurs catholiques à abandonner les candidats monarchistes.

C'est dans la législature qui va de 1928 à 1932 que le PDP eut la plus grande audience parlementaire. Il est significatif qu'adhère alors à son groupe un député de la Moselle depuis 1919, jusque-là membre de l'Entente, puis de l'URD, Robert Schuman, formé avant la guerre au sein du Centre Lorrain. Le PDP constitue l'aile « sociale » de la majorité modérée. Champetier de Ribes est sous-secrétaire d'État, puis ministre dans les Cabinets Tardieu. Mais une stratégie qui revenait à « figurer comme une monnaie d'appoint » portait en elle-même ses limites. Surtout, le scrutin d'arrondissement ne laissait que des possibilités limitées à une formation de centre, mal à l'aise entre la droite conservatrice et la gauche laïque.

Diversité donc, non seulement au Parlement mais dans le pays, des familles politiques de droite et de centre, diversité qui exprime des traditions, des tempéraments, des sensibilités. Pour qui cependant se place simplement au niveau des attitudes électorales, il est bien une France de droite qui s'oppose à une France de gauche. Elle s'inscrit sur la carte et comprend une partie du nord de la France, le sud et le sud-est du Massif central, la France de l'Ouest dans sa plus grande partie. A ces trois ensembles, décelés depuis longtemps, se sont ajoutés l'Est lorrain depuis le début du siècle, les départements recouvrés, mais aussi la Franche-Comté, depuis 1919.

2. *Gauche et extrême gauche*

En revanche, au sud d'une ligne La Rochelle-Genève, souffle l'esprit de la gauche. Là, radicaux et socialistes l'emportèrent en 1924 comme en 1932 : dans le Centre, le Sud-Est au sens large, de la Bourgogne à Lyon et Grenoble, dans la France méditerranéenne et le Languedoc. La gauche radicale ou socialiste a l'accent du Midi, tandis que la nouvelle extrême gauche communiste a l'accent des banlieues du Nord, ou plus encore de la région parisienne.

Le parti radical ne connaît pas de renouvellement idéologique entre les deux guerres, et son audience commence à décliner. Mais il garde une place fondamentale dans la vie politique. L'affirmation de la tradition républicaine et laïque, une politique économique et sociale « soucieuse du sort des petits dans les villes comme dans les campagnes [1], la « participation à la gestion et aux profits », les assurances sociales, aucun de ces thèmes n'est bien original. En revanche une revendication est neuve : celle de « l'école unique », où Herriot voulait voir « la plus importante peut-être de toutes les réformes demandées par les démocrates [2] ». La formule ne signifie pas le monopole, mais l'unification du primaire supérieur et du premier cycle du secondaire, et la gratuité de celui-ci. Il n'est pas surprenant que le parti ait attaché un prix particulier à une réforme scolaire qui vise à « apporter à tous les enfants le droit total à l'instruction [3] ». Là comme sur la défense laïque peut se faire un accord de Cartel avec la SFIO, dont le parti radical est séparé pourtant sur le plan économique, comme sur celui de la politique extérieure. Si les radicaux souhaitent la paix et l'arbitrage, ils insistent au même degré sur la nécessaire

1. Déclaration votée au 27e Congrès du parti, Grenoble, 12 octobre 1930.
2. É. Herriot, *Pourquoi je suis radical-socialiste,* Les Éditions de France, 1928, p. 141. Le mot démocrate garde une connotation radicale.
3. Déclaration du 27e Congrès du parti.

sécurité de la France [1]. Ils sont là comme ailleurs représentatifs d'un très large consensus dans la société française.

De septembre 1919 à 1926, Édouard Herriot, maire de Lyon depuis 1905, sénateur du Rhône depuis 1912, quelques mois ministre des Travaux publics, des Transports et du Ravitaillement dans le cabinet Briand de décembre 1916, est président du parti. Il devait l'être à nouveau de 1931 à 1935. Cet universitaire cultivé, excellent orateur, fin gastronome, fumeur de pipe, sembla l'incarnation légendaire d'une France moyenne et radicale. Ses qualités d'homme d'État n'étaient pas à la hauteur de sa popularité.

La réorganisation du parti après la guerre est lente. En 1926, le nombre de fédérations départementales ne dépasse pas la quarantaine. Certains parlementaires répugnent à se lier vis-à-vis d'une organisation. Cependant, en 1931, il existe une fédération par département. Le comité exécutif comprend une majorité de « délégués de droit », élus et anciens élus. En 1934, il comporte près de 2 500 membres. C'est dire qu'il ne réunit jamais le tiers de ses membres. Ceux-ci désignent un bureau de 33 membres, dont moitié de parlementaire, indice du poids de ceux-ci dans le parti. Le secrétariat général est installé 9, rue de Valois, puis, à partir de 1933, place de Valois, dans l'immeuble du comité Mascuraud [2]. L'appareil du parti dispose de moyens modestes, et le parti ne posséda jamais un journal qui soit son porte-parole.

En fait, la réalité radicale ne doit pas être recherchée dans des structures nationales, mais bien plutôt dans ce réseau de comités — entre 800 et 1 000 de 1927 à 1939 — particulièrement implantés « dans cette France qui a pour limite septentrionale la Loire, et qui déborde sur la Bourgogne, la Champagne [3]. Ils réunissent de 70 000 à 100 000 adhérents.

Par l'étude des bottins, des annuaires, des archives municipales, S. Berstein a pu obtenir la répartition socio-professionnelle, non des simples militants, mais des 6 982 délégués qui ont siégé au Comité exécutif entre 1919 et 1939, et dont il a identifié près de 80 %. Les agriculteurs, sans doute sous-représentés dans cette instance, sont 13 %, les artisans, commerçants, négociants

1. Cf. S. Berstein, *Histoire du parti radical, op. cit.,* t. I.
2. Cf. le livre encore utile de D. Bardonnet, *Évolution de la structure du parti radical,* Monchrétien, 1960, et surtout S. Berstein, *op. cit.*
3. D. Halévy, *La République des comités,* Grasset, 1934, p. 141.

19 %, les entrepreneurs, industriels 14 %, les professions libérales et les journalistes 31,5 %, les cadres et employés 7,5 %, les fonctionnaires 14,5 %. Au sein du groupe, considérable, des professions libérales, les médecins constituent le tiers : ils sont 33,3 % des délégués. D'Émile Combes à Henri Queuille, le médecin d'Ussel, s'est maintenue une tradition du médecin radical, proche des petites gens. A la différence des médecins, les avocats (30,9 %) sont souvent étrangers au milieu local. Viennent ensuite les agents d'affaires (8,6 %), les pharmaciens (6,5 %), les notaires (5,1 %), bref les « nouveaux notables » de la France des bourgs et des campagnes. Artisans, commerçants, négociants, entrepreneurs, industriel représentent le tiers des délégués au Comité exécutif. Ce sont bien souvent des hommes d'origine modeste qui se sont élevés dans la société, marchands de vin, distillateurs, brasseurs, tanneurs, marchands de bois.

Cette description confirme l'image d'un parti fortement établi dans la bourgeoisie moyenne et les classes moyennes indépendantes. Les salariés ne sont que 22 % des cadres radicaux, chiffre qui, même si on ne dispose pas de données numériques comparables, distingue le parti radical de la SFIO. Si les radicaux s'en prennent aux « gros », à la concentration capitaliste, ils se méfient du collectivisme et de l'étatisme. Certains d'entre eux sont liés aux milieux d'affaires, ainsi de proches de Caillaux comme Émile Roche, un radical du Nord, administrateur de société, ou Édouard Pfeiffer, administrateur de compagnie d'assurances.

S'interrogeant sur le personnel politique radical, Serge Berstein a recensé 531 parlementaires des années 1919-1939. Les professions libérales et les journalistes sont plus de la moitié : 52,5 %, dont 29,3 % d'avocats. Plus qu'une « République des professeurs », selon la formule de Thibaudet, c'est une République des avocats qu'est cette République radicale, étrangère bien souvent au monde de la production. Ce ne sont pas, du reste, les ministères économiques qui intéressent les radicaux [1] mais le ministère de l'Intérieur, qui tient l'administration préfectorale, le ministère de l'Agriculture, qui accorde subventions et crédits, le ministère de l'Instruction publique, bastion de la laïcité, celui des Colonies,

1. Cf. C. Nicolet, *Le Radicalisme,* coll. « Que sais-je ? ».

autre centre d'influence, celui de la Santé publique enfin, maître de l'assistance.

L'électorat ne change guère par rapport au début du siècle. Entre les deux guerres, le parti est bien implanté dans les départements ruraux du Bassin parisien — Aisne, Oise, Somme, Seine-et-Marne, Marne, Aube, Loiret, Eure-et-Loir, Eure —, dans certains départements de l'Est — Doubs, Saône-et-Loire, Côte-d'Or, Haute-Saône —, dans le Massif central — Puy-de-Dôme, Cantal, Corrèze, Creuse —, dans le Sud-Ouest aquitain, le Lot, la Dordogne, dans le Sud-Est — Ain, Rhône, Loire, Isère, Drôme, Vaucluse —, enfin dans les Deux-Sèvres, la Charente et la Charente-Inférieure. Ni les terres de chrétienté, ni les grandes agglomérations urbaines, sauf le Havre, avec Léon Meyer, ou Rouen, ne sont bastions radicaux. Au reste, ces bastions sont grignotés, au nord de la Loire par la droite, au sud par les socialistes. Si l'influence du parti recule à la Chambre, elle s'accroît toujours au Sénat, où le nombre des radicaux passe de la cinquantaine à la centaine de 1922 - 1938, indice de ce que le parti devient un parti de notables, que la force des choses conduit à une évolution conservatrice, et à passer de la gauche au centre.

Sans doute, le parti a-t-il connu des tentatives de renouveau, marquées par la volonté de revenir aux origines et à l'esprit du radicalisme. L'élection, à la fin de 1927, d'Édouard Daladier, agrégé d'histoire, ancien élève d'Herriot, député du Vaucluse, à la présidence du parti, incarne ce retour d'un radicalisme de gauche. Le courant des « jeunes Turcs [1] » associe des intellectuels qui veulent revenir aux sources du radicalisme, tel Jacques Kayser, et des « réalistes » comme Émile Roche, proche de Caillaux, Georges Bonnet, désireux d'un nouveau style politique. Les « jeunes Turcs » sont rejoints par des jeunes députés, Pierre Cot, élu en 1928 en Savoie, Pierre Mendès France, élu à Louviers en 1934, Jean Zay, député d'Orléans en 1932, Léon Martinaud-Déplat, élu dans la Seine en 1932. Tous aspirent à un radicalisme rénové. Mais les radicaux de gestion sont la majorité du parti. Le parti se veut à gauche, il est en fait, désormais, au centre de la vie politique. Un radical d'Union nationale comme Albert Sarraut en avait conscience lorsqu'il faisait mérite au parti d'éviter à la France « la

1. Cf. les analyses de S. Berstein, *op. cit.*, t. II, p. 94.

division redoutable en deux blocs de droite et de gauche, dominés par les extrêmes », et voyait en lui un parti « du juste milieu [1] ».

Traiter du socialisme ne saurait conduire à se limiter à la seule SFIO, même si le parti de Léon Blum et Paul Faure représente, de loin, la formation la plus considérable. Le parti républicain socialiste, dont on a dit les origines, poursuit sa carrière de formation charnière entre les radicaux et la SFIO. Il est d'abord, comme le fut l'UDSR sous la quatrième République, un point de ralliement pour des personnalités d'origine diverse, et qui ne sont pas toutes venues de la SFIO : Briand dans la Loire, Painlevé à Paris, de Monzie à Cahors. Il réunit des hommes de centre gauche qui répugnent à une discipline de parti, à qui leur rôle d'appoint dans une majorité assure une remarquable fortune ministérielle.

Un électorat gros d'environ 500 000 voix, mais il n'y a de candidats que dans une minorité de circonscriptions, assure d'ordinaire aux républicains socialistes de vingt à trente élus. Cette persistance témoigne de l'existence d'un électorat favorable à un réformisme social et qui refuse le marxisme de la SFIO. Cet éternel socialisme indépendant se grossit des scissions de la SFIO. Le parti socialiste français, fidèle à l'Union sacrée, fondé en octobre 1919,a quelques élus dans la région parisienne en 1919, où il est associé au Bloc national. Ensuite, un filet continu de départs est la conséquence du refus par la SFIO des crédits militaires (c'est le cas de Paul-Boncour en 1930), ou du refus réitéré de la participation. Certaines personnalités, comme Maurice Viollette à Dreux, Louis Soulié à Saint-Étienne, ont eu à leur actif une gestion municipale remarquable. Ces hommes, souvent liés à la maçonnerie et à la CGT réformiste de Léon Jouhaux, recherchent avec sincérité une troisième voie sociale, dans la tradition d'un socialisme français non marxiste, et sont proches des radicaux avancés.

Au lendemain du Congrès de Tours, la SFIO, sortie minoritaire de la scission, dut entreprendre sa « reconstruction ». Dans le parti se retrouvent les majoritaires (Blum, Renaudel) et les minoritaires (Paul Faure, Longuet) des années de guerre. Mais

1. Discours à Montauban pour le soixante-septième anniversaire de la République le 4 septembre 1937, cité par E. Bonnefous, *op. cit.*, t. VI, p. 196.

une manière de dyarchie s'établit entre Paul Faure et Léon Blum, associant « reconstructeurs » et « résistants » à la IIIe Internationale. Paul Faure, secrétaire général du parti, tient l'appareil. Blum, élu pour la première fois en 1919, est secrétaire du groupe socialiste au Palais-Bourbon [1] et, à partir de 1921, dirige *le Populaire*. La reconstruction du parti, qui a perdu la majorité de ses adhérents — il a 53 419 membres en 1921 —, est rendue possible parce qu'il a conservé le réseau des élus locaux : la plupart des maires, des conseillers généraux. Ces « médiocres notabilités de province [2] » liées au « petit peuple » socialiste rendirent possible le réveil du parti socialiste après une crise profonde, comme en d'autres moments de son histoire, tant le parti exprime une réalité durable de la société française.

Pourtant, le parti refusa tout renouvellement idéologique. Le projet de plate-forme adopté par le Congrès en octobre 1921 comprend les « nationalisations industrialisées », différentes de l'étatisation, les conseils économiques national et régionaux. Il traduit un souci d'innovation, dû à l'influence d'Albert Thomas et de la CGT de Jouhaux. Mais, dès le conseil national du 13 février 1922, les militants de formation guesdiste rejettent toute modification aux « doctrines traditionnelles » du parti, qui doivent « faire face aux difficultés de la situation ». Le parti réaffirme qu'il est « parti de lutte de classe », et rejette le « ministérialisme », la participation gouvernementale, ce à l'heure où les social-démocraties européennes accèdent au pouvoir. Certes, le parti repousse le communisme et « toute autorité dictatoriale venue d'en haut », mais, face à la surenchère communiste, le parti se voue à une opposition intransigeante pour ne pas passer pour réformiste. Les amis de Paul Faure, l'helléniste Bracke, le roubaisien Lebas, font ainsi prévaloir une ligne « néo-guesdiste [3] ».

Les crises du parti communiste grossissent les rangs de la SFIO.L'Union socialiste-communiste, fondée en décembre 1922, compte dans ses rangs Henri Sellier, L.O. Frossard, Charles

1. Renvoyons une fois encore à l'excellent livre de G. Lefranc, *Le Mouvement socialiste en France, op. cit.*, qui, pour cette période, a valeur de témoignage.

2. Cf. A. Kriegel, préface à l'intéressante étude de T. Judt, *La Reconstruction du parti socialiste (1921-1926)*, FNSP, 1976.

3. M. Prélot, *L'Évolution politique du socialisme français, op. cit.*, p. 237.

Lussy, exclus ou démissionnaires du PC. Elle est partie prenante du Cartel, avant que ses adhérents ne rentrent à la SFIO. Certains, tels Frossard, n'y font qu'un bref passage avant de rejoindre le groupe républicain socialiste.

L'organisation du parti demeure définie par les statuts de 1905 [1]. La Commission administrative permanente est responsable de l'application des décisions du Congrès. A la tête de celle-ci, un groupe central est remarquablement stable avec Bracke, Salomon Grumbach, qui a fait ses débuts dans la social-démocratie en Alsace avant 1914, Lebas, qui tient la fédération du Nord, Le Troquer. La SFIO n'a qu'un nombre très modeste de permanents. Seules les grosses fédérations, Seine, Seine-et-Oise, Nord, Haut-Rhin, ont des secrétaires à plein temps. Le parti est tenu par une oligarchie de dirigeants qui se renouvellent peu, et dont les moyens d'action et de propagande sont restreints. La réalité véritable du parti est la fédération départementale. Avec une grande liberté, elle choisit les candidats aux élections, ce qui fait difficulté même à des dirigeants nationaux comme Léon Blum ou Paul Faure. Le premier, après son échec à Paris en 1928, doit se faire élire à une élection partielle à Narbonne en 1929, le second, député du Creusot de 1924 à 1932, ne retrouva pas après son échec un siège de député.

Les fédérations du Nord, du Pas-de-Calais, des Ardennes, mais aussi du Rhône, de l'Isère, ont conservé une réelle base ouvrière, malgré la scission, à la différence de la Loire, de la Seine-Inférieure, de la Moselle, où le PC fut suivi par la majorité des militants. Dans la Seine et la Seine-et-Oise, la SFIO a perdu également ses assises ouvrières au bénéfice du PC. La fédération de la Seine tient un rôle appréciable dans la vie du parti par la place des intellectuels, souvent tentés par les formules extrémistes.

Si la SFIO est mal implantée dans les départements à dominante agricole, elle dispose de fortes fédérations dans les départements d'une France moyenne, qui associe les activités agricoles et industrielles : Saône-et-Loire, Côte-d'Or, Allier, Haute-Vienne,

1. La meilleure présentation de la réalité de la SFIO dans ces années reste celle de G. Ziebura, *Léon Blum et le parti socialiste*, 1872-1934, FNSP, 1967.

Haute-Garonne, Gironde, Drôme, Var, Hérault. Si on excepte les fédérations du Nord et du Pas-de-Calais, de la Bourgogne, d'Alsace où le parti est en recul à cause de ses positions assimilatrices et laïques, les adhérents du parti vivent surtout dans la France de gauche du sud de la Loire.

Les résultats électoraux confirment cette progression de la SFIO au sud de la Loire au détriment des radicaux. Premières élections législatives véritablement significatives depuis 1914, les élections de 1928 [1] révèlent les bastions du Nord et du Pas-de-Calais — plus de 25 % des inscrits —, des terres républicaines du nord et nord-ouest du Massif central — Haute-Vienne, Allier, plus de 25 % ; Creuse, Nièvre, plus de 20 % des inscrits. Mais les succès sont plus sensibles encore dans le Midi languedocien et provençal : plus de 30 % des inscrits dans la Haute-Garonne, où la SFIO met en difficulté les radicaux, plus de 25 % dans le Tarn et l'Hérault, plus de 20 % dans l'Aude et le Gard, plus de 30 % dans les Bouches-du-Rhône, où règne le maire de Marseille Bouisson [2], plus de 25 % dans le Var et les Basses-Alpes. Bref, la SFIO chasse maintenant sur les terres radicales. Elle est en position difficile, sauf le Nord, dans les régions prolétariennes et dans les pays de chrétienté. Elle a un électorat populaire, où les paysans, les fonctionnaires tiennent une place croissante.

L'écart entre le nombre des adhérents (60 000 en 1924, 137 700 en 1932) et celui des électeurs (1 700 000 en 1928) est considérable. Les militants sont portés à l'intransigeance, quand le groupe parlementaire, qui connaît les électeurs, serait acquis à des attitudes plus politiques. Les tensions entre les organes dirigeants du parti et le groupe parlementaire sont parfois aiguës. Au sein de celui-ci, l'idée d'une participation à un gouvernement avec les radicaux fait son chemin. Elle est défendue par P. Renaudel et son hebdomadaire *la Vie socialiste,* par Paul Ramadier, professeur d'histoire du droit, député de Decazeville, par Marcel Déat, agrégé de philosophie, sociologue, un des espoirs du parti. Face à ces socialistes qui estiment que le refus de la participation rejette les radicaux vers la droite, Blum, par son discours dans la salle de

1. Bien analysées par G. Lefranc, *op. cit.*
2. Ses amitiés chez les modérés lui valurent d'être président de la Chambre de janvier 1927 à mai 1936 ; il quitte la SFIO en 1932.

la Bellevilloise, élabore, en janvier 1926, la distinction entre la participation, récusée, la « conquête du pouvoir », prise totale du pouvoir politique, prélude de la Révolution, et l' « exercice du pouvoir » dans le cadre du régime capitaliste, acceptable dès lors que le parti est la plus forte composante d'une majorité de gauche. Refuser la participation, c'est justement préserver la spécificité du parti pour l'exercice du pouvoir. Le problème se posa à plusieurs reprises.

Lors de la chute de Briand le 22 octobre 1929, Daladier offrit une participation aux socialistes. La majorité du groupe parlementaire fut favorable. Convoqué par la CAP, le Conseil national se prononça à une légère majorité contre la participation. La tentative de Daladier échoua, ouvrant la voie au premier cabinet Tardieu. Au Congrès du parti les 25 et 26 janvier 1930, les partisans de la participation, Ramadier et Déat, furent en minorité, avec 1 507 mandats contre 2 066 [1].

Le problème reparut avec plus de force au lendemain des élections de 1932, qui donnèrent une majorité de gauche. Le Congrès du parti des 29 mai et 1er juin se rangeait à l'idée d'une participation sous conditions. Mais Herriot refusa de s'engager sur les « Cahiers de Huyghens », du nom de la salle où ils furent élaborés. Ils prévoyaient la réduction des dépenses militaires, le contrôle des banques, l'office public du blé, la nationalisation des chemins de fer. Lorsque, le 28 janvier 1933, Daladier fit une nouvelle et vaine tentative pour une participation socialiste, il rencontra une fois encore l'appui du groupe, condamné par le Conseil national. Il n'y eut pas de participation, mais les députés socialistes, hormis 23 d'entre eux avec Blum et Lebas, soutinrent le gouvernement Daladier, y compris dans sa politique déflationniste de baisse des traitements des fonctionnaires. Convoqué à la demande du groupe parlementaire, le Congrès extraordinaire d'Avignon en avril vit le talent de conciliateur de Blum isoler Renaudel et ses amis qui obtinrent 925 mandats contre 2 807. Le désaccord entre le groupe parlementaire et le parti était manifeste. Cependant, la majorité des députés, fidèle à l'organisation, ne suivit pas l'évolution de Déat au Congrès de juillet 1933, qui conduisit à la scission de novembre. En fait, le problème de la

1. Cf. G. Lefranc et G. Ziebura, *op. cit.*, p. 312 *sq.*

participation interférait avec une mise en question doctrinale.

Les fondements idéologiques de la SFIO ne s'étaient guère renouvelés après Tours. Le parti offrait une manière de synthèse de la tradition républicaine et du marxisme. Il réaffirmait un marxisme orthodoxe, affirmant sa foi en la révolution et sa volonté d'être un parti de lutte des classes. Cette fidélité au marxisme, loin d'être une référence rituelle, était la clef de voûte de la SFIO et le fondement de son unité. Mais de plus en plus, comme Thibaudet l'avait bien vu dans ses *Idées politiques de la France,* d'autres thèmes étaient entrés dans le paysage idéologique du parti. Le premier, venu de la tradition jaurésienne, était l'attachement à la démocratie parlementaire, raison d'être de la rupture de Tours. Il allait de pair avec l'anticommunisme, ravivé par le retour à la SFIO d'anciens du PC. En outre, de plus en plus, en matière de défense de la laïcité et d'anticléricalisme la SFIO prenait le relais du parti radical, évolution qu'expliquent ses liens avec la maçonnerie et le Syndicat national des instituteurs. Par sa compréhension des réalités religieuses et de l'évolution de l'Église catholique, Léon Blum se distingue sur ce point de la majorité de ses amis, comme l'atteste son discours en 1925 lors du débat sur l'ambassade près le Saint-Siège. En matière de politique extérieure, enfin, la SFIO est attachée au pacifisme, à la recherche de la « paix par le droit », à l'esprit de Genève et à la politique de Briand.

Il est probable que l'instituteur ou le postier socialiste voient d'abord dans la SFIO le parti des petites gens, attaché à la paix et à la laïcité, plutôt qu'un parti de révolution, comme le proclament les textes officiels. Mais l'attachement au marxisme paraît comme imposé par la surenchère communiste. Certes, le parti porte la contradiction d'un discours révolutionnaire et d'une réalité réformiste et gestionnaire, notamment dans la gestion des municipalités, Lille ou Marseille. Mais ce réformisme de fait est récusé en doctrine et nullement assumé par le groupe dirigeant du parti.

Aux alentours de 1930, diverses publications témoignent d'une volonté de renouvellement. Charles Spinasse s'interroge sur le « néo-capitalisme » aux États-Unis [1]. Un chrétien social protes-

1. Sur tout ceci, des pages excellentes dans M. Prélot, *op. cit.*, dès 1939.

tant, membre de la SFIO, professeur d'économie politique, bon connaisseur du monde anglo-saxon, André Philip, consacre, en 1928, un ouvrage à Henri de Man et la crise doctrinale du socialisme. L'année suivante il adapte en français, sous le titre significatif *Au-delà du marxisme,* le livre du socialiste flamand publié en 1926 et intitulé *Zur Psychologie des Sozialismus.* De Man définissait le socialisme comme une éthique, non comme un simple économisme, il insistait sur l'importance des loisirs et avançait l'idée, qui va connaître une telle fortune, d'un plan. En 1929, à la librairie Valois, si attentive aux courants nouveaux du moment, un ingénieur, Barthélemy Montagnon, sous le titre *Grandeur et servitudes socialistes,* propose la révision du socialisme [1].

Surtout, en 1930, sous le titre de *Perspectives socialistes,* toujours à la librairie Valois, Marcel Déat propose d'en finir avec la « routine révolutionnaire ». Dans la première partie, il analyse le fait capitaliste à la lumière des sociologues allemands Max Weber, Troeltsch, Sombart, qu'il est, chose rarement mentionnée, un des premiers à faire connaître en France. Il récuse les causalités mécaniques, où s'est complu un certain marxisme. Il propose au socialisme d'annexer les « tendances anticapitalistes » des divers groupes sociaux, et tout particulièrement des classes moyennes. Il insiste dans la deuxième partie de l'ouvrage sur le fait que « compte désormais... non pas la propriété des biens, mais la maîtrise des forces ». La gestion est bien plus importante que la propriété. Il invite au contrôle par l'État des banques, des industries clefs, mais, hostile à l'étatisme, souhaite la gestion par les syndicats, les coopératives, les usagers.

Le groupe des jeunes intellectuels socialistes du groupe de « révolution constructive [2] », avec Maurice Deixonne, Pierre Dreyfus, Georges Guille, Georges Lefranc, Claude Lévi-Strauss, Robert Marjolin, influencé par les idées de Déat et de de Man, préconise un combat quotidien « syndicat, corporatif, municipal ». Chez tous ces hommes, la méfiance vis-à-vis de l'étatisme, le souci de gestion à la base, l'idée de planification, l'attention au rôle des classes moyennes sont présents. Autant de thèmes qui

1. Valois.
2. Cf. l'article de G. Lefranc, *Le Mouvement social,* janvier-mars 1966.

vont susciter la réserve, voire l'hostilité d'un Paul Faure, mais aussi d'un Léon Blum adversaire de l' « économie mixte ». Elles retrouvent, en revanche, certaines des préoccupations de la CGT de Léon Jouhaux.

Cette révision doctrinale prend plus d'intensité face à la crise économique mondiale et à la victoire du nazisme dans une Allemagne où la social-démocratie avait eu une telle place. Elle se rencontre avec le vieux problème de la participation pour conduire à la crise de 1933 et à la scission néo-socialiste. Au congrès de la SFIO de juillet 1933, les discours de Montagnon, d'Adrien Marquet le maire de Bordeaux, de Déat, prononcés respectivement les 15, 16 et 17 juillet, sans être l'objet d'une concertation, semblent incarner le courant « néo-socialiste [1] ». Montagnon marque la nécessité d'une économie dirigée, d'un État fort pour relever le défi du fascisme, Marquet évoque le temps où « chaque nation constituera dans son cadre intérieur un pouvoir fort qui se substitue à la bourgeoisie défaillante ». Propos qui suscitent l' « épouvante » de Blum, et auquel Déat éprouve la nécessité d'apporter des « précisions ». Loin d'apporter l'apologie des régimes autoritaires comme on a pu le dire sans avoir lu les textes, Déat demande d'appliquer l'analyse marxiste au fascisme : la crise économique, estime-t-il, conduit à la prolétarisation des classes moyennes, propos qui trouve l'accord de Bracke. Il invite le parti à ne pas se couper des classes moyennes, de la démocratie, de la nation, et, aux applaudissements de la salle, debout, conclut en invitant à briser l'attaque fasciste [2].

Occasion de l'exposé des thèses néo-socialistes qui sortent alors d'une relative discrétion, le Congrès condamne d'autre part l'attitude du groupe parlementaire devant le gouvernement Daladier par 2 197 voix à la motion Paul Faure, 971 mandats à la motion Auriol plus modérée, 752 voix à la motion qui approuve le groupe parlementaire. Lorsque, le 23 octobre, Daladier est

1. Après la rupture, qui comme toujours simplifie les choses et conduit à des amalgames, les trois discours sont reproduits. B. Montagnon, A. Marquet, Marcel Déat, *Néo-socialisme ? Ordre, autorité, nation,* préface et commentaire par Max Bonnafous, Grasset, 1933.

2. L'évolution ultérieure de Déat a conduit tant de commentateurs à lui prêter en 1933 des opinions qui ne sont pas les siennes qu'il est indispensable de revenir aux textes.

renversé, 28 socialistes votent encore pour lui. C'est l'occasion pour Blum, qui dénonce l'évolution des « néos » vers le fascisme, et pour Paul Faure, d'exclure Déat, Marquet, Montagnon, Renaudel, suivis par Ramadier.

La scission se fait ainsi dans la confusion : pour Renaudel ou Ramadier, la question de la participation est en cause, non celle de la révision doctrinale. De plus, un certain nombre de députés et de militants, marqués par les idées de Déat, restent fidèles à l'organisation, ainsi de Jules Moch, André Philip. Les « néo-socialistes » fondèrent le « parti socialiste de France, union Jean Jaurès ». Ce parti n'eut pas plus de 20 000 adhérents. Il eut une audience dans les milieux intellectuels, chez les cadres. On y trouve un ingénieur comme Louis Vallon, dont on sait le rôle dans l'histoire du gaullisme de gauche. Au plan de la réflexion intellectuelle, le néo-socialisme a sa place dans les courants de pensée des « non-conformistes » des années trente. Au plan politique et parlementaire, il retrouve le destin des républicains socialistes et socialistes français [1]. Les trois organisations vont du reste se réunir à la fin de 1935 dans le groupe parlementaire de l'Union socialiste républicaine, qui atteint 40 membres et qui fut, on l'a parfois oublié, une des formations associées au Rassemblement populaire.

Le parti communiste est la seule force politique véritable nouvelle de la période et sa présence modifie profondément les données de la vie politique. Au long de crises complexes, qu'on ne saurait ici aborder pour elles-mêmes [2], s'affirme un parti d'un modèle original, de type bolchevik, qui, jusqu'au tournant de juin 1934, se veut en dehors du jeu politique traditionnel, puisque la tactique « classe contre classe » voue à la même exécration la droite et la gauche.

Le parti né de la scission compte 130 000 adhérents. Mais, pas plus que la majorité des dirigeants, ils n'ont pris au sérieux les vingt et une conditions. Ce sont d'abord des militants socialistes

1. A la Chambre, le groupe du parti socialiste de France a 25 membres, le groupe du parti socialiste français et du parti républicain socialiste 23 (le premier compte 10 membres, dont Pierre Viénot et Anatole de Monzie, le second 13) et 7 apparentés (*Journal officiel* du 5 juin 1935).

2. Renvoyons une fois pour toutes aux livres d'A. Kriegel, L. Bodin et N. Racine, P. Robrieux, J.-P. Brunet.

ou syndicalistes révolutionnaires et, selon la formule célèbre des *Cahiers du bolchevisme,* en 1924, le parti d'avant la bolchevisation comprend : « 20 % de jaurésisme, 10 % de marxisme, 20 % de léninisme, 20 % de trotskysme, et 30 % de confusionnisme ». Cohabitent d'anciens militants de la SFIO, d'anciens syndicalistes révolutionnaires avant 1914, des membres de la « génération du feu », venus au communisme contre la guerre. Le parti attire aussi, à la différence de la SFIO qui paraît terne et médiocre, écrivains et artistes, qui, tels les surréalistes, Breton, Éluard, Aragon, voient en lui le lieu d'une contestation révolutionnaire de la société bourgeoise.

Ce parti si divers était membre de la IIIe Internationale, dépendant, chose toute nouvelle en France, d'une stratégie mondiale. Les conflits étaient prévisibles. En juillet 1921, le Troisième Congrès de l'Internationale se prononce pour le « front unique prolétarien » avec les travailleurs socialistes, et critique la direction du PC faite de « détestables opportunistes [1] ». Au Congrès du parti à Marseille, fin décembre, la droite et le centre du parti s'élèvent contre l'intervention de l'Internationale dans les affaires françaises. Convoqués à Moscou en février, devant l'exécutif élargi de l'Internationale, Frossard et Cachin se soumettent par discipline. Mais le 1er décembre 1922, après un discours de Trotsky, le Quatrième Congrès de l'Internationale demande l'exclusion du parti des éléments non révolutionnaires. Critères de cette vingt-deuxième condition : l'appartenance à la franc-maçonnerie et à la Ligue des droits de l'homme, jugées organisations bourgeoises. Le 1er janvier 1923, Frossard démissionne du secrétariat général du parti. Suivent une série d'exclusions. Louis Sellier, un ancien socialiste lié à Marcel Cachin, devient secrétaire général. Il va présider, avec Treint, un ancien instituteur, d'esprit sectaire, à l'épuration d'un parti dont les effectifs fondent, mais qui change de visage.

Le PC surmonte les crises internes en se lançant dans les luttes révolutionnaires. Lors de l'affaire de la Ruhr, le parti dénonce l' « impérialisme français », la « piraterie capitaliste », mène une campagne antimilitariste dans les casernes. Le parti est isolé dans ce mouvement et se heurte « à l'indifférence générale de l'opinion

1. Cf. J. Humbert-Droz, *L'Œil de Moscou à Paris,* Julliard, 1964.

publique [1] ». La répression gouvernementale frappe d'arrestation les principaux dirigeants. Elle forge l'unité du parti et la détermination des militants. Aux élections de 1924, les listes du Bloc ouvrier-paysan présentées par le parti communiste dénoncent le « Bloc national de droite » comme le « Bloc national de gauche », « tous les deux instruments du capital ». « Face aux convulsions extrêmes d'un ordre social frappé à mort », elles posent le « dilemme : la révolution ou l'esclavage [2] ». Ce ton d'apocalypse, ce romantisme révolutionnaire exaltent les militants, qui regardent avec foi vers la « patrie soviétique », vers Moscou, « la ville sainte du socialisme [3] ».

A l'invite du Cinquième Congrès de l'Internationale, en Juillet 1924, s'engage la « bolchevisation ». A la différence de la SFIO organisée sur une base territoriale dans une perspective électorale, le PC se donne un autre type d'organisation. Les cellules, le terme vient du russe, doivent être organisées sur la base de l'entreprise. La tâche, difficile (une minorité de cellules est faite de cellules d'entreprises), est fondamentale pour l'implantation ouvrière du parti et la lutte contre l'autonomie syndicale, chère au syndicalisme révolutionnaire. Les cellules sont groupées en rayons et sous-rayons, termes qui traduisent aussi la greffe soviétique. La fédération ne correspond pas au niveau départemental, mais à un découpage régional.

Les structures du parti sont définies pour des décennies : Bureau politique, Comité central, Congrès. Le « centralisme démocratique », c'est-à-dire en fait la nécessaire acceptation par tous de la ligne définie après débat, met fin à la tradition chère à la SFIO du primat de l'autonomie des organes inférieurs. Surtout, par-delà les organigrammes, prime la formation d'un noyau dirigeant et d'un appareil permanent. Celui-ci revêt des aspect clandestins dus à la conception nouvelle du parti et à la répression

1. Cf. le rapport de J. Humbert-Droz à Zinoviev, *L'Œil de Moscou à Paris, op. cit.*
2. Profession de foi au « Barodet » de 1924.
3. Cf. L.O. Frossard, *De Jaurès à Lénine. Notes et souvenirs d'un militant,* 1931, p. 34-35. Il ajoute, percevant bien le caractère religieux du communisme: « Comme dans toutes les grandes crises de l'histoire, les âmes tourmentées étaient à la recherche d'une mystique : elles venaient de la trouver. Moscou représentait pour elle désormais " le maximum de religion " ! »

gouvernementale : à la fin de 1925, lors de la lutte contre l'« impérialisme français » dans le Rif, plusieurs centaines de militants sont arrêtés ou poursuivis. Grâce à l'appui financier de l'Internationale, le parti compte 150 permanents en 1926, bien plus qu'aucune autre formation politique [1].

Un effort d'unification idéologique est d'autre part poursuivi, qu'atteste la naissance, le 21 novembre 1924, des *Cahiers du bolchevisme,* et la fondation de l'École de Bobigny avec Kurella et Paul Morin [2]. Ainsi sont dispensés aux militants les outils intellectuels et les méthodes nécessaires à la propagande. Les dirigeants parachèvent leur formation par des séjours en URSS, au terme desquels ils obtiennent la confiance de l'Internationale. C'est bien un type de militants inédit dans la tradition politique française qui s'affirme désormais.

Les effectifs du parti, au long des crises internes, déclinent, mais le parti s'enracine dans la classe ouvrière. Quand la SFIO était et reste un parti populaire, le PC devient un parti d'ouvriers d'usine. Dans la métallurgie, alors en plein essor, chez les cheminots, il établit son influence : en 1927, 430 cellules d'entreprises sur 898 sont des cellules de cheminots ou de métallurgistes [3]. Une politique systématique favorise la présence d'ouvriers dans les organes dirigeants, autre différence avec la SFIO. La Seine et la Seine-et-Oise, où le parti communiste obtient en 1924 26 % des votants, constituent une forteresse du parti, comme le confirment les élections municipales de 1925, date de naissance des premières mairies communistes dans la « banlieue rouge » : Ivry, Saint-Denis, Vitry, Nanterre. Dans la région parisienne, le parti communiste obtient plus du tiers de ses voix, il fait élire 19 députés sur 26 [4]. Après la banlieue parisienne, le département industriel où, en 1924, il remporte le meilleur score, (de 15 à 20 % des inscrits) est la Moselle, où la social-démocratie née sous l'annexion a basculé vers le communisme. Viennent ensuite, avec de 10 à 15 % des inscrits, le Nord, les Ardennes, le Bas-Rhin.

1. Cf. P. Robrieux, *Histoire intérieure du parti communiste,* t. I, Fayard, 1945.
2. Cf. D. Tartakowsky, *Les Premiers communistes français,* FNSP, 1980.
3. A. Kriegel, *Les Communistes français,* Éd. du Seuil, 1968, p. 60.
4. Cf. J. Girault, *Sur l'implantation du PCF dans l'entre-deux-guerres,* Éd. sociales, 1977.

A ce communisme ouvrier s'oppose un communisme paysan. Dans le Lot-et-Garonne, le leader Renaud Jean conduit une liste qui a de 25 à 30 % des inscrits. Dans l'Allier, la Corrèze, la Haute-Vienne, le Gard, le Vaucluse, les paysans traditionnellement avancés passent au communisme, selon une évolution qu'observe Daniel Halévy dans ses *Visites aux paysans du Centre.*

La bolchevisation se fit au long de crises difficiles. C'est l'exclusion de Boris Souvarine en juillet 1924, suivi par Monatte et Rosmer, les syndicalistes révolutionnaires, défenseurs de Trotsky. Puis vient la mise en cause par l'Internationale pour « gauchisme » de la direction de Treint et Suzanne Girault, tandis que le cheminot Pierre Semard devient secrétaire général en 1924. Treint et Suzanne Girault sont à leur tour exclus en janvier 1928. La même année, le Comité central impose aux élections législatives, où va se poser pour la première fois aux législatives la question du désistement au deuxième tour, la tactique « classe contre classe ». L'attitude du parti entraîne le départ d'un certain nombre d'élus locaux de la Seine et de la Seine-et-Oise, attachés à la « discipline républicaine ». Ils fondent un parti « ouvrier et paysan » ensuite dénommé parti ouvrier d'unité prolétarienne (PUP, d'où le terme de pupiste). Parmi les leaders de cette formation, le maire du Chambon-Feugerolles dans la Loire, Petrus Faure, et l'ancien secrétaire général Louis Sellier, qui est élu en 1932 député du XVIIIe contre Marcel Cachin. Le parti communiste perd des militants — ils sont 52 000 en 1928, 38 000 en 1930, 28 000 en 1933 — et des électeurs — aux élections de 1932, le PC tombe à 800 000 voix. Avec Sarraut, puis Tardieu, les ministres de l'intérieur entreprennent une répression sévère. Avant le 1er mai 1929, près de 4 000 militants sont arrêtés. A la veille de la journée contre la guerre, le 1er août 1929, la quasi-totalité de la direction est arrêtée.

Dans cette période difficile, le secrétaire général Semard est remplacé en mars 1929 par un « secrétariat politique responsable collectivement » : il comprend deux dirigeants des jeunesses communistes, Barbé et Celor, le syndicaliste Benoît Frachon et Maurice Thorez [1]. Celui-ci, un an plus tard, devient seul secrétaire

1. Cf. P. Robrieux, *op. cit.*, t. I, et J.-P. Brunet, « L'affaire Barbé-Celor », *Revue d'histoire moderne et contemporaine*, juillet-septembre 1969.

du Bureau politique et, en août 1931, dénonce et élimine le « groupe Barbé-Celor ». Il reproche à ceux-ci l'application rigide de la tactique « classe contre classe », qui coupe le parti des masses. Selon une méthode bien souvent reprise, Thorez dénonce le double opportunisme, de droite, qui veut le front unique au sommet avec les socialistes, et de gauche, trotskyste et gauchiste. L'élimination du groupe a des conséquences importantes.

Avec Thorez et la nouvelle direction (Benoît Frachon, Jacques Duclos), le Komintern, représenté à Paris depuis juillet 1931 par son délégué, Fried, est maître du parti communiste français. La bolchevisation est faite. Ainsi, au long d'un apprentissage difficile, s'est forgé un parti nouveau, bien différent des formations socialistes, lié à la IIIe Internationale qui lui apporte une aide considérable [1], rompu à la vie dans le secret et la clandestinité, révolutionnaire, au personnel neuf et largement prolétarien. A cet égard, le parti communiste a indéniablement contribué à renouveler les élites politiques françaises.

Le bolchevisme a réussi sa greffe sur la tradition révolutionnaire française. Son succès s'explique, comme l'a fortement vu A. Kriegel, à la fois parce qu'il est un extrémisme, porteur d'un romantisme révolutionnaire qui reprend les mythes du grand soir, de la grève générale, de la révolution mondiale, et parce que cet extrémisme est incarné dans la réussite d'un État socialiste qui apparaît, à tant de militants, comme une « patrie prolétarienne » vers laquelle se portent leurs fidélités, et dont l'existence fonde leurs certitudes. Ce parti, jusqu'au « tournant » qui mène au Rassemblement populaire, est en dehors de la gauche. Il récuse autant que la droite les radicaux et les sociaux-démocrates bourgeois. Jusqu'à l'été 1934, les positions et la stratégie du PC interdisent l'unité à gauche, et le jeu classique de l'affrontement des deux blocs. Sans doute faut-il voir là, comme dans la peur suscitée par le bolchevisme, l'une des raisons du primat de fait des modérés pendant cette période qui va du Congrès de Tours au Front populaire.

1. Le budget du PC serait de 250 000 F en 1932 : le parti disposerait de 4 500 permanents en 1930, selon P. Robrieux, *op. cit.*, t. I.

13

Les ligues, le 6 février et la réforme de l'État

Les années 1932-1933 constituent un incontestable tournant dans l'histoire de la vie politique de la troisième République. La crise économique touche la France à partir de 1931, plus tardivement, mais plus longuement qu'ailleurs. Les conséquences en sont connues : absence d'investissements, recul de la production, chômage, mauvaises rentrées fiscales, déficit qui contraste avec les années excédentaires : 1926-1930. Au nouveau climat économique s'ajoute le nouveau climat international : l'« esprit de Genève », les règlements du contentieux sur les réparations et les dettes interalliées, la construction subtile à laquelle s'était attaché Briand, tout cela est balayé par un souffle brutal. L'Allemagne suspend les paiements des réparations. La République de Weimar donne une nouvelle orientation à sa politique extérieure. Hitler enfin prend le pouvoir le 30 janvier 1933.

Ni une crise économique, ni une crise internationale ne modifient nécessairement, à elles seules, les traits de la vie politique. Elles peuvent au contraire fortifier les forces au pouvoir et le système en place. Après tout, la même crise n'a pas mis en cause le régime parlementaire en Angleterre. Mais, en France, la crise met en question un système fragile, et qui ne trouve plus les soutiens qui firent sa force. Ce qui est remarquable en France, c'est la manière dont est ressentie et comprise la crise. Elle conduit à une mise en cause profonde, presque inattendue si on songe à leurs succès quelques années plus tôt, du régime et des valeurs sur lesquelles il repose. Le 10 juillet 1940 et la fin sans gloire de la troisième République sont au bout de cette histoire.

Dans ces huit années, trois moments se détachent. Après les

élections de gauche de 1932, l'absence de majorité et l'impuissance gouvernementale nourrissent, sur fond de crise, une contestation intellectuelle et, avec les ligues, antiparlementaire. L'émeute du 6 février entraîne un reclassement de majorité et paraît donner une chance à la réforme de l'État. Mais l'expérience Doumergue échoue. Avec les élections de 1936 et le Rassemblement populaire, le jeu politique revient à l'affrontement classique des deux blocs, droite et gauche à nouveau unie. Mais, dès avril 1938, on assiste à un retour au centre avec Daladier, et à une tentative aux résultats inégaux pour surmonter les maux du régime.

1. *Les élections de 1932, l'échec du gouvernement Herriot, l'instabilité*

Les élections des 1er et 8 mai 1932 [1] virent la défaite de la majorité conduite par le président du conseil Tardieu. Celui-ci, rompant avec la coutume, intervint dans la campagne électorale, se comportant en chef de majorité, « sous forme inusitée de discours adressés à tout le corps électoral et transmis à toute la France par la voix de la radio », intervention qui, de l'avis du même observateur, le vieux Seignobos, rompait avec l'usage français d'une campagne électorale « sans direction générale ni plan d'ensemble ». Cette intervention heurta la gauche qui dénonça un « nouveau boulangisme » et vit en Tardieu, selon *la Vie socialiste*, « l'homme au micro entre les dents ». Tardieu appela en vain les radicaux à s'allier avec le centre et la droite contre les socialistes. Ceux-ci invitèrent les radicaux à un programme minimum qu'ils refusèrent, s'opposant notamment à la réduction des crédits militaires. Radicaux et socialistes firent une campagne distincte au premier tour.

L'abstentionnisme fut le même qu'en 1928 avec 16,5 % des

1. Sur ces élections, outre F. Goguel, on se reportera à C. Seignobos, « Le sens des élections françaises de 1932 », in *l'Année politique française et étrangère,* novembre 1932, p. 273-290 ; à l'étude d'A. Bresle, « Les élections législatives de 1932 », *Bulletin de la Société d'histoire moderne,* 1976, 1 ; et à S. Berstein, *op. cit.,* t. II, p. 204-207.

inscrits. Le parti communiste connaissait un recul de près de 270 000 voix, il tombait à moins de 800 000 voix, passant de 11,38 % à 8,33 % des exprimés, signe qu'une partie de son électorat n'admettait pas la stratégie « classe contre classe ». Les autres formations de gauche étaient en progrès : la SFIO frisait les deux millions de voix, gagnant plus de 250 000 voix. Les radicaux recueillaient les fruits de leur passage à l'opposition avec plus d'1 800 000 voix. Ils stagnaient dans le Centre et le Sud-Ouest, mais progressaient au nord de la Loire. Ainsi, les formations de la gauche non communiste passaient de 40,25 % à 45,81 % des exprimés, quand la droite et le centre reculaient de 48,37 % à 45,76 % des exprimés. La poussée en voix de la gauche au premier tour était incontestable.

Les reports du second tour confirmèrent ce succès. A la différence de 1928, les électeurs communistes au second tour ne suivirent guère les consignes du parti et le plus souvent, conformément à la « discipline républicaine », reportèrent leur voix sur le candidat de gauche le mieux placé. D'autre part, à la différence, là encore, de 1928, des voix radicales ne se reportèrent pas au second tour sur les modérés contre le candidat socialiste. La quasi-totalité des élus radicaux au second tour bénéficièrent de voix de gauche. L'extrême gauche, parti communiste et communistes dissidents du groupe d'unité ouvrière (PUP), a respectivement 11 et 9 sièges. La SFIO a 131 élus, les républicains socialistes 37, les radicaux 157. Les partis de la gauche non communiste, ce qu'on désigna avec excès sous le nom de « second Cartel », obtenaient 334 sièges. La majorité de Tardieu reculait à 259 sièges.

La tendance à l'émiettement des groupes parlementaires à droite s'accusa. Aux républicains de gauche (72) et aux radicaux indépendants (62), aux divers droites (33), et au parti démocrate populaire (16), s'ajoutaient les deux groupes issus de la scission de l'URD. A côté du groupe de la Fédération républicaine (URD) qui compte 44 membres, apparaît un groupe républicain social (18 membres). Il a à sa tête le député de Doubs Georges Pernot, et comprend des hommes qui n'adhèrent pas au nationalisme des amis de Louis Marin, en matière de politique extérieure. Enfin, Tardieu constitue un groupe du Centre républicain. Il compte 35 membres venus de l'URD et des républicains de gauche. Tardieu veut ainsi peser sur les modérés pour les empêcher d'entrer dans une formule de concentration avec Herriot. Cette concentration, à ses yeux, rendrait vaine la recherche d'un bipartisme [1] conforme à ses vœux.

Avant la réunion de la nouvelle Chambre dont les pouvoirs ne prenaient effet qu'au 1er juin, l'élection d'un nouveau président de la République fut rendue nécessaire par l'assassinat du président Doumer, le 6 mai, par un exilé russe, Gorguloff. C'est l'ancienne Chambre, encore en fonction, qui prit part le 10 mai au Congrès de Versailles. Dans ces conditions, le souci prévalut de ne pas donner à l'élection un caractère politique. Painlevé, dont la candidature avait été annoncée, se retira. Hormis les socialistes et les communistes, une large majorité : 633 voix sur 826 exprimés se porta sur le président du Sénat, Albert Lebrun, un républicain modéré, de l'Alliance démocratique. Se confirmait ainsi la tradition qui, depuis 1899, faisait du président du Sénat le meilleur candidat à l'Élysée. Les circonstances faisaient aussi que, comme en 1924, une législature de gauche s'ouvrait avec une présidence de la République au centre.

Comme lors du Cartel, Herriot forma le gouvernement. Il trouva à nouveau le soutien, non la participation, des socialistes, que cette fois il ne souhaitait pas, du reste. D'emblée, il chercha à ouvrir son gouvernement et à rassurer au centre. Il confia les Finances à un député de la Gauche radicale, Germain-Martin, qui avait été ministre du Budget de Tardieu en 1930, et la Marine à Georges Leygues. Mais ce gouvernement nombreux (18 ministres, 11 sous-secrétaires d'État), à dominante radicale, ne trouva pas le soutien des modérés de la Chambre. Or celui-ci était indispensable dès lors que la situation budgétaire imposait des mesures — impôts, économies —, qui trouvaient l'hostilité des socialistes, et d'une partie des radicaux qui ne voulaient pas se couper des socialistes. L'attitude des modérés ne permit pas à Herriot de réussir une concentration qui avait la sympathie de la majorité du Sénat. Herriot sut alors tomber sur une question de politique extérieure. Il défendit le principe de la poursuite du remboursement de la dette américaine, alors que les paiements des répara-

1. F. Goguel a bien montré que telle est la stratégie de Tardieu. Elle l'oppose à de vieux républicains de style Leygues ou Barthou, qui ne veulent pas se couper des radicaux.

tions par l'Allemagne avaient été interrompus. Le 13 décembre 1932, il fut renversé par 402 voix contre 187 : les socialistes, une partie des radicaux, la droite lui étaient hostiles.

Cinq gouvernements se succédèrent jusqu'aux émeutes du 6 février 1934. Paul-Boncour, socialiste jacobin, démissionnaire de son parti en 1930 à cause de sa politique militaire, replâtre le cabinet Herriot. Il est renversé par les socialistes qui n'approuvent pas ses projets financiers dès le 28 janvier 1933. Il appartint alors à Édouard Daladier, leader des « jeunes radicaux », de chercher une participation socialiste. Il échoua et ne put que replâtrer le cabinet précédent. Georges Bonnet, aux Finances, parvint à faire adopter des majorations d'impôts, mais le 24 octobre 1933 le gouvernement tomba, abandonné par les socialistes. Ceux-ci excluent les 23 membres du groupe parlementaire qui soutiennent le gouvernement : la scission « néo-socialiste » est consommée [1]. Tour à tour, Albert Sarraut (26 octobre-23 novembre 1933), puis Chautemps (26 novembre 1933-27 janvier 1934) se succèdent. Ce dernier, habile manœuvrier, parvient, grâce à l'abstention socialiste et au soutien des « néos » du parti socialiste de France, à faire adopter son programme financier. Mais l'affaire Stavisky l'emporte : le scandale, comme au temps du Panama, atteint le régime. Daladier revint et forma un nouveau gouvernement. L'émeute du 6 février le contraignit à la démission.

L'instabilité atteint ainsi à son comble, même si d'un gouvernement à l'autre se retrouvent les mêmes personnalités et si certaines, Chautemps à l'Intérieur, de Monzie à l'Éducation nationale, détiennent les mêmes portefeuilles de juin 1932 à janvier 1934. L'instabilité ne traduit pas, comme en d'autres périodes, des conflits de clientèle, ou des hésitations au sein d'une majorité finalement cohérente, comme de 1893 à 1896, de 1920 à 1922, ou de 1928 à 1932. En fait, désormais, il n'y a plus de majorité. Le « second Cartel » n'est qu'un mot. Les radicaux et les socialistes sont hors d'état de s'entendre face aux problèmes financiers. Mais la concentration des modérés et des radicaux, formule si longtemps chère au régime, est devenue impossible dès lors que la majorité des modérés ne veut plus, comme en d'autres temps, se prêter à une formule dont en fait les radicaux seraient les

1. Cf. p. 317-318.

maîtres. Enfin, les crises, de plus en plus longues, ne permettent plus, par leur seul jeu, un reclassement et ne tiennent plus leur rôle habituel de faire avancer les solutions aux problèmes. La rue, chose inouïe dans l'histoire du régime, permit le 6 février 1934 le dénouement de cette situation et le retour à l'Union nationale.

2. *Mises en question du régime parlementaire*

L'impuissance du régime parlementaire, d'autant plus grave que le pays était frappé par la crise, fonde une triple mise en question. L'une se fit jour dans la jeunesse intellectuelle, témoin de l' « esprit des années trente », l'autre, au sein des « classes moyennes », soutien jusque-là de la République parlementaire, avec les ligues. Enfin, de petits cercles de réflexion s'interrogèrent sur la réforme de l'État.

Comme souvent, les courants d'idées même minoritaires éclairent le sens d'une évolution et permettent de prendre la mesure d'une mutation. Devant la crise économique, sociale, politique qui touche la France et le monde, s'affirme chez les jeunes intellectuels, « les non-conformistes des années trente [1] », la volonté de mettre en cause les valeurs dominantes, déjà ébranlées par les mutations nées de la guerre. Face à ce qui apparaît comme une crise de civilisation, ils apportent un ensemble de propositions qui définissent l' « esprit des années trente [2] ». Certes, ces idées ne touchent que des groupes restreints. Leur rayonnement véritable se fit surtout sentir ensuite, dans les années de Vichy et de la Résistance, et jusqu'à la cinquième République. Mais elles sont révélatrices d'aspirations nouvelles, et témoignent d'une mise en question des valeurs politiques habituellement reçues.

Ainsi qu'il arrive dans les temps de crise, des hommes venus d'itinéraires différents, et qui prirent par la suite des voies opposées, se retrouvent pour un moment dans la même critique de l'« ordre établi », comme l'avaient fait les collaborateurs de *la*

1. Selon le titre du livre de J.-L. Loubet del Bayle, Éd. du Seuil, 1969.
2. Formule de Jean Touchard, dans l'article qui, le premier, a attiré l'attention sur ces courants, in *Tendances politiques dans la vie française depuis 1789,* Hachette, 1960.

Cocarde en 1890. Les *Cahiers,* fondés par Jean-Pierre Maxence en 1928, *Réaction,* fondé par Jean de Fabrègues en 1928, *Esprit* [1], fondé par Emmanuel Mounier en octobre 1932, *l'Ordre nouveau,* avec Robert Aron et Arnaud Dandieu, fondé en mai 1933, autant de revues, certaines éphémères, d'autres comme *Esprit* vouées à un avenir durable, auxquelles font écho des livres comme *La Révolution nécessaire* d'Aron et Dandieu, *Au-delà du nationalisme* de Thierry Maulnier.

Des uns aux autres courent les mêmes thèmes. Fondamentalement est affirmé le double refus de l'individualisme libéral et du collectivisme étatiste, de la démocratie parlementaire et du communisme. Au-delà des clivages traditionnels, et jugés dépassés, entre la droite et la gauche, se cherche une « troisième voie », porteuse d'une volonté révolutionnaire. Chez ces jeunes hommes, dont certains ont été marqués par l'influence de l'Église, reparaît quelque chose du catholicisme social intransigeant, et il n'est pas surprenant que les idées corporatistes aient été volontiers reprises par ces petits groupes à la faveur de la crise de l'économie libérale.

Le corporatisme d'un La Tour du Pin, face à la crise de l'économie et à la crise de l'État, connaît une singulière résurgence, nourri de la confrontation avec les expériences portugaises, italiennes, autrichiennes. Le rayonnement des idées corporatistes déborde du reste les revues intellectuelles qu'on vient d'évoquer. Il touche les milieux catholiques sociaux des « Semaines sociales » : la Semaine d'Angers en 1934 lui est consacrée. Si les orateurs des « Semaines » sont critiques vis-à-vis du corporatisme étatiste mussolinien, ils demeurent attachés à l'idée de « profession organisée [2] ». Plus largement, de nombreux esprits, au-delà de la droite conservatrice, trouvent intérêt à des réflexions qui avaient un bien moindre écho une dizaine d'années plus tôt.

Un autre thème très caractéristique de l' « esprit des années trente » est l'idée de plan, de planification. Son écho dépasse les revues mentionnées plus haut, et touche les socialistes révisionnistes, les « jeunes Turcs » radicaux et le syndicalisme réformiste,

1. Cf. Michel Winock, *Histoire politique de la revue « Esprit » 1930-1950,* Éd. du Seuil, 1975.

2. Cf. P. Droulers, *Le père Desbuquois et l'Action populaire,* t. II, Éd. ouvrières, 1981.

CGT ou CFTC. Là encore, les « non-conformistes des années trente » développent des idées qui ne leur sont pas propres, et qui connaissent alors une grande fortune.

Cet « essai de renouvellement de la pensée politique » n'eut en fait sur le moment qu'une portée restreinte et il serait erroné d'en majorer l'audience. Surtout, de même que l'Affaire Dreyfus et la crise nationaliste avaient mis fin, à la fin du siècle, à des convergences idéologiques fondées sur la rencontre des extrêmes en rendant vie aux coupures habituelles de la vie politique, de même le 6 février, ses conséquences et la formation du Front populaire rendirent au conflit de la droite et de la gauche toute son intensité, laissant mal à l'aise ceux qui, tel un Mounier, cherchaient une voie nouvelle qui dépasse les affrontements hérités de l'histoire. Mais cette recherche même, commune pendant un moment à tant d'esprit, témoigne de l'insatisfaction entraînée par les valeurs dominantes de la République parlementaire, menacée d'autre part par la montée des ligues.

La crise du régime donna une vie nouvelle aux ligues antiparlementaires, assoupies au temps de Poincaré et de Tardieu. Certaines sont anciennes, comme l'Action française qui relève la tête après le coup de crosse romain et est à la pointe de l'agitation à la fin de 1933, ou les Jeunesses patriotes, fortes de leurs amitiés au conseil municipal de Paris. D'autres ligues naissent en 1933, année où la crise s'affirme, comme le parti franciste de Marcel Bucard, la Solidarité française du commandant Jean-Renaud aidée par le parfumeur François Coty, directeur du *l'Ami du Peuple*. Elles ont en commun de toucher des effectifs au total modestes, quelques milliers de membres, souvent anciens combattants, réunis sur des thèmes simplistes.

Bien plus considérable est la ligue des Croix-de-Feu [1], qui à son apogée, réunit peut-être un million de Français. Au départ une association d'anciens combattants, fondée par un écrivain et diplomate, auteur en 1923 de *la Génération du feu,* Maurice de Hanet d'Hartoy, afin de réunir les anciens combattants décorés pour leur bravoure au feu. Là encore, François Coty apporte son

1. Les ligues ont suscité une ample littérature. Pour une vue d'ensemble, R. Rémond, *Les Droites en France,* Aubier, 1982.

soutien. Il favorise la montée à la tête du mouvement du lieutenant-colonel François de La Rocque. Après une retraite anticipée, celui-ci est entré à la Compagnie générale d'électricité d'Ernest Mercier, le fondateur d'un mouvement favorable à la réforme de l'État, le Redressement français [1]. Les Croix-de-Feu sont 15 000 en 1930, 36 000 en 1932. En 1933, le Regroupement national et les Volontaires nationaux constituent des associations ouvertes à tous dans la mouvance du mouvement « Croix-de-Feu ». Celui-ci devient une ligue antiparlementaire. Elle intervient dans les élections de 1932, invitant à voter « national » c'est-à-dire pour la majorité derrière Tardieu.

Dans son livre *Service Public,* paru en 1934, La Rocque expose des idées sans originalité majeure, qui évoquent bien plus une droite autoritaire et sociale que quelque fascisme. Le refus du communisme comme du fascisme allemand ou italien, la réforme de l'État, la réconciliation du capital et du travail, la politique familiale, voilà les thèmes développés par La Rocque et son mouvement. Ils sont propres à rallier certains milieux de formation catholique — le journaliste François Veuillot n'a pas caché sa sympathie pour les Croix-de-Feu —, mais aussi cette frange des classes moyennes de tradition radicale qui se détache du régime.

Si le mouvement Croix-de-Feu, par certains traits de son organisation, revêt des caractères paramilitaires, il n'est pas à l'instar des autres ligues une bande turbulente, tentée d'abord par l'agitation de la rue. Son côté rassurant explique son essor, et son légalisme lors du 6 février lui vaudra un succès accru. La ligue des Croix-de-Feu va en fait fixer la clientèle d'un éventuel fascisme sur des positions conservatrices plus que contestataires de l'ordre en place, et l'extrême droite ennemie du régime ne s'y trompera pas.

A cet égard, le mouvement Croix-de-Feu joue le même rôle que le mouvement combattant, dont Antoine Prost a fortement montré [2] que, loin de constituer une menace fasciste, il fut l'obstacle même au développement d'un fascisme français. En fait, le mouvement combattant aspire à un régime d'ordre moral

1. Cf. R. Kuisel, *Ernest Mercier, French Technocrat,* Berkeley, 1967.
2. Dans sa grande thèse, *les Anciens Combattants et la Société française,* 3 vol., FNSP, 1977.

et d'unanimité nationale, à la réforme de l'État, ce qui est bien autre chose que le fascisme. Ne croyons pas que ces idées sont le propre de la conservatrice Union nationale des combattants (UNC). N'est-ce pas un grand juriste de gauche, René Cassin, l'ancien président de la républicaine « Union fédérale », forte en 1932 de 925 000 adhérents, qui appelle à la réforme de la République de 1875 « si elle ne veut pas mourir comme ses voisines » ? Avec environ trois millions de cotisants, le mouvement combattant tint d'abord une fonction de sociabilité et un rôle d'assistance sociale et de groupe de pression, mais il constitua aussi un extraordinaire relais aux idées de réforme d'État. Il diffusa et vulgarisa les vues des penseurs et des essayistes politiques. Il crut, avec le 6 février et le gouvernement Doumergue, que celles-ci allaient entrer dans le domaine des réalités.

Le débat sur la réforme de l'État et la révision des institutions accompagne comme une ombre toute l'histoire du régime, mais, depuis le boulangisme, l'idée même de révision avait pris une coloration qui la rendait inacceptable aux républicains. Il fallut la guerre, et les aspirations à une rénovation politique dans une partie du personnel du Bloc national, pour que le thème de la révision retrouve un écho. Mais la crise présidentielle de 1924 et le bon fonctionnement du régime à partir de 1926 mirent en veilleuse ces idées. Elles redevinrent d'actualité avec la crise du parlementarisme, manifeste depuis 1932. Ces idées sont le fait de juristes, d'hommes politiques, de publicistes, de fonctionnaires [1]. D'un auteur à l'autre, on relève des propositions semblables ou voisines, et qui ne sont pas toujours d'une grande nouveauté [2]. Mais, fruit des réflexions de personnalités isolées ou de petits groupes, elles vont brusquement, aux alentours de 1934, connaître une grande audience grâce aux relais que constituent les ligues, le mouvement combattant, la grande presse et à la tentative de réforme de l'État de Gaston Doumergue.

Les partisans de la révision veulent tous mettre fin au « parlementarisme absolu », selon la formule de Raymond Carré de

1. Comme les auteurs proches des radicaux et des socialistes qui écrivent dans la revue *l'État moderne* fondée en 1928.

2. Cf. J. Gicquel, in *Problèmes de la réforme de l'État en France depuis 1934,* PUF, 1965.

Malberg. Professeur de droit à l'université de Strasbourg, il influença un autre universitaire, dont on sait par la suite le rôle dans l'histoire du gaullisme, René Capitant. Celui-ci publie, en 1934, un livre sur la réforme du parlementarisme qui développe les grands thèmes des partisans de la réforme de l'État. La remise en vigueur de la dissolution, tombée en désuétude après le 16 mai, paraît le fondement de la restauration du pouvoir gouvernemental. La suppression de l' « avis conforme » du Sénat semble le préalable à un recours plus aisé à la dissolution. Celle-ci serait la prérogative non plus du président de la République, mais du président du Conseil, à l'exemple britannique.

Un deuxième ensemble de propositions, qui trouve un moins large consensus, concerne l'élargissement du collège électoral chargé d'élire le président de la République. Millerand avait avancé, lors de son discours au Théâtre de Ba-Ta-Clan le 7 novembre 1919, l'idée de le faire élire non seulement par les membres du Parlement, mais aussi par les délégués des conseils généraux, des conseils régionaux issus de son projet de décentralisation, et « des grandes corporations : syndicats patronaux, agricoles, commerciaux, industriels, grands corps industriels et artistiques [1] ». Ce thème, que reprit Tardieu, devait on le sait reparaître dans le discours de Bayeux du général de Gaulle en 1946 et trouver réalité dans la constitution de 1958.

Les révisionnistes, pour éviter que les électeurs ne soient dessaisis de leur souveraineté au profit du Parlement, envisagent de recourir à des formules de démocratie semi-directe par le referendum et le droit d'initiative donné au corps électoral. Carré de Malberg dans la *Revue du droit public* de 1931 [2] préconisait le recours au referendum. Ainsi serait fondée cette démocratie de participation dont un professeur de droit public membre du parti démocrate populaire, Marcel Prélot, édifiait la théorie [3]. Un autre

1. « Union républicaine, sociale et nationale. Programme de M. Millerand, discours prononcé à Paris le 7 novembre 1919 ». Millerand revint sur ce sujet après son passage à l'Élysée, cf. *Revue de Paris,* 15 octobre 1930.

2. « Considérations théoriques sur la question de la combinaison du référendum avec le parlementarisme », *Revue du droit public,* 1931.

3. « Démocratie populaire et réforme de l'État », *Revue des vivants,* 1932. Et surtout le *Manuel Politique* du PDP et les articles de la revue *Politique.*

thème, cher aux démocrates chrétiens, dont la revue de réflexion doctrinale, *Politique,* fondée en 1928, fit une grande place au problème de la réforme de l'État, fut celui de la représentation des intérêts économiques et sociaux. Là encore, Millerand, à Ba-Ta-Clan, avait fait écho à des idées chères à la tradition catholique sociale, mais aussi à la CGT réformiste de 1919. Il proposait que figurent dans le Sénat des personnalités nommées par les chambres de commerce, les « grands syndicats patronaux et ouvriers, ruraux et urbains, la Confédération générale du travail, les universités, les académies [1] ». Dans le prolongement de ces idées, le gouvernement Herriot, par décret du 16 janvier 1925, créa un Conseil national économique, organe d'études consultatif, rattaché à la présidence du Conseil. L'idée d'une réforme du Sénat et d'une Chambre des intérêts devait elle aussi se retrouver dans le discours de Bayeux, et figurer dans le projet soumis à référendum le 27 avril 1969.

De ces « révisionnistes », qui ne vont pas, du reste, vers un régime présidentiel à l'américaine ou vers l'élection du président de la République au suffrage universel, se distinguent les esprits qui jugent la révision inutile, inopportune ou simplement impossible, et souhaitent avant tout des réformes du travail parlementaire et gouvernemental. Ils préfèrent les réformes dans l'État à la réforme de l'État, selon le mot d'un des maîtres du droit public, Joseph-Barthélemy, qui ne se rallie qu'après 1934 à la révision. Une manière de consensus des réformateurs s'établit sur l'idée que la présidence du Conseil « cesse d'être une entité morale pour devenir une réalité administrative », selon la formule de Jacques Bardoux [2], et qu'elle obtienne des services propres. C'était la proposition que formulait Léon Blum dans ses *Lettres sur la réforme gouvernementale,* publiées anonymes dans *la Revue de Paris* en 1918, et rééditées en 1936, complétées par des articles de 1934.

Autres convergences : le vœu d'une réglementation du droit

1. Millerand, *op. cit.*
2. *Revue de Paris,* 1er février 1934. J. Bardoux va être, en mars 1935, parmi les fondateurs du Comité technique pour la réforme de l'État, avec Joseph-Barthélemy, Ernest Mercier, R. Alibert dont on sait le rôle à Vichy, Bernard Lavergne, Boris Mirkine-Guetzévitch. Le Comité se rallia à une présidence de la République élue par un collège élargi.

d'interpellation, et la limitation de l'initiative parlementaire en matière de dépenses, afin que le ministère ne soit pas à tout moment menacé. Les réformateurs veulent aussi empêcher que les commissions parlementaires, dont le rôle depuis la guerre n'a cessé de s'étendre, empiètent sur les prérogatives du Parlement [1]. Enfin, ils souhaitent que la magistrature dispose d'un statut propre qui fonde son indépendance. L'« affaire Stavisky » ne faisait-elle pas apparaître, une nouvelle fois, les influences du pouvoir politique sur la conduite de la justice ?

3. *Le 6 février, l'expérience Doumergue, l'échec de la réforme de l'État*

C'est l'affaire Stavisky qui est aux origines du 6 février [2]. Le suicide, le 8 janvier, de l'escroc, dont les amitiés dans le personnel politique radical sont avérées, entraîne, le 28 janvier 1934, la démission du président du Conseil Camille Chautemps. A Paris les manifestations de rue sont de plus en plus violentes. l'Action française, qui sait une fois encore se laisser porter par la vague, est à la pointe de l'exploitation du scandale. Daladier, qu'environne une réputation d'énergie et d'honnêteté, est appelé le 30 à former le gouvernement. Une fois encore il n'obtient pas la participation de la SFIO et constitue un gouvernement axé sur le parti radical, avec l'apport de deux républicains de gauche, François Pietri aux Finances, Jean Fabry à la Défense nationale. A l'Intérieur, un ancien socialiste, Eugène Frot, député du Loiret.

Le limogeage le 3 du préfet de police Chiappe, accusé de complaisance vis-à-vis des ligues, entraîne la démission des deux ministres modérés, qui rejoignent l'opposition animée par Tardieu. Prenant la défense du préfet de police, les conseillers municipaux de Paris, défenseurs de l'autonomie municipale, appellent à manifester le 6. Ils sont suivis par nombre d'associations, de l'Union nationale des combattants, la grande association

1. Cf. Joseph-Barthélemy, *Essai sur le travail parlementaire et le système des commissions,* 1931.
2. La meilleure mise au point est due à Serge Berstein, *Le 6 février 1934,* « Archives », 1975.

conservatrice d'anciens combattants, aux Croix-de-Feu et à l'ARAC, l'Association républicaine des anciens combattants, d'obédience communiste, qui veut tirer parti de l'agitation. Les Jeunesses patriotes exaltent l'« Hôtel de Ville, berceau des libertés communales ». Le 6 février est en effet d'abord une manifestation parisienne contre la République des scandales, dominée par les radicaux de province.

La présentation à la Chambre du cabinet Daladier remanié a lieu pendant les manifestations, qui dégénèrent en émeutes. Ni l'UNC, ni les Croix-de-Feu ne s'associent à cette partie de la journée, qui laisse 15 morts, près de 1 500 blessés. Le gouvernement, qui a fait preuve de fermeté, obtient la confiance par 360 voix contre 220, et la rue paraît le consolider. Mais Daladier, coupable d'avoir fait tirer sur les anciens combattants, est abandonné dans la nuit par la quasi-totalité du personnel politique et le haut personnel administratif. Les ministres « jeunes radicaux » eux-mêmes, Guy La Chambre, Pierre Cot, Jean Mistler, Léon Martinaud-Déplat, le pressent de démissionner. Le président de la Chambre, Herriot, exerce semblable pression, ainsi que le ministre de l'Intérieur Frot.

Daladier abandonne le pouvoir. Le président de la République appelle Doumergue qui, le 9, forme un gouvernement d'Union nationale, succès à la fois des associations d'anciens combattants et de la droite « nationale » qui se sert de la manifestation, voire de l'émeute, pour ouvrir la voie à un classique reclassement de majorité en cours de législature. Le 6 février n'était pas le fruit d'un complot fasciste qui voulait renverser la République, mais la gauche, particulièrement en province, comme l'atteste le succès des manifestations de protestation le 12, crut la République gravement menacée [1]. En fait, le 6 février témoignait de la crise d'un régime où la pression de la rue suffisait à faire démissionner un gouvernement. Aucun gouvernement, dans l'histoire de la République, n'avait connu tel destin. C'était la première fois aussi, depuis la Commune, que des manifestations d'une telle ampleur avaient lieu dans Paris. Quelque chose avait changé : l'aptitude du régime à faire respecter l'ordre dans la rue, sa force

1. Cf. l'article d'A. Prost, « Les manifestations du 12 février 1934 en province », *Mouvement social,* janvier-mars 1966.

pendant tant d'années aux yeux de l'opinion étaient désormais en question.

Reclassement de majorité en cours de législature, appel à un ancien président de la République, l'expérience Doumergue de 1934 évoque certes l'expérience Poincaré de 1926. Encore doit-on observer que Doumergue n'est pas, lui, parlementaire, et qu'il est le premier président du Conseil non parlementaire du régime, — le second sera le maréchal Pétain en juin 1940. Le gouvernement, qui se veut « de trêve, d'apaisement et de justice », va de la Fédération républicaine, avec Louis Marin à la Santé, aux « néo-socialistes », avec Adrien Marquet au Travail. Caution de gauche de la formule, les radicaux ont choisi l'Union nationale que symbolise la présence côte à côte comme ministres d'État d'Herriot et de Tardieu. Avec Sarraut à l'Intérieur, Queuille à l'Agriculture, Berthod à l'Éducation nationale, les radicaux conservent leurs ministères de prédilection. Queuille et Berthod sont du reste les seuls survivants du cabinet Daladier. Louis Barthou, aux Affaires étrangères, incarne une politique extérieure de fermeté. Ministre pour la première fois quarante ans plus tôt, sous Charles Dupuy, il va s'efforcer, non sans lucidité, face au péril nazi, de redonner vie à la petite Entente et de rapprocher la France de l'URSS selon la tradition des alliances de revers des opportunistes.

Axé sur le centre et les radicaux, avec un appoint néo-socialiste et de droite, ce gouvernement ressemblerait par sa composition au gouvernement Poincaré de 1926, s'il ne comportait deux apports originaux : la présence du maréchal Pétain à la Guerre, celle de Georges Rivollet, secrétaire général de la Confédération générale des anciens combattants, aux Pensions. C'est là une double satisfaction donnée au mouvement combattant et qu'il faut se garder d'interpréter inexactement. Pétain a, alors, une image républicaine, la famille radicale l'estime, sensible à sa modération en 1917. La désignation de Rivollet, non parlementaire, mais civil, et non militaire, comme Pétain ou le ministre de l'Air, le général Denain, témoigne du poids du mouvement ancien combattant.

Quand Doumergue se présente devant la Chambre le 15, il a contre lui 125 socialistes et communistes. Dans les 70 abstentionnistes figurent l'aile cartelliste du parti radical avec Pierre Mendès France, Jean Zay, et des « socialistes de France » dont Déat, Montagnon, Ramadier. Le 22, la Chambre autorisa le gouvernement à agir par décrets-lois, pour prendre « les mesures d'économie qu'exigera l'équilibre budgétaire ». Le gouvernement s'engagea dans une politique de déflation qui mécontenta les organisations de fonctionnaires. Surtout, il n'entreprit que lentement la réforme de l'État. Président du Conseil sans portefeuille, installé au Quai d'Orsay, dépourvu de moyens d'action, Doumergue perdit rapidement le bénéfice de son arrivée au pouvoir. La commission de la Chambre pour la réforme de l'État est présidée par Marchandeau, un radical, et a pour vice-président un républicain de gauche, futur président de la République sous la quatrième République, René Coty. Elle adopte le 27 avril, sur rapport de Paul Reynaud, avec les voix radicales [1], le projet portant extension du droit de dissolution et limitation de l'initiative parlementaire en matière de dépenses.

Mais le gouvernement tarde à agir. Cependant, dans le pays, les affrontements entre les ligues et la gauche inquiètent les militants radicaux. Les manifestations du 12 février 1934 attestaient déjà de l'inquiétude des militants de gauche. La participation radicale est mise en question. A la suite d'un incident avec Tardieu, fin juillet, les ministres radicaux menacent de démissionner. Doumergue ne dévoila ses projets qu'à un conseil de cabinet le 21 septembre et dans deux discours radiodiffusés les 24 septembre et 4 octobre. Le procédé choqua le personnel politique [2]. Trop de temps avait passé depuis février pour que l'appui de l'opinion reste acquis au gouvernement. Les propositions de Doumergue — moyens propres au Premier ministre, doté du droit de dissolution sans avis conforme du Sénat, monopole au gouvernement de l'initiative des dépenses publiques, droit de proroger le budget —, sont le reflet des thèmes des réformes de l'État les plus volontiers évoqués, ceux que Tardieu, ministre d'État, venait de reprendre dans son livre *la Réforme de l'État*. Doumergue souhaite d'autre part,

1. Cf. E. Bonnefous, *op. cit.* p. 241 et J. Gicquel, *op. cit.*

2. A la fin de 1934, la France compte deux millions de postes récepteurs. Cf. A.J. Tudesq, « Les rapports de la presse et de la radio en France entre les deux guerres mondiales », *Bulletin de la Société d'histoire moderne,* 3, 1973.

restaurer l'indépendance de la magistrature, compromise dans l'affaire Stavisky, s'en prend aux grèves de fonctionnaires, dénonce le front commun socialo-communiste qui vient de naître.

Ces projets et ces orientations ne pouvaient qu'inquiéter les radicaux et au-delà la sensibilité de gauche. Sur ce, l'assassinat, le 9 octobre à Marseille, par les « oustachis », du roi de Yougoslavie Alexandre Ier et de Barthou entraîna un remaniement du gouvernement. Laval, ministre des Colonies, remplaça Barthou aux Affaires étrangères, Albert Sarraut démissionna, tirant les conclusions des insuffisances du service de sécurité. Un autre radical, Marchandeau, lui succéda à l'intérieur. Enfin le ministre de la Justice Chéron qui avait tenu des propos maladroits sur l'affaire Stavisky démissionna. Ces remaniements enlevaient au gouvernement des garanties de gauche. Déjà ébranlé, il fit face aux critiques de la Gauche démocratique du Sénat, hostile à la suppression de l'avis conforme avant la dissolution. Les radicaux abandonnaient Doumergue. Herriot, au Congrès radical de Nantes, les 25 et 26 octobre, défendit difficilement la participation.

Après un conseil des Ministres au cours duquel les ministres radicaux marquèrent leur hostilité à la réforme, le gouvernement démissionnait le 8. Sans doute Doumergue, que la gauche accusait de pouvoir personnel, voire de complaisance pour le fascisme, avait-il manqué d'énergie et laissé passé le moment où la réforme de l'État pouvait être acceptés. Neuf mois après le 6 février, la rue resta calme. Certes Marchandeau, le ministre de l'Intérieur, convainquit La Rocque de ne pas manifester [1], mais la désaffection de ceux même qui avaient appelé Doumergue était manifeste. Le 6 février n'avait pas conduit à la réforme de l'État, mais simplement à un reclassement de majorité.

Pierre-Étienne Flandin, le leader de l'Alliance démocratique, attaché à la tradition parlementaire, forma, le jour même, un gouvernement dont la composition rappelait le président, mais le maréchal Pétain, remplacé à la guerre par le général Maurin, et Tardieu remplacé aux fonctions de ministre d'État par Louis Marin, quittaient le gouvernement. Désormais Tardieu, libéral

1. Cf. E. Bonnefous, *op. cit.*, p. 304, qui s'appuie sur le témoignage de l'ancien ministre de l'Intérieur.

déçu, va porter des critiques de plus en plus vives contre le régime [1]. Dans sa déclaration ministérielle, Flandin sut retrouver le ton des républicains de gouvernement : « Nous défendrons la République contre toutes les entreprises de révolution et de dictature », prenant ses distances vis-à-vis des ligues. Il obtint la confiance par 423 voix contre 118 et 68 abstentions. Il trouvait un préjugé favorable à gauche et aucun radical ne votait contre lui. C'en était fini de la réforme de l'État. Le président du Conseil affirma simplement croire à « l'aptitude du gouvernement à se réformer lui-même ». De tout le débat, une seule conséquence demeurait. Flandin, président du Conseil sans portefeuille, fit voter par la loi de Finances du 23 décembre 1934 l'organisation de services de la présidence du Conseil. Celle-ci s'installa à l'Hôtel Matignon, rue de Varenne, dans l'ancienne ambassade d'Autriche-Hongrie.

Flandin espérait gouverner avec une concentration des radicaux et de l'Alliance démocratique, mais à la Chambre les amis de Daladier et les « jeunes radicaux », P. Cot, P. Mendès France, Jean Zay, se détachèrent bientôt de sa majorité. Aux élections partielles, plus encore, aux municipales du 5 mai 1935, l'unité de l'ensemble de la gauche se fit au second tour. Le Rassemblement populaire devenait une réalité. Le gouvernement demanda une délégation de pouvoirs. Elle lui fut refusée le 30 mai par 353 voix contre 202. Flandin était abandonné par une partie de sa majorité. Paul Reynaud, franc-tireur des modérés, avait dénoncé la politique déflationniste de Germain-Martin.

Ancien socialiste, Fernand Bouisson replâtra le gouvernement précédent le 1er juin, en y faisant rentrer Pétain comme ministre d'État [2] aux côtés d'Herriot et Louis Marin, et appela Caillaux aux Finances. Mais, le 4, Bouisson se vit refuser les pleins pouvoirs par 264 voix contre 262 : la personnalité même du président du Conseil, qui venait d'être pendant près de 9 ans président de la Chambre, n'inspirait pas le minimum de confiance nécessaire ! Laval forma le 7 un gouvernement qui obtint 392 voix contre 119.

1. Cf. ses ouvrages, *La Révolution à refaire, le souverain captif*, Flammarion, 1936, *L'Heure de la décision*, Flammarion, 1939, analyses sans illusion des faiblesses du régime.

2. Épisode rarement mentionné, qui montre qu'il y a en fait deux précédents à l'appel de Pétain à un ministère en mai 1940.

Les trois ministres d'État, Herriot, Flandin, Marin indiquaient les composantes de la majorité, mais les radicaux étaient peu nombreux. Laval obtint à l'usure les pleins pouvoirs par 324 voix contre 160. La majorité des radicaux s'abstint. Le ministre des Finances, le radical Marcel Régnier, pratiqua une politique de déflation, qui frappa les traitements des fonctionnaires. Le recours aux décrets-lois et la longueur des vacances parlementaires laissèrent la tranquillité au gouvernement. Mais la politique économique de Laval, sa sympathie pour les ligues, surtout son attitude face à Mussolini précipitèrent l'évolution hostile des radicaux.

Ministre des Affaires étrangères depuis qu'il avait remplacé Barthou, Laval avait infléchi la politique de celui-ci. Il s'était rendu en URSS, mais ne donnait qu'une vie chétive au pacte franco-soviétique. En revanche, lors des accords de Stresa, il avait recherché un front commun français-anglais-italien face à l'Allemagne nazie, à qui Mussolini s'était opposé lors de la tentative d'Anschluss de 1934. Lors de l'invasion de l'Éthiopie par l'Italie en octobre 1935 et des sanctions de la Société des Nations, Laval, se séparant de l'Angleterre, freina les sanctions pour garder l'alliance italienne. Tel était le sentiment de la majorité des modérés et de la droite, favorables à la cause de Mussolini dans l'affaire éthiopienne.

Laval tomba sur sa politique extérieure. Le 27 décembre, celle-ci fut mise en cause par Blum, Yvon Delbos, président du groupe parlementaire radical-socialiste, mais aussi par Paul Reynaud qui dénonça « les faux réalistes d'extrême droite ». Le gouvernement obtint 296 voix contre 276, vote remarquable par le petit nombre des abstentionnistes. La majorité des radicaux — 93 députés — votaient contre le gouvernement. Paul Reynaud votait avec la gauche, annonce des reclassements que les problèmes extérieurs allaient entraîner dans le monde politique, en bouleversant les clivages habituels. Le gouvernement Laval était condamné. Après que le comité exécutif du parti radical eut, le 19 janvier, réclamé la discipline de vote du groupe parlementaire, les ministres radicaux démissionnèrent, le 22 janvier, et Laval abandonna le pouvoir.

Albert Sarraut constitua le 24 un gouvernement formé en majorité de radicaux avec des représentants du groupe de l'Union socialiste républicaine (réunion des « néos » et des républicains socialistes) et des modérés. Il s'agissait d'évidence d'un ministère chargé de durer jusqu'aux élections. Mais, par sa composition —, le radical de gauche Jean Zay est sous-secrétaire d'État à la présidence du Conseil, Paul-Boncour ministre d'État, délégué permanent à Genève —, comme par sa majorité, il revenait aux orientations du début de la législature. Lors de sa présentation, le gouvernement obtint 361 voix contre 165. La droite votait contre lui, il obtenait les voix des socialistes, des radicaux et du centre, les communistes s'abstenaient. Cette concentration, à dominante radicale, associait partisans et adversaires du Rassemblement populaire. Le gouvernement, dénué d'autorité, ne fut pas en mesure de réagir lors de la remilitarisation de la Rhénanie le 7 mars 1936. Il est vrai que l'opinion était préoccupée au premier chef par la politique intérieure et les prochaines élections. Aussi bien, depuis des mois, la vie politique dans le pays avait-elle suivi une évolution toute différente de celle du Parlement, sous le signe du Rassemblement populaire et du retour à la lutte des blocs.

14

Front populaire et reclassement des forces politiques

(1936-1939)

1. *Le Front populaire*

L'originalité de l'expérience du Front populaire ne réside pas dans la victoire électorale de la gauche : il en avait déjà été ainsi en 1924 et 1932. Elle tient à l'unité de la gauche, des radicaux au parti communiste, et à la présence, pour la première fois dans l'histoire politique française, d'un membre de la SFIO à la tête du gouvernement. Il importe, en revenant sur les années 1934-1936 sous l'angle de l'évolution des formations de gauche, d'éclairer les origines de ce changement politique, avant de décrire les aspects politiques de l'expérience Blum, et la fin du Front populaire [1].

L'union de la gauche n'a pas suivi immédiatement le 6 février. Mais l'image du 6 février dans l'opinion républicaine en province, les velléités de pouvoir personnel prêtées à Doumergue, la montée des ligues, les incidences de la crise éthiopienne sur la politique intérieure, tout cela suscite un réflexe de défense républicaine et une volonté d'union. Dans cette conjoncture, le fait déterminant et véritablement nouveau est l'attitude du parti communiste, favorable désormais à l'unité. Ce tournant est-il le fruit d'un comportement autonome, le PCF devançant l'Internationale à la lumière d'analyses propres de la situation française ? Ne fait-il que traduire au contraire un revirement de la stratégie

1. La dimension mythique du Front populaire explique l'ampleur de la littérature qui lui est consacrée. G. Lefranc, *Histoire du Front populaire, 1934-1938,* 2e éd., Payot, 1974, reste la meilleure vue d'ensemble.

d'ensemble de l'Internationale ? Répondre à cette interrogation invite à suivre de près la chronologie des années 1934 et 1935.

La rencontre le 12 février, place de la République, des deux cortèges de contre-manifestants hostiles aux émeutes du 6, celui de la SFIO et de la CGT, celui du PC et de la CGTU, a fourni matière à bien des reconstructions inexactes, qui voient dans cet instant l'acte de naissance du Front populaire. En fait, les attaques communistes contre la SFIO ne cessèrent pas après le 12 février. Si Jacques Doriot, le député-maire de Saint-Denis, est favorable à l'unité, tel n'est pas l'avis de Maurice Thorez et de son conseiller Fried [1]. Le 26 avril, à la veille d'un voyage à Moscou, Maurice Thorez appelle au « renforcement de l'attaque contre la social-démocratie », huit jours plus tôt, il « s'opposait au bloc avec le social-fascisme ». Mais le 11 mai, à Moscou, il rencontre le nouveau secrétaire général du Komintern, le bulgare Dimitrov, qui l'invite à dégager la politique du front unique « des vieux schémas dogmatiques ». A son retour, il assouplit la politique sans la changer. Cependant, à Moscou, un autre dirigeant communiste, Vassart [2], est informé du tournant de l'Internationale et chargé de rédiger un document en vue de la Conférence d'Ivry du PCF le 23 juin. Un télégramme du Komintern invite Thorez à plus de netteté. Dans son discours de clôture, il lance l'appel à l'unité d'action « à tout prix » avec les socialistes.

Dès lors les choses vont vite. Le 27 juillet 1934 est signé le pacte d'unité d'action entre le PC et la SFIO. Le 10 octobre à la salle Bullier, Thorez utilise pour la première fois l'expression de « front populaire », mot d'ordre dû, semble-t-il, à son conseiller E. Fried, qui vient de recevoir, à Moscou, les instructions de l'Internationale. A la veille du congrès radical, le 24 octobre, Thorez, adresse un appel aux radicaux et aux classes moyennes. A la Chambre, le 13 novembre 1934, il lance le mot d'ordre : « Pour le pain, pour la liberté et pour la paix ! » Le 18 janvier 1935 se tient un meeting unitaire salle Bullier. Les 5 et 12 mai 1935, les élections municipales, dans un certain nombre de communes, voient le succès des candidats qui se réclament du Front populaire.

1. Sur tout ceci, la mise au point la plus sûre est due à P. Robrieux, *Histoire intérieure du parti communiste,* t. I, *op. cit.*

2. Dont les archives éclairent de manière irréfutable ces événements.

Le 15 mai 1935, le voyage du président du Conseil Pierre Laval à Moscou fournit à Joseph Staline l'occasion de déclarer qu'il approuve la politique de défense de la France. Le PC peut désormais rompre avec l'antimilitarisme, attitude qui facilite l'accord avec les radicaux. Le 25 juillet 1935, le Septième Congrès de l'Internationale est consacré à la stratégie des fronts populaires contre le fascisme. Que celle-ci ait permis au PCF de sortir du ghetto où le maintenait la stratégie « classe contre classe » est une évidence, mais ce n'est pas, on le voit, d'abord pour des raisons françaises et à la suite d'analyses propres de la situation française que se fait le tournant. Celui-ci est le fruit de la décision d'un organisme international. Ce type de fonctionnement d'une organisation politique est bien, dans la vie politique française, un fait majeur et inédit.

Première manifestation du Front populaire : les élections municipales des 5 et 12 mai 1935. Déjà, les cantonales de l'automne 1934 avaient vu l'échec des partisans de Doumergue, devant une réaction de défense républicaine à gauche. Aux municipales, dans un certain nombre de centres urbains, l'union des gauches englobe, au second tour, radicaux, socialistes, communistes. L'élection symbolique de l'universitaire Paul Rivet dans le quartier Saint-Victor dans le Ve arrondissement à Paris masque d'autres résultats analogues, ainsi à Alfortville [1] ou à Saint-Étienne où l'appoint des voix radicales favorise l'extrême gauche. Certes, dans la France rurale, se noue l'accord des modérés et des radicaux favorables à la concentration dans la ligne du cabinet Flandin. Mais l'opinion est surtout sensible aux résultats des grandes villes qui attestent la montée du Front populaire.

La mystique de gauche, comme en d'autres circonstances — ainsi en 1899 place de la République — s'affirme lors d'une grande manifestation qui scelle l'unité. A l'initiative d'un comité du Rassemblement populaire, présidé par Victor Basch, le président de la Ligue des droits de l'homme, un grand rassemblement se tient le 14 juillet 1935. Toutes les organisations présentes prêtent un serment au vélodrome Buffalo à Montrouge lors d'un meeting suivi, l'après-midi, par un défilé de la Bastille au cours de Vincennes. Les participants jurent « de rester unis pour défendre

1. Cf. le mémoire inédit d'Ivan Combeau, université de Paris XII.

la démocratie, pour désarmer et dissoudre les ligues factieuses, pour mettre nos libertés hors d'atteinte du fascisme ». Ils jurent « de donner du pain aux travailleurs, du travail à la jeunesse, et au monde la grande paix humaine ». Ces phrases généreuses, rédigées par deux intellectuels de gauche, André Chamson et Jean Guéhenno, et le journaliste radical Jacques Kayser, marquent bien l'unité du Rassemblement populaire : la défense des libertés démocratiques contre le fascisme. Mais elles restent vague sur le programme. Au nom du parti communiste, Jacques Duclos associe le drapeau rouge, le drapeau de la Commune, « qui flotte victorieux sur un sixième du globe », et le drapeau tricolore qu'on vit « souvent voisiner sur les barricades » avec le drapeau rouge, indice d'un nouveau discours communiste, enraciné dans la tradition de la révolution jacobine.

Comme en 1924, les organisations de gauche, la Ligue des droits de l'homme, le Syndicat national des instituteurs, les intellectuels, réunis dans le Comité de vigilance des intellectuels présidé par Paul Rivet, sont présents aux côtés des partis. La presse — notamment *la Lumière* d'Albert Bayet, Georges Boris, Georges Gombault, *Vendredi,* fondée en novembre 1935, avec Jean Guéhenno, André Chamson — diffuse les grands thèmes du Front populaire.

Les radicaux avaient pris part à la journée du 14 juillet et sont représentés au Comité national du Rassemblement populaire. Au congrès du parti, fin octobre [1], s'opposent partisans et adversaires du Rassemblement populaire, Marchandeau et Émile Roche, proche de Caillaux. Au terme des débats, un vote unanime adopte l'ordre du jour de Jean Zay, accepté par Herriot. Il approuve le « front défensif, légitime et salutaire » qui « a provoqué l'élargissement de la discipline républicaine et l'espérance d'une union constructive pour la réalisation des tâches immédiates ». Pour qui lisait attentivement les textes, l'adhésion radicale n'allait pas à autre chose qu'à la discipline républicaine pour la défense des libertés, en somme à un cartel élargi aux communistes. Lors des discussions sur le programme menées au comité du rassemblement populaire, les radicaux, soutenus par les

1. Cf. le témoignage de Jacques Kayser, « Souvenirs d'un militant (1934-1939) », *Cahier de la République,* mars-avril 1958, p. 69-82.

communistes qui souhaitaient rassurer les classes moyennes, s'opposent aux projets de réformes de structure, notamment au plan de la CGT, soutenu par la SFIO, et aux nationalisations, sauf celles des industries d'armement et la réforme du statut de la Banque de France. Encore les candidats ne sont-ils pas tenus à prendre d'engagement sur ce programme.

L'union politique à gauche est d'abord une union électorale, c'est aussi une union sur les grands mythes de la défense républicaine. S'associent aux trois formations principales l'Union socialiste républicaine, et la Jeune République. Cette union politique s'accompagne de la réunification syndicale : Jouhaux et ses amis acceptent le retour au sein de la CGT de Frachon et de la CGTU, nettement minoritaire [1].

Le 26 avril, le premier tour des élections [2] est marqué par une participation légèrement plus forte que celle, déjà considérable, de 1932. Elle passe de 83,68 % à 84,30 %. Les diverses formations associées au Front populaire vont séparément à la bataille. Un certain nombre de radicaux sont, du reste, plus que réservés vis-à-vis du Rassemblement. La campagne, marquée par l'utilisation de la radiodiffusion, est passionnée dans les grandes villes. Dans la France traditionnelle, elle semble avoir suscité moins d'enthousiasme que le Cartel en 1924 [3]. La droite recule faiblement de 37,35 % à 35,88 % des inscrits, la gauche passe de 44,48 % à 45,94 % des inscrits. Elle gagne moins de 500 000 voix par rapport à 1932, où déjà elle était victorieuse.

L'important est l'évolution respective des forces dans chaque camp, dominé par le renforcement des extrêmes et le recul des centres. Le parti communiste double presque son score, passant de 783 000 à 1 467 000 voix. Dans les régions industrielles où il prend à la SFIO, dans les régions rurales où il prend directement des voix aux radicaux, il tire le bénéfice de sa nouvelle stratégie. La SFIO stagne, passant d'1 964 000 voix à 1 887 000, subissant les

1. La CGT a moins de 500 000 adhérents en 1934, autant qu'en 1921. Partie de 349 000, la CGTU n'a guère plus de 25 000 adhérents. Cf. A. Prost, *La CGT à l'époque du Front populaire,* Colin, 1964.

2. Georges Dupeux leur a consacré sa thèse complémentaire, *Le Front populaire et les élections de 1936,* Cahiers de la FNSP, 1959.

3. Témoignage de Paul Bastid pour le Cantal au colloque Blum en 1965.

conséquences de la scission néo-socialiste. En effet, les candidats qui se réclament de l'Union socialiste républicaine et les divers indépendants de gauche progressent de 593 000 à 748 000 voix. Spectaculaire est la chute des radicaux, d'1 836 000 à 1 422 000 voix. Les radicaux reculent dans 66 départements. Ils ne progressent que là où ils sont hostiles au Front populaire et trouvent un apport modéré dans les départements de la périphérie du Bassin parisien [1]. Ils trouvent la sanction de leur présence dans les gouvernements de concentration et de la politique de déflation. Tout se passe comme si certains de leurs électeurs avaient été vers le PC, d'autres vers la SFIO, dont une partie des électeurs vont à l'USR, d'autres au PC. Au premier tour ne furent élus que 174 députés, les ballottages étaient au nombre de 424.

Au tour décisif, les formations du Front populaire invitèrent à faire bloc sur le candidat en tête au premier tour. Les cas d'indiscipline furent rares — une soixantaine — et ne firent perdre que 6 sièges au front populaire. A Lyon, André Philip, invité à se désister pour un radical, se maintint et fut élu. Lorsque le candidat communiste était le candidat de la gauche, le déficit de voix de gauche fut de 9,1 % [2], il était de 7,5 % dans le cas d'un candidat socialiste, de 3,5 % dans le cas d'un candidat radical. Ces chiffres montrent qu'une frange radicale boudait le PC et, guère moins nombreuse, la SFIO.

Les résultats en sièges donnent une très nette majorité aux partis du Front populaire : 385 élus au lieu de 322 dans la Chambre précédente. La fin de l'isolement au second tour vaut au parti communiste de passer de 11 sièges à 72, la SFIO bénéficie du scrutin majoritaire et obtient 149 sièges pour 132 en 1932, 97 en 1935 après la scission. L'Union socialiste républicaine, partie à près de 50, ne retrouve que 29 sièges. Ses candidats sont souvent arrivés en seconde position à gauche, et ont dû se retirer. Son leader Marcel Déat est battu. Le groupe de la Gauche indépendante compte 26 députés. Il réunit des représentants de formations modestes, mais dont chacune a sa place dans le paysage politique, parti Camille Pelletan, né d'une dissidence radicale de gauche en 1934, avec Gabriel Cudenet, parti frontiste de l'ancien

1. S. Berstein, *op. cit.*, t. II, pp. 436-437.
2. G. Dupeux, *op. cit.*

radical Bergery, qui a appelé dès 1934 à un front commun, ligue de la Jeune République, aile gauche de la démocratie chrétienne, qui a choisi le Front populaire, parti de l'unité prolétarienne enfin. Les radicaux-socialistes sont 106 malgré la prime majoritaire. 13 des 71 élus du second tour le furent grâce aux voix de droite. En fait, le groupe comptait près de 30 députés hostiles au Front populaire [1]. Les radicaux ne sont plus, ni en voix, ni en sièges, la première formation de gauche. Ce verdict n'était pas attendu. Blum, et non Daladier, allait devoir former le gouvernement.

Les groupes du centre et de droite réunissent environ 220 députés. Les formations modérées reculent d'environ 40 sièges : qu'il s'agisse de la Gauche démocratique et radicale indépendante (39), de l'Alliance des républicains de gauche et radicaux indépendants (44) [2], des démocrates populaires, aile droite de la démocratie chrétienne qui a voulu refuser la lutte des blocs. Les groupes de droite sont quatre : indépendants républicains (12), groupe des républicains indépendants et d'action sociale et groupe agraire indépendant [3] (33), groupe de la Fédération républicaine et groupe des indépendants d'Union républicaine et nationale (59), groupe enfin des indépendants d'Action populaire (16), qui compte 12 des 16 élus alsaciens et 4 élus de la Moselle désormais à l'écart des autres groupes pour affirmer leur régionalisme, voire leur autonomisme. Au total, environ 110 députés de droite, pour 80 en 1932, et une tendance croissante à l'émiettement à droite et au centre.

C'est dans un climat très exceptionnel que le gouvernement Blum va prendre ses fonctions. La campagne du Rassemblement populaire et sa victoire électorale ont fait naître, non à proprement parler une aspiration révolutionnaire, mais un espoir de changement qu'expriment à leur manière lyrique les orateurs et les intellectuels du Front populaire, exaltant le bonheur, la paix, le peuple, la Justice, la Liberté, la République [4]. Les défilés et les manifestations populaires, avec le poing levé en signe d'unité,

1. S. Berstein, *op. cit.* t. II, p. 442.
2. Parmi eux Antoine Pinay, élu au second tour à Saint-Chamond contre un communiste.
3. Expression du petit parti agraire.
4. J. Touchard a fort bien fait revivre le climat du Front populaire : J. Touchard et L. Bodin, *Front populaire 1936,* Colin, coll. « Kiosque », 1961.

témoignent de la pesée, rare au total, des masses populaires dans la vie politique. Surtout les grèves, nées de la base, avec occupations d'usines, font boule de neige à partir du 14 mai.

Irruption des masses, grèves, mise en cause de la propriété, crainte de la Révolution : un climat de peur collective se répand, orchestré par la grande presse de droite, et d'extrême droite. Celle-ci attise la haine et la calomnie et réveille les passions antisémites, dans une France où depuis des années de nombreux étrangers, souvent d'origine juive, ont trouvé refuge. Les risques, sinon de guerre civile, du moins d'affrontement, paraissent réels, même si la campagne électorale, antidote une fois encore à la violence, a été plus calme que les premiers mois de 1934, et si les grèves se déroulent dans le calme.

Conformément à la tradition constitutionnelle, c'est après l'expiration des pouvoirs de l'ancienne Chambre, le 2 juin, que fut constitué le gouvernement Blum. Jusque-là le gouvernement Sarraut demeure en fonction et fait face aux grèves, comme à l'inquiétude financière qui s'alourdit. Blum, dès le 4 mai, après le second tour, avait revendiqué pour son parti la direction du gouvernement, rompant avec le refus de la participation pour accepter l'« exercice du pouvoir ». Son gouvernement fut constitué le 4 juin [1]. Le parti communiste, adoptant, après quelque hésitation, une attitude similaire à celle de la SFIO en 1924, se rangeait pour un soutien sans participation. D'autre part, Jouhaux refusait, au nom de l'indépendance syndicale, un ministère du Travail. Le gouvernement était donc fait de socialistes, qui détenaient les ministères économiques et sociaux, de radicaux et de membres de l'Union socialiste républicaine.

Léon Blum était président du Conseil sans portefeuille, conformément aux vues qu'il avait défendues en 1918 dans ses *Lettres sur la réforme gouvernementale*. Le gouvernement, nombreux, comptait 21 ministres, 14 sous-secrétaires d'État. Daladier était vice-président du Conseil, titre qui voulait signifier le soutien radical, et détenait le portefeuille de la Défense nationale. On revenait là à une formule due à Tardieu qui avait réuni les ministères d'armes, mais qui n'avait pas eu de suite. C'était à un radical de tradition

1. Outre les titres cités, cf. J. Marchal, « Léon Blum et l'exercice du pouvoir », colloque du CNRS, 1973.

jacobine qu'était confiée la responsabilité de l'ensemble de la Défense nationale. Daladier, par-delà la fin du Front populaire et les débuts de la guerre, va la conserver jusqu'au printemps 1940, soit pendant près de quatre ans. Auprès de Léon Blum, trois ministres d'État représentaient les formations associées au gouvernement : Paul Faure, non parlementaire, secrétaire général de la SFIO, Camille Chautemps, radical, et Maurice Viollette, USR, tous deux sénateurs. Avec Vincent Auriol aux Finances, Charles Spinasse à l'Économie nationale, Georges Monnet à l'Agriculture, trois socialistes proches de Blum ont la responsabilité des ministères économiques. Le travail va au socialiste J.-B. Lebas. Le radical Yvon Delbos est ministre des Affaires étrangères, et un autre radical, Jean Zay, a l'Éducation nationale. Il va demeurer aux mêmes fonctions jusqu'à la guerre à l'entrée de laquelle il s'engage. Innovation remarquable, le gouvernement compte trois femmes sous-secrétaires d'État : Mme Léon Brunschvicg, femme du philosophe et de sympathie radicale, est à l'Éducation nationale, comme Irène Joliot-Curie qui a la responsabilité de la Recherche scientifique, devenue pour la première fois un département ministériel [1]. Enfin, une institutrice de la Dordogne, Suzanne Lacore, est sous-secrétaire d'État à la santé publique, chargée de la protection de l'enfance. Cette présence féminine au gouvernement, alors que les femmes n'ont toujours pas le droit de vote, indique la volonté d'ouvrir la voie à une participation féminine à la politique.

Aucun des ministres socialistes n'avait, bien entendu participé à un gouvernement, aussi le cabinet Blum traduit-il à la fois un renouvellement et un rajeunissement du personnel ministériel. Soucieux de donner une autorité particulière à la présidence du Conseil, Léon Blum créa le secrétariat général de la présidence du Conseil, confié à Jules Moch [2], entouré de chargés de mission

1. Le 28 septembre 1936, une autre personnalité scientifique, Jean Perrin, est désignée comme sous-secrétaire d'État à la Recherche scientifique aux côtés d'Irène Joliot-Curie.

2. Après son succès à l'élection partielle à Sète, Jules Moch devient sous-secrétaire d'État à la présidence du Conseil le 26 mai 1937. Il garde en fait les fonctions qu'il exerçait jusque-là. L'épisode montre l'hésitation déjà observée entre deux formules : un secrétariat général de la présidence du Conseil ou un sous-secrétariat d'État.

venus souvent de l'Union des techniciens socialistes. Cette instance est largement responsable des mesures proposées au Parlement dans le début de la législature. Dans son souci de coordination de l'action gouvernementale, Léon Blum eût souhaité des ministres « chefs de groupe » qui aient la responsabilité de plusieurs départements ministériels. Mais le président du Conseil n'hésite pas, chose nouvelle, à travailler directement avec chaque ministre, veillant à la cohésion du gouvernement. La présidence du Conseil devient ainsi un lieu d'arbitrage et un centre de décision.

Dans sa déclaration ministérielle, le 6 juin 1936, Léon Blum disait sa volonté de « résoudre en actes (...) à une cadence rapide » le « programme commun » souscrit par les partis du Front populaire. Fidèle à celui-ci, il ne parlait pas de socialisme, mais de « changement moral et matériel » et, prononçant le terme à cinq reprises, disait sa volonté de « défense républicaine », « d'ordre républicain ». C'était marquer les deux aspects du Front populaire : espoir de transformation sociale et défense de la démocratie, mais aussi son ambiguïté. Dans la même majorité, en effet, coexistent les radicaux qui croient revivre 1902 (comme alors une « Délégation des gauches » doit résoudre les conflits entre les partis du Front populaire) et les communistes. Ceux-ci voient dans le Front populaire la stratégie qui permettra « le triomphe de la République française des Soviets », selon la formule de Thorez au Congrès de Villeurbanne au début de 1936 [1].

Ce n'est pas le lieu de faire l'histoire du Front populaire au pouvoir, ni de suivre ses réalisations. En moins de douze semaines, vingt-quatre projets importants sont votés et promulgués. L'accélération du travail législatif constraste avec la lenteur et les retards habituels. Ce changement ne tient pas seulement à l'existence d'une majorité assurée à la Chambre, mais aussi à l'attitude du Sénat. Il accepte des mesures, ainsi les congés payés, qu'il avait longtemps rejetées. La paralysie de l'opposition, l'ampleur des grèves, la pression sociale sont les raisons profondes

1. Judicieuses remarques de J.-J. Becker, dans *Le parti communiste veut-il prendre le pouvoir ?*, Éd. du Seuil, 1981, p. 51 *sq*. J.-J. Becker observe que les publications des discours de Thorez en 1948 et 1953 ont supprimé une phrase qui marquait la volonté persistante de conquérir le pouvoir à la faveur du Front populaire.

de l'exceptionnelle rapidité du travail parlementaire. On sait le bilan : lois sur les congés payés et les conventions collectives, semaine de quarante heures, réforme du statut de la Banque de France, nationalisation de certaines industries d'armement, obligation scolaire jusqu'à quatorze ans.

On sait aussi les difficultés économiques et financières [1] auxquelles très vite se heurte le gouvernement. Le relèvement des salaires quand la production stagne ou diminue du fait de la loi des quarante heures entraîne l'inflation. L'investissement baisse. Le gonflement des coûts intérieurs rend plus difficile l'exportation, gênée par l'absence de dévaluation. La fuite des capitaux, antérieure à mai 1936, s'amplifie. Les milieux d'affaires n'ont pas confiance, et la panique gagne les classes moyennes. Le 25 septembre 1936, en accord avec Londres et Washington, Blum dévalue, trop peu et trop tard. Devant l'aggravation de la situation, il annonce la « pause » le 13 février 1937 et demande, en avril, les pleins pouvoirs en matière financière. Leur refus par le Sénat entraîna sa démission le 21 juin.

Il serait cependant inexact d'expliquer la chute de Blum par les seuls échecs de la politique économique et financière. A cet égard, l'analogie avec le Cartel en 1925 n'est que partiellement fondée. En fait, les raisons politiques, qu'elles tiennent à la politique intérieure ou à la politique extérieure, ont eu leur importance. Les radicaux multiplient bientôt les mises en garde. Le Congrès du 25 octobre 1936 condamne les occupations persistantes d'usines et de fermes, auxquelles les sénateurs radicaux élus de régions rurales du Bassin parisien étaient particulièrement sensibles. Le parti communiste, à partir de la fin de 1936, entreprend le « harcèlement critique » du gouvernement, facilité par la non-participation.

L'opposition, après la retombée de la ferveur des masses, comme au lendemain de toute période de fièvre, retrouve une audience. Par ses calomnies, la presse d'extrême droite, *l'Action française* et *Gringoire*, pousse au suicide, le 15 novembre, le

1. Cf. la grande *Histoire économique de la France entre les deux guerres*, d'Alfred Sauvy, t. II, Fayard, 1967, et *l'Histoire économique et sociale de la France*, dirigée par E. Labrousse et F. Braudel. On se reportera aussi au lumineux article de Jean Bouvier, « La politique économique du Front populaire », *le Mouvement social*, janvier 1966.

ministre de l'Intérieur, maire de Lille, Roger Salengro, accusé de désertion pendant la Grande Guerre. Une formation nouvelle paraît trouver un large écho au sein des classes moyennes : le parti social français, fondé par le colonel de La Rocque après la dissolution de la Ligue des Croix-de-Feu, comme les autres ligues, le 18 juin 1936. Communistes et Croix-de-Feu s'affrontent dans la rue et, le 16 mars 1937, à Clichy, la police tire sur les contre-manifestants communistes hostiles à une réunion du PSF, faisant 7 morts et 200 blessés. L'ordre dans la rue paraît menacé.

Plus encore que l'attitude des partis et l'évolution de l'opinion, le contexte international pèse sur l'expérience Blum. La menace allemande se fait plus proche depuis la remilitarisation de la Rhénanie et rend nécessaire l'effort de réarmement. Surtout, la guerre civile en Espagne, le 18 juillet 1936, conduit le gouvernement à un choix difficile. Faut-il ou non intervenir aux côtés de l'Espagne républicaine, au nom des idéaux de la gauche ? Les radicaux sont hostiles dans leur majorité à l'intervention, ainsi que la Grande-Bretagne dont Blum n'entend pas se séparer. C'est donc une aide « couverte » qui est apportée à l'Espagne républicaine [1]. Mais, officiellement, la France n'intervint pas. Lors du débat parlementaire du 4 décembre 1936 sur la politique extérieure, les communistes s'abstiennent : une première faille apparaît dans la majorité.

Sans doute celle-ci demeure-t-elle, en apparence, cohérente à la Chambre des députés. Mais bien des députés radicaux comptent sur leurs amis politiques du Sénat pour porter le coup de grâce au gouvernement. Le 15 juin, sur le projet de pleins pouvoirs en matière économique et financière, le gouvernement obtient 346 voix contre 247, les défections sont limitées. Mais au Sénat, le gouvernement, contre qui se dresse Joseph Caillaux, le président de la commission des Finances, est mis en minorité par 193 voix contre 77. Le 22 juin, à deux heures du matin, le gouvernement démissionne, fidèle à la coutume qui veut qu'un gouvernement ne s'oppose pas à un vote hostile du Sénat.

Les réactions dans l'opinion et dans la rue à la chute d'un gouvernement qui avait suscité tant d'espérance sont très faibles.

1. Cf. le témoignage de Gaston Cusin dans les *Cahiers Léon Blum*, décembre 1977-mars 1978.

Une année d'exercice du pouvoir avait suffi à user le gouvernement Blum. La première expérience de gouvernement par un socialiste orthodoxe, confronté aux réalités du gouvernement, prenait fin au bout d'un an. Les raisons profondes de la démission de Léon Blum méritent examen. Légalisme face à l'attitude du Sénat, sentiment qu'il était possible de maintenir les acquis de son gouvernement et la majorité de Front populaire sous direction radicale, conviction surtout que devant les périls extérieurs un élargissement de la majorité s'impose, telles paraissent bien les analyses de l'homme d'État socialiste [1]. Quelques mois plus tard, il montra sa volonté d'un large regroupement face au péril nazi.

Le dénouement de la crise fut immédiat. Le radical Camille Chautemps, homme de conciliation, de ministre d'État devint président du Conseil le 22 juin. Léon Blum apportait sa caution au nouveau gouvernement en prenant la vice-présidence du Conseil. Ainsi, le président du Conseil qu'avait emporté l'affaire Stavisky à la veille du 6 février entrait à Matignon. Signe du poids des radicaux dans le nouveau gouvernement, Albert Sarraut devenait ministre d'État. Surtout, un radical, Georges Bonnet, prenait les Finances, abandonnées par Vincent Auriol qui passait à la Justice. Le Front populaire demeurait comme majorité de gouvernement, avec un rééquilibrage du gouvernement au profit des radicaux et l'infléchissement vers une autre politique économique. Dans le pays, les élections cantonales d'octobre 1937 marquèrent la persistance d'un courant d'opinion favorable au Front populaire ; les gains socialistes et communistes, respectivement 68 et 32 sièges, étaient supérieurs à la perte de 42 sièges radicaux [2]. Mais ce résultat ne peut qu'inciter les radicaux à un mouvement vers le centre, qui s'affirme, malgré les motions de fidélité au Rassemblement populaire, au Congrès de Lille en octobre 1937.

Le 14 janvier 1938, Chautemps, pris à partie par le communiste Arthur Ramette dans un débat sur la politique sociale du gouvernement, saisit l'occasion de la rupture : « M. Ramette réclame sa liberté : il a parfaitement le droit de la demander,

1. Cf. G. Dupeux, « L'échec du premier gouvernement Léon Blum », *Revue d'histoire moderne et contemporaine*, 1963, 1.

2. Cf. E. Bonnefous, t. VI, p. 203-205 et J. Kayser, *op. cit.* Curieusement, on fait rarement état de cette consultation, qui montre une certaine stabilité de l'opinion par rapport aux élections de 1936.

quant à moi, je la lui donne. » A quatre heures du matin, les ministres socialistes démissionnent. Une crise s'ouvre, longue, complexe, bien plus considérable par ses conséquences que celle du 22 juin 1937. Un « ballon d'essai » du ministre des Finances Georges Bonnet échoue devant le refus, non seulement de la participation, mais du soutien socialiste. Suit une tentative Blum fort originale. L'ancien président du Conseil veut « une sorte d'accord Matignon politique », de Thorez à Paul Reynaud. Il lance donc un appel à la participation communiste et à celle d'hommes de droite, dont il a pu apprécier, notamment lors des débats sur l'affaire éthiopienne, la fermeté face au fascisme. Mais Paul Reynaud n'est pas soutenu par ses amis politiques. Blum envisage ensuite un ministère de Front populaire avec une participation communiste, hypothèse qui trouve l'hostilité radicale.

Le président de la République fait alors à nouveau appel à Chautemps. Déterminante va être l'attitude des socialistes. Le Conseil national donne 4 035 voix à la motion Blum favorable à la participation, mais les motions Zyromski — pour un gouvernement à l'image du Front populaire — et Pivert — pour un Front populaire de combat —, excluant l'une et l'autre la participation, obtiennent respectivement 2 659 et 1 496 mandats, plus que la motion Blum. Paul Faure, qui était partisan de celle-ci, démissionne du secrétariat général. Les socialistes divisés vont soutenir sans participer.

Si le deuxième gouvernement Chautemps reste appuyé par la majorité de Front populaire, il amorce un retour au centre, et, comme en bien d'autres circonstances sous la troisième République, de crise en crise ministérielle, les reclassements s'esquissent. Formé le 18 janvier, le gouvernement est dominé par les radicaux. Sur les vingts ministres, tous sont radicaux sauf deux USR, L.-O. Frossard, ministre d'État, chargé des services de la présidence du Conseil dont Chautemps a dit son intention de les « organiser fortement », et Paul Ramadier au Travail. Albert Sarraut prend l'Intérieur, comme en 1926 et en 1934. Il va conserver ce département jusqu'au 20 mars 1940, au long des deux cabinets Daladier. Le veto socialiste sur la présence de G. Bonnet aux Finances amène le remplacement de celui-ci, devenu ministre d'État (chargé de coordonner l'action économique et financière du gouvernement), par un autre radical, fort réservé vis-à-vis du

Front populaire, P. Marchandeau. Parmi les treize sous-secrétaires d'État figurent divers USR et représentants de la Gauche indépendante. Le « jeune républicain » Philippe Serre est sous-secrétaire d'État à la présidence du Conseil chargé des services de l'Immigration et des Étrangers. Une fois encore, la pesée d'un problème dont les dimensions ont pris une ampleur croissante [1] entraîne la création d'un nouveau département ministériel.

Le 21 janvier, le gouvernement obtint le score exceptionnel de 501 voix contre une : celle de Gaston Bergery. Aux voix du Front populaire s'ajoutait une partie de l'opposition, dont 105 membres ne prenaient pas part au vote. L'opposition fait crédit au nouveau gouvernement qui conserve la majorité du Front populaire, et bénéficie d'une unanimité ambiguë. En fait, le nouveau gouvernement manque d'autorité. Les socialistes ne souhaitent pas lui accorder les pleins pouvoirs face à la crise financière. Chautemps démissionne dès le 10 mars, après avoir déclaré : « J'ai désiré ne demeurer au pouvoir que si j'avais la faculté de m'en servir. » Au même moment, éclate la crise de l'Anschluss (11-13 mars 1938), Hitler annexe l'Autriche.

Les socialistes étant responsables de la démission de Chautemps, le président de la République, qui compte ainsi lever l'hypothèse du Front populaire, appelle Léon Blum. Comme quelques mois plus tôt, mais plus solennellement, Léon Blum, autorisé par le Conseil national de la SFIO par 6 575 mandats contre 1 684 à former le gouvernement, invite « tous les partis républicains à se grouper pour la défense des libertés républicaines, des intérêts vitaux de la nation et de la paix ». Il trouve l'appui du parti démocrate populaire, particulièrement inquiet de la montée du nazisme et disposé à « ne rien faire qui puisse entraver la constitution d'un gouvernement de salut public ». Les autres groupes de l'opposition, « prêts à participer ou à donner leur soutien à un gouvernement d'union et de salut public, considèrent que le programme d'un tel gouvernement est incompatible avec la participation communiste ». Pour la seconde fois échoue donc le projet d'un gouvernement de Thorez à Reynaud.

1. A l'immigration ouvrière, considérable dans les années vingt, s'ajoute l'immigration politique, réfugiés d'Europe centrale et bientôt de l'Espagne républicaine. Cf. J.-C. Bonnet, *Les Pouvoirs publics et l'immigration dans l'entre-deux-guerres,* Lyon, 1976.

Léon Blum constitue alors, le 14 au soir, son second gouvernement du Front populaire. Hormis Daladier, vice-président du Conseil, Sarraut et le vieux sénateur Théodore Steeg, les principaux leaders radicaux — Yvon Delbos, C. Chautemps, G. Bonnet — se dérobent. Le radical Pierre Mendès France est sous-secrétaire d'État au Trésor, rattaché à la présidence du Conseil. Vincent Auriol est ministre chargé de la coordination des services à la présidence du Conseil : de gouvernement en gouvernement, une continuité se fait ici sentir. L. O. Frossard est ministre de la Propagande, apparition d'une exigence nouvelle à l'image des régimes autoritaires et d'un climat de salut public. Dans sa déclaration ministérielle, Blum, auquel Paul Reynaud fait écho, dit vouloir « reprendre le rassemblement nécessaire d'unité française ». Le 17 mars, à la Chambre, le gouvernement a pour lui 369 voix, une partie de l'opposition s'abstient. Comme un an plus tôt, les projets financiers de Léon Blum, qui comportent un impôt sur le capital, sont adoptés par la Chambre. Mais la majorité s'est sensiblement érodée : elle est de 311 voix contre 250, au lieu de 346 en juin 1937. La moitié des radicaux, une partie de l'USR et de la Gauche indépendante font défection. Au Sénat, le 18 avril, 214 sénateurs sont hostiles au projet, 47 favorables. La voie est définitivement ouverte à un reclassement au centre : l'expérience Daladier s'ouvrait.

2. *L'expérience Daladier*

Le long gouvernement Daladier, du 10 avril 1938 à mars 1940, avec trois remaniements : les 23 août et 1er novembre 1938, et le 13 septembre 1939, lors du début de la guerre, contraste avec l'instabilité des dix années précédentes. Là ne se borne pas son originalité : il marque un changement de majorité en cours de législature, comme en 1926 et en 1934. Surtout, un climat nouveau se fait sentir dans l'opinion. Il révèle une aspiration à être gouverné et l'apparition des nouveaux clivages sur la guerre et la paix, en ces années d'avant-guerre. Cette période entre le Front populaire et la guerre, ces deux temps forts, a longtemps été négligée. Mais la recherche historique s'en est récemment préoccupée, à l'occasion notamment d'un important colloque [1], dont l'apport permet de marquer l'originalité de l'expérience Daladier avant de dire l'évolution de l'esprit public et des forces politiques dans les derniers mois de paix que connut la troisième République.

Par sa composition même, le gouvernement Daladier signifie le retour à la concentration. Les socialistes ne participent pas [2]. Les radicaux dominent le gouvernement. Daladier, président du Conseil, conserve la Défense nationale. Camille Chautemps est vice-président du Conseil chargé de la coordination des services à la présidence du Conseil. Albert Sarraut retrouve l'Intérieur comme Paul Marchandeau les Finances. Georges Bonnet est aux Affaires étrangères, Henri Queuille revient à l'Agriculture. Le gouvernement comprend trois membres de l'USR, dont Paul Ramadier au Travail. Mais surtout il s'ouvre au centre droit avec Paul Reynaud à la Justice et Georges Mandel, l'ancien collaborateur de Clemenceau, aux Colonies. Le leader du PDP, Champetier de Ribes, est ministre des Anciens Combattants. L'ouverture vers les modérés se fait donc en direction d'hommes connus pour leur fermeté face aux idées totalitaires. Le gouvernement est restreint, pour la première fois depuis 1934. Il ne compte que 18 ministres et aucun sous-secrétaire d'État.

Dans sa déclaration ministérielle, le 12, Daladier définit son gouvernement comme un « gouvernement de Défense nationale », résolu à agir « pour la défense de la liberté, de la patrie et de la paix », trilogie qui nuance — la patrie remplaçant le pain — celle du Front populaire. Le scrutin traduit une unanimité apparente : sur 593 votants, le gouvernement obtient 587 voix. Six députés votent contre le gouvernement, qui a pour lui l'opposition, mais aussi l'ensemble des élus de Front populaire. Les communistes, qui ne désespèrent pas de ranimer la flamme du Rassemblement, votent avec les radicaux et les socialistes. Puis, par 514 voix contre 8, la Chambre autorise le gouvernement à agir

1. Tenu à la Fondation nationale des sciences politiques en 1975. Cf. *Édouard Daladier, chef de gouvernement,* FNSP, 1977, et *La France et les Français en 1938 et 1939,* FNSP, 1978.

2. Leur refus ne permet pas à Daladier d'ouvrir davantage à droite ni d'aller « de Blum à Reynaud », cf. Guy Bourdé, *La Fin du Front populaire*, Maspero, 1977, qui utilise les archives Daladier.

par décrets-lois jusqu'au 31 juillet 1938, pour « faire face aux dépenses nécessitées par la défense nationale et redresser les finances et l'économie de la nation ».

En fait, cette quasi-unanimité va prendre fin dès les premières initiatives gouvernementales. Le 21 août 1938, deux ministres de l'USR, Frossard et Ramadier, démissionnent lorsque Daladier, devant les exigences des industries de défense nationale, assouplit la législation sur les quarante heures, symbolique des conquêtes du Front populaire. Charles Pomaret remplace Ramadier et Anatole de Monzie prend la place de Frossard aux Travaux publics. Sa venue, alors qu'éclate la crise germano-tchèque, renforce dans le gouvernement le camp des partisans d'un apaisement avec l'Allemagne nazie, incarné par Georges Bonnet. Par les accords de Munich, dans la nuit du 29 au 30 septembre 1938, Daladier abandonne une puissance alliée de la France [1]. Il est mû par la résignation et le sentiment de l'inévitable, mais est convaincu que la guerre est inéluctable et que le réarmement doit être poursuivi avec la dernière énergie. Ainsi pensent un certain nombre de ministres autour de Daladier. En revanche, Bonnet et ses amis croient qu'en laissant à l'Allemagne les mains libres à l'est, la paix pourra être préservée. Bien qu'ils n'aient pas approuvé Munich, les trois ministres modérés restèrent dans le gouvernement.

Le 4 octobre 1938, Daladier, dans le débat sur la politique extérieure, ne trouva que le parti communiste à voter contre lui, avec Henri de Kerillis et le socialiste Jean Bouhey [2]. Il obtint 535 voix contre 75 [3]. Mais, dans le scrutin relatif à une nouvelle délégation de pleins pouvoirs « pour réaliser le redressement immédiat de la situation économique et financière », la SFIO s'abstint, ainsi que certains radicaux et une fraction de la droite. L'opposition dans sa majorité vote pour le gouvernement. Daladier obtient 331 voix contre 78 : les 73 communistes et 5 isolés. Les

1. Cf. J.-B. Duroselle, *Politique étrangère de la Fance. La décadence, 1932-1939,* Imprimerie nationale, 1979.

2. Les amis de Blum avaient l'intention de voter contre. Finalement le parti retrouva son unité dans un vote d'approbation fort ambigu. Il n'était pas seul dans cette situation.

3. Seul Taittinger ne prit pas part au vote (Journal officiel, 5 octobre 1938).

abstentionnistes sont plus de 200. La nouvelle majorité est faite. Quelques jours plus tôt, le 23 septembre, les élections sénatoriales avaient marqué une légère progression de la droite et du centre.

La rupture du Front populaire est acquise. Le Congrès du parti radical à Marseille à la fin d'octobre vote à la quasi-unanimité un ordre du jour constatant que « le parti communiste, par l'agitation qu'il entretient à travers le pays, par les difficultés qu'il a créées aux gouvernements qui se sont succédé depuis 1936, par son opposition agressive et injurieuse de ces derniers mois, a rompu la solidarité qui l'unissait aux autres partis du Rassemblement populaire ». Le 10 novembre, le secrétaire général du parti, Pierre Mazé, quitte le Comité national du Rassemblement populaire, le parti radical refusant de siéger aux côtés de ceux qui l'accusent « d'avoir trahi la République et la Patrie ».

C'est la fin de la fiction jusque-là maintenue de la persistance du Rassemblement populaire et le retour à une politique économique libérale. Le 1er novembre, le cabinet Daladier est remanié une seconde fois. Le radical Marchandeau, favorable au contrôle des changes, abandonne les Finances pour la Justice, que quitte Paul Reynaud pour venir Rue de Rivoli. A ses côtés, Jacques Rueff, Maurice Couve de Murville, Dominique Leca, Michel Debré, Alfred Sauvy, Vincent Bourrel. Cette équipe cohérente de hauts fonctionnaires et d'experts met au point en treize jours quarante-deux décrets-lois qui ouvrent la voie à un redressement économique et financier, sous le signe de l'appel à l'esprit d'initiative et à la rigueur.

Le parti communiste et ses amis au sein de la CGT appellent à la grève générale contre la politique extérieure de Daladier et la politique sociale de Paul Reynaud, accusé de mettre en cause les conquêtes du Front populaire. Jouhaux hésitant se résoud à suivre [1]. Paul Reynaud se refuse à tout compromis avec les organisations syndicales. La grève du 30 novembre échoue, et est suivie d'une ferme répression. Après le reflux politique du Front populaire, voici le reflux syndical. Les attaques du parti communiste et de ses amis dans la CGT ont consolidé le gouvernement

1. Cf. J.-J. Becker, *op. cit.*, et J.-P. Joubert, *Marceau Pivert et le Pivertisme. Révolutionnaires de la SFIO*, FNSP, 1977.

Daladier devant l'opinion, acquise au renforcement de l'exécutif.

Au lendemain de l'annexion par Hitler de la Tchécoslovaquie, Daladier demande le vote d'un projet de loi autorisant le gouvernement à prendre par décrets toutes les mesures nécessaires à la défense du pays [1]. Cette fois, la SFIO se joint à l'opposition du parti communiste : le projet est adopté le 18 mars par 321 voix contre 264. Blum exprime la crainte d'une « dictature personnelle » de Daladier. Mais celui-ci tient bien son parti : 17 députés radicaux seulement se joignent le 24 février aux communistes et aux socialistes pour refuser d'approuver la reconnaissance de Franco et, le mois suivant, pour s'opposer aux « pleins pouvoirs ». Surtout le président du Conseil, servi par une véritable propagande, trouve une réelle popularité dans l'opinion.

Dans les dernières semaines de la paix, un certain nombre de votes ou de décisions valent d'être relevés parce qu'ils éclairent le climat du moment. Le 5 avril, Albert Lebrun est reconduit dans ses fonctions de président de la République. Les événements conduisent ainsi à rompre avec la tradition, qui s'était établie depuis la démission de Grévy, de ne pas demander de renouvellement. La réélection d'Albert Lebrun, dès le premier tour, par 506 voix sur 904, contre les candidats socialistes et communistes, est un succès pour Daladier. Elle coupe court à une candidature de l'ancien socialiste Bouisson, soutenu par Laval et les partisans de l'apaisement avec l'Allemagne. Le 27 juin, la Chambre adopte la représentation proportionnelle. Les radicaux et l'USR ne seraient pas fâchés, comme en 1919, d'un mode de scrutin qui ne les rende plus dépendants de la SFIO. Au vrai, le débat est théorique. En effet, le 29 juillet 1939, un décret proroge les pouvoirs des membres de la Chambre. Les élections législatives prévues pour mai 1940 sont reportées au 1er juin 1942, afin de maintenir « l'union et le calme » des Français. Les protestations socialistes et communistes se déchaînent en vain.

Indice enfin de mutations profondes, les deux décrets-lois pris le 29 juillet. L'un crée un Commissariat général à l'Information,

1. Les décrets doivent être soumis à ratification avant le 31 décembre. Les décrets-lois du 21 mars fixent à soixante heures le travail hebdomadaire dans les entreprises œuvrant pour la Défense nationale.

attribué à Jean Giraudoux, dont l'essai *Pleins Pouvoirs* est très représentatif de l'esprit du temps, annonciateur de la « Révolution nationale ». La radiodiffusion est mise sous le contrôle de la présidence du Conseil. L'autre décret-loi institue un Code de la famille. Il témoigne de la prise de conscience d'un problème grave, longtemps éludé. Devant la montée des périls, une politique nouvelle s'esquisse, mais l'ambiguïté du gouvernement Daladier est d'être divisé sur les problèmes de politique extérieure. Cette division est à l'image de celle de l'opinion et des forces politiques, dont la configuration se modifie au cours d'une crise sans équivalent.

3. *L'évolution de l'opinion et le reclassement des forces politiques*

Peut-être n'a-t-on pas toujours assez pris garde à ce que cette crise est ressentie avec d'autant plus de force que les moyens d'information subissent, précisément en ces dernières années de la troisième République, des mutations considérables. La presse [1], depuis l'après-guerre, connaît une dépolitisation relative au profit des faits divers, du sport, de pages magazines. En témoigne le prodigieux succès de *Paris-Soir* [2], qui prend la suite des grands quotidiens d'information en déclin, et tire à deux millions d'exemplaires en 1936. L'entrée du directeur de *Paris-Soir,* Jean Prouvost, dans un des tout derniers gouvernements de la troisième République témoigne de l'importance du phénomène *Paris-Soir* dans la France du temps. Une autre donnée contribue à accroître la dépolitisation : l'essor des grands quotidiens régionaux au détriment de la petite presse locale, qui avait tenu une telle place dans la vie politique pendant les premières décennies du régime. On doit enfin mettre au passif de la presse des dernières années de la troisième République le poids, plus manifeste qu'en d'autre temps, des intérêts, voire d'influences étrangères. L'Italie fasciste,

1. Cf. P. Albert, in *Histoire générale de la presse française,* t. III, PUF, 1972.
2. Cf. R. Barrillon, *Le Cas « Paris-Soir »*, Colin, 1959.

l'Allemagne nazie s'efforcent de gagner à leur cause une partie de la presse.

Mais les mutations les plus considérables tiennent à l'essor de la radiodiffusion [1]. L'année charnière est 1934. A cette date, les postes déclarés sont au nombre de 1 756 000. Leur nombre atteint 3 200 000 en 1936, 4 900 000 en 1939. Désormais, les quotidiens n'ont plus le rôle prépondérant dans l'information politique des Français. Surtout, la radiodiffusion accorde une place bien plus considérable que la presse, longtemps dominée par les préoccupations de politique intérieure et les débats idéologiques, à la vie quotidienne, aux réalités économiques et sociales, aux problèmes internationaux surtout. Par là, comme l'a montré A.-J. Tudesq, la mutation technologique retrouve les soucis nouveaux des Français. D'autre part, s'accentue le décalage avec le personnel politique. La presse très politisée d'avant 1914 était le relai par lequel celui-ci s'adressait à l'opinion. La relative dépolitisation de la presse, le rôle de la radiodiffusion contribuent ainsi, dans les dernières années du régime, à accroître la coupure entre le monde politique et l'opinion publique.

A partir de la fin de 1938, l'historien dispose pour apprécier l'évolution de l'opinion d'une source nouvelle, les sondages. A l'exemple des États-Unis, cette technique d'investigation se répand alors en France. Près de trente sondages sont conduits entre août 1938 et juillet 1939 sur l'attitude de l'opinion face aux problèmes extérieurs. Le taux très bas de « non-réponse » révèle à quel point l'opinion est mobilisée sur les questions de politique extérieure. Les réponses traduisent aussi les divisions d'une opinion à la fois partagée et mouvante. Face aux accords de Munich [2], 57 % des Français se disent favorables. Encore ne sait-on rien des degrés et des formes que revêt cette approbation : acquiescement ou résignation ? En revanche, 37 % se disent

1. Cf. les études neuves d'A.-J. Tudesq notamment : « Système d'information et contenu politique : la presse quotidienne en France au XXe siècle », *Revue d'histoire moderne et contemporaine,* juillet-septembre 1982, p. 500-507.

2. Cf. Christel Peyrefitte, in *Édouard Daladier, chef de gouvernement,* FNSP, 1977, et J. Ozouf, in *Faire de l'Histoire,* Gallimard, 1974, t. I. L'enquête de l'IFOP sur Munich est publiée dans le numéro 1, ronéotypé, de *Sondages,* le 1er juin 1939.

hostiles, soit près de trois fois plus que l'électorat du seul parti, le parti communiste, qui à la Chambre se soit opposé, par son vote, aux accords [1]. Les Français sans opinion sont 6 %, chiffre très faible qui dit l'ampleur du débat. Ces indications montrent qu'il serait inexact, à partir de la seule grande presse et des manifestations de sympathie à Daladier lors de son retour après Munich, de conclure à une quasi-unanimité dans l'acceptation de l'abandon de la Tchécoslovaquie, comme les partisans de Munich l'ont souvent dit par la suite.

Par la suite, l'opinion évolue vers le camp de la fermeté. Dès le mois de décembre, 70 % des Français estiment que « la France et l'Angleterre doivent désormais résister à toute nouvelle exigence de Hitler ». En février 1939, 79 % estiment que « le souci le plus urgent du gouvernement doit être de renforcer la puissance militaire ». Cependant, le nombre de Français qui ne croient pas à l'imminence d'un conflit décroît : 57 % en février 1939, 47 % en avril, 34 % fin juin. Après l'annexion de la Tchécoslovaquie, 76 % des Français estiment qu'il faudrait empêcher l'Allemagne, « au besoin par la force », de s'emparer de la ville libre de Dantzig, la nouvelle revendication des nazis. Ils ne sont que 17 % à refuser le risque d'une guerre qui conduirait à « mourir pour Dantzig ». Le pacifisme d'un Marcel Déat, malgré ce qui fut parfois affirmé, n'a donc trouvé qu'un écho très minoritaire. L'opinion, réalité fluide et mobile, n'est pas responsable du pacifisme et du défaitisme du personnel politique. Mais celui-ci, par ses divisions, a pu contribuer à la passivité de l'opinion, cependant bien moindre dans les faits que dans l'image qui en est parfois donnée.

Esquisser la physionomie des forces politiques dans les quelques années qui précèdent la guerre conduit d'une part à dire les traits qui caractérisent l'évolution interne des grandes formations, d'autre part à suivre l'attitude de celles-ci face aux crises qui affectent la société politique française. Le parti communiste, au moment même où, avec le Front populaire, il s'ouvre vers l'extérieur, est, plus solidement que jamais, tenu par Thorez et ses amis. Au Congrès de Villeurbanne (22-25 janvier 1936), Thorez est devenu secrétaire général. A ses côtés, deux secrétaires,

1. Comme l'observait C.-R. Ageron, *le Monde*, 5 juillet 1973.

Jacques Duclos, l'homme de confiance du Komintern, et Marcel Gitton. Le parti maintient jusqu'au pacte germano-soviétique la stratégie léniniste du double pouvoir [1]. Il soutient le Front populaire, puis appelle à sa relance, et s'efforce de faire reconnaître son image nationale en se présentant, lors du cent-cinquantenaire de la Révolution, comme l'héritier des jacobins. Mais, d'autre part, il s'attache à contrôler et à développer le mouvement des masses. Les comités de Front populaire à la base, nouvelle version du Front unique, ont échoué devant l'hostilité socialiste et radicale. L'essai de réunification avec la SFIO avorte : les socialistes rompent les pourparlers le 24 novembre 1937. Mais la réunification syndicale donne au PC une influence indirecte au sein de la CGT qui atteint, en 1937, avec la très forte syndicalisation consécutive aux mouvements sociaux du Front populaire, 4 millions de membres. Certes les conflits entre ex-unitaires et ex-confédérés s'exacerbent. Cependant, le poids du PC dans le mouvement syndical n'en est pas moins supérieur à ce qu'il était en 1935.

Surtout, le gonflement des effectifs du parti est spectaculaire : 90 000 militants en février 1936, près de 300 000 en novembre, plus que la SFIO pourtant en croissance, environ 340 000 en septembre 1937. Certes, un an plus tard, les effectifs sont en recul (318 459 cartes placées en septembre 1938 [2]) et les élections législatives partielles attestent un certain déclin de l'électorat. Il reste que le parti communiste, grâce au Front populaire, et malgré les campagnes de presse menées en décembre 1938 pour sa dissolution, a acquis dans la société française une situation jusque-là inégalée, et un rayonnement exceptionnel. Par ses effectifs, il a dépassé, depuis le printemps de 1936, la SFIO, le seul autre parti de militants, dont le nombre a cependant doublé [3].

L'épreuve du pouvoir et l'échec du Front populaire contribuent au sein du parti socialiste à l'exaspération des tendances. Aux oppositions habituelles entre le centre, la gauche et l'extrême gauche, s'ajoutèrent les divisions devant les problèmes de politi-

1. Cf. A. Kriegel, « Léon Blum et le parti communiste », in *Léon Blum chef de gouvernement, op. cit.*, p. 125-155 et J.-J. Becker, *Le parti communiste veut-il prendre le pouvoir ?, op. cit.*
2. J.-J. Becker, *op. cit.*
3. 98 000 en février 1936, 127 000 en mai, 200 000 en novembre.

que extérieure. Autour de Zyromski et de la publication *la Bataille socialiste,* un courant de gauche aspirait, particulièrement depuis le 6 février, à l'unité d'action avec le PC. Au printemps de 1935, se détacha de cette tendance un groupe pacifiste, influencé par des trotskystes entrés depuis août 1934 à la SFIO, animé par un professeur d'école normale de la Seine, Marceau Pivert [1]. Ce courant eut de l'influence dans la Seine, le Sud-Est, au sein des Jeunesses socialistes. En juillet puis en octobre 1935, plusieurs trotskystes sont exclus de la SFIO par la direction Blum-Paul Faure, mais Marceau Pivert reste au parti. Il fonde le 30 septembre 1935 la tendance de la Gauche révolutionnaire. Elle invite le parti à passer du Front populaire à un véritable gouvernement ouvrier et paysan. Cependant, malgré l'éditorial de Marceau Pivert en 1936 — « Tout est possible [2] » —, la gauche révolutionnaire ne fit pas de difficultés majeures au gouvernement Blum. Ce n'est qu'en février 1937 que Marceau Pivert démissionna de la fonction d'attaché à la présidence du Conseil.

Bien évidemment, après l'échec de l'expérience Blum, le conflit s'affirma. En avril 1937, le Comité national décida la dissolution de la tendance. Au Congrès de Marseille, en juillet 1937, la direction Blum-Faure, qui obtient 2 949 mandats, subit les attaques de Zyromski (1 545 mandats), critique de la non-intervention en Espagne et de la participation au cabinet Chautemps, et celle de Marceau Pivert. Celui-ci, favorable à un « Front populaire de combat », obtient 894 mandats. L'exclusion des dirigeants de la Gauche révolutionnaire et la scission intervinrent au Congrès de Royan de la SFIO en juin 1938. Comme quatre ans plus tôt la scission « néo », la rupture se fit sans que toute la tendance quitte le parti. Environ 6 000 militants de la fédération de la Seine ou de petites fédérations, suivirent Marceau Pivert au nouveau parti socialiste ouvrier et paysan. Mais des personnalités de la Gauche révolutionnaire comme l'universitaire caennais L. Zoretti ou Maurice Deixonne restèrent au parti. Ils fondèrent une tendance pacifiste, incarnée par la publication *Redressement.*

1. Sur toute cette histoire de groupes minoritaires, cf. les textes présentés par J.-P. Rioux, *Révolutionnaires du Front populaire,* « 10-18 », Plon, 1972, et J.-P. Joubert, *Marceau Pivert et le Pivertisme. Révolutionnaires de la SFIO, op. cit.*
2. Dont il faut lire le contexte, fort mesuré en fait.

Bien plus grave que l'exclusion de la Gauche révolutionnaire fut la division profonde que la crise de Munich [1] entraîna dans le parti. Sur l'attitude à prendre vis-à-vis de l'Allemagne s'opposent un bloc antifasciste, dans lequel Zyromski et *la Bataille socialiste* rejoignent Blum et ses amis, et un bloc « pacifiste », avec Paul Faure, les néo-guesdistes, d'anciens planistes et des syndicalistes comme Dumoulin, Belin ou Delmas, le secrétaire général du SNI, d'anciens pivertistes. Au Congrès de Montrouge, le 27 décembre 1938, la motion Blum obtient 52,9 % des mandats contre 34,7 % à la motion Faure, et 12,4 % d'abstentions, en fait sympathiques au pacifisme. Au Congrès de Nantes en mai 1939, qui préserve une unité de façade, le camp pacifiste progresse avec 38 % des mandats.

La rupture de l'entente de fait, scellée depuis les lendemains du Congrès de Tours, entre Léon Blum et Paul Faure, a des conséquences considérables pour la vie du parti, voué désormais à l'immobilisme. Favorable à la fermeté, Georges Monnet, proche de Blum, fonde le journal *Agir,* auquel collaborent Pierre Brossolette, André Philip, Daniel Mayer, Tanguy-Prigent, Pierre Viénot. Tout se passe comme si, dès avant la guerre, Vichy et la Résistance, les attitudes qui vont alors se faire jour, étaient déjà présentes.

Les motivations des pacifistes et des munichois, trop souvent présentées à la lumière de leurs attitudes ultérieures, demandent à être comprises pour ce qu'elles furent. Au plus profond pèsent sans doute les souvenirs de la Première Guerre mondiale, où Paul Faure s'était rangé parmi les adversaires de l'Union sacrée. Le pacifisme, point fort de l'idéologie de la SFIO, n'est pas remis en question, pas plus que le rapprochement franco-allemand, malgré la victoire du nazisme. Ce pacifisme se rencontre avec l'anticommunisme. Que les communistes soient favorables à la fermeté face à l'Allemagne, constitue une raison d'inquiétude pour les amis de Paul Faure et de Belin. Risquer la guerre, n'est-ce pas faire le jeu de l'URSS ? Cette attitude perce déjà à propos de la non-intervention en Espagne. Un certain nombre de fédérations,

1. Au livre toujours utile de N. Greene, *Crisis and Decline, The French Socialist Party in the Popular Front Era,* Ithaca, Cornell University Press, 1969, on ajoutera l'excellente étude de M. Sadoun, *Les Socialistes sous l'Occupation. Résistance et collaboration,* FNSP, 1981.

notamment rurales [1], l'approuvent parce que la France n'a pas à se mêler d'un conflit où s'opposent deux idéologies totalitaires : fascisme et communisme. Dans le monde enseignant, chez les fonctionnaires, les vues pacifistes trouvent un réel écho. Anticommunisme et pacifisme conduisent à dénoncer le « bellicisme » du PC. A cet égard, une partie de la SFIO se trouve dans les mêmes sentiments que Déat et ses amis de l'USR, et qu'une aile du radicalisme.

Autour de Georges Bonnet, de Jean Mistler, d'Émile Roche, le fidèle de Caillaux, en effet, une tendance du parti radical est favorable à la recherche d'un « apaisement » avec Hitler, assorti d'un désengagement français en Europe centrale. Ces thèses, après Munich, s'affirment au Congrès de Marseille. Elles restent nettement minoritaires. Au sein du parti radical, les partisans de la résistance, dont Daladier prend la tête en janvier 1939, débordent largement le camp des partisans du Rassemblement populaire. La fermeté d'un Herriot, attaché de longue date à l'alliance franco-soviétique, d'un Delbos, d'un Maurice Sarraut est remarquable, et dément les accusations souvent portées après coup contre le parti du président du Conseil. Au total, le parti radical est moins touché par le pacifisme que la SFIO ou l'USR, ou que l'Alliance démocratique de Pierre-Étienne Flandin.

Celui-ci partage l'analyse de la situation internationale d'un Bonnet. Dans la nuit du 27 au 28 septembre 1938, au plus fort de la crise de Munich, il a fait apposer sur les murs de Paris une affiche qui dénonce le « mécanisme savant... monté par des forces occultes pour rendre la guerre inévitable ». Elle fut lacérée par la police. Après Munich, Paul Reynaud, Louis Rollin, Charles Taurines, Louis Jacquinot, l'ancien collaborateur de Maginot, Joseph Laniel, Charles Reibel, l'ancien ministre de Poincaré, démissionnent du parti. En tout, 16 membres sur 219 du Comité directeur l'abandonnent. Mais, au Congrès de novembre, la grande majorité des participants approuvent Flandin. Ainsi, la grande formation du centre parlementaire paraît-elle abandonner l'héritage de Poincaré et, dans sa recherche d'un règlement pacifique avec l'Allemagne, retrouve-t-elle, dans un autre contexte que plus tôt, la tradition briandiste. Là encore, les

1. Cf. N. Greene, *op. cit.*

reclassements qui s'amorcent préfigurent les attitudes lors de l'armistice et devant Vichy.

Au sein de la droite conservatrice de la Fédération républicaine, ce sont moins, semble-t-il, des préoccupations « réalistes », fondées sur l'analyse de la politique extérieure qui conduisent à mettre une sourdine au nationalisme traditionnel que des considérations de politique intérieure. La peur née du Front populaire, l'hostilité au communisme et à la politique de Staline, parfois la sympathie qui se fait jour pour les régimes d'autorité mènent à un véritable renversement d'attitudes. Remarquable est l'attitude d'un Philippe Henriot. Nul mieux que François de Wendel n'a diagnostiqué ces relations entre politique intérieure et politique extérieure. Au moment de Munich, il notait dans son journal intime : « Il y a actuellement un danger bolchevique intérieur et un danger allemand extérieur. Pour moi, le second est plus grand que le premier, et je désapprouve nettement ceux qui règlent leur attitude sur la conception inverse [1]. » Il ne pouvait dire plus clairement qu'une partie de ses amis politiques, pour des raisons de politique intérieure, oubliaient leur antigermanisme traditionnel.

A l'extrême droite, *l'Action française* évolue de cette manière. Au moment de Munich, elle titre dans un numéro saisi le 27 septembre 1938 : « A bas la guerre », et paraphrase le couplet de l'Internationale : « S'ils s'obstinent, ces cannibales, à faire de nous des héros, il faut que nos premières balles soient pour Mandel, Blum et Reynaud. » Ainsi, la crise de Munich et la menace de guerre entraînent-elles de véritables chassés-croisés. Autour du pôle pacifiste ou du pôle de la fermeté, s'esquisse la rencontre d'hommes venus d'horizons opposés.

En quelque manière, cette conjoncture, où la division entre droite et gauche, si vive deux ans plus tôt, paraît s'estomper désormais au profit d'autres clivages, est favorable aux démocrates d'inspiration chrétienne. La Jeune République avait fait partie du Front populaire. Le parti démocrate populaire avait été réservé, refusant « la politique des blocs », sans pour autant entrer dans une opposition systématique. La famille démocrate chré-

1. Cité par F. L'Huillier dans *Les Relations franco-allemandes, 1933-1939,* CNRS, 1976.

tienne s'étendait bien au-delà de ces deux formations politiques en elles-mêmes modestes. Elle comprenait le syndicalisme chrétien de la CFTC, exclue des accords Matignon et dont seul le cabinet Chautemps reconnut l'existence, des organes de réflexion tels que les Semaines sociales. Elle disposait de militants nombreux par l'apport des mouvements d'Action catholique alors en plein essor, d'une presse régionale, avec notamment *l'Ouest-Éclair* à Rennes, d'un quotidien national, *l'Aube,* de Francisque Gay et Georges Bidault, dont le rayonnement s'affirme alors malgré le faible tirage.

Des aspirations au regroupement d'une famille d'esprit, du sentiment de l'impuissance des partis, de l'angoisse devant la crise internationale, naît une tentative de rassemblement. Au Congrès des amis de *l'Aube* en novembre 1938, Francisque Gay annonce la naissance des « Nouvelles équipes françaises » (NEF), expression, dit-il, qui « évoque à la fois notre volonté d'action disciplinée et de redressement national ». L'appel « aux hommes de notre esprit », dû à Georges Bidault et à Charles Blondel, maître des requêtes au Conseil d'État, dit « l'affreuse angoisse » née de la montée de l'hitlérisme, refuse de faire confiance aux « vieux partis », vise les menées allemandes au sein de la presse et des partis : « La démocratie, la liberté, ce n'est pas ce régime de la presse et des partis qui a permis à une faction au service de l'ennemi de coloniser les avenues du pouvoir [1]. »

Cette lucidité et cette fermeté face à la montée du totalitarisme fait l'originalité des NEF plus que la reprise des thèmes sociaux et politiques chers aux démocrates chrétiens. Bidault invite à une politique de « salut public » et à la « résistance [2] ». D'autre part, les NEF permettent à une génération nouvelle (Maurice Schumann, Charles d'Aragon, Edmond Michelet, Henri Fréville) de s'affirmer. Il n'est guère possible de préjuger du destin de ce mouvement, qui se voulait au-delà des partis et dont la guerre interrompit l'histoire. Il est clair qu'il a préparé l'entrée des démocrates chrétiens dans la résistance et, indirectement, le MRP [3].

1. Sur ce thème, Georges Boris, dans *la Lumière,* mène alors une vive campagne.
2. *L'Aube,* 26 juin 1939.
3. Cf. Françoise Mayeur, *« L'aube », étude d'un journal d'opinion,* Colin, 1966.

Dans ces dernières années de la troisième République, la modification la plus sensible du paysage politique se situe à droite. Tandis que la droite parlementaire se réduit plus que jamais à des personnalités [1], on observe d'une part la séduction des régimes autoritaires sur une partie de cette droite, et l'apparition d'une extrême droite fascisante, d'autre part l'essor dans le pays d'un grand mouvement populaire, qui accepte le régime, le parti social français. La France de l'immédiat avant-guerre a connu, très limités dans leur audience, de petits groupes qui se réclament du fascisme ou du nazisme. Remarquable est l'adoption, inédite dans l'extrême droite française, de pratiques terroristes. Le Comité secret d'action révolutionnaire, la « Cagoule », réseau paramilitaire anticommuniste, s'efforce d'émouvoir l'opinion par des provocations comme l'attentat au siège du patronat rue de Presbourg. L'extrême droite intellectuelle s'exprime, elle, par l'hebdomadaire *Je suis partout* ; ses rédacteurs, venus de *l'Action française,* mais critiques vis-à-vis du traditionalisme maurrassien, exaltent les régimes fascistes, porteurs d'une révolution qui crée un homme nouveau. Ce fascisme s'affirme littéraire, sur fond de nationalisme traditionnel : l'historien Pierre Gaxotte fait figure d'oracle pour Brasillach et ses amis [2].

Au contraire du fascisme des écrivains, le parti populaire français fondé par Jacques Doriot en juillet 1936, après son exclusion du parti communiste, est une organisation de militants, venus de l'extrême gauche avec Doriot. Le PPF, par le culte du chef, l'organisation, l'exaltation de la violence, constitue la seule formation française qui présente les traits d'un parti fasciste. Il a attiré un temps certains intellectuels, mais aussi des transfuges des Croix-de-Feu, hostiles au légalisme de La Rocque, des membres de la droite conservatrice ou du patronat qui voient en lui un rempart face au communisme, et préfèrent Doriot à La Rocque.

Mais le PPF ne parvint pas à être la grande formation à l'extrême droite que rêvait Doriot [3], et l'appel de Doriot à un

1. Cf. le jugement de Léon Blum, qui, dans *A l'échelle humaine,* en 1941, déplore l'absence de formations organisées à droite dans la Chambre de 1936.

2. Cf. J.-P. Dioudonnat, *« Je suis partout » 1930-1944. Les maurrassiens devant la tentation fasciste,* la Table Ronde, 1973.

3. Cf. D. Wolf, *Doriot. Du communisme à la collaboration,* Fayard,

« Front de la liberté », le 22 mars 1937, échoua malgré l'accueil favorable de la Fédération républicaine. Le parti social français et l'Alliance démocratique furent hostiles. En vérité, il n'y avait pas d'avenir en France pour le fascisme. Sa clientèle éventuelle dans les classes moyennes était fixée par le mouvement ancien combattant, le parti radical, et le parti social français, l'héritier des Croix-de-Feu.

Après les décrets du 18 juin 1936 portant dissolution des ligues, le colonel de La Rocque transforma, le 10 juillet, l'association des Croix-de-Feu en un parti qui acceptait le jeu des institutions républicaines, confirmant ainsi l'évolution légaliste du mouvement. Les Croix-de-Feu, lors de leur dissolution, comptaient au plus 450 000 personnes, et tous les Croix-de-Feu n'allèrent pas au PSF. Mais, dès septembre 1936, le nouveau parti comptait 600 000 adhérents [1]. Il progressait à un rythme plus rapide que le PC et la SFIO.

Rassemblement hétérogène, le PSF trouva des soutiens considérables dans les classes moyennes urbaines, les cadres, le monde rural. La page de garde de la brochure-programme du parti montrait la République écartant la croix gammée, la faucille et le marteau, le faisceau. Sur le thème du renforcement de l'exécutif et du redressement national, de la réconciliation du capital et du travail, le PSF rencontra un immense écho. Les vives attaques de l'extrême droite, Action française et PPF, qui accuse notamment La Rocque d'avoir touché à ses débuts des fonds secrets de Tardieu, n'affectent pas le parti. Celui-ci républicain, nullement fascisant, contrairement à une légende tenace, annonce plutôt certains aspects de l'esprit de la Révolution nationale, du Vichy première manière. *Le Petit Journal,* dont La Rocque a pris le contrôle en juillet 1937, porte en manchette : « L'ordre français a toujours reposé sur trois éléments : Travail, Famille, Patrie. » Le PSF, cependant, ne s'adresse pas seulement à la clientèle de la droite conservatrice, mais aussi à celle des radicaux. Au moment

---

1969, et J.-P. Brunet, « Un fascisme français. Le parti populaire français de Doriot (1936-1939) », *Revue française de science politique,* avril 1983, p. 255-280.

1. Cf. Philippe Machefer, « L'Union des Droites, le PSF et le Front de la Liberté, 1936-1937 », *RHMC,* janvier-mars 1970, p. 112-126, et « Tardieu et La Rosque », *Bulletin de la société d'histoire moderne*, 2, 1973.

de Munich, refusant bellicisme comme défaitisme, il soutint Daladier, dont il approuve les orientations en matière intérieure.

Situation paradoxale, ce parti qui, à la veille de la guerre, encadre comme aucune formation toute une partie de l'opinion, ne peut, à la Chambre, que se réclamer de quelques députés qui ont formé un groupe présidé par Ybarnegaray. Comme le Rassemblement du peuple français (qu'il annonce, du reste) en 1947, il ne peut peser sur la vie parlementaire. En revanche, il voit venir à lui un personnel en quête d'un courant favorable pour les élections de 1940. Il affronte avec succès les élections législatives partielles — Charles Vallin est élu à Paris dans le IXe arrondissement en novembre 1938 — et les élections locales.

Aux cantonales de l'automne 1937, il se targue de 727 000 suffrages. Le parti, fort au nord de la Loire et dans les agglomérations urbaines, aurait eu un million d'adhérents à la veille de la guerre. Edmond Barrachin, beau-fils de François Piétri, l'ancien ministre de Tardieu, et chef du bureau politique du PSF, escomptait une centaine d'élus en 1940. Aussi la prorogation de la Chambre ne trouva-t-elle pas la faveur du PSF.

Le parti se préoccupa des salariés. Il suscita la création des Syndicats professionnels français [1] et de groupes ouvriers, qui trouvèrent un réel succès. Par ses initiatives et ses idées — organisation de la profession et collaboration du capital et du travail, politique familiale, renforcement des pouvoirs du président de la République —, le PSF n'évoque en rien le fascisme. Il récuse le racisme comme l'antisémitisme : il eut du reste des adhérents israélites. Le PSF s'inscrivit bien plutôt à certains égards dans la tradition d'une droite « bonapartiste », qui va de la Ligue de la patrie française au gaullisme, mais il comporte aussi une indéniable composante social-chrétienne.

Cette formation au destin inachevé, longtemps évoquée de manière inexacte, voire calomniée, témoigne par son succès du

1. Renvoyons à deux livres utiles : Philippe Rudaux, *Les Croix-de-Feu et le PSF,* Éd. France-Empire, 1967, et Gilles et Édith de la Rocque, *La Rocque tel qu'il était,* Fayard, 1962. Sur le PSF dans le Nord, l'article de J.-P. Florin, « Des Croix-de-Feu au parti social français, une mutation réussie ? L'exemple de la fédération du Nord (1936-1939) », *Revue du Nord,* avril-juin 1977.

trouble qui a gagné une partie de l'opinion devant le double échec du Front populaire et du parlementarisme traditionnel, et devant la crise internationale. Elle constitue une des rares formations de masse, à droite de l'éventail politique, et signifie la mise en cause d'un des traits majeurs de la vie politique sous la troisième République, l'absence de grands partis. Enfin, par son succès même, le PSF a entravé les chances d'un fascisme en France. Un nombre appréciable de Français, à la veille de la guerre, souhaitaient un redressement national et un renforcement de l'autorité de l'État. Cela, à sa façon, Daladier l'avait senti. Ces Français n'aspiraient en rien à un régime à la Hitler, ou à la Mussolini. Salazar trouvait en revanche un certain intérêt, mais l'expérience portugaise était trop spécifique et cléricale pour prendre une valeur exemplaire au-delà d'un monde restreint marqué par le traditionalisme et le catholicisme social.

4. *Mutations du système politique*

Cependant que les problèmes politiques avaient changé, que la configuration des forces politiques se modifiait, le régime politique, faute de réforme de l'État, restait le même. Pourtant, de 1919 à 1939, des traits nouveaux apparurent. Les institutions ne connurent pas de modifications, si on excepte la création par décret de 1925 du Conseil économique, organe consultatif associant représentants des syndicats ouvriers et patronaux. La loi du 19 mars 1936, seul aboutissement des travaux des commissions de réforme de l'État, donna un véritable statut au Conseil national économique[1]. Les assemblées sont désormais en droit de le consulter pour avis. En fait, elles ne firent pas usage de cette possibilité et le Conseil demeura un simple organe d'études.

En revanche, le fonctionnement du régime se dérègle. Deux signes convergents montrent le dessaisissement du parlement : le rôle croissant des commissions et le recours aux décrets-lois. C'est

1. Dans un essai pénétrant, *Les Tendances du pouvoir et de la liberté en France au XXe siècle,* Sirey, 1937, un bon connaisseur du mouvement social, Maxime Leroy, estimait que « l'entrée de la profession dans notre droit public écrit est l'événement capital de l'histoire de l'État au XXe siècle ».

pendant la guerre que s'était affirmé le rôle des commissions. Il demeura par la suite. Face à l'instabilité des ministres, des commissions comme la commission des Affaires étrangères ou celle des Finances jouèrent un rôle considérable, guère étudié, qui irritait un Poincaré : « La commission est un ministère au petit pied et aux grandes prétentions [1]. » Certains présidents de commissions, comme Malvy, président de la commission des Finances de la Chambre de 1924 à 1936, Caillaux, à la commission des Finances du Sénat, disposèrent d'une autorité exceptionnelle. Le travail parlementaire est de plus en plus le fait des grandes commissions, évolution contraire à la tradition parlementaire du XIXe siècle.

Le recours aux décrets-lois, pour tourner la lenteur et l'impuissance du Parlement, est de plus en plus fréquent. Surtout, le domaine de la compétence des décrets-lois s'étend. C'est Poincaré qui, au printemps 1924 et en juillet 1926, use le premier de cette procédure. L'article 1 de la loi du 22 mars 1924 autorise le gouvernement à prendre des décrets à des fins d'économie : « Lorsque les mesures ainsi prises auront nécessité des modifications aux lois en vigueur, les décrets seront soumis à la sanction législative dans un délai de six mois. » Léon Duguit contestait le terme de décret-loi, mais convenait que le droit évoluait vers « la reconnaissance de la légalité constitutionnelle (...) d'une délégation législative [2] ». Après Poincaré, Doumergue, en 1934, Laval en juillet 1935, Chautemps en juillet 1937, Daladier en mai et octobre 1938, avril et septembre 1939, recoururent à cette procédure devenue habituelle. De l'économie et des finances, les décrets-lois s'étendent maintenant aux mesures touchant à la défense. Entre le 1er mars 1934 et le 1er juillet 1940, la France est 31 mois et demi sur 76 sous le régime des décrets-lois, entre le 1er juillet 1937 et le 1er juillet 1940, 22 mois et demi sur 36 [3]. La loi du 10 juillet 1940, confiant au maréchal Pétain tous pouvoirs pour arrêter une nouvelle constitution, s'inscrit au terme de ce processus qui est une réplique à la carence du Parlement, mais aussi la conséquence du rôle accru de l'État et de la nécessité

1. Cf. Joseph-Barthélemy, *Essai sur le travail parlementaire et le système des commissions,* Delagrave, 1931, p. 335.
2. *Op. cit.,* p. 760.
3. Selon une observation de Marcel Waline.

« d'étendre le pouvoir réglementaire du gouvernement » (L. Duguit).

Un dernier signe de la prise de conscience du nécessaire renforcement de l'exécutif et du pouvoir administratif est l'organisation, à partir de 1934, de services de la présidence du Conseil. Leur coordination est souvent confiée à un ministre [1], cependant que la fonction de président du Conseil n'est plus nécessairement accompagnée de la responsabilité d'un département ministériel. A cet égard, Blum et Doumergue font le choix d'une présidence du Conseil sans portefeuille, qui avait été déjà celui de Poincaré dans son dernier gouvernement. On observe aussi le gonflement du nombre des ministres et des sous-secrétaires d'État. Il ne tient pas seulement à des préoccupations de dosage et au souci de rallier tel groupe, mais à la reconnaissance de nouveaux domaines d'intervention de l'État. Ministère de la Défense nationale, de l'Économie nationale, de l'Éducation nationale, de la Santé publique, de la Propagande, sous-secrétariat aux Loisirs, à la Recherche scientifique, aux Étrangers, la liste serait longue des dénominations nouvelles, indice de responsabilités accrues de l'État ou de la prise de conscience de nouveaux problèmes. Un autre trait, pas toujours mentionné comme il le mérite, est le recours à des ministres techniciens dans les ministères Millerand en 1920 ou Doumergue en 1934.

Après le départ de Millerand en juin 1924 et à cause de l'échec de sa tentative de rendre une autorité accrue au président de la République, le rôle du président de la République se fit discret, dans l'esprit du régime. On n'a pas d'autre part le sentiment que les présidents de la République eurent sur la politique extérieure le regard attentif de leurs prédécesseurs d'avant 1914, ni qu'ils exercèrent une magistrature morale à l'instar de ceux-ci. L'image, excessive auparavant, du président de la République qui inaugure les chrysanthèmes vaut bien pour les années 1924-1940.

En revanche, une des institutions issues des lois de 1875 tient un rôle croissant : le Sénat. Renversant Herriot en 1925, Tardieu en 1930, Laval en 1932, Blum en 1937 et 1938, il cherche à imposer des gouvernements au centre, et à faire triompher un idéal de

1. En 1935, Pierre Laval fait de Léon Noël, un haut fonctionnaire, le secrétaire général du gouvernement.

concentration. On a souvent dénoncé son conservatisme social et son étroitesse de vues, sans voir qu'il alliait, selon le mot de François Goguel, un mélange d'intransigeance doctrinale et de sens de la transaction [1] qui le mena à accepter l'impôt sur le revenu, puis les réformes du Front populaire. Le Sénat sut, en 1925 comme en 1937, rendre possible les reclassements et les compromis, après l'échec financier du Cartel et du Front populaire, sans ouvrir la voie à la réaction. Il incarne, notamment avec son dernier président, Jules Jeanneney, l'ancien collaborateur de Clemenceau, la « tradition républicaine ». Comme le parti radical, il rend supportables les à-coups du système politique et surmonte les luttes idéologiques, rôle non mineur dans un pays dominé par la lutte de deux blocs. A cet égard, le groupe de la Gauche démocratique, radicale et radicale-socialiste joue un rôle fondamental. En son sein se côtoient radicaux-socialistes et amis de l'Alliance démocratique. Jusqu'en janvier 1927, les quelques élus socialistes en font partie, trop peu nombreux pour former un groupe. Après la formation d'un groupe SFIO, s'il n'atteint plus la moitié, le groupe de la Gauche démocratique représente encore 146 sénateurs [2]. C'est dire son poids persistant au cœur du système politique.

Rôle croissant du Sénat, poids des commissions, recours aux décrets-lois, instabilité accrue, hormis pendant le long gouvernement Daladier, tendance à un renforcement du gouvernement et de l'exécutif, tels sont donc les traits dominants de l'évolution du régime dans ses dernières années. Si on n'oublie pas, dans ce tableau, les reclassements de majorité en cours de législature, en février 1934 comme en avril 1938, on voit qu'au dessaisissement de la Chambre s'ajoute le dessaisissement des électeurs. Ceux-ci, moins de deux ans après les élections, ont affaire à un gouvernement qui n'est pas à l'image de la majorité qu'ils ont souhaité désigner. Dans ce double dessaisissement, des élus et des électeurs, résidait une faiblesse profonde pour le régime.

Au sein du personnel politique, enfin, se poursuit une lente

1. *Le Rôle financier du Sénat français. Essai d'histoire parlementaire*, *op. cit.*, p. 251.

2. Pour 14 socialistes, 22 sénateurs à la Gauche républicaine, 30 à l'Union démocratique et radicale, 84 à l'Union républicaine, 19 à la droite, 8 non inscrits (E. Bonnefous, *op. cit.*, t. IV, p. 201).

démocratisation. Les députés de la « bonne bourgeoisie » représentaient encore 35 % des membres de la Chambre de 1898 à 1919, ils sont 21 % de 1919 à 1939, quand les députés appartenant à la moyenne et petite bourgeoisie passent du tiers à plus de la moitié [1]. Signe de cette démocratisation, le pourcentage des députés qui ont fait des études supérieures recule : 70 % de 1871 à 1898, près des deux tiers de 1898 à 1919, 55 % de 1919 à 1940. Le poids des juristes, si considérable avant 1914, recule : un peu plus de 28 % de la Chambre de 1924 [2], 21 % de celle de 1936. Les professeurs et les instituteurs remplacent les notables traditionnels, ou les avocats. Cette évolution n'a-t-elle pas contribué à renforcer la charge idéologique des débats politiques, en même temps qu'elle accentuait la dissociation entre le pouvoir politique et le pouvoir économique [3] ?

1. M. Dogan, « Les filières de la carrière politique en France », *Revue française de sociologie,* 1967.
2. Y.-H. Gaudemet, *Les Juristes et la Vie politique de la IIIe République,* PUF, 1970.
3. Cf. les lucides remarques de P. Birnbaum, *Les Sommets de l'État,* Éd. du Seuil, 1977, p. 44-45.

15

La vie politique pendant la « drôle de guerre » et la fin du régime

(3 septembre 1939-10 juillet 1940)

S'il n'y a pas lieu de refaire ici l'histoire militaire et diplomatique des derniers mois de la troisième République [1], de l'entrée en guerre, le 3 septembre 1939, au 10 juillet 1940, il est en revanche indispensable d'évoquer les formes que prend la vie politique pendant la « drôle de guerre [2] », fût-ce pour esquisser une comparaison avec les années de la Première Guerre mondiale. Il n'est pas moins indispensable de décrire les derniers soubresauts du système politique, quand le vent de la défaite le conduit à s'abandonner lui-même.

1. *La « drôle de guerre »*

Le 2 septembre 1939, après l'entrée de l'Allemagne en Pologne, Daladier obtient de la Chambre, sans débat et à l'unanimité, à main levée, le vote d'un crédit de 70 milliards pour « faire face aux obligations résultant de la défense nationale ». Cette manière furtive évitait de rompre l'unanimité par un véritable débat. Le lendemain à 17 heures, la France entrait dans la guerre. Au

1. Qu'il suffise de renvoyer à la mise au point la plus sûre, celle de J.B. Azéma, *De Munich à la Libération,* Nouvelle histoire de la France contemporaine, t. 14, Points-Histoire, Éd. du Seuil, 1979.

2. Cf. le livre utile de G. Rossi-Landi, *La drôle de guerre. La vie politique en France, 25 septembre 1939-10 mai 1940,* FNSP, 1971.

Sénat, Pierre Laval, soucieux de prendre date, avait rappelé les accords signés avec l'Italie en février 1935, opposant sa politique à celle de ses successeurs. Le 13 septembre, Daladier remania son gouvernement. Il retirait les Affaires étrangères à Georges Bonnet, l'homme de l' « apaisement », pour cumuler la présidence du Conseil, la Défense nationale et les Affaires étrangères [1]. Cependant, satisfaction donnée aux radicaux, Bonnet restait dans le gouvernement à la Justice. Pour le reste, le gouvernement n'est guère remanié. Deux portefeuilles nouveaux apparaissent : un modéré, Georges Pernot, prend le portefeuille du Blocus, et un technicien, ancien directeur général des chemins de fer de l'État, Raoul Dautry, est nommé au ministère de l'Armement. Est créé enfin un poste de Haut Commissaire à l'Économie nationale attribué à l'économiste Daniel Serruys.

Dans ce gouvernement qui n'est ni un cabinet restreint, ni un gouvernement d'Union sacrée ou d'Union nationale, les socialistes sont absents. Léon Blum s'en explique dans *le Populaire* du 14 septembre : « Le parti n'a pas estimé que le ministère conçu par É. Daladier fût celui que la situation commande. » L'équipe gouvernementale est sans unité : à ceux qui vont bientôt apparaître comme les partisans d'une paix de compromis, et dont le chef de file est Anatole de Monzie [2], s'opposent les partisans de la fermeté : Paul Reynaud, Georges Mandel, A. Champetier de Ribes. Le président du Conseil, « velléitaire obligé de jouer le rôle de l'homme résolu », selon le mot peut être trop sévère de François Bédarida [3], n'est pas en mesure d'arbitrer les divisions au sein du gouvernement et de définir nettement une politique.

Pourtant, le gouvernement dispose de pouvoirs exceptionnels, situation sans commune mesure avec la première Guerre. Le 30 novembre 1939, sont renouvelés les pouvoirs spéciaux votés le 20 mars. L'article 36 de la loi du 11 juillet 1938 sur l'organisation de la nation en temps de guerre est modifié. Le gouvernement est « autorisé à prendre par décrets délibérés et approuvés en conseil

1. Il est entouré de deux sous-secrétaires d'État, à la Défense nationale et Guerre avec Hippolyte Ducos, et aux Affaires étrangères avec Auguste Champetier de Ribes, qui abandonne les Pensions.

2. Il exprime sans fard ses sentiments dans *Ci-devant,* Flammarion, 1941.

3. Dans *la Stratégie secrète de la drôle de guerre,* FNSP, 1979.

des ministres les mesures imposées par les exigences de la défense nationale ». La ratification ultérieure des Chambres est prévue. Le débat du 30 novembre 1939 a été difficile. Les socialistes et une partie de la droite rejettent le projet, adopté par 318 voix contre 175, dans un scrutin qui reflète un réel malaise politique [1].

La mise du parti communiste à l'écart de la nation est une autre composante du climat politique. Malgré le pacte germano-soviétique du 23 août 1939, qui avait suscité des remous en ses rangs, le parti communiste avait voté le 2 septembre les crédits de défense nationale. L'entrée de l'armée soviétique en Pologne le 17 septembre fit apparaître le PC comme l'allié des adversaires de la France en guerre. Le 26 septembre, le gouvernement décida la dissolution du parti communiste. Ses députés formèrent alors à la Chambre le Groupe ouvrier et paysan français fort de 51 membres. En effet, 21 députés, démissionnaires de leur parti après le pacte germano-soviétique, avaient constitué le groupe de l'Union populaire française. Après de nouvelles instructions de Moscou, transmises par Raymond Guyot, le secrétaire des Jeunesses communistes, le parti évolue vers le « défaitisme révolutionnaire » et dénonce la « guerre impérialiste ». Le 1er octobre, le président du groupe parlementaire adresse au président Herriot une lettre demandant une délibération sur « les propositions de paix dues aux initiatives de l'URSS [2], c'est-à-dire la déclaration commune Molotov-Ribbentrop du 28 septembre, qui partage la Pologne et souhaite une négociation en vue de la paix. Ces propositions sont reprises par Hitler au Reichstag le 6 octobre.

Le « tournant » du PCF le conduit, dans une déclaration de la première quinzaine d'octobre, à dénoncer « une guerre de capitalistes qui dresse l'un contre l'autre l'impérialisme anglais et l'impérialisme allemand, cependant qu'au peuple de France est réservée la mission d'exécuter les consignes des banquiers de Londres ». Des tracts invitent à fraterniser avec les ouvriers allemands contre l'ennemi commun, « le capitalisme international [3] ». Thorez, qui a

1. Cf. Rossi-Landi, *op. cit.*, p. 36-37.

2. La littérature sur ce sujet surabonde ; outre P. Robrieux, renvoyons à C. Courtois, *Le PCF dans la guerre*, Éd. Ramsay, 1980, et au classique ouvrage de A. Rossi.

3. Cité par A. Rossi, *Les Communistes français pendant la drôle de guerre*, 1951.

quitté la France le 4, dans *l'Humanité* clandestine du 20 octobre, ne dit mot de Hitler, et s'en prend à la guerre impérialiste. Fidèle à la stratégie de l'Internationale, le parti fait l'autocritique des « lourdes fautes [1] » de septembre 1939. Il prépare la voie à une paix de compromis, qui lui vaudrait le mérite de la lucidité.

L'attitude du PCF et l'invasion de la Finlande par l'URSS fortifient le climat d'anticommunisme. Le 20 janvier 1940 est votée, à l'unanimité, moins deux voix de parlementaires communistes, la loi portant déchéance des députés communistes. La SFIO refait son unité dans l'anticommunisme. Le Sénat, soucieux des traditions libérales, marqua plus de réticences. Du 20 mars au 3 avril, se tint le procès des députés communistes, cependant que de nombreux militants sont arrêtés, 3 400 en mars, selon le ministre de l'Intérieur Albert Sarraut. Cette campagne anticommuniste, outre qu'elle détourne l'opinion du véritable adversaire, fait apparaître une faille grave dans la détermination de l'opinion en face de la guerre. Les militants communistes, si troublés qu'ils aient pu être par le pacte germano-soviétique et le tournant d'octobre, restèrent souvent, dans la répression et à cause d'elle, fidèles au parti. Ainsi une formation politique est, en plein conflit, frappée par la répression et réduite à la clandestinité, voilà une réalité inédite et dont on ne trouve pas d'équivalent pendant la Première Guerre mondiale.

En revanche, le camp « pacifiste », qui recherche une paix de compromis, fait songer, dans un autre contexte, au précédent de la Première Guerre mondiale. Il comprend des hommes de gauche et des adversaires du Front populaire, socialistes comme Paul Faure ou L. Zoretti, radicaux comme Georges Bonnet, J. Mistler, H. Bérenger, le président de la commission des Affaires étrangères du Sénat, mais aussi modérés, comme P.E. Flandin. A l'arrière-plan, tenant de multiples fils, fort de ses amitiés dans divers groupes, Pierre Laval attend son heure. Certes, en temps de guerre, pas plus qu'un quart de siècle plus tôt, ces hommes ne s'expriment publiquement, mais ils constituent un réseau influent, prêt à apparaître en cas d'échec de la stratégie gouvernementale.

Or le gouvernement ne prend pas d'initiatives militaires, se fiant

1. *Cahiers du bolchevisme,* janvier 1940.

à la stratégie défensive de l'état-major. L'idée se fait jour de gagner la guerre sans livrer bataille par le blocus de l'Allemagne, et en mettant en difficulté ses alliés. Les délibérations du Conseil suprême interallié [1] révèlent les chimères poursuivies par l'état-major, telle l'opération sur Bakou, pour priver l'URSS de pétrole. L'opinion ignore certes ces constructions d'école, mais elle est désorientée par l'absence de volonté déterminée. Elle perçoit mal les buts de guerre, dès lors que la Pologne, pour la défense de qui la France et l'Angleterre sont entrés en guerre, est anéantie. La guerre de Finlande favorise un véritable transfert psychlogique, au point qu'à lire la presse on a le sentiment que la France mène bien plus la guerre à l'URSS qu'à l'Allemagne.

La signature, le 13 mars, de l'armistice entre la Russie et la Finlande, à qui la France n'a pas pu porter secours, est aux origines de la chute du cabinet Daladier. Les 14 et 15 au Sénat, réuni en comité secret, Paul-Boncour et Pierre Laval interpellent le gouvernement. Si le premier réclame plus de fermeté, le second reproche au gouvernement sa légèreté lors de la déclaration de la guerre. La confiance, votée par 236 voix et 60 abstentions (socialistes et droite), demande au gouvernement « de conduire la guerre avec une énergie croissante ». A la Chambre, également réunie le 19 en comité secret, Blum critique le manque d'énergie du gouvernement, mais Bergery, porte-parole du camp pacifiste, critique les conditions d'entrée en guerre. Daladier obtient 239 suffrages, mais 300 députés s'abstiennent, dont tous les socialistes, 10 radicaux, 29 membres de l'Alliance démocratique, 13 membres de la Fédération républicaine. Usé par près de deux ans de pouvoir, Daladier démissionna, victime de la double opposition de ceux qui lui reprochaient son manque d'énergie et de ceux qui aspiraient à une paix de compromis. Il semble du reste qu'ait été alors envisagé un Cabinet Herriot-Laval, mais l'appel à Paul Reynaud qui passe pour l'homme de la fermeté coupe court à l'opération [2].

Celui-ci, homme de droite, esprit lucide, peu aimé par nombre de ses amis politiques, apprécié par Léon Blum, trouve le concours des socialistes. Il perd ainsi l'appui de la majorité de la

1. Cf. F. Bédarida, *op. cit.*
2. Rossi-Landi, *op. cit.*

droite. Les radicaux imposent le maintien de Daladier à la Défense nationale. Georges Bonnet quitte le gouvernement. Celui-ci est nombreux — 35 ministres — et n'est pas un véritable gouvernement d'Union nationale. Nommé sous-secrétaire d'État à la Marine, le catholique conservateur Jean Lecour-Grandmaison démissionne dès sa nomination. Un socialiste proche de Blum, Georges Monnet, a le portefeuille du Blocus. Deux autres ministres sont socialistes, Albert Sérol à la Justice et Albert Rivière aux Anciens Combattants. L.O. Frossard, de l'USR, est ministre de l'Information. Les amis de Paul Reynaud à l'Alliance démocratique, Joseph Laniel, Louis Jacquinot, sont sous-secrétaires d'État. Autre personnalité appelée comme eux à un destin politique sous la quatrième République, le député de la Moselle, Robert Schuman, est sous-secrétaire d'État aux Réfugiés. Le 22 mars, le gouvernement obtient 268 voix contre 156 et 111 abstentions. Seuls les socialistes appuient massivement le gouvernement. Il a 33 radicaux pour lui sur 116. La majorité des députés de l'Alliance démocratique et de la Fédération républicaine vote contre Paul Reynaud. La séance parut « affreuse » au colonel de Gaulle, auteur de la communication du gouvernement lue par le président du Conseil, dont il est un des collaborateurs [1].

Par la signature, le 28, d'un accord franco-britannique excluant un armistice séparé, Paul Reynaud veut marquer la détermination française. En fait, le président du Conseil, plus irrésolu qu'il n'y paraît, poursuit la stratégie « périphérique » de son prédécesseur. Son entourage est divisé [2]. L'entrée dans le gouvernement, le 30 mars, d'un proche de Reynaud, Paul Baudouin, directeur de la Banque d'Indochine, qui devient sous-secrétaire d'État à la présidence du Conseil, secrétaire du cabinet de guerre et du comité de guerre, renforce le camp des attentistes. Le gouvernement est sans unité : Daladier s'oppose à Reynaud. Leur conflit culmine après la malheureuse campagne de Norvège. Le 9 mai, alors que va s'engager l'offensive allemande sur le front ouest, Paul Reynaud est démissionnaire. Ainsi, au niveau du gouverne-

1. *Mémoires de guerre* t 1, p. 25 ; Daladier a mis son veto à la nomination de de Gaulle au comité de guerre.

2. Cf. Paul de Villelume, *Journal d'une défaite, août 1939-juin 1940,* préface de René Rémond, Fayard, 1976. Le colonel de Villelume collabore avec Reynaud à partir du 21 mars.

ment, du personnel politique, de l'opinion, dont la résolution, nette lors de l'entrée en guerre, paraît s'être depuis émoussée, la « drôle de guerre » laisse un bilan d'hésitation, de confusion, de division.

2. *La défaite et la fin du régime*

A partir du 10 mai, il n'est plus possible de parler d'une vie politique. Simplement assiste-t-on, en deux mois dramatiques, à l'écroulement d'un régime. Sous les coups de la défaite, Paul Reynaud remanie à trois reprises son gouvernement. Ces remaniements doivent être évoqués, ils sont autant de tentatives de redressement qui vont à l'encontre du but poursuivi. Devant l'offensive du 10 mai, Paul Reynaud demeure président du Conseil, il fait entrer dans le gouvernement comme ministre d'État Louis Marin et Ybarnegaray, le président du groupe PSF. Neuf sous-secrétaires d'État abandonnent le gouvernement. Cette tentative d'élargissement et de concentration est insuffisante face à l'événement. Le 18 mai, le maréchal Pétain, ambassadeur à Madrid depuis un an, devient vice-président du Conseil, Mandel prend l'Intérieur, Reynaud enlève la Défense nationale à Daladier, qui passe aux Affaires étrangères. Le lendemain Weygand, alors commandant en chef en Syrie, est nommé généralissime. Le vainqueur de Verdun, les collaborateurs de Foch et Clemenceau, voilà les réponses de Reynaud à une situation militaire catastrophique. Mais, dès le 28 mai, certains de ses collaborateurs jugent la guerre perdue.

Le président du Conseil escompte, par un troisième remaniement le 5 juin, faire triompher ses vues en faisant entrer des amis proches dans le gouvernement. Il reprend le Quai d'Orsay entouré de Paul Baudouin, sous-secrétaire d'État aux Affaires étrangères. Un de ses anciens collaborateurs, Yves Bouthillier, secrétaire général du ministère des Finances, devient ministre des Finances, Jean Prouvost le directeur de *Paris-Soir,* prend l'information [1].

1. Frossard remplace aux Travaux publics de Monzie éliminé du gouvernement pour son pacifisme. Sur les sentiments de celui-ci, on lira son journal d'août 1938 à octobre 1940, *Ci-devant,* Flammarion, 1941.

L'appel aux techniciens est symptomatique. Georges Pernot reçoit un ministère de la Famille française, dénomination révélatrice d'un nouvel état d'esprit. Le général de Gaulle devient sous-secrétaire d'État à la Défense nationale. Mais le remaniement va à l'encontre des objectifs de Reynaud. Dans son propre entourage s'affrontent, en des intrigues mesquines, partisans et adversaires de l'armistice, car tel est désormais le débat.

Dès le comité de guerre du 25 mai, l'éventualité de l'armistice était envisagée, elle l'est le 29 dans un rapport de Weygand à Reynaud. Le 7 juin, le front cède sur la Somme, le 11 le gouvernement quitte Paris. Il s'installe d'abord dans le Val-de-Loire, puis à Bordeaux. Le 12 juin, à Cangé, Weygand soutenu par Pétain se prononce pour l'armistice. Georges Mandel, Louis Marin prennent parti pour la résistance à outrance — réduit breton, poursuite de la lutte outre-mer — et appuient Reynaud, que soutient la majorité du conseil. Mais Baudouin, Bouthillier évoluent vers l'armistice. Le 13 au soir surtout, Pétain prend nettement position pour l'armistice. Deux jours plus tard, le gouvernement a gagné Bordeaux, que sa position géographique, comme en 1871 et en 1914, associe au drame national. Paul Reynaud suggère à Weygand un cessez-le-feu, purement militaire. Mais celui-ci refuse cette solution, celle même qui est intervenue aux Pays-Bas. Il tient à ce que par la demande de l'armistice, les politiques portent la responsabilité de la défaite.

Dans le climat de désarroi, de panique et de rumeurs qui a gagné Bordeaux, un premier conseil des ministres se tient le 15 juin à 16 heures. Reynaud y accepte une proposition de Chautemps qui consiste à informer l'Angleterre de la demande à l'Allemagne des conditions d'armistice. En fait ce compromis, digne d'un congrès radical, a dans les circonstances une conséquence : faire glisser vers l'hypothèse de l'armistice les hésitants. Le 16 au matin, un deuxième conseil des ministres révèle le progrès des partisans de la paix.

Le conseil se réunit à nouveau le soir à 17 heures. Il marque son hostilité au projet d'union franco-britannique qui vient d'être avancé par les britanniques. Le Conseil est informé de l'acceptation par Churchill de la proposition Chautemps à la condition que la flotte, atout capital, gagne l'Angleterre. Cependant, Paul Reynaud refuse d'appliquer la proposition Chautemps, et démissionne au sortir du conseil des ministres qui est suspendu à 19 h 30. Est-ce fausse sortie et espoir d'être rappelé, comme le dirent ensuite ses *Mémoires ?* N'est-ce pas plutôt l'effet de l'épuisement, du défaitisme de l'entourage, de l'opposition d'une partie des ministres, n'est-ce pas surtout la volonté de passer la main avant l'inévitable armistice ? Au-delà de l'attitude du président du Conseil, celle du président de la République doit être commentée. Lebrun s'est conformé à l'usage selon lequel on ne votait pas au conseil des ministres [1]. Il paraît acquis qu'il n'y avait pas à l'intérieur de celui-ci une majorité en faveur de l'armistice [2]. Mais le président de la République, qui n'est pas une forte personnalité et à qui la fonction présidentielle ne permet guère autre chose, arbitre dans le sens de la pression la plus forte et de la majorité qu'il croit discerner dans le conseil. Il appelle le maréchal Pétain à former le gouvernement.

Le nouveau président du Conseil constitue aussitôt le dernier gouvernement de la troisième République. A la demande du président de la République, il n'y fait pas entrer le socialiste Paul Faure, jugé trop défaitiste. Pierre Laval et Adrien Marquet, le maire de Bordeaux, qui ont joué un rôle important dans la coulisse en faveur de l'armistice, ne figurent pas d'emblée dans le gouvernement. Celui-ci offre en apparence un éventail politique ouvert. Il comprend deux socialistes, Rivière et Février. Ils ont l'aval de Blum, soucieux d'unanimité et qui garde confiance en Pétain [3]. Chautemps, ministre d'État, est vice-président du Conseil. Les ministres qui avaient été favorables à la fermeté quittent le gouvernement : modérés comme Mandel, Pernot ou Marin, radicaux comme Queuille ou Delbos. En fait, tous les partis ont éclaté. La place des techniciens est considérable : avec Baudouin aux Affaires étrangères, Bouthillier aux Finances, l'héritage de Reynaud demeure. Le premier président de la Cour

1. Mais en 1905, selon les souvenirs de Combarieu, un vote avait eu lieu pour ou contre la politique de Delcassé.

2. Selon E. Bonnefous, qui donne un excellent récit de toute cette histoire, 9 ministres étaient pour l'armistice, 14 hostiles ; *op. cit.*, t. VII, *La Course vers l'abîme : la fin de la IIIe République (1938-1940)*, PUF, 1967.

3. Lors de l'envoi de celui-ci en Espagne, il avait déploré la mission confiée « au plus illustre de nos chefs militaires ».

de cassation, C. Frémicourt, est à la Justice, et un professeur à la Sorbonne, Albert Rivaud, à l'Éducation nationale. La désignation comme sous-secrétaire d'État à la présidence du Conseil de Raphaël Alibert, maître des requêtes honoraire au Conseil d'État, qui a été lié au Redressement français et est proche de l'Action française, est l'indice d'un esprit nouveau [1].

Dès le 16 à minuit, le gouvernement demande l'armistice. Le 17 à la radio, Pétain annonce qu'il faut « cesser le combat ». Le 19, les Allemands acceptent de négocier. Les clauses de l'armistice sont discutées les 20, 21, 22. L'armistice est signé le 22 à 18 h 30. Il prend effet le 25. A peine l'armistice signé, le gouvernement est remanié de façon significative. Laval devient vice-président du Conseil et ministre d'État, Marquet ministre d'État. Le 27, celui-ci prend l'Intérieur, remplaçant Charles Pomaret [2]. Déjà un nouveau régime naît.

Avant même la naissance officielle de l'État français, avant le 10 juillet 1940, le discours officiel rompt avec la tradition républicaine, et emprunte le ton de la « révolution nationale ». Le 20 juin, s'adressant aux Français par la radio, Pétain dit les causes de la défaite : « Trop peu d'enfants, trop peu d'armes, trop peu d'alliés. » Mais, à ce bilan incontestable, il joint un diagnostic moral : « Depuis la victoire, l'esprit de jouissance l'a emporté sur l'esprit de sacrifice. On a revendiqué plus qu'on a servi. On a voulu épargner l'effort. » Le 25 juin, il annonce l'armistice, et ajoute : « un ordre nouveau commence ». En quelques formules, il fustige le passé et en appelle aux valeurs de la France rurale : « Je hais les mensonges qui vous ont fait tant de mal. La terre, elle, ne ment pas. Elle demeure votre recours. Elle est la Patrie même. Un champ qui tombe en friche, c'est une portion de la France qui meurt. » Il dénonce à nouveau les « relâchements » et l'« esprit de jouissance », et convie les Français à un « redressement intellectuel et moral ».

En quelques jours, tout a changé. Certes, depuis 1938, les gouvernements invitaient au redressement et à l'effort, mais la mise en cause du passé, la critique des revendications — les grèves

1. Le 17, il fait arrêter Mandel sous le chef de complot. L'ancien ministre de l'Intérieur sera libéré avec les excuses de Pétain.

2. Il passe au Travail, prenant la place du socialiste Février qui va aux Transmissions. Les ministres SFIO restent donc dans le gouvernement.

— et des mensonges des politiciens, l'appel à l'ordre moral, tout cela signifie que l'esprit de la République est abandonné au profit de la restauration des valeurs traditionnelles et de l'esprit de la Contre-Révolution. Comme en 1870 l'Empire, le vent de la défaite paraît avoir emporté la République. Comme en 1870 et 1871, le ton de l'expiation et de la pénitence s'installe. Comme soixante-dix ans plus tôt, la rapidité du changement de ton est prodigieuse, et donne à méditer sur les phénomènes d'opinion. En effet, ne nous y trompons pas, c'est la quasi-unanimité du pays, toutes opinions mêlées, qui consonne au discours du maréchal. Les élites politiques et administratives donnent le ton, si associées qu'elles aient été au régime qui s'effondre. Les radicaux et les socialistes ne sont pas les derniers à s'associer à ce discours [1]. Rares sont les isolés, les dissidents, les rebelles.

La fin du régime [2] ne découlait pas nécessairement de l'armistice, mais la défaite mettait en accusation la troisième République. Le personnel politique était prêt à s'en remettre à Pétain, sauveur et syndic de faillite, comme Monsieur Thiers en d'autres temps. Les manœuvres d'un petit groupe déterminé autour de Laval et d'Alibert furent décisives. Le 2 juillet, le maréchal Pétain consentit à ce qu'un projet de réforme de la constitution fût proposé au Parlement. Le lendemain, l'attaque par la flotte britannique de l'escadre française à Mers el-Kébir renforce le climat d'anglophobie né du sentiment de l'insuffisante aide anglaise pendant les combats et de l'idée, répandue par Laval et ses amis, que la France était entrée en guerre à la suite de l'Angleterre. Le 4, Laval présente au Conseil des ministres le projet de loi qui doit être soumis le 10 à l'Assemblée nationale, et coupe court à toute discussion.

Des oppositions se firent jour dans le personnel parlementaire. En prendre la mesure révèle cependant un consensus : donner les

1. Cf. le témoignage de Charles d'Aragon, *La résistance sans héroïsme,* Éd., du Seuil, 1977, et, sur la SFIO, M. Sadoun, *op. cit.*

2. E. Bonnefous, *op. cit.,* donne du 10 juillet un utile récit assorti de nombreux documents. La meilleure étude récente est celle de Jean-Noël Jeanneney en introduction à l'édition critique du *Journal* de Jules Jeanneney, le président du Sénat, et celle de J.-P. Azéma, *op. cit.* On lira aussi les réflexions d'A. Siegfried, *De la troisième à la quatrième République,* Grasset, 1956.

pleins pouvoirs à Pétain. Les critiques portent sur le principe ou la forme de la révision. Le 5, sont réunis par Jean Taurines 25 sénateurs anciens combattants, susceptibles donc d'être écoutés par le maréchal. Parmi eux, d'aussi fermes républicains que Paul-Boncour, Chaumié, hommes de gauche et de centre gauche. Ils se prononcent pour les pleins pouvoirs à Pétain, mais contre la révision. Dans une motion, ils « saluent avec émotion et fierté leur chef vénéré, le maréchal Pétain qui, en des heures tragiquement douloureuses, a fait don de sa personne au pays, lui apportent leur confiance pour, dans la légalité républicaine, regrouper les forces nationales, galvaniser les énergies et préparer le terrain moral qui refera une France digne de leurs sacrifices ». L'ordre du jour est remis à Pétain qui demande un texte plus élaboré.

Un contre-projet est mis au point le 7 par Paul-Boncour, approuvé par les sénateurs anciens combattants, malgré Laval. Le projet prévoit la suspension des lois constitutionnelles jusqu'à la paix, donne tous pouvoirs à Pétain pour agir par décret, et lui donne mission de « préparer, en collaboration avec les commissions compétentes, les constitutions nouvelles qui seront soumises à l'acceptation de la nation, dès que les circonstances permettront une libre consultation ». Somme toute le contre-projet admet, non la révision, mais la préparation de celle-ci, avec le concours des commissions parlementaires et la sanction du pays.

Pierre-Étienne Flandin, vieux parlementaire, imagine une autre formule : le président de la République démissionnerait, Pétain le remplacerait, ainsi l'économie de la révision serait faite et les formes du régime seraient sauvegardées. Mais l'hostilité d'Albert Lebrun coupe court à cette hypothèse. Dernière manifestation d'opposition : la motion due au député radical-socialiste de l'Hérault, Vincent Badie. Lui non plus ne conteste pas la nécessité de confier à Pétain des pouvoirs exceptionnels, mais il refuse la disparition de la République dans un texte qui marque le plus nettement une opposition. Laval va triompher de ces résistances. Au conseil des ministres le 8, il est contraint d'accepter la discussion. Seul le socialiste Rivière formule des objections, se référant au contre-projet Taurines que Laval dit retiré. Mais le projet de loi est adopté finalement à l'unanimité. Seul le Garde des Sceaux Frémicourt refuse sa signature.

Avant la révision de l'Assemblée nationale, Laval s'inquiète d'éventuels amendements. A une « réunion d'information » des députés le 8 dans l'après-midi, il s'en prend à la démocratie parlementaire qui « a perdu la partie », à laquelle doit être substitué « un régime nouveau, audacieux, autoritaire, social, national ». Il dénonce le « capitalisme » qui « dans ce qu'il a d'abject doit disparaître » et annonce la devise du nouveau régime : « C'est sous le signe du Travail, de la Famille et de la Patrie que nous devons aller vers l'ordre nouveau. » Hormis les dernières formules, l'intervention évoque moins le ton traditionnaliste, voire maurrassien, de l'entourage de Pétain qu'un idéal de démocratie « musclée », socialisante, un « fascisme de gauche » à la française. Il est remarquable que Laval soit acclamé par Marquet, Déat, Spinasse, Bergery, Georges Bonnet. En même temps, le vice-président du conseil, agitant habilement le péril de droite, fait craindre un coup de force militaire si la révision ne se faisait pas.

Le 9 juillet, se tiennent les séances préparatoires de la Chambre et du Sénat. Le principe de la révision est accepté à la quasi-unanimité. Trois députés disent leur opposition ainsi qu'un sénateur, Pierre de Chambrun. Léon Blum, devant l'attitude des parlementaires socialistes, laisse faire. Le 10 juillet se tient la réunion officieuse de l'Assemblée nationale. En réponse à une intervention de Taurines, Laval accepte une concession. La ratification de la constitution future sera confiée à la nation, non aux Assemblées issues de la nouvelle constitution.

L'après-midi s'ouvre un débat de procédure sur la définition de la majorité [1]. Faut-il la compter sur le nombre de membres de l'Assemblée (932 : soit 618 + 314) comme lors des révisions précédentes — 1879, 1884, 1926 —, sur le nombre de membres en exercice, ce qui exclut les députés communistes déchus, ou sur les suffrages exprimés ? Cette formule est retenue, la plus favorable à Laval. Le débat s'engage sur le rapport d'un parlementaire modéré, Boivin-Champeaux. Il remercie le gouvernement d'accepter la ratification de la constitution par la nation et de laisser subsister les Chambres, attention à laquelle les parlementaires sont sensibles. Le projet gouvernemental est mis aux voix en priorité. Ainsi, la discussion générale et les explications de vote

1. Sur tout ceci, cf. J.-N. Jeanneney, *op. cit.*

sont supprimées. La loi soumise au vote comporte un article unique : « L'assemblée nationale donne tous pouvoirs au gouvernement de la République, sous l'autorité et la signature du maréchal Pétain, à l'effet de promulguer, par un ou plusieurs actes, une nouvelle Constitution de l'État français. Cette Constitution devra garantir les droits du Travail, de la Famille et de la Patrie. Elle sera ratifiée par la nation et appliquée par les Assemblées qu'elle aura créées.

L'exposé des motifs du projet de loi annonçait ce que serait cet État français, qui n'était plus placé sous l'égide de la trilogie républicaine, et définissait déjà l'esprit de la « révolution nationale ». Souci de l'éducation nationale et de la formation de la jeunesse, dénonciation de la « perversion intellectuelle et morale de certaines », antériorité d'existence, par rapport à l'État, des groupes sociaux, « famille, profession, communes, régions », avènement d'un « ordre social nouveau » fondé sur l'« organisation professionnelle réalisée sous le contrôle de l'État », retour à une France agricole et paysanne au premier chef « intégrée au système continental de la production et des échanges [1] », telles sont les perspectives majeures d'un texte qui esquisse les grandes lignes de la « révolution nationale ».

Le projet de loi fut adopté par 569 voix contre 80 et 20 abstentions déclarées, dont celle des présidents Jeanneney et Herriot. Les 80 comptent 57 députés et 23 sénateurs. Sur les 57 députés, 45 avaient voté en mars pour Paul Reynaud. Les députés de gauche sont en majorité parmi les 80, mais la majorité des députés de gauche votent les pleins pouvoirs. Parmi les opposants, 29 socialistes, dont Auriol, Blum, Gouin, Moch, Moutet, Noguères, Philip. Les amis de Blum sont les plus nombreux, mais un « paul-fauriste » comme Noguères, si la majorité des paul-fauristes vote oui, rejoint le non. Les radicaux opposants sont 13, menés par Vincent Badie. Le gros du parti et ses principales illustrations adopte le projet. Viennent ensuite parmi les 80 des isolés, dont un USR, Ramadier, deux démocrates populaires ; Paul Simon, Trémintin, de jeunes républicains, Boulet, Delom-Sorbé, Serre, des modérés attachés à la République, Bonnevay, de Moustier. Parmi les 23 sénateurs, 7 socialistes, 14 membres

1. Seule allusion à l'Europe nouvelle dominée par l'Allemagne.

de la Gauche démocratique. Là encore, des personnalités se détachent : Paul-Boncour, A. Champetier de Ribes, P. de Chambrun.

Faut-il y revenir ? Parmi les 80 figurent des hommes qui étaient prêts à donner de très larges pouvoirs au maréchal Pétain, mais n'admettaient pas la révision. C'est dire qu'il y avait, comme André Siegfried l'a justement observé, une quasi-unanimité pour remettre le pouvoir à Pétain. La majorité des parlementaires, le 10 juillet, ne songeait pas à renverser le régime, ni ne se voulait complice du nazisme. Désemparés, ils s'en remettent au « sauveur de la France ». L'entourage de celui-ci, en revanche, veut mettre à profit la défaite pour fonder un nouveau régime contre-révolutionnaire, et Laval songe à un régime autoritaire, social, national, qui aurait sa place dans l'Europe hitlérienne.

Née de la défaite de Sedan, la République mourait, à soixante-dix années de là, d'une autre défaite, à Sedan encore. Il est aisé d'affirmer après coup que la fin du régime était inévitable. Sans la défaite pourtant, ni la résurgence des idées venues de la Contre-Révolution, ni les thèses autoritaires et fascisantes n'eussent trouvé le succès. Affirmation à laquelle on peut répondre que le mauvais fonctionnement du régime, l'absence de continuité, de cohérence et de décision sont responsables de la défaite. Surtout, le manque de ressort et de détermination, quand la fortune des armes fut défavorable, signifiait que le régime n'avait plus les soutiens qui firent sa force. Il n'y eut pas de deuxième bataille de la Marne. Ces analyses sont incontestables.

Encore ne faut-il pas noircir à l'excès le bilan. La troisième République n'a pas su relever les défis de la politique extérieure, mais le système politique, dans sa souplesse, a su surmonter la crise du 6 février et de l'échec du Front populaire. L'expérience Daladier traduit une tentative de redressement. La relative désaffection de l'opinion vis-à-vis du régime ne conduisait pas au fascisme. L'intégration au système parlementaire du parti social français montre que le régime conservait une certaine force d'attraction. Mais il n'était plus en mesure de polariser les énergies face à la crise exceptionnelle à laquelle il était confronté.

Conclusion

La troisième République a duré près de soixante-dix années. A sa naissance, les flammes d'un désastre et d'une guerre civile ; à sa fin, un nouveau désastre et, avec Vichy et la Collaboration, une nouvelle guerre intérieure, qui oppose les Français à d'autres Français. Mais entre les deux drames s'étale une longue plage de stabilité, de « repos ». Elle justifie Freycinet disant, en 1911, dans ses *Souvenirs,* que « trente ans de République ont déshabitué le peuple des insurrections ». Une telle constatation ne signifie pas qu'il n'y ait pas eu une agitation sociale considérable, et parfois durement réprimée, de la fusillade de Fourmies en 1891 aux événements de Draveil et Villeneuve-Saint-Georges. Mais ces mouvements ne s'en prennent pas, en leur fond, au régime. Celui-ci n'a pas eu à affronter les émeutes et les révolutions qui emportèrent les régimes du premier XIXe siècle. Il fallut attendre le 6 février 1934 pour que la rue compte à nouveau d'un poids décisif dans la vie politique, entraînant le changement d'un gouvernement.

Cette stabilité est un fait majeur. Elle montre que la République parlementaire, née d'un difficile compromis et fondée sur la légitimité démocratique du suffrage universel, était le régime politique qui, comme Thiers l'avait bien senti, divisait le moins les Français. Somme toute, les lois de 1875 et l'interprétation que leur donna Jules Grévy incorporaient l'apport des expériences successives du XIXe siècle, en scellant l'alliance, qui n'allait pas de soi, du parlementarisme et de la démocratie.

Là résidait sans doute l'une des contradictions du régime. République des députés et des sénateurs, la troisième République affirma d'une manière inégalée la souveraineté parlementaire, en un temps qui vit du même coup l'âge d'or de l'éloquence parlementaire. Mais elle était aussi une République démocratique, fondée sur la souveraineté populaire. L'absence d'un véritable gouvernement de cabinet qui soit l'expression d'une majorité cohérente, le jeu des groupes et des coalitions, les reclassements, tout cela revenait à la longue à dessaisir la souveraineté populaire au profit de la souveraineté parlementaire. Mais, si l'on y regarde bien, cette analyse vaut plus pour les années du XXe siècle que pour les premières décennies. C'est après 1905 qu'une République sans le peuple succède à la République des citoyens [1].

République des citoyens sans doute, mais non pas République de tous les citoyens. Longtemps, une partie de la droite refuse le régime, et est « réactionnaire ». A l'inverse, les républicains ne laissent pas entrer qui veut dans le régime. Jusqu'à la guerre de 1914 au moins, la République s'identifie à un ensemble d'idées et de valeurs, et au premier chef à la laïcité. Ce serait abandonner le « parti républicain » que d'accepter dans la majorité des adversaires de la laïcité. Dès lors, il était vain, et dangereux, d'envisager quelque alternance, ou simplement une majorité qui trouverait durablement un appoint à droite. Le « parti républicain » était donc condamné à gouverner en recourant à des replâtrages, sans se couper, sinon pour un temps bref, de l'extrême gauche, en tout cas de l'aile de celle-ci qui acceptait les contraintes du gouvernement. Les républicains, même modérés, qui regardaient vers leurs circonscriptions et songeaient au second tour ne voulaient pas avoir d'« ennemis à gauche ». Les clivages idéologiques l'emportaient sur les divisions sociales. Les choses changèrent en partie avec la naissance de la SFIO et surtout celle du parti communiste.

Les conservateurs ne participèrent pas au pouvoir, de l'avènement de la République des républicains au cabinet Briand de 1915. Ils ne figurent dans des majorités de gouvernement que lors de l'éphémère gouvernement Rouvier en 1887, sous Méline de 1896 à 1898, sous Briand en 1909-1910 et sous Barthou en 1913. Il en alla autrement à partir de la guerre. Au lendemain de celle-ci, la droite, dans des formules de Bloc national ou d'Union nationale, entra dans des majorités de gouvernement et même participa aux responsabilités du pouvoir. Une partie des républi-

1. On a reconnu les titres de deux essais suggestifs de Maurice Duverger.

cains de gouvernement, désireux de ne pas paraître trop à droite et de ne pas se couper des radicaux, préfèrent cependant une formule de concentration, chère aux radicaux de gestion, tandis que l'aile avancée des radicaux, attachée à l'esprit militant de la République, aspire toujours à un cartel avec les socialistes, nouvelle formule du Bloc.

On vient d'évoquer les noms de familles de pensée et d'opinion, et de partis politiques. A vrai dire, si les grandes tendances de l'opinion offrent de remarquables permanences et peuvent être aisément décrites, la réalité des partis politiques est plus difficile à saisir. Avant 1900, la France ne connaît pas de véritables partis, si ce n'est, et encore, dans le camp socialiste. Avec le début du siècle naissent des formations qui vont durer jusqu'à la fin du régime et au-delà, mais elles sont, même à gauche, modestes au regard des organisations de même type dans les pays voisins. Peu d'adhérents, guère de permanents, une structure chétive. Au centre et à droite même, l'absence d'identification entre partis et groupes parlementaires demeure, bien plus, l'émiettement des groupes parlementaires va croissant.

Mais les partis français doivent être mesurés à une autre aune que les partis des autres démocraties d'Occident. Ils sont d'abord une fédération de comités électoraux. Passé « le temps des notables » et celui des républicains de gouvernement, qui étaient aussi des notables, la France de la troisième République, à partir de la fin du siècle, est une « République des comités [1] », bien plus qu'une République des partis. Après la guerre, les choses pourtant changèrent ; le rôle des partis s'affirma. A cet égard, le congrès radical d'Angers qui décida la fin de la participation au gouvernement d'Union nationale de Poincaré marque un tournant, et l'entrée de la « politique des partis » dans le jeu politique. Les relations difficiles entre les militants de la SFIO, qui tiennent la CAP, et le groupe parlementaire illustrent la même évolution. Enfin, avec le parti communiste, naquit un parti de militants, révolutionnaire, lié à une organisation internationale, puissamment original.

1. Malgré sa pointe polémique, l'essai de Daniel Halévy, *La République des comités. Essai d'histoire contemporaine, 1895-1934,* Grasset, 1934, va au cœur du système.

A travers ces remarques, on pressent combien il importe de nuancer certaines des appréciations volontiers portées sur le système politique de la troisième République. Dans une vision caricaturale, on en ferait un régime coupé du peuple, aux mains de la bourgeoisie et des politiciens du « marais », voué à l'instabilité et à l'inefficacité. C'est oublier l'intensité de l'adhésion populaire, et la ferveur qui réunit autour de la République et de la patrie, alors inséparables, des hommes de classes et de groupes différents. Fils du maire du Havre au début du régime, André Siegfried a montré ce climat d'unanimité et cet enthousiasme militant [1]. L'instabilité, certes, fut une des plaies du régime, encore faut-il prendre en compte la permanence du personnel ministériel et l'existence de plages de stabilité : au temps de Ferry, avec Méline, sous Waldeck, Combes, Clemenceau, Poincaré après la guerre. Enfin, l'œuvre des républicains de gouvernement, l'aptitude du régime à surmonter les crises et la guerre de 1914-1918 ne permettent guère de parler d'inefficacité.

L'évocation de la troisième République et de sa vie politique amène souvent, en fait, à amalgamer des périodes différentes. Jusqu'aux années qui précèdent la guerre, le système fonctionne sans à-coups majeurs. Après 1905, les questions sociales et les problèmes extérieurs prennent un poids croissant dans la vie politique. Face à ces défis, les vices du système apparaissent avec plus de netteté, et les aspirations à une réforme se font jour. La République traversa victorieusement l'épreuve de la guerre ; mais de celle-ci est né un mal nouveau : l'inflation et la dépréciation du franc.

Pourtant le régime parlementaire, on l'oublie parfois, connaît un véritable « été de la Saint-Martin » jusqu'à 1932. Ensuite la crise l'ébranla profondément. Perte d'une partie de ses soutiens dans les classes moyennes, manque de foi dans les vertus du libéralisme parlementaire et de la démocratie politique, exaspération de la lutte des blocs aggravée par les divisions nouvelles sur la politique extérieure, coupure entre les formations politiques et l'opinion, qu'elles n'encadrent que très partiellement et auxquelles elles tiennent un discours désuet, recours aux décrets-lois, inaptitude à décider : tel est le spectacle de la République

1. *Mes souvenirs de la troisième République. Mon père et son temps. Jules Siegfried (1836-1922)*, PUF, 1952.

finissante. La défaite allait porter le coup décisif à un régime miné de l'intérieur. Les valeurs qui avaient fait l'armature de la « synthèse républicaine » : la foi en l'école, en la République, en la démocratie, en la patrie, s'étaient affaissées. Tout cela, qui est bien connu et incontestable, ne vaut vraiment que pour la dernière décennie d'un régime dont la fin sans gloire a pu masquer les vertus.

Annexes

Les présidents de la République

Adolphe Thiers	*chef du pouvoir exécutif (17 février 1871), puis président de la République du 31 août 1871 au 24 mai 1873.*
Maréchal de Mac-Mahon	*du 24 mai 1873 au 30 janvier 1879.*
Jules Grévy	*du 30 janvier 1879 au 2 décembre 1887.*
Sadi-Carnot	*du 3 décembre 1887 au 25 juin 1894.*
Casimir-Perier	*du 27 juin 1894 au 15 janvier 1895.*
Félix Faure	*du 17 janvier 1895 au 16 février 1899.*
Émile Loubet	*du 18 février 1899 au 18 février 1906.*
Armand Fallières	*du 18 février 1906 au 18 février 1913.*
Raymond Poincaré	*du 18 février 1913 au 18 février 1920.*
Paul Deschanel	*du 18 février au 21 septembre 1920.*
Alexandre Millerand	*du 23 septembre 1920 au 11 juin 1924.*
Gaston Doumergue	*du 13 juin 1924 au 13 juin 1931.*
Paul Doumer	*du 13 juin 1931 au 7 mai 1932.*
Albert Lebrun	*du 10 mai 1932 au 11 juillet 1940.*

Les présidents de l'Assemblée nationale et de la Chambre des députés de 1871 à 1940[1]

Jules Grévy	*du 16 février 1871 au 2 avril 1873.* Démission.
Louis Buffet	*du 4 avril 1873 au 2 mars 1875.* Nommé ministre de l'Intérieur.
Duc d'Audiffret-Pasquier	*du 15 mars 1875 au 8 mars 1876.* Élu sénateur inamovible.
Jules Grévy	*du 13 mars 1876 au 30 janvier 1879.* Élu président de la République.
Léon Gambetta	*du 31 janvier 1879 au 27 octobre 1881.* Fin de la deuxième législature.
Henri Brisson	*du 3 novembre 1881 au 7 avril 1885.* Devient président du Conseil.
Charles Floquet	*du 8 avril 1885 au 3 avril 1888.* Devient président du Conseil.
Jules Méline	*du 4 avril 1888 au 11 novembre 1889.* Fin de la quatrième législature.
Charles Floquet	*du 16 novembre 1889 au 10 janvier 1893.* Ne se représente pas.
Casimir-Perier	*du 10 janvier 1893 au 3 décembre 1893.* Devient président du Conseil.
Charles Dupuy	*du 5 décembre 1893 au 30 mai 1894.* Devient président du Conseil.
Casimir-Perier	*du 2 juin 1894 au 27 juin 1894.* Élu président de la République.
Auguste Burdeau	*du 5 juillet 1894 au 12 décembre 1894.* Décédé.
Henri Brisson	*du 18 décembre 1894 au 31 mai 1898.* Fin de la sixième législature.
Paul Deschanel	*du 9 juin 1898 au 31 mai 1902.* Fin de la septième législature.

1. D'après J. Jolly, *Dictionnaire des parlementaires*, t. I.

Léon Bourgeois	*du 10 juin 1902 au 12 janvier 1904.* Ne se représente pas.
Henri Brisson	*du 12 janvier 1904 au 10 janvier 1905.* Battu par Paul Doumer.
Paul Doumer	*du 10 janvier 1905 au 31 mai 1906.* Fin de la huitième législature.
Henri Brisson	*du 8 juin 1906 au 14 mai 1912.* Décédé.
Paul Deschanel	*du 23 mai 1912 au 10 février 1920.* Élu président de la République.
Raoul Péret	*du 12 février 1920 au 31 mai 1924.* Fin de la douzième législature.
Paul Painlevé	*du 9 juin 1924 au 21 avril 1925.* Nommé président du Conseil.
Édouard Herriot	*du 22 avril 1925 au 20 juillet 1926.* Nommé président du Conseil.
Raoul Péret	*du 22 juillet 1926 au 10 janvier 1927.* Élu sénateur.
Fernand Bouisson	*du 11 janvier 1927 au 31 mai 1936.* Fin de la quinzième législature.
Édouard Herriot	*du 4 juin 1936 au 9 juillet 1940.*

Les présidents du Sénat de 1876 à 1940 [1]

Duc d'Audiffret-Pasquier	*du 13 mars 1876 au 15 janvier 1879.* Non réélu.
Louis Martel	*du 15 janvier 1879 au 20 mai 1880.* Démissionnaire.
Léon Say	*du 25 mai 1880 au 30 janvier 1882.* Nommé ministre.
E. Le Royer	*du 2 février 1882 au 21 février 1893.* Démissionnaire.

1. Repris de J. Jolly, *Dictionnaire des parlementaires*, t. I.

Jules Ferry	*du 24 février 1893 au 17 mars 1893.* Décédé.
Challemel-Lacour	*du 27 mars 1893 au 16 janvier 1896.* Ne s'est pas représenté.
Émile Loubet	*du 16 janvier 1896 au 21 février 1899.* Élu président de la République.
Armand Fallières	*du 3 mars 1899 au 13 février 1906.* Élu président de la République.
Antonin Dubost	*du 16 février 1906 au 14 janvier 1920.* Non réélu.
Léon Bourgeois	*du 14 janvier 1920 au 16 février 1923.* Démissionnaire.
Gaston Doumergue	*du 22 février 1923 au 17 juin 1924.* Élu président de la République.
De Selves	*du 19 juin 1924 au 9 janvier 1927.* Non réélu sénateur.
Paul Doumer	*du 14 janvier 1927 au 9 juin 1931.* Élu président de la République.
Albert Lebrun	*du 11 juin 1931 au 2 juin 1932.* Élu président de la République.
Jules Jeanneney	*du 3 juin 1932 au 10 juillet 1940.*

Les lois constitutionnelles de 1875

Loi du 25 février 1875 relative à l'organisation des pouvoirs publics [1]

Article premier. — Le pouvoir législatif s'exerce par deux Assemblées : la Chambre des députés et le Sénat. — La Chambre des députés est nommée par le suffrage universel, dans les conditions déterminées par la loi électorale. — La composition, le mode de nomination et les attributions du Sénat seront réglés par une loi spéciale.

Article 2. — Le président de la République est élu à la majorité absolue des suffrages par le Sénat et par la Chambre des députés réunis en Assemblée nationale. Il est nommé pour sept ans. Il est rééligible.

1. *Journal officiel* du 28 février 1875, p. 4521.

Article 3. — Le président de la République a l'initiative des lois, concurremment avec les membres des deux Chambres. Il promulgue les lois lorsqu'elles ont été votées par les deux Chambres ; il en surveille et en assure l'exécution. — Il a le droit de faire grâce ; les amnisties ne peuvent être accordées que par une loi. — Il dispose de la force armée. — Il nomme à tous les emplois civils et militaires. — Il préside aux solennités nationales ; les envoyés et les ambassadeurs des puissances étrangères sont accrédités auprès de lui. — Chacun des actes du président de la République doit être contresigné par un ministre.

Article 4. — Au fur et à mesure des vacances qui se produiront à partir de la promulgation de la présente loi, le président de la République nomme, en conseil des ministres, les conseillers d'État, en service ordinaire. — Les conseillers d'État ainsi nommés ne pourront être révoqués que par décret rendu en conseil des ministres. — Les conseillers d'État nommés en vertu de la loi du 24 mai 1872 ne pourront, jusqu'à l'expiration de leurs pouvoirs, être révoqués que dans la forme déterminée par cette loi. — Après la séparation de l'Assemblée nationale, la révocation ne pourra être prononcée que par une résolution du Sénat.

Article 5. — Le président de la République peut, sur l'avis conforme du Sénat, dissoudre la Chambre des députés avant l'expiration légale de son mandat. — En ce cas, les collèges électoraux sont convoqués pour de nouvelles élections dans le délai de trois mois.

Article 6. — Les ministres sont solidairement responsables devant les Chambres de la politique générale du gouvernement, et individuellement de leurs actes personnels. — Le président de la République n'est responsable que dans le cas de haute trahison.

Article 7. — En cas de vacance par décès ou pour toute autre cause, les deux Chambres réunies procèdent immédiatement à l'élection d'un nouveau président. — Dans l'intervalle, le conseil des ministres est investi du pouvoir exécutif.

Article 8. — Les Chambres auront le droit, par délibérations séparées prises dans chacune à la majorité absolue des voix, soit spontanément, soit sur la demande du président de la République, de déclarer qu'il y a lieu de réviser les lois constitutionnelles. — Après que chacune des deux Chambres aura pris cette résolution, elles se réuniront en Assemblée nationale pour procéder à la révision. — Les délibérations portant révision des lois constitutionnelles, en tout ou en partie, devront être prises à la majorité absolue des membres composant l'Assemblée nationale. — Toutefois, pendant la durée des pouvoirs conférés par la loi du 20 novembre 1873, à M. le maréchal de Mac-Mahon, cette révision ne peut avoir lieu que sur la proposition du président de la République.

Article 9. — Le siège du pouvoir exécutif et des deux Chambres est à Versailles.

Loi du 24 février 1875, relative à l'organisation du Sénat [1]

Article premier. — Le Sénat se compose de trois cents membres : — Deux cent vingt-cinq élus par les départements et les colonies, et soixante-quinze élus par l'Assemblée nationale.

Article 2. — Les départements de la Seine et du Nord éliront chacun cinq sénateurs ; — Les départements de la Seine-Inférieure, Pas-de-Calais, Gironde, Rhône, Finistère, Côtes-du-Nord, chacun quatre sénateurs ; — La Loire-Inférieure, Saône-et-Loire, Ille-et-Vilaine, Seine-et-Oise, Isère, Puy-de-Dôme, Somme, Bouches-du-Rhône, Aisne, Loire, Manche, Maine-et-Loire, Morbihan, Dordogne, Haute-Garonne, Charente-Inférieure, Calvados, Sarthe, Hérault, Basses-Pyrénées, Gard, Aveyron, Vendée, Orne, Oise, Vosges, Allier, chacun trois sénateurs. — Tous les autres départements, chacun deux sénateurs. — Le territoire de Belfort, les trois départements de l'Algérie, les quatre colonies de la Martinique, de la Guadeloupe, de la Réunion et des Indes françaises éliront chacun un sénateur.

Article 3. — Nul ne peut être sénateur s'il n'est Français, âgé de quarante ans au moins et s'il ne jouit de ses droits civils et politiques.

Article 4. — Les sénateurs des départements et des colonies sont élus à la majorité absolue, et, quand il y a lieu, au scrutin de liste, par un collège réuni au chef-lieu du département ou de la colonie, et composé : 1° des députés ; 2° des conseillers généraux ; 3° des conseillers d'arrondissement ; 4° des délégués élus, un par chaque conseil municipal, parmi les électeurs de la commune. — Dans l'Inde française, les membres du Conseil colonial ou des conseils locaux sont substitués aux conseillers généraux, aux conseillers d'arrondissement et aux délégués des conseils municipaux. — Ils votent au chef-lieu de chaque établissement.

Article 5. — Les sénateurs nommés par l'Assemblée sont élus au scrutin de liste, et à la majorité absolue des suffrages.

Article 6. — Les sénateurs des départements et des colonies sont élus pour neuf années et renouvelables par tiers, tous les trois ans. — Au début de la première session, les départements seront divisés en trois séries, contenant chacune un égal nombre de sénateurs. Il sera procédé, par la voie du tirage au sort, à la désignation des séries qui devront être renouvelées à l'expiration de la première et de la deuxième période triennale.

1. *Journal officiel* du 28 février 1875, p. 4522.

Article 7. — Les sénateurs élus par l'Assemblée sont inamovibles. — En cas de vacance par décès, démission ou autre cause, il sera, dans les deux mois, pourvu au remplacement par le Sénat lui-même.

Article 8. — Le Sénat a, concurremment avec la Chambre des députés, l'initiative et la confection des lois. — Toutefois, les lois de finances doivent être, en premier lieu, présentés à la Chambre des députés et votées par elle.

Article 9. — Le Sénat peut être constitué en Cour de justice pour juger soit le président de la République, soit les ministres, et pour connaître des attentats commis contre la sûreté de l'État.

Article 10. — Il sera procédé à l'élection du Sénat un mois avant l'époque fixée par l'Assemblée nationale pour sa séparation. — Le Sénat entrera en fonctions et se constituera le jour même où l'Assemblée nationale se séparera.

Article 11. — La présente loi ne pourra être promulguée qu'après le vote définitif de la loi sur les pouvoirs publics.

Loi constitutionnelle du 16 juillet 1875 sur les rapports des pouvoirs publics [1]

Article premier. — Le Sénat et la Chambre des députés se réunissent chaque année le second mardi de janvier, à moins d'une convocation antérieure faite par le président de la République. — Les deux Chambres doivent être réunies en session cinq mois au moins chaque année. La session de l'une commence et finit en même temps que celle de l'autre. — Le dimanche qui suivra la rentrée, des prières publiques seront adressées à Dieu dans les églises et dans les temples pour appeler son secours sur les travaux des Assemblées.

Article 2. — Le président de la République prononce la clôture de la session. Il a le droit de convoquer extraordinairement les Chambres. Il devra les convoquer si la demande en est faite, dans l'intervalle des sessions, par la majorité absolue des membres composant chaque Chambre. — Le président peut ajourner les chambres. Toutefois, l'ajournement ne peut excéder le terme d'un mois ni avoir lieu plus de deux fois dans la même session.

Article 3. — Un mois au moins avant le terme légal des pouvoirs du président de la République, les Chambres devront être réunies en Assemblée nationale pour procéder à l'élection du nouveau président. — A défaut de convocation, cette réunion aurait lieu de plein droit le quinzième jour avant l'expiration de ces pouvoirs. — En cas de décès ou

1. *Journal officiel* du 18 juillet 1875, p. 4589.

de démission du président de la République, les deux Chambres se réunissent immédiatement et de plein droit. — Dans le cas où, par application de l'article 5 de la loi du 25 février 1875, la Chambre des députés se trouverait dissoute au moment où la présidence de la République deviendrait vacante, les collèges électoraux seraient aussitôt convoqués, et le Sénat se réunirait de plein droit.

Article 4. — Toute assemblée de l'une des deux Chambres qui serait tenue hors du temps de la session commune est illicite et nulle de plein droit, sauf le cas prévu par l'article précédent et celui où le Sénat est réuni comme Cour de justice ; et, dans ce dernier cas, il ne peut exercer que des fonctions judiciaires.

Article 5. — Les séances du Sénat et celles de la Chambre des députés sont publiques. — Néanmoins, chaque Chambre peut se former en Comité secret, sur la demande d'un certain nombre de ses membres, fixé par le règlement. — Elle décide ensuite, à la majorité absolue, si la séance doit être reprise en public sur le même sujet.

Article 6. — Le président de la République communique avec les Chambres par des messages qui sont lus à la tribune par un ministre. — Les ministres ont leur entrée dans les deux Chambres et doivent être entendus quand ils le demandent. Ils peuvent se faire assister par des commissaires désignés, pour la discussion d'un projet de loi déterminé, par décret du président de la République.

Article 7. — Le président de la République promulgue les lois dans le mois qui suit la transmission au gouvernement de la loi définitivement adoptée. Il doit promulguer dans les trois jours les lois dont la promulgation, par un vote exprès de l'une et l'autre Chambre, aura été déclarée urgente. — Dans le délai fixé pour la promulgation, le président de la République peut, par un message motivé, demander aux deux Chambres une nouvelle délibération qui ne peut être refusée.

Article 8. — Le président de la République négocie et ratifie les traités. Il en donne connaissance aux Chambres aussitôt que l'intérêt et la sûreté de l'État le permettent. — Les traités de paix, de commerce, les traités qui engagent les finances de l'État, ceux qui sont relatifs à l'état des personnes et au droit de propriété des Français à l'étranger ne sont définitifs qu'après avoir été votés par les deux Chambres. Nulle cession, nul échange, nulle adjonction de territoire ne peut avoir lieu qu'en vertu d'une loi.

Article 9. — Le président de la République ne peut déclarer la guerre sans l'assentiment préalable des deux Chambres.

Article 10. — Chacune des Chambres est juge de l'éligibilité de ses membres et de la régularité de leur élection ; elle peut, seule, recevoir leur démission.

Article 11. — Le bureau de chacune des deux Chambres est élu chaque année pour la durée de la session, et pour toute session extraordinaire qui aurait lieu avant la session ordinaire de l'année suivante. — Lorsque les deux Chambres se réunissent en Assemblée nationale, leur bureau se compose du président, des vice-présidents et secrétaires du Sénat.

Article 12. — Le président de la République ne peut être mis en accusation que par la Chambre des députés, et ne peut être jugé que par le Sénat. — Les ministres peuvent être mis en accusation par la Chambre des députés pour crimes commis dans l'exercice de leurs fonctions. En ce cas, ils sont jugés par le Sénat. — Le Sénat peut être constitué en Cour de justice par un décret du président de la République, rendu en conseil des ministres, pour juger toute personne prévenue d'attentat contre la sûreté de l'État. — Si l'instruction est commencée par la justice ordinaire, le décret de convocation du Sénat peut être rendu jusqu'à l'arrêt de renvoi. — Une loi déterminera le mode de procéder pour l'accusation, l'instruction et le jugement.

Article 13. — Aucun membre de l'une ou de l'autre Chambre ne peut être poursuivi ou recherché à l'occasion des opinions ou votes émis par lui dans l'exercice de ses fonctions.

Article 14. — Aucun membre de l'une ou de l'autre Chambre ne peut, pendant la durée de la session, être poursuivi ou arrêté en matière criminelle ou correctionnelle qu'avec l'autorisation de la Chambre dont il fait partie, sauf le cas de flagrant délit. — La détention ou la poursuite d'un membre de l'une ou de l'autre Chambre est suspendue pendant la session, et pour toute sa durée, si la Chambre le requiert.

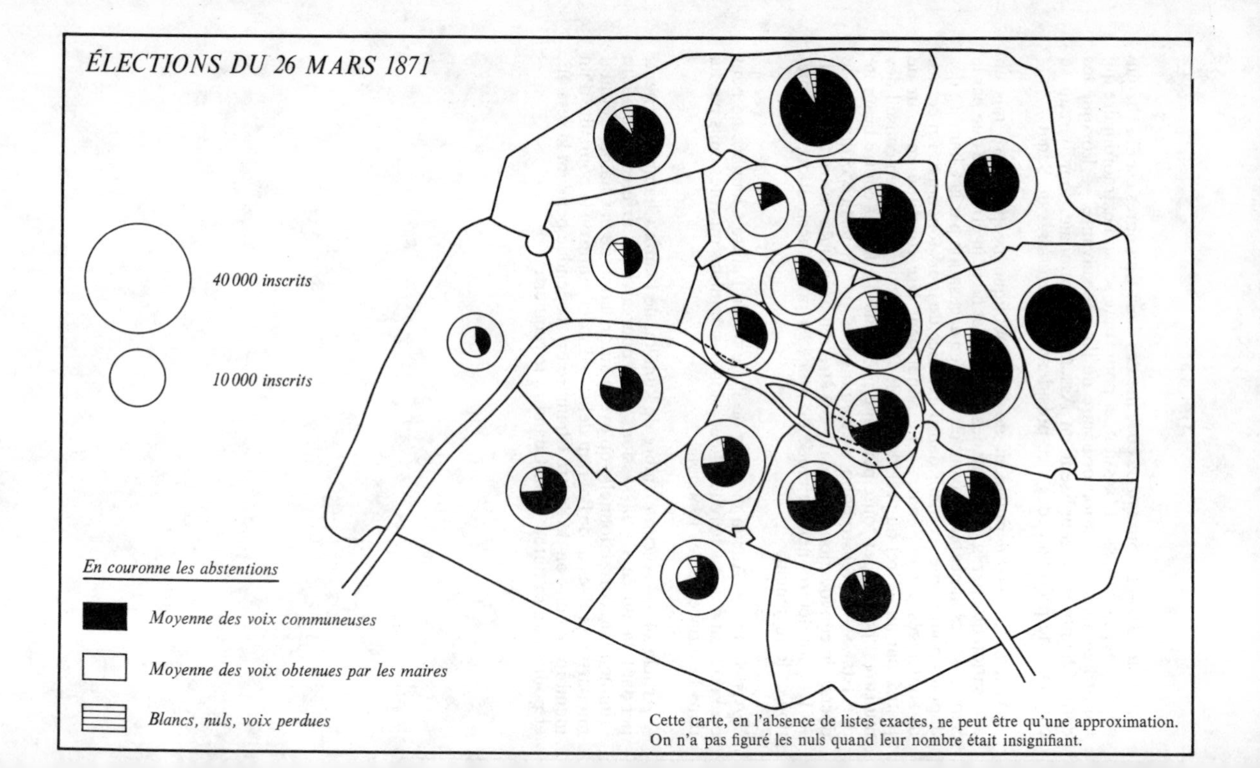
ÉLECTIONS DU 26 MARS 1871
40 000 inscrits
10 000 inscrits
En couronne les abstentions
Moyenne des voix communeuses
Moyenne des voix obtenues par les maires
Blancs, nuls, voix perdues
Cette carte, en l'absence de listes exactes, ne peut être qu'une approximation.
On n'a pas figuré les nuls quand leur nombre était insignifiant.

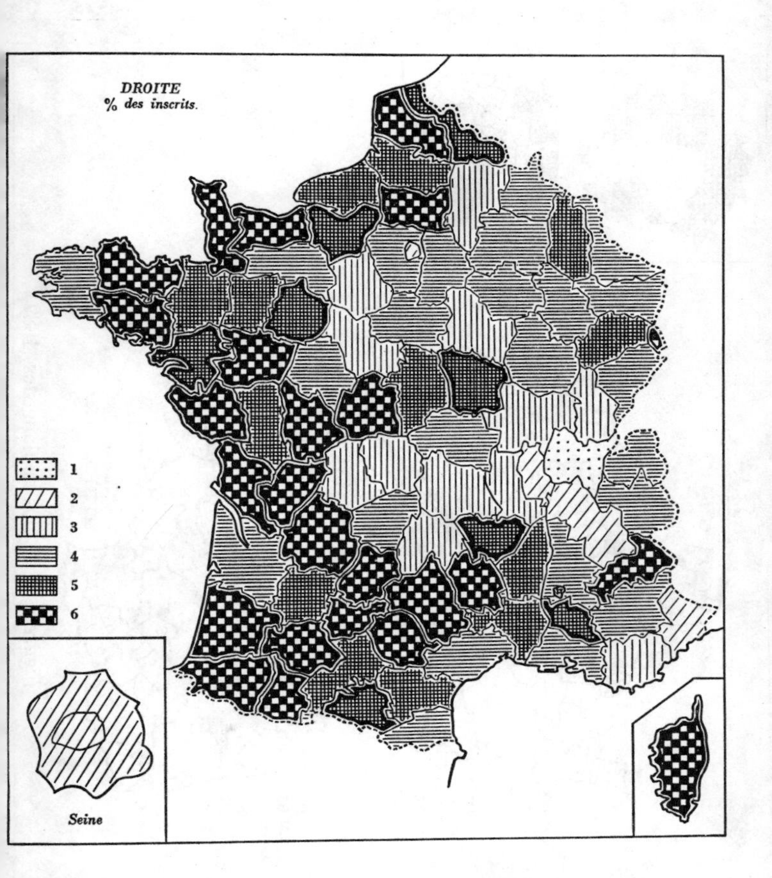

1. De 7,5 à 15 % des inscrits.
2. De 15 à 22,5 % —
3. De 22,5 à 30 % —
4. De 30 à 37,5 % des inscrits.
5. De 37,5 à 45 % —
6. De 45 à 52,5 % —

Les départements entourés d'un trait noir renforcé ont donné la majorité absolue des votants à la droite.

Figure 2 Élections du 14 octobre 1877
(repris de F. Goguel, *Géographie des élections françaises sous la IIIe et la IVe République*, Colin, 1970).

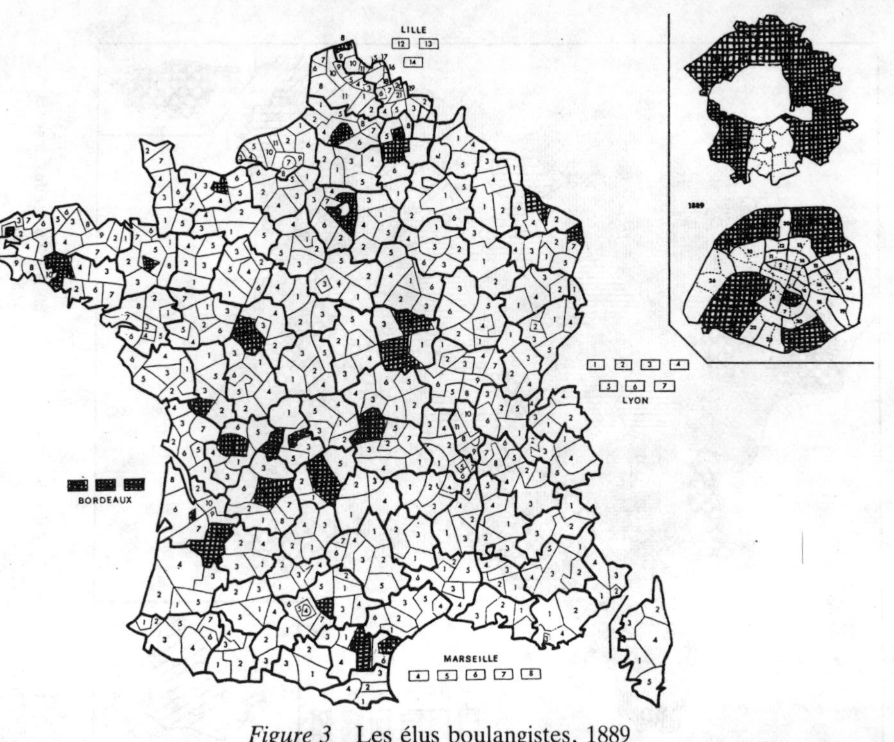

Figure 3 Les élus boulangistes, 1889

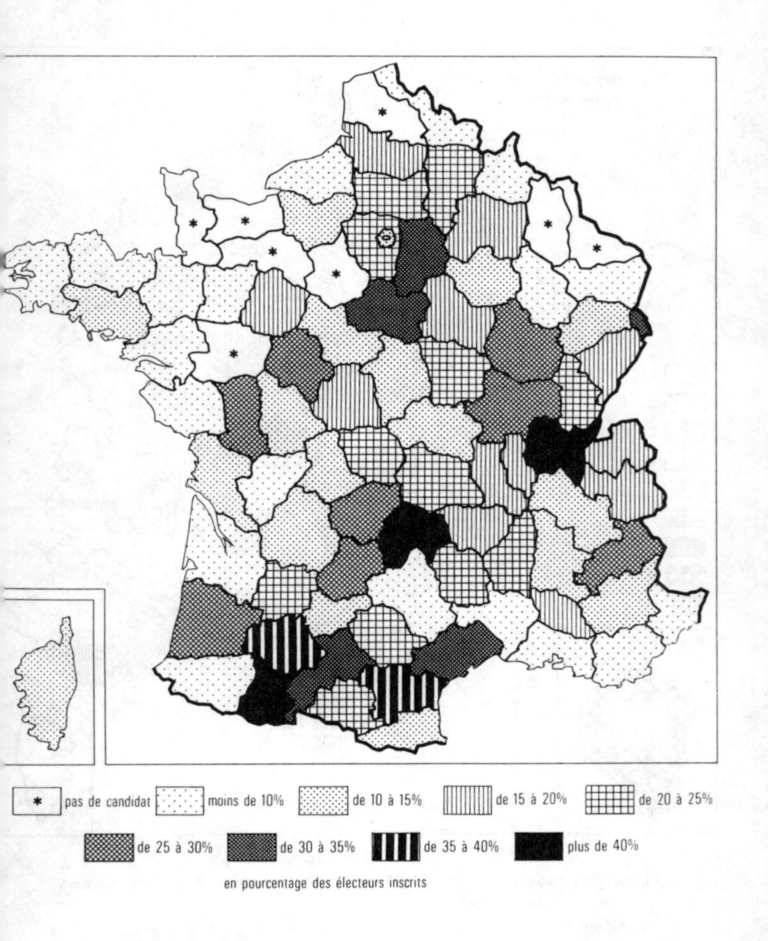

Figure 4 Les suffrages radicaux aux élections du 26 avril 1914 (repris de Serge Berstein, *Histoire du parti radical,* FNSP, 1980).

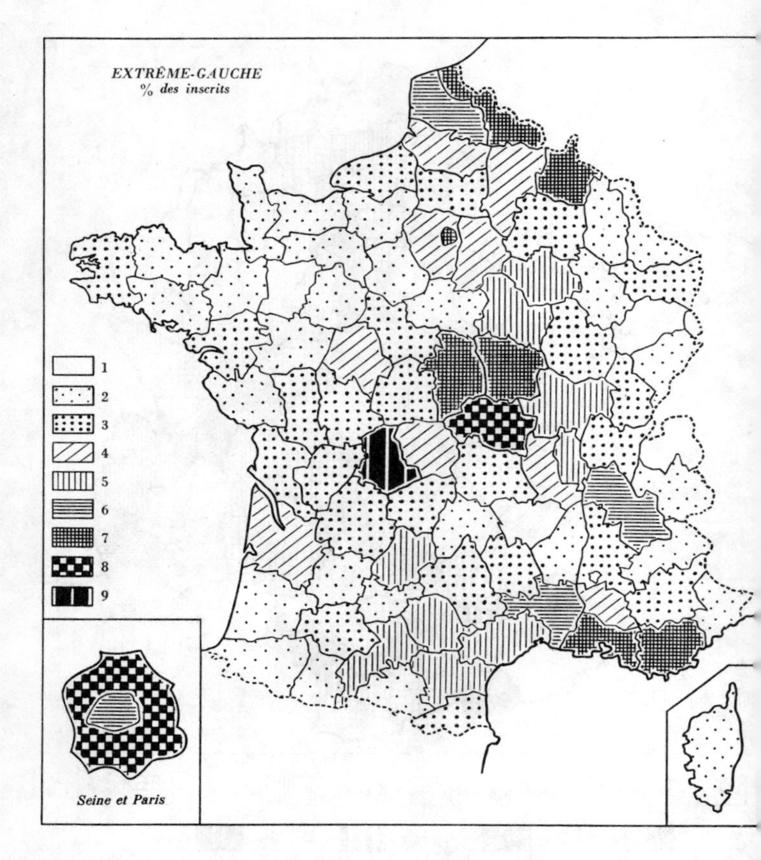

L'extrême-gauche comprend le Parti socialiste unifié et le Parti ouvrier.

1. Néant.
2. Moins de 5 % des inscrits.
3. De 5 à 10 % —
4. De 10 à 15 % —
5. De 15 à 20 % —
6. De 20 à 25 % des inscrits.
7. De 25 à 30 % —
8. De 30 à 35 % —
9. De 35 à 40 % —

Figure 5 Élections du 26 avril 1914
(repris de F. Goguel, *Géographie des élections françaises…, op. cit.*).

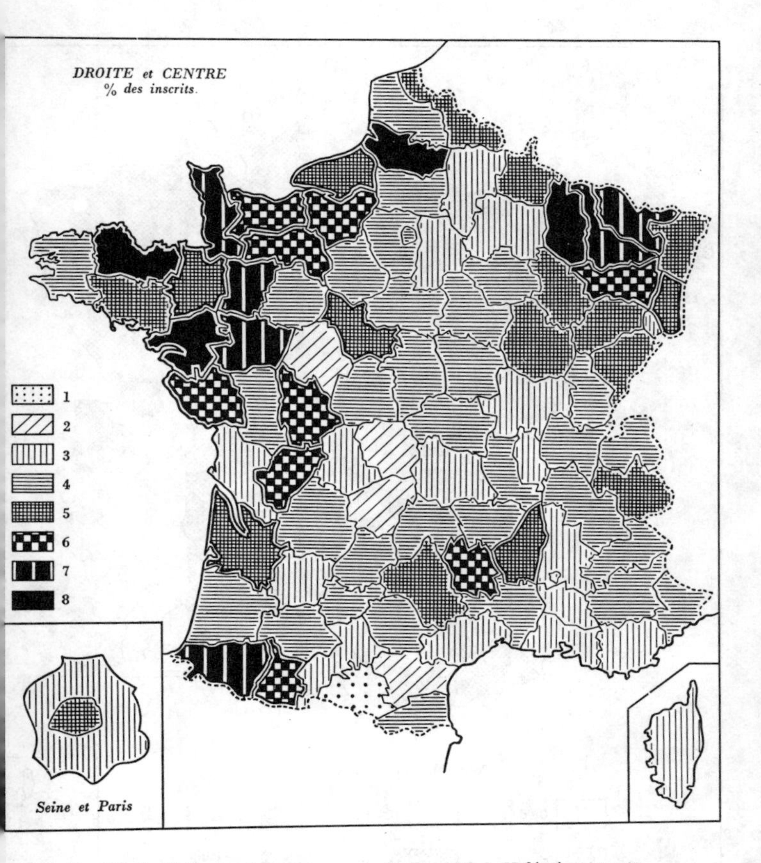

1. De 7,5 à 15 % des inscrits.
2. De 15 à 22,5 % —
3. De 22,5 à 30 % —
4. De 30 à 37,5 % —
5. De 37,5 à 45 % des inscrits.
6. De 45 à 52,5 % —
7. De 52,5 à 60 % —
8. Plus de 60 % —

Dans les départements entourés d'un trait noir renforcé, la moyenne des listes de droite et de centre dépasse la moitié du total des moyennes de toutes les listes.

Figure 6 Élections du 11 mai 1924
(repris de F. Goguel, *Géographie des élections françaises…, op. cit.*).

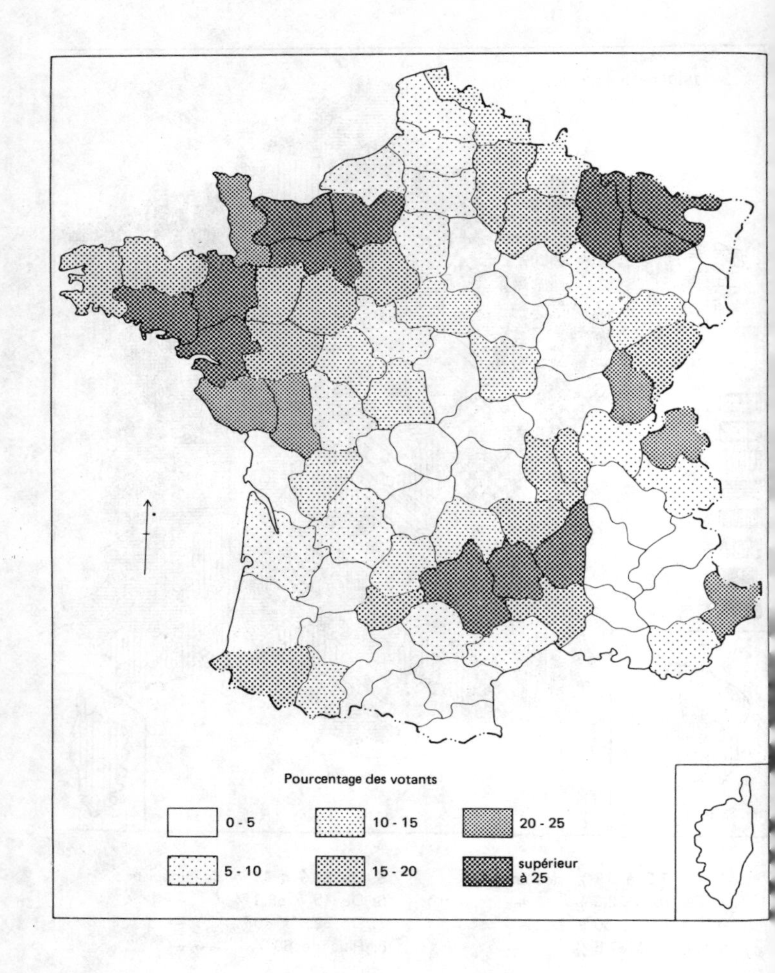

Figure 7 Le vote pour la Fédération républicaine en 1932 (repris de William D. Irvine, *The Republican Federation of France in the 1930's, op. cit.*, 1979).

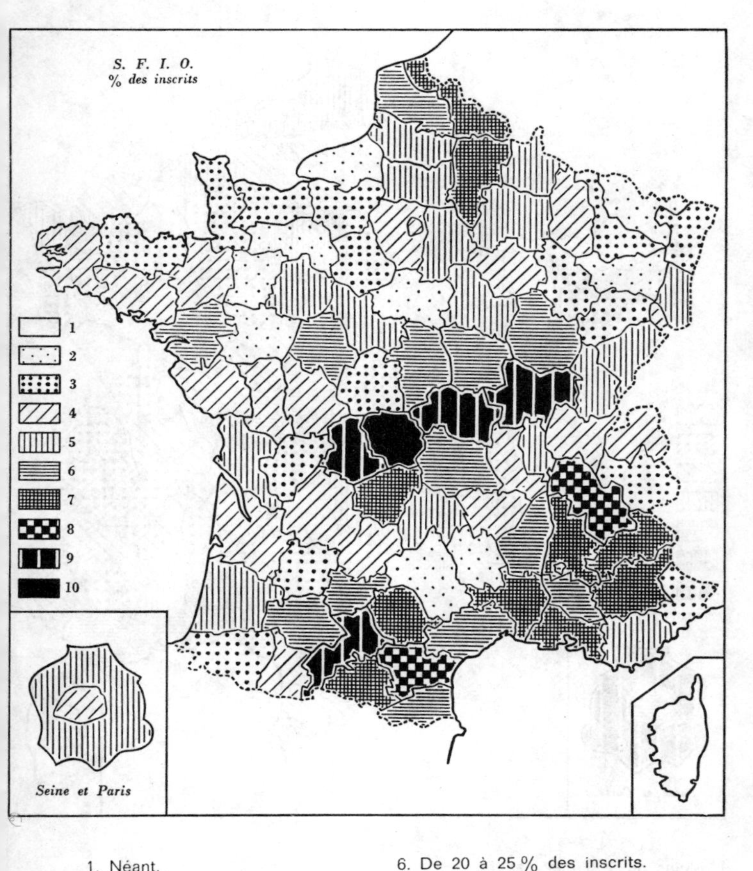

1. Néant.
2. Moins de 5 % des inscrits.
3. De 5 à 10 % —
4. De 10 à 15 % —
5. De 15 à 20 % —
6. De 20 à 25 % des inscrits.
7. De 25 à 30 % —
8. De 30 à 35 % —
9. De 35 à 40 % —
10. Plus de 40 % —

Figure 8 Les élections du 26 avril 1936
(repris de F. Goguel, *Géographie des élections françaises…*, *op. cit.*).

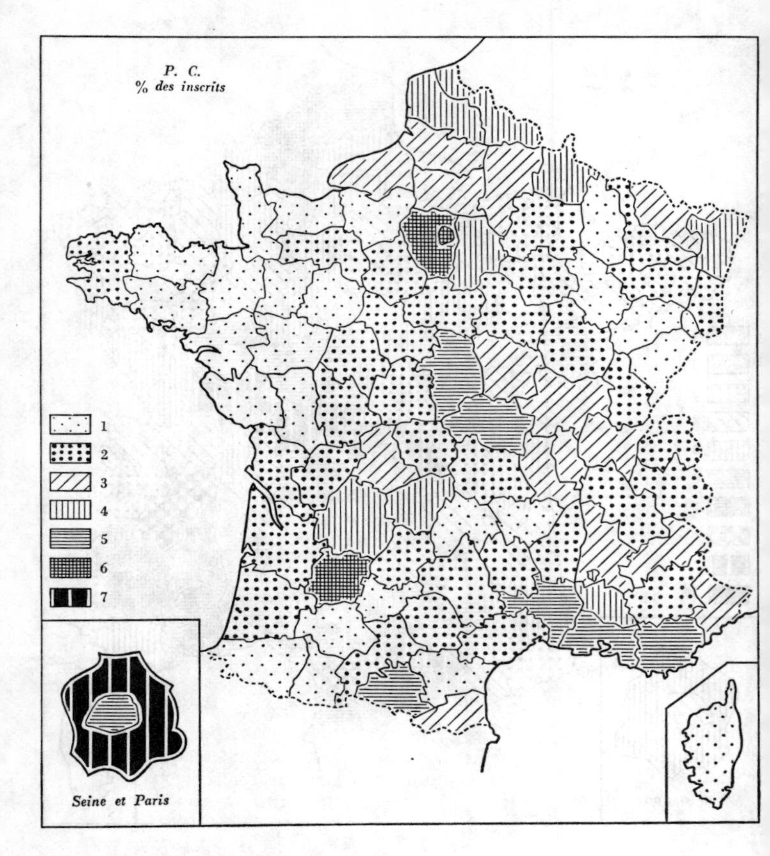

1. Moins de 5 % des inscrits.
2. De 5 à 10 % —
3. De 10 à 15 % —
4. De 15 à 20 % —
5. De 20 à 25 % —
6. De 25 à 30 % —
7. De 30 à 40 % —

Figure 9 Les élections du 26 avril 1936
(repris de F. Goguel, *Géographie des élections françaises...*, *op. cit.*).

Bibliographie

La bibliographie sur l'histoire de la troisième République est immense. Depuis une trentaine d'années, avec l'ouverture des archives, les recherches se sont multipliées, en France comme à l'étranger, sur cette période. Pourtant, les publications récentes ne rendent pas périmés certains classiques. C'est dire qu'une bibliographie qui se voudrait exhaustive est impossible, même en se limitant à la seule histoire politique. Il a fallu faire des choix, toujours difficiles.

Ont été donc exclus délibérément tous les ouvrages consacrés à l'histoire économique, sociale, culturelle, extérieure, même s'ils peuvent éclairer tel ou tel aspect de l'histoire de la vie politique. On a même laissé de côté, d'ordinaire, les études consacrées à une politique précise, qu'il s'agisse, entre autres, de la politique scolaire, des lois sociales, de la politique fiscale. Renvoyons sur ce point une fois pour toutes aux bibliographies des histoires générales. Les uniques livres retenus portent sur l'histoire de la vie politique. Les articles ont été, sauf exception, cités simplement en note. Dans cette sélection, on s'est enfin astreint à ne donner, dans la mesure du possible, que le dernier livre important sur le sujet : c'est ainsi par exemple que sur Joseph Caillaux, on a considéré que la biographie de Jean-Claude Allain rendait inutile toute autre référence. Les titres classiques ont en revanche été conservés quand ils paraissaient garder toute leur valeur.

1. *Instruments de travail et publications de sources*

Pour la chronique des événements, il faut se reporter à *l'Année politique*, publiée à partir de 1874 par André Daniel (pseudonyme d'André Lebon, puis de G. Bonnefous). Favorable aux opportunistes, elle reproduit de nombreux documents. Malheureusement, la publication a été interrompue après 1905. Il faut alors se reporter à Georges et Édouard Bonnefous, *Histoire politique de la troisième République*, 7 vol., PUF, 1956-1967. Elle donne un récit utile des événements politiques et des débats parlementaires, apporte moins de précisions de fait que *l'Année politique*, mais fait parfois appel à des sources privées.

On se référera aussi aux *Tables* du quotidien *le Temps*, en cours de

publication sous la direction de Pierre Albert. Le tome IX, publié en 1980, porte sur les années 1895-1897.
Sur le personnel parlementaire, renvoyons au *Dictionnaire des parlementaires français* d'A. Robert et G. Cougny, Bourloton, 1891, poursuivi pour les législatures à partir de 1889 par J. Jolly, PUF.

On ne saurait ici mentionner les publications de discours, correspondances, souvenirs. En revanche seront retenues certaines éditions critiques, avec le regret de constater le peu d'intérêt des historiens français pour ce genre.

Charles de Lacombe, *Journal politique*, Picard, 1907 et 1908, 2 vol., publié par A. Hélot (sur l'Assemblée nationale).
Gambetta, *Lettres*, publiées par D. Halévy et E. Pillias, Grasset, 1938.
Bernard Lavergne, *Les Deux Présidences de Jules Grévy, 1879-1887*, Fischbacher, 1966, notes et commentaires de J. Elleinstein (sur la République opportuniste).
Émile Combes, *Mon ministère, Mémoires (1902-1905)*, Plon, 1956, introduction et notes par Maurice Sorre.
Raymond Poincaré, *Au service de la France*, t. II ; *A la recherche de la paix*, Plon, 1974 (il s'agit en fait d'un Journal, annoté par J. Bariéty et P. Miquel, avec une préface de P. Renouvin, qui est très éclairant sur l'exercice de la présidence de la République).
Jules Jeanneney, *Journal politique*, septembre 1939 — juillet 1942, éd. critique par J.-N. Jeanneney, Colin, 1972 (l'étude la plus rigoureuse de juillet 1940).

2. *Essais*

La vie politique française a suscité d'innombrables essais, diagnostics d'observateurs, et propositions de réformateurs. On retiendra parmi bien d'autres :

Léon Blum, *La Réforme gouvernementale*, Grasset, 1936 (reprend, complétées, les Lettres sur la réforme gouvernementale, publiées dans la *Revue de Paris* en 1918).
Daniel Halévy, *Décadence de la liberté,* Grasset, 1931.
— *La République des comités : essai d'histoire contemporaine 1895-1934*, Grasset, 1934.
— *Visites aux paysans du Centre (1907-1934)*, Grasset, 1935.
Stanley Hoffmann, *Essais sur la France. Déclin ou renouveau*, Éd. du Seuil, 1974.
Robert de Jouvenel, *La République des camarades*, Grasset, 1913.
A. Siegfried, *Tableau des partis en France*, Grasset, 1930.
— *De la troisième à la quatrième République*, Grasset, 1956.
A. Tardieu, *L'Heure de la décision*, Flammarion, 1934.
— *La Révolution à refaire*, t. I, *Le souverain captif*, Flammarion, 1936 ;

t. II, *La profession parlementaire*, Flammarion, 1937 (malgré l'engagement polémique, réflexion aiguë sur les faiblesses du système politique).
R. Thabault, *1848-1914. L'Ascension d'un peuple. Mon village. Ses hommes. Ses routes. Son école*, Delagrave, 1945, réédité en 1982 par la Fondation nationale des sciences politiques (description de l'intérieur de la réalité de la vie politique dans une commune).
A. Thibaudet, *Les Idées politiques de la France*, Stock, 1932.
— *La République des professeurs*, Grasset, 1927.

3. *Ouvrages généraux*

R.D. Anderson, *France 1870-1914. Politics and Society*, Londres, Routledge & Kegan Paul, 1977 (mise au point sûre et judicieuse).
J.-P. Azéma et M. Winock, *Naissance et mort. La troisième République*, Calmann-Lévy, 1970, « Pluriel », rééd. : 1978.
J. Chastenet, *Histoire de la troisième République*, 7 vol. Hachette, 1952-1963.
F. Goguel, *La Politique des partis sous la troisième République*, Éd. du Seuil, 3e éd., 1958 (synthèse stimulante qui a été à l'origine de nombreux travaux).
G. Hanotaux, *Histoire de la France contemporaine (1871-1900)*, 4 vol., Combet, 1908 (essentiel pour le début du régime, parce que proche de celui-ci et fondé sur de nombreux témoignages oraux et archives privées ; s'arrête à la mort de Gambetta).
Ch. Seignobos, *Le Déclin de l'Empire et l'Établissement de la troisième République (1859-1875)*, Hachette, 1921.
— *L'Évolution de la troisième République (1875-1914)*, Hachette, 1921 (synthèse classique, qui démontre que les historiens de l'époque ne boudaient pas l'histoire immédiate ; une compréhension de l'intérieur sans égale de l'« esprit républicain »).
E. Weber, *La Fin des terroirs*, Fayard, 1983.
T. Zeldin, *Histoire des passions françaises*, 5 vol., Éd. du Seuil (beaucoup à glaner, malgré l'approche parfois déconcertante).

Renvoyons aussi à deux récentes synthèses d'Histoire de la France :

La Nouvelle Histoire de la France contemporaine aux Éditions du Seuil, dont les tombes, 9, 10, 11, 12, 13, dus respectivement à A. Plessis, J.-M. Mayeur, M. Rebérioux, P. Bernard, J. Dubief et J.-P. Azéma, conduisent le lecteur du Second Empire à juillet 1940.
L'Histoire de la France contemporaine depuis 1789 aux Éd. sociales, t. IV et V, 1980, par J. Elleinstein, D. Tartakowsky, G. Willard (lecture marxiste orthodoxe).

4. *Sur les cadres de la vie politique*

Joseph-Barthélemy et Paul Duez, *Traité de droit constitutionnel*, nouvelle éd. entièrement refondue, Dalloz, 1933 (grand manuel dû à un éminent professeur de droit public qui avait aussi l'expérience de la vie parlementaire) ; à confronter avec :

Léon Duguit, *Traité de droit constitutionnel*, T. IV, *L'organisation politique de la France*, 1925.

On aura aussi recours à :

J.-J. Chevallier, *Histoire des institutions et des régimes politiques de la France de 1789 à nos jours*, Dalloz, 6e éd., 1981.

A. Dansette, *Histoire des présidents de la République, de Louis-Napoléon Bonaparte à Georges Pompidou*, Plon, rééd., 1981.

J.-P. Machelon, *La République contre les libertés ? Les restrictions aux libertés publiques de 1879 à 1914,* Fondation nationale des sciences politiques, 1976.

R. Rémond, *La Vie politique en France depuis 1789*, t. II, *1848-1878*, 1969.

Sur des aspects particuliers :

J.-P. Marichy, *La Deuxième Chambre dans la vie politique française depuis 1875*, Librairie générale de droit et de jurisprudence, 1969.

J. Ollé-Laprune, *La Stabilité des ministres sous la IIIe République. 1879-1940*, 1962.

O. Rudelle, *La République absolue. Aux origines de l'instabilité constitutionnelle de la France républicaine. 1870-1880*, Publications de la Sorbonne, 1982.

A. Soulier, *L'instabilité ministérielle sous la troisième République. (1871-1938)*, Sirey, 1939 (malgré l'inconvénient d'une approche thématique, apporte de nombreuses indications).

Sur le personnel :

J. Estèbe, *Les Ministres de la République. 1871-1914*, Fondation nationale des sciences politiques, 1982.

P. Guiral et G. Thuillier, *La Vie quotidienne des députés en France de 1871 à 1914*, Hachette, 1980.

M. Sementéry, *Les Présidents de la République française et leur famille*, introduction de Joseph Valynseele, Éd., Christian, 1982 (étude généalogique fort précieuse).

Sur la presse :

P. Albert, in *Histoire générale de la presse française*, t. III, *De 1871 à 1940*, PUF, 1972.

J. Kayser, *La Presse de province sous la troisième République*, Fondation nationale des sciences politiques, 1958.
H. Lerner, *« La Dépêche », journal de la démocratie*, Publications de l'université de Toulouse, 2 vol., 1978.
F. Mayeur, *« L'aube », étude d'un journal d'opinion, 1932-1940*, Fondation nationale des sciences politiques, 1966.

Sur la société, on se bornera à renvoyer à :

J.-N. Jeanneney, *L'Argent caché. Milieux d'affaires et pouvoir politique dans la France du XXe siècle*, Éd. du Seuil, 1980.
M. Agulhon, constributions à *Histoire de la France rurale*, t. III, Éd. du Seuil, 1976.
Histoire de la France urbaine, t. IV, Éd. du Seuil, 1983.
P. Barral, *Les Agrariens français de Méline à Pisani*, Colin, 1968.

5. *Forces politiques*

Deux ouvrages anciens restent utiles à titre de référence :

L. Jacques, *Les Partis politiques sous la troisième République*, 1913.
J. Carrère et H. Bourgin, *Manuels des partis politiques en France*, 1924.

Sur le vocabulaire politique :

A. Prost, *Vocabulaire des proclamations électorales de 1881, 1885 et 1889,* PUF, 1974.

Sur les droites :

R. Rémond, *Les Droites en France*, nouvelle éd., Aubier, 1982 (ouvrage fondamental dont la très riche bibliographie peut dispenser de plus longues références). On mentionnera simplement :

Sur le nationalisme :

R. Girardet, *Le Nationalisme français, 1871-1914*, Colin, 1966, réed. Éd. du Seuil, 1983.

Sur l'Action française, qui a fait l'objet de nombreux travaux :

E. Weber, *L'Action française*, Stock, 1962.

Sur le bonapartisme :

J. Rothney, *Bonapartism after Sedan*, Cornell University Press, 1969.

Sur la droite antiparlementaire :

Z. Sternhell, *La Droite révolutionnaire, 1885-1914. Les origines françaises du fascisme*, Éd. du Seuil, 1978.

— *Ni droite ni gauche. L'idéologie fasciste en France*, Éd. du Seuil, 1983.
M. Winock, *Édouard Drumont et compagnie. Antisémitisme et fascisme en France*, Éd. du Seuil, 1982.
D. Irvine, *French Conservatism in Crisis : The Republican Federation of France in the 1930's*, Bâton Rouge, 1979.

Sur la démocratie chrétienne :

M. Prélot, « Les démocrates d'inspiration chrétienne entre les deux guerres », *la Vie intellectuelle*, 1950, p. 532-559.

Sur un parti régional :

C. Baechler, *Le Parti catholique alsacien*, Publications de l'université de Strasbourg, 1982.

Sur les républicains de gouvernement :

P. Barral, *Les Fondateurs de la troisième République*, Colin, 1968.
C. Nicolet, *L'Idée républicaine en France. Essai d'histoire critique*, Gallimard, 1982.
C. Auspitz, *The Radical Bourgeoisie. The Ligue de l'Enseignement and the Origins of the Third Republic, 1866-1885*, Cambridge University Press, 1982.
J. Kayser, *Les Grandes Batailles du radicalisme*, Marcel Rivière, 1961.
S. Berstein, *Histoire du parti radical*, Fondation nationale des sciences politiques, 2 vol., 1980 et 1982.

Sur le socialisme :

G. Lefranc, *Le Mouvement socialiste sous la troisième République*, nouvelle éd., Payot, 1977, 2 vol., I, de 1875 à 1919 ; II, de 1920 à 1940.
On citera simplement, pour marquer les orientations de la recherche :
T. Judt, *La Reconstruction du parti socialiste, 1921-1926*, Fondation nationale des sciences politiques, 1976.
J. Howorth, *Édouard Vaillant*, Syros, 1982.
D. Stafford, *From Anarchism to Reformism. A Study of the Political Activities of Paul Brousse within the First International and the French Socialist Movement, 1870-1890*, Londres, Weidenfeld & Nicolson, 1971.
C. Willard, *Le Mouvement socialiste en France, 1893-1905. Les guesdistes*, Éd. sociales, 1965.

Sur le communisme :

N. Racine et L. Bodin, *Le Parti communiste français pendant l'entre-deux-guerres*, Fondation nationale des sciences politiques, rééd.
A. Kriegel, *Aux origines du communisme français*, Flammarion, 1969.

P. Robrieux, *Histoire intérieure du parti communiste*, t. I, 1920-1945, Fayard, 1980.

6. *Biographies*

Longtemps boudée par les universitaires, qui l'identifiaient à l'histoire académique, l'histoire biographique connaît un réveil depuis quelques années. Les historiens anglo-saxons avaient su ne pas négliger ce genre, précieux pour l'histoire de la vie politique. On se borne à indiquer quelques travaux de première main :

J.P.T. Bury, *Gambetta and the Making of the Third Republic*, Londres, Longman, 1973.
— *Gambetta's Final Years. The Era of Difficulties, 1877-1882*, Londres, New-York, Longman, 1982.
J.-C. Allain, *Caillaux*, Imprimerie nationale, t. I, *Le défi victorieux, 1863-1914*, 1978 ; t. II, *L'oracle, 1914-1944*, 1981.
L. Derfler, *Alexandre Millerand. The Socialist Years*, La Haye, Mouton, 1977.
J.-N. Jeanneney, *François de Wendel en République ; l'argent et le pouvoir, 1914-1940*, Éd. du Seuil, 1976.
H. Goldberg, *Jean Jaurès*, Fayard, 1970.
P. Levillain, *Albert de Mun. Catholicisme français et catholicisme romain du* Syllabus *au ralliement*, École française de Rome, 1983.
J.-M. Mayeur, *L'Abbé Lemire. Un prêtre démocrate, 1853-1928*, Casterman, 1968.
P. Miquel, *Poincaré*, Fayard, 1961.
P. Sorlin, *Waldeck-Rousseau*, Colin, 1966.
D.R. Watson, *Georges Clemenceau, a Political Biography*, Londres, Methuen, 1974.
G. Ziebura, *Léon Blum et le Parti socialiste (1872-1934)*, Fondation nationale des sciences politiques, 1967.
J. Sherwood, *Georges Mandel and the Third Republic*, Stanford University Press, 1970.
P. Robrieux, *Maurice Thorez*, Fayard, 1977.
D. Ligou, *Frédéric Desmons et la franc-maçonnerie sous la troisième République*, Gedalge, 1966.
M. Soulié, *La Vie politique d'Édouard Herriot*, Colin, 1962.

7. *Études électorales et monographies régionales*

Renvoyons d'emblée au classique :

A. Siegfried, *Tableau politique de la France de l'Ouest sous la troisième République*, Colin, 1913, réédition anastatique, 1964.

— *Géographie électorale de l'Ardèche sous la troisième République*, Fondation nationale des sciences politiques, 1949.

F. Goguel, *Géographie des élections françaises sous la troisième et la quatrième République*, Fondation nationale des sciences politiques, 1970.

A. Lancelot, *Atlas des circonscriptions électorales en France depuis 1875*, Fondation nationale des sciences politiques, 1970.

Parmi les nombreuses études régionales :

P. Barral, *Le Département de l'Isère sous la IIIe République, 1870-1940*, Fondation nationale des sciences politiques, 1962.

P. Bois, *Paysans de l'Ouest*, Flammarion, 1971 (version abrégée de la thèse publiée en 1960).

G. Dupeux, *Aspects de l'histoire sociale et politique du Loir-et-Cher, 1848-1914*, Mouton, 1962.

— *Le Front populaire et les Élections de 1936*, Fondation nationale des sciences politiques, 1959.

J. Bousquet-Melou, *Louis Barthou et la circonscription d'Oloron*, Bordeaux.

A. Corbin, *Archaïsme et modernité en Limousin au XIXe siècle, 1845-1880*, 2 vol. Marcel Rivière, 1975.

A. Rivet, *La Vie politique dans le département de la Haute-Loire de 1815 à 1974*, Le Puy, 1979.

M. Denis, *Les Royalistes de la Mayenne et le Monde moderne, XIXe-XXe siècle*, Klincksieck, 1977.

R. Huard, *Le Mouvement républicain en Bas-Languedoc, 1848-1881*, Fondation nationale des sciences politiques, 1982.

J.-P. Brunet, *Saint-Denis, la ville rouge : socialisme et communisme en banlieue ouvrière, 1890-1939*, Hachette, 1980.

8. Sur les principaux épisodes

J. Rougerie, *Paris Libre, 1871*, Éd. du Seuil, 1971.

J. Gaillard, *Communes de province, Commune de Paris*, Flammarion, 1971.

L. Greenberg, *Sisters of Liberty*, Cambridge, Mass., 1971.

J. Gouault, *Comment la France est devenue républicaine. Les élections générales et partielles à l'Assemblée nationale, 1870-1975*, Fondation nationale des sciences politiques, 1954.

D. Halévy, *La Fin des notables*, Grasset, 1930.

— *La République des ducs*, Grasset, 1937 (réédité en livre de poche).

L. Capéran, *Histoire contemporaine de la laïcité française*, t. I et II, Marcel Rivière, 1957 et 1960, t. III, Nouvelles Éditions latines, 1961 (reste le meilleur guide dans l'histoire de la politique de laïcisation).

A. Dansette, *Le Boulangisme*, Fayard, 1946.

P. Levillain, *Boulanger fossoyeur de la monarchie*, Flammarion, 1982.

G. Lachapelle, *Le Ministère Méline*, Paris, 1928.
A. Sedgwick, *The Ralliement in French Politics*, Cambridge, Mass., 1965.
J.-D. Bredin, *L'Affaire,* Julliard, 1983.
M. Larkin, *Church and State after the Dreyfus Affair. The Separation, Issue in France*, 1974.
J.-J. Becker, *1914. Comment les Français sont entrés dans la guerre*, Fondation nationale des sciences politiques, 1977.
P. Renouvin, *Les Formes du gouvernement de guerre*, Paris, 1925.
P. Miquel, *L'Opinion française et le Traité de Versailles*, Flammarion.
J. Bariéty, *Les Relations franco-allemandes après la Première Guerre mondiale*, Pedone, 1977.
J.-N. Jeanneney, *Leçons d'histoire pour une gauche au pouvoir. La faillite du Cartel, 1924-1926*, Éd. du Seuil, 1977.

Sur le mouvement combattant :

A. Prost, *Les Anciens Combattants et la Société française, 1914-1939*, 3 vol., Fondation nationale des sciences politiques, 1977.

Sur le Front populaire :

L. Bodin et J. Touchard, *Front populaire 1936*, Colin, 1961.
G. Lefranc, *Histoire du Front populaire (1934-1938),* Payot, 1965.
R. Rémond et P. Renouvin (sous la direction de), *Léon Blum chef de gouvernement*, Fondation nationale des sciences politiques, rééd., 1982.

Sur l'expérience Daladier :

R. Rémond et J. Bourdin (éd.), *Édouard Daladier chef de gouvernement, avril 1938-septembre 1939*, Fondation nationale des sciences politiques, 1977.
— *La France et les Français en 1938-1939*, Fondation nationale des sciences politiques, 1978.

Sur les forces politiques :

G. Rossi-Landi, *La Drôle de guerre. La vie politique en France, 2 septembre 1939-10 mai 1940*, Fondation nationale des sciences politiques, 1971.

Index des noms

Index des thèmes principaux

Familles et formations politiques, groupes parlementaires
(n'ont été retenus que les plus importants)

Les institutions et leur fonctionnement

Table

IMP. HÉRISSEY A ÉVREUX
D.L. AVRIL 1984 — Nº 6777